Kvinder, familie og formue

Kvinder, familie og formue
Studier i dansk
og europæisk retshistorie

Inger Dübeck

Museum Tusculanums Forlag
Københavns Universitet 2003

Inger Dübeck: Kvinder, familie og formue

© 2003, Museum Tusculanums Forlag
Omslag, layout, sats og rentegning: Pernille Sys Hansen
Sat med Galliard
Trykt hos Narayana Press
ISBN 87 7289 761 9

Omslagsillustrationer:
På forsiden *Den hellige familie* af Lucas Cranach d.æ., Torgauer alter, 1509, 120 × 186 cm, Städelsches Kunstinstitut, Frankfurt am Main, foto: Blauel/Gnamm – Artothek.
På bagsiden sidealtertavle af nordtysk herkomst fra Vor Frue Kirke i Odense, ca. 1500, foto: Nationalmuseet.

Udgivet med støtte fra:
G.E.C. Gads Fond
Statens Humanistiske Forskningsråd
Velux Fonden

Museum Tusculanums Forlag
Njalsgade 92
DK-2300 København S
www.mtp.dk

Indholdsfortegnelse

Forord

Som professor i person-, familie- og arveret siden 1991 påhvilede det mig at undervise i formueforhold mellem ægtefæller, men selvsagt først og fremmest i den gældende moderne ret og praksis herom. En dyberegående retshistorisk analyse af de herhenhørende ægteskabsretlige problemer faldt uden for min undervisningspligt og måtte derfor henvises til fritiden.

Et frikøb fra undervisningen ved hjælp af „Aarhus Universitets Forskningsfond" sikrede mig et semesters ro til fordybelse, hvorved det lykkedes at skabe grundlag for projektets igangsættelse. Men først efter min pensionering i 1999 blev det muligt at færdiggøre arbejdet.

Medvirkende til valget af emnet er følgende forhold: Med sin disputats, „Fællig og Hovedlod" fra 1940, gjorde Stig Iuul det ægteskabelige formuefællesskab til genstand for en samlet undersøgelse, der dog var begrænset til tiden fra middelalderen og frem til Danske Lov af 1683. Selv om han beskrev ældre germanske og nordiske retskilder, hvilede hovedundersøgelsen næsten udelukkende på danske kilder.

Min disputats, „Købekoner og Konkurrence" fra 1978, behandlede på europæisk komparativt grundlag bl.a. spørgsmålet om gifte kvinders rådighed over ægtefællernes fællesformue og særeje. Den dækkede perioden fra middelalderen og frem til det 19. århundrede. Men dens hovedsigte var ikke de formueretlige relationer.

I 1980erne og 1990erne opstod både i og uden for Europa en stærkt voksende interesse for kvinde- og familiehistorisk forskning. Til brug for min fremstilling har jeg især søgt inspiration i engelske, franske og tyske arbejder og har herigennem søgt at bibringe mine analyser af danske forhold et væsentligt europæisk perspektiv, som savnes i Stig Iuuls ældre arbejde. Desuden har jeg ført min analyse frem til den moderne ægteskabslov fra 1925.

Jeg er mine århusianske kolleger på Juridisk Instituts Afdeling for Privatret megen tak skyldig for praktisk hjælp i forbindelse med arbejdsprocessen. Ligele-

des skylder jeg det retshistoriske forskningsmiljø omkring Det retsvidenskabe-
lige Institut A ved Københavns Universitet tak for inspirerende samvær og frugt-
bare udfordringer.

En særlig tak skylder jeg Velux Fonden, G.E.C. Gads Fond og Statens Hu-
manistiske Forskningsråd, som gavmildt har støttet udgivelsen.

Første del

Tiden indtil
Danske Lov 1683

· 1 ·
Indledning:
Ægteskabsretlige ideologier

Allerede Aristoteles gjorde sig tanker om familien eller husstanden i forhold til staten og retfærdigheden. Retfærdigheden vedrørte andres ve og vel i det fælles samfund. Han opfattede staten som en videreudvikling af familiesamfundet og landsbysamfundet. En række samfund eller sammenslutninger havde til formål at opnå visse økonomiske resultater. I husstanden opnåede manden et større resultat i kraft af sin fortrinsstilling, og derved opnåede begge ægtefæller, hvad der var passende, hvorved den *huslige* retfærdighed, som var noget andet end den *politiske*, skete fyldest. Retfærdighed i husstanden opnåedes, når parterne kunne enes om ligeligt at dele retten til at regere og retten til at blive regeret. Den var mere fuldt realiseret mellem mand og hustru end mellem far og børn eller mellem herre og slave[1]. I det antikke ægteskab havde hustruen ingen politisk og ringe juridisk magt, men formentlig nød hun stor anseelse som „Husets vogterske" eller „vogterske af formuen", og den som føder børnene[2].

Disse tanker om husstanden skulle senere få stor betydning for Luther og den protestantiske ægteskabsret. Men de havde utvivlsomt tidligt betydning for den katolske kirkes opfattelse af kvindens plads i forhold til manden som dennes underordnede. Med Renaissancens genopdagelse af Aristoteles kunne man finde filosofisk støtte hos ham. Kanonisk ægteskabsret byggede på den klassiske romerrets princip om, at et ægteskab gyldigt stiftedes ved parternes indbyrdes aftale i form af en fri overenskomst mellem mand og kvinde om, at kvinden skulle have stilling som hustru og ikke som konkubine[3]. Efter at kristendommen var

---

1 *Aristotle*, Ethics, 189, 276-277.
2 *Westrup*, Mand og Kvinde, 38 ff.
3 *Ernst Andersen*, Ægteskabsret, I, 19.

blevet den officielle tro, og kirken var blevet en slags „statskirke" i Romerriget i årene omkring 400 e.Kr., blev den endelige kanon lagt fast, d.v.s. hvilke evangelier og bøger Biblen skulle bestå af[4]. Man fravalgte en række skrifter, bl.a. Thomasevangeliet, og den „kvindelige side af mennesket", og reducerede dermed kvindernes betydning for Kristendommens videreudvikling.

Kirken tiltog sig jurisdiktion i alle ægteskabssager og opstillede efterhånden betingelser for ægteskabets indgåelse og opløsning, idet dog almindelig skilsmisse udelukkedes, og forsøgte ad denne vej og senere ved nedskrivning af den gamle sædvaneret at få indflydelse på ægteskabsreglernes udformning. Middelalderkirken betragtede ægteskabet som et sakramente og som uopløseligt i parternes levende live. Samlivspligten kunne suspenderes ved en separation, og en vis deling af formuerne kunne tillades, selv om manden bevarede visse rettigheder over hustruens formue. Ældre verdslig ret, som tillod skilsmisse, betragtedes som ugyldig og stridende mod Guds Lov. Også dansk ægteskabsret kom under kirkelig indflydelse, der kan spores i de økonomiske aftaler i forbindelse med ægteskabsindgåelsen, som tidligere formentlig alene havde været familiepolitiske anliggender. Aftalen mellem mand og hustru var efter kanonisk ret en „consensus-kontrakt", og der måtte ikke være tale om, at manden købte bruden af faderen. Mens den katolske kirke ligestillede mand og kvinde ved ægteskabets stiftelse ved at kræve kvindens samtykke, synes den også at have haft indflydelse på den ændrede betydning af begrebet „familia" ved at fremhæve „Den hellige familie" bestående af Maria, Josef og Jesusbarnet som forbillede for den verdslige familie. „Familia" havde hidtil betegnet en husherres undergivne folk, mens det efterhånden kom til at betegne („kernefamilien") og derved brugtes til styrkelse af ægteskabet.

Selvom kirken håndhævede reglerne om helligbrøde ved slagsmål og lignende voldskrænkelser strengt, kunne ægtemanden som husbond selv på den helligste dag tugte hustru, børn og tyende med stok eller rem. Kun hvis han sønderslog deres lemmer, begik han helligbrøde. Hustruen begik helligbrøde ved at sætte sig op imod manden på en helligdag, mens børn begik helligbrøde på alle tider af året ved at sætte sig op imod forældrene, jf. JL II, 81. Reglen i JL var en undtagelse fra de almindelige gudsfredsregler, hvorefter klerke, munke og nonner samt kvinder i almindelighed nød en vedvarende fredsbeskyttelse[5].

---

4 *Jørgen I. Jensen*, Den fjerne Kirke, 167 f., 241-243.
5 *Inger Dübeck*, Kvinders retsstilling i Jydske Lov, i: Jydske Lov 750 år, 1991, 104-105.

1. Måske en trolovelsessituation. Kærligheds- og trolovelsesringe kendtes i antikkens Rom. Særligt populære som tegn på evig troskab var ringe med sammenlagte hænder som symbol på trolovelsen, der i øvrigt havde en social, snarere end en retlig karakter. Det romerske ægteskab var et socialt faktum, ikke et retsforhold.
Kvinde med ring, cirka 165, Musée Luxembourgeois – Arlon/Belgien.

2. Det senromersk-kristne ægteskab lagde mere vægt på familien og begge ægtefællers troskab. Trolovelsen fik bindende retlig karakter, der knyttedes til mandens særlige forlovelsesgave, „arrha sponsalicia". Herefter var hustruens utroskab at opfatte som ægteskabsbrud.

Ægtepar, anden halvdel af fjerde århundrede, 8,5 cm (diameter), Petit Palais, musée des Beaux-Arts de la ville de Paris, © PMVP/Cliché: Joffre.

Ældre tysk retshistorie opfattede det germanske begreb „Haus" ensidigt som et herskabsbegreb uden forbindelse med de særlige slægtsfællesskaber, „Genossenschaften", mens yngre teori mente at kunne udlede såvel herskabs- som fællesskabsretlige elementer af det gamle familiebegreb. Faderen havde magt som ægtemand over hustruen, som fader over børnene og som formynder for eventuelle andre børn eller kvindelige slægtninge. Hans magt indadtil var dog ikke grænseløs. Hustruens slægt kunne gribe til fejdemuligheder (Edictum Rothari, 200), hvis han misbrugte sin magt over hende.

Det fællesskabsretlige element afspejlede sig i formueforholdene. Husherren havde vel brugs- og dispositionsretten over familieformuen, d.v.s. den agrare økonomi med hus, gård, marker, ufrit tyende og kvæg. Men han kunne ikke råde ganske frit over disse midler uden hensyn til sine arvinger. Kun sønner havde i ældre ret en slags medbestemmelse og dannede sammen med faderen et „Hausgemeinschaft" (en slags sameje). I middelalderen afsvækkedes mandens herskabsmagt til fordel for en styrkelse af fællesskabet mellem ægtefællerne. Familien som husfællesskab blev til kernefamilien. Kun i adelige familier bevaredes begrebet „Hus" i betydningen familiefællesskabet vedrørende familieformuens bevaring, også i Danmark[6].

Huset, *domus*, som udtryk for indbegrebet af det patriarkalske herskabsforhold eller over- og underordnelsesforholdet mellem herre og tjener, hører således også hjemme i det middelalderlige adelsmiljø med regerende adelige slægter, der opfattede huskarle samt tyende og fæstebønder som hørende til husherrens *familia*. Blandt de ufrie, underordnede på landet og i borgerskabet i købstæderne blev „kernefamilien" den dominerende familieform, hvortil dog regnedes tjenestefolk samlet omkring en selvstændig husholdning.

Under senmiddelalderens reception af den lærde, romersk-kanoniske ret i Tyskland udvikledes en omfattende diskurs, hvori almindelige opfattelser, *communes opiniones*, om en række enkelte retsproblemer udvikledes som grundlag for mere generelle retsprincipper og for egentlig lovgivning. Den lærde romerret fik karakter af en *ratio scripta*, en målestok for den almindelige ret og fik som *jus commune* betydning i de europæiske samfund som subsidiær ret. Uanset konfession var tidens jurister enige om, at hustruen havde pligt til at være manden lydig og til at bo hos ham. Han havde dog også pligt til at blive i det fælles hjem og gjorde sig i modsat fald skyldig i *desertio malitiosa*. Der hørtes ganske vist af og til protesterende røster imod kvinders institutionaliserede underlegenhed og in-

---

6 „Hausgemeinschaft", 2024 ff., og „Familie", 1067 ff., i: HRG.

ferioritet i alle henseender. Således fremhævede Christine de Pizan det kvindelige køns fordele på bekostning af det mandlige i sin bog „Livre de la Cité des Dames" (1404-1407) i polemik med de misogyne lærde forfattere, som alene støttede sig på den antikke litteratur og dens mandsforherligende aristoteliske „naturvidenskab"[7].

De i feudalretten udviklede ældre forestillinger om herre-vasalforhold fik omkring det 13. århundrede betydning for opfattelsen af forholdet mellem ægtefæller i flere europæiske retssamfund, hvor aristokratiets indflydelse på politiske og økonomiske forhold var stor. Den svenske historiker Elsa Sjöholm opfatter ceremoniellet og reglerne omkring ægteskabsindgåelse i de middelalderlige love som udtryk for en feudal investitur, hvor giftemanden overgav værgemålet over kvinden og retten til hendes formue til ægtemanden. Hustruen fulgte manden til hans hus og havde pligt til at bo sammen med ham under hans tag, ligesom hun havde pligt til respekt og lydighed. Den *spanske* retshistoriker Estrella Ruiz-Calvez Priego udtrykker tilsvarende, at i og med at manden var herre over hustruen, var han også herre over hendes gods og tilbehør, hvoraf fulgte at hun mistede sin *kontraktshabilitet* eller rådighedsret, som dog kunne gengives hende af manden eller med hans vilje. Hun hævdede, at den samlivspligt, som efter kanonisk ret påhvilede kvinden, begrundede hendes særlige „vasal"situation. Kvinden blev ikke hjemme hos sig selv, men skulle bo og blive hos ham i respekt og lydighed over for ham. Skønt ægteskabet blev indgået som en *consensuskontrakt* mellem ligestillede parter, skabte kirken efter hendes opfattelse en hierarkisering med manden som herre i overensstemmelse med verdensordenen (og Paulus).

Selve *cohabitationen*, bofællesskabet, var desuden kilden til hustruens retlige umyndighed eller inhabilitet. Ægteskabet og formuernes fælles forvaltning skabte et økonomisk interessefællesskab, hvorefter kvinden repræsenterede en kapital eller sum penge via sin medgift, som ægtemanden havde ret til at udnytte, så længe ægteskabet varede. Hustruen skulle være rentabel: ingen medgift – intet ægteskab[8].

Ægtefællerne opfattedes i både verdslig og kirkelig *engelsk* middelalderret som to sjæle i eet legeme. „*Vir et uxor sunt quasi unica persona quasi caro una et*

---

7 *Elisabeth Koch*, Die Frau im Recht der Frühen Neuzeit. Juristische Lehren und Bedingungen, i: Frauen in der Geschichte des Rechts, 73 ff.

8 *Elsa Sjöholm*, Gesetze als Quellen mittelalterlicher Geschichte des Nordens, 74, 78; *Estrella Ruiz-Calvez Priego*, Statut socio-juridique de la femme en Espagne, 289-296.

sanguinis unus", sagde Bracton. Manden alene havde retten til at råde, og han alene havde fuld retssubjektivitet, „the very being or legal existence of a woman is suspended during marriage or at least is incorporated and consolidated into that of the husband". Der var således tale om en retlig fiktion: hustruen fingeredes at være suspenderet som selvstændig, myndig person og at være reduceret til at udgøre en del af mandens person. Efter Det gamle Testamente var hustruen skabt for mandens skyld og forpligtet til at adlyde ham. Bracton understregede også mandens ret til at kræve lydighed af hende og til at revse hende. Det retlige system, som byggedes op omkring denne ideologi, var hentet i Normandiet; den såkaldte normannisk-feudale „Law-French", hvorefter ægtemanden var hustruens „baron" eller herre, som værgede og værnede hende. Hustruen var „feme couvert" i modsætning til enlige kvinder, som var „feme sole", og som havde en vis retssubjektivitet. Common Law havde ikke udviklet regler, der gav hustruen adgang til at sagsøge manden eller nogen anden for krænkelser imod hende. Alle processkridt måtte tages af ægtemanden, også hvis det gjaldt hans egne krænkelser af hendes formue. Hun var som en vasal i forhold til ham, og ingen myndighed kunne udefra retligt gribe ind over for mandens værgemål[9].

At kirken trods sit princip om kvindens aftaleretlige ligestilling, når det gjaldt ægteskabsindgåelse, alligevel støttede en feudal herskeropfattelse af forholdet under ægteskabet, synes i dansk ret at fremgå af JL II, 81, hvorefter en mand ikke kunne begå helligbrøde mod sin hustru og sine børn eller tyende, som var i fællig med ham, ved at tugte dem med stok eller rem på helligdage, mens hustruen kunne begå helligbrøde mod manden blot ved at sætte sig til modværge eller forsvare sig mod ham på en helligdag. Børn begik helligbrøde mod deres forældre ved at sætte sig op imod dem på alle tider af året. Revselsesretten kan ses som en del af den ældre, sædvaneretlige husherremyndighed eller som husbondens almindelige disciplinarmyndighed, der via kirkens indflydelse måske begrænsedes i hårdhedsgrad (ikke våben), men ellers ikke af kirken blev formildet, idet kirken støttede mandens ret til at tvinge en hustru til at bo hos sig og til at styre hus og hjem. Revselsesretten var langt ældre end den europæiske lensret, som dog formentlig gav den en mere juridisk udformning under indflydelse af kirken. Kanonisterne krævede ligesom Aristoteles et retfærdigt motiv og en let hånd[10].

9 *J.H. Baker*, An Introduction to English Legal History, 550; *Inger Dübeck*, Købekoner og Konkurrence, 52.

10 *Willibald Plöchl*, II, 350; *Inger Dübeck*, Kvindernes retsstilling i Jydske Lov, i: Jydske Lov 750 år, 104.

Efter Thords Artikler add. XIII (tekstgruppe 6 D), § 8 (43) må broder revse sin i fælliget boende søster med kæp og vånd, så længe de bor sammen i fællig, uden at han skal stå nogen til rette derfor, fordi han er hendes rette værge. Knud Mikkelsen hævder i sine glosser fra ca. 1480 (22), at „i 1155 skrev landsdommer og andre flere gode mænd og sagde af for rette på det almindelige landsting, at broder må revse sin søster med kæp og vånd, sålænge de er i fællig sammen". Vi kender ikke denne dom fra andre kilder, men en tilsvarende fra 1465. Der har været rejst tvivl om rigtigheden af årstallet 1155. (Det kunne være en fejlskrift for 1465). Der er dog næppe tvivl om, at revselsesretten var gammel skik og brug og hørte til mandens almindelige magt over familien, uden at der behøvedes nedskrivning i landskabslovene derom. De østdanske havde heller ingen regler herom. Måske kan Knud Mikkelsen have ret i, at der i Jylland blev afsagt en sådan dom allerede i 1155, og måske har den ligget bag udformningen af JL II, 81, hvor der også tales om at være i fællig med manden, og om en moderat straf med stok eller vånd uden sår eller skade. Vi ved det ikke[11].

I moderne *tysk* rets- og kvindehistorie har man forsøgt at nå frem til en ny forståelse af sammenhængen mellem kønnene og magtfordelingen i det middelalderlige samfund. Der skulle i et vist omfang være tale om et opgør med dichothomien „privat-offentlig", som længe spillede en fremtrædende rolle i debatten om kvindernes retsstilling og om begrebet „Herrschaft". Den ulighed mellem mand og hustru, som var indbygget i mange senmiddelalderlige og yngre regler, var grundlæggende i overensstemmelse med samfundsopfattelsen, stændersamfundets opfattelse af, at enhver havde „sin ret", og at hustruens husholderfunktion forlenede hende med en særlig autoritet og herskabsfunktion uanset hendes manglende rådighed på det formueretlige område.

I Martin Luthers retslære indtog ægteskabet en central placering. Ved Skabelsen stiftede Gud i urtilstanden før syndefaldet kirken og ægteskabet. På grund af syndefaldet spaltedes retten i den *naturlige-verdslige* på den ene side og den *guddommelige* på den anden. Dermed mistede ægteskabet sin åndelige karakter og blev til en „weltlicher Ding", der var underkastet De ti Bud eller *dekalogen*, som blev moder til alle jordiske retsordninger. Ægteskabet blev efter Luther urbilledet på det jordiske fællesskab. I stedet for ved det frivillige samtykke stiftedes ægteskabet via syndefaldet ved kvindens underkastelse under mandens magt. Ægteskabet kan ses som en via Guds straf fortolket strukturforandring, der ud-

---

11 DGL, IV, 18, 269; *Niels Skyum-Nielsen*, Kvinde og Slave, 257; *Poul Niels Jørgensen*, Træk af Kvindernes juridiske Stilling i Danmark i det 13. Århundrede (utrykt manus), 14 f.

gør urformen eller arketypen på alle jordiske tvangsordninger. Ægteskabet er derfor en del af Guds skabelsesordning, *institutio dei*, og fremstår for verden som *fons politiae* = kilden til alle retsordninger. Luther tillagde trods den grundlæggende ulighed mellem parterne hustruen en medvirkensmagt i husstanden, *status oeconomicus*, i forhold til børn og tyende[12].

Husbondens disciplinarmyndighed i husstanden opfattedes som en „offentligretlige jurisdiktion". Husholdningen, *oeconomia*, blev en del af samfundsmodellen i reformationsepoken. Ægteskabet institutionaliseredes i de katolske lande efter 1563 (Tridentinerkonciliet), mens reformatorerne som nævnt erklærede ægteskabet som Guds første orden, hvorefter manden var overordnet og kvinden underordnet manden som hans hjælperske. Ægteskabet fik nu en central plads i det offentligretlige system. Ægteskabet blev et kristent selskab, *societas christiana*, grundlaget og garanten for samfundet. Husfaderen og husmoderen blev autoritetspersoner, der udførte et embede pålagt dem af Gud. Her mødtes *oeconomia* og *politica*, der konstituerede husholdningen som rummet for det faderlige herskab og dermed som model for samfundet eller staten[13].

I de nordgermanske og nordiske lande fik Luthers af Aristoteles inspirerede tanker om den kristelige *husstand* stor betydning for udformningen af reglerne om ægteskabet og familiens forhold. De mange nye recesser og politiretlige ordninger, som fremkom i reformationens kølvand, formanede typisk husherren til under trussel om straf at føre en kristelig vandel. Han skulle tvinge sine husundergivne til kirken hver søndag og agte vel på deres sæder og dyder. *Huset*, domus, blev en opdragelses- og forbrugsanstalt i offentligretlig forstand. *Huset* udgjorde den bærende økonomiske enhed i samfundet, ligesom ægteskabet udgjorde dets retlige grundlag: Den mindste stat i staten. Ægtemand og husfader blev øvrighedens forlængede arm, ja som jorddrot selve øvrigheden. Han kunne kræve hustruens lydighed, men havde pligt til at udvise en kærlig og skånsom hensyntagen over for hende. I Danmark blev revselsesretten over hustruen dog afskaffet i 1683[14].

Luther opstillede en trestandslære, som stod i polemisk modsætning til datidens stændersamfund med adel, gejstlighed, borgerlighed og bønder. Luthers stænder var øvrigheden, kirken og husstanden. Alle mennesker handlede enten

---

12 *Luise Schorn-Schütte*, Wirkungen auf die Rechtsstellung der Frau im Protestantismus, i: Frauen in der Geschichte des Rechts, 94 ff.

13 *Heide Wunder*, Herrschaft und öffentliches Handeln von Frauen in der Gesellschaft der Frühen Neuzeit, i: Frauen in der Geschichte des Rechts, 30 ff.

14 *Hans Hattenhauer*, Grundbegriffe des Bürgerlichen Rechts, 144 f.

som lydende eller bydende inden for en af de tre stænder: præstestanden, *status ecclesiasticus*, øvrigheden, *status politicus*, eller husstanden, *status oeconomicus*. Alle foresatte eller øvrighedspersoner var i forældres sted og skulle vises den samme ære som *pater* og *mater familias*. Øvrighedspersonen er fader lige så mange gange, som han har indbyggere, borgere og undersåtter under sig[15]. Men Luther formanede også alle disse fædre til på deres side at opfylde forpligtelsen til at være Gud lydige i deres kald, for netop det overordnede kalds guddommelige oprindelse indebærer, at de overordnede ikke må udnytte kaldet til at lade sig tilbede og til at udbytte de undergivne[16].

Man skal i realiteten helt frem til 1925 før en ligestilling mellem ægtefællerne i Danmark nedfældes som den grundlæggende ideologi i det 20. århundredes ægteskabsret med Lov om Ægteskabets Retsvirkninger nr. 56 af 18. marts 1925, om at mand og hustru i fællesskab skal varetage familiens tarv, og at pligten til at skaffe familien et passende underhold påhviler både mand og hustru i forhold til deres evne. Herved forsøgte man ved lovens hjælp at komme bort fra det patriarkalske familiestyre, som dog i realiteten og i praksis har holdt sig gennem en stor del af det 20. århundrede.

---

15 *Jørgen Stenbæk*, Retsteologiske aspekter af den lutherske tolkning af det almindelige præstedømme, i: Det almindelige præstedømme og det folkekirkelige demokrati, 84-89.
16 *Jørgen Stenbæk*, 84-89; *Heide Wunder*, 34-38.

· 2 ·
Almindelige økonomiske fælligformer

I. Fællesskabers sociale og økonomiske baggrund

Middelalderen kendte mange fællesskabsformer inden for *købstædernes erhvervs-liv* med gilder og laug i handel og håndværk og partrederier o.lign. inden for skibsfart. Også *landsbysamfundet* kendte til fællesskabsformer. Andre steder fandt man bjergværksfællesskaber og digefællesskaber. Allerede den tidlige germanske ret omtalte fællesskabsformer med en slags selvstændig retssubjektivitet som bærer af rettigheder og pligter. Samfundet savnede dog længe en aktivt udøvende, central statsmagt, hvorfor mange samfundsvigtige opgaver måtte løses netop ved hjælp af sammenslutninger. Således antog Stig Iuul, at fællesskaber af mange slags også har spillet en stor rolle hos nordboerne[1].

En forskel mellem det snævre „Hausgemeinschaft" og de forskellige former for landsbyfællesskaber lå bl.a. i antallet af deltagere. I landsbyfællesskaber var der heller ikke tale om fælles husholdning mellem deltagerne eller indbyrdes beslægtethed. Middelaldersamfundene udviklede en række mellem- og overgangsformer af fællesskaber mellem disse, men typisk for alle var sameje til fællesgods, solidarisk forpligtelse ved fælles gæld og solidarisk berettigelse til fælles fordringer[2].

---

1 *Stig Iuul*, Forelæsninger over Hovedlinier i Europæisk Retsudvikling fra Romerretten til Nutiden, 36-37.
2 *W. Ogris*, „Gemeinderschaft", i: HRG, 1496-1499.

De middelalderlige gilder varetog tilsvarende funktioner for deres medlemmer i retning af beskyttelse m.v., som slægten havde gjort. Mange købmænd opholdt sig i længere tid i fremmede købstæder og kunne der finde beskyttelse i gilderne. Senere fortsatte laugene også en sådan beskyttelsesfunktion. Uanset hvilke motiver, der lå bag dannelsen af de forskellige fællesskabsformer, om det var hjælp, beskyttelse, økonomisk styrkelse eller andre interesser, herunder religiøse, videnskabelige eller politiske, var de øjensynligt så betydningsfulde i de forskellige samfundsrelationer, at det ret tidligt blev nødvendigt at opstille regler om deres retlige betingelser og retsvirkninger. Og netop den nye fællesskabskonstruktion i form af korporationer synes at have vakt politisk bekymring, idet sådanne enheder fik stor indflydelse både økonomisk og i henseende til retshåndhævelse. De blev opfattet som *en stat i staten*, og der udstedtes mange forbud imod dem, hvilket også kendes i dansk senmiddelalder[3].

På det *købstadretlige* område nåede det tidlige danske laugsvæsen inden middelalderens udgang at annektere de fleste af de europæiske laugsretlige karakteristika som håndværksfaglige sammenslutninger, der ikke længere fortrinsvis havde religiøse og selskabelige formål. Derfor blev laugene ligesom gilderne mødt med mistro fra kongemagtens side. Allerede Københavns stadsret fra 1294 afspejler det spændte forhold mellem borgerne og byens gejstlige byherre, Roskildebispen, idet den indledtes med et generelt forbud imod alle gilder. Måske var dette forbud udtryk for kirkens modvilje mod de særlige gilderitualer eller for frygt for oprør (det klassiske problem med en *stat i staten*, jf. Digesterne 3-4. 1). Det senere verdslige bystyre under kongen fortsatte denne politik, hvorefter ingen måtte oprette noget gilde eller kompagni uden tilladelse.

Erik af Pommerns første privilegium for København og de øvrige stæder på Sjælland af 1422 regulerede forholdet mellem håndværkere og købmænd og forbød håndværkere at drive handel. Selv om laugenes retsstilling tilsikredes ved privilegier og ved generel lovgivning, hindrede det ikke, at der kunne opstå modsætningsforhold mellem korporationerne og de enkelte købstæders styrelse. Christoffer af Bayern forbød i Københavns stadsret fra 1443 i § 3 oprettelsen af nye gilder, kompagnier eller selskaber, som var til skade for byen. En mulig indflydelse fra den lærde romerret og korporationsteorien kan måske anes her. Med jævne mellemrum forsøgte de senere konger at komme laugsvæsenet til livs. Ikke mindst Christian IV indledte en mærkbar styring af dem[4].

---

3 *Claudius von Schwerin*, Deutsche Rechtsgeschichte, 46 ff.
4 *Inger Dübeck*, Købekoner og Konkurrence, 323 ff.

De europæiske samfund, hvis retsopfattelse omkring økonomiske fællesska-
ber søges belyst i det følgende, var genstand for mærkbare forandringer både
demografisk og økonomisk i den senmiddelalderlige periode og i tiden derefter
fra det 15. til det 17. århundrede. Europas økonomi var i overvældende grad
behersket af landbrug. At kalde befolkningen for „bønder" ville være upræcist,
idet jorden blev drevet af mange forskellige jordbrugere fra ejere via fæstere og
arbejdere. Selv om det tidlige 1400-tal endnu mange steder havde bønder med
jævnt lige store tilliggender og mulighed for familiens subsistens, skulle de føl-
gende to århundreder vise en stigende polarisering af landbefolkningen i få rige
jordejere og mange fattige fæstebønder eller jordløse arbejdere.

Livet på landet var centreret om *husholdningen*. Alle, der boede under sam-
me tag, hørte til samme husholdning. Den lille familie bestående af forældre og
børn med få tyende var udbredt i det nordvestlige Europa, mens storfamilien
med flere generationer under samme tag og flere undergivne dominerede i Syd-
frankrig, Italien og Østrig. „Kernefamilien" kunne dog også omfatte et ældre
aftægtspar eller enlige kvindelige slægtninge. Når man betragtede en familie så at
sige dynamisk igennem en vis periode kunne den i en fase være en kernefamilie
og i en senere fase måske en storfamilie bestående af flere generationer. De fattig-
ste blandt landboerne havde nok alt andet lige kun små og enkle husholdninger,
hvor børnene blev sendt ud at tjene tidligt. Til mindre husholdninger hørte ikke
blot børn og tyende, men også kreaturer, som levede i mere eller mindre sym-
biose med deres mennesker. Størrelsen og boniteten af jorden afgjorde familiens
subsistensniveau. De arveretlige regler var medvirkende til at afgøre jordens stør-
relse[5]. Afgørende var, om der gjaldt udelelighed til fordel for kun een arving eller
regler om ligedeling/skævdeling imellem alle livsarvinger, hvilke problemer vil
blive nærmere drøftet senere, især i Kapitel 4.

Efter Alison Rowland var den landlige husholdning integreret i forskellige
sociale og økonomiske netværk, hvoraf det vigtigste på det lokale plan i 1500-
tallets Europa var landsbyen. Landsbyer kunne have meget forskellige størrelser
fra 5-6 husholdninger til 60-70. Beboerne var dog ikke alle jordbrugere, men
udøvede forskellige håndværk som smede, møllere, skomagere etc. En præst
fandtes også, hvor landsbyen havde en kirke. Der kunne være en kro eller et
øludtapningssted. Fæstebønderne havde tillige et vertikalt netværk i forhold til
jorddrotten, som de skyldte fæsteafgift, arbejdsydelser samt lydighed og respekt
på grund af hans særlige jurisdiktionskompetence over dem.

5 *Alison Rowland*, The Conditions of Life for the Masses, i: Early Modern Europe, 13-41.

Landsbyens folk fik tidligt kontakter til markeder, som årsmarkeder eller tor-vehandel i den nærliggende købstad, som følge af voksende urbanisering og handelsekspansion, samt befolkningstilvækst og stigende kornpriser. De fattigere jordbrugere og landarbejdere kunne ikke udnytte opgangstiden, men gik tværti-mod en voksende fattigdom imøde netop på grund af de stigende kornpriser. Fattigdommen drev mange bort fra landsbyen og ind til byerne, hvor der mødte dem om muligt endnu større problemer med sygdom og høj dødelighed[6].

II. Fællesskabers retlige baggrund

Karakteristisk for de germanske fællesskaber var, at de var knyttet til agrare for-hold, mens de romerretlige især synes udsprunget af handels- og søfartsforhold i købstæder. Fællesskabet hos romerne, retligt udtrykt ved princippet om *com-munio*, gav de enkelte deltagere ubegrænset vetoret, hvorfor det var en upraktisk model i daglig brug. Men mødet i den tidlige middelalder mellem germanske fællesskabsordninger og romerrettens *communio* skulle ændre dette og gav stof til eftertanke for den senere lærde romerretsteori. Fællesejet hos germanerne kunne forekomme som en samejeret (co-ownership) eller ret „zu gesamter Hand", som medførte, at samejerne ejede hele den fælles formue *in solidum* eller hele tingen, og ikke blot en anpart, således at den enkelte var udelukket fra selv at disponere over den eller over en anpart. Den enkelte havde således ikke særlig stor indflydelse. Børn kunne indtræde i en deltagers sted ved dødsfald. Sameje kunne også forekomme som ved jordfællesskabet, hvor der vel tilkom de enkelte deltagere visse rettigheder, som de kunne udøve uden de andres medvirken, f.eks. adgangen til at overdrage anparter i jordfællesskabet om agerdyrkning, mens rettigheder i den uopdyrkede jord kun kunne udøves af samejerne i for-ening. Efter det romerske *communio* havde den enkelte samejer en ideel anpart og adgang til at disponere fuldt ud over anparten. Efter Iuul fremkom en veksel-virkning mellem de germanske fællesskabsregler og romanistiske retsprincipper som følge af kommentatorernes indsats[7].

Reglerne for den mindste økonomiske enhed, familien, ændredes stærkt fra senantikken og frem til senmiddelalderen. Begrebet *familia* var efter senantik romersk sprogbrug en betegnelse for tyende og tjenestefolk i landbrug eller vin-

---

6 *Alison Rowland*, 43-62.
7 *Stig Iuul*, Forelæsninger, 47-48.

avl, som tilhørte et „hus" (*domus*) (*familia* = husstand, afledt af *famulus* = tjener). I yngre germansk sprogbrug blev *familia* en almindelig betegnelse for en bondefamilie, f.eks. i lex Salica. Men ældre germanske kilder gengav almindeligvis begrebet i flertal som *familiae*, når det skulle betegne den enkelte bondefamilie, som boede og sov under samme tag. Det har derfor været antaget, at ældre germansk-tyske retsforestillinger oprindeligt stod fremmede over for forestillingen om *familia* som udtryk for et jordejende herskab med undergivne. Men anvendelse af begrebet *familia* på et jordejende herskab blev mere almindelig i løbet af middelalderen måske som følge af den fremvoksende kancellipraksis, der brugte *familia* i singularis i kirkelige eller fyrstelige breve og dokumenter, f.eks. immunitetsbreve, hvor en påvirkning fra begreber som *familia dei* eller de særlige klosterfællesskaber med abbeden som *pater familias* antages af nogle.

Familia var dog andet og mere end en betegnelse for en husherres familie og mere eller mindre ufrie undergivne. Allerede i årene mellem 700 og 900 var alle i Franken afhængige af en *familia*, hvori enhvers plads i systemet nøje var fastlagt, herunder den enkeltes mulighed for ægteskab og for at rejse væk eller blive giftet bort[8]. Først i det 11. og 12. århundrede begyndte man at optegne reglerne om *familia (jura familia)*, hvorefter *familia servilis* og *familia ministeriales* efterhånden blev retligt adskilt, idet disse sidstnævnte højere tjenende opnåede en frihed i forhold til jorddrotten, således at tjenestefolk af bondeklassen alene blev tilbage som eksempler på *familia*[9].

Helge Paludan har i „Familia og Familie" redegjort for ordet „familia"'s oprindelse og retlige betydning i det romerske samfund som omfattende alle, der hørte til en husstand, inklusive slaver, der var underlagt *pater familias'* myndighed (s. 43). I middelalderen antager han, at ordet især blev knyttet til en husstand i den form for afhængighed, som i Frankrig betegnedes som „Seigneurie" og i Tyskland som „Grundherrschaft". Han opfatter begrebet „familia" som beslægtet med begrebet „Personalverband" som betegnelse for den højmiddelalderlige livegenskabs grundstruktur i perioden fra ca. 900 til ca. 1300.

Paludans hypoteser har været genstand for kritik fra flere sider. Han er således blevet bebrejdet, at han ikke foretager nogen „reel komparation". *Familia*-begrebet kunne i det antikke Rom både omfatte den snævre kreds af nære slægtninge, men også udstrækkes til at omfatte mange generationer af en mandslinje.

---

8 *Barbara Beuys*, Familienleben in Deutschland, 61-72.
9 *K. Kroeschell*, „Familia", i: HRG, 1066 f.

Udtrykket forblev mangetydigt, også i middelalderen, og kan ikke indskrænkes til alene at betegne afgiftspligtige undergivne. *Familia* kan ses som indbegrebet af periodens samfundsstruktur, fordi *familia*-begrebet omfatter alle typer af over- og underordnelsesforhold i samfundet[10]. Gelting begrunder opløsningen af denne familia-samfundsstruktur i 1100-1200-tallet bl.a. med udviklingen af en territoriel fyrstemagt med doms- og øvrighedsmagt over *alle* undergivne, uanset deres *familia*-tilhørsforhold. Fremkomsten af herredsting i Danmarks tidlige middelalder kan netop tages som et udtryk for udviklingen af den centrale fyrstemagts fremvækst i form af territoriel jurisdiktion efterfulgt af en kongelig domstol[11].

En kritik af dele af den tyske teori, som Paludan især slutter an til, er fremført af *Otto Gerhard Oexle* i 1988 i en dybtborende analyse af begreberne *domus* og *familiae*, især af deres indbyrdes sammenhæng både i antikken og i de tidlige og højmiddelalderlige kilder samt af udviklingen af begrebet „økonomi eller husholdning" som udtryk for en *administratio rerum domesticum*, hvorover enhver husherre skulle have viden. Hertil hørte viden om agerbrug og kvægavl, ledelseskompetence vedrørende tyende (*familia*) samt kendskab til nødvendige teknikker og færdigheder. *Vilicus* betød oprindelig den person (husherre), som havde ansvar for hele huset (*domus*)[12]. Intetsteds i de middelalderlige kilder synes begrebet *slægt* (gens, kinship, køn, Sippe) at have betegnet et fasttømret retligt fællesskab. Derfor foretrækkes familiebegrebet i den efterfølgende fremstilling.

1. Romerret

Den klassiske *romerret* havde kun sparsomme regler om fællesskaber. Fritz Schulz gennemgik i sin behandling af begrebet *societas* de måder, hvorpå partnerskaber kunne indgås, og nævnte i den sammenhæng det førklassiske institut, *consortium*, som var et fællesskab af arvinger, *fratrum societas*, der ønskede at udsætte delingen af arven. Hver af arvingerne kunne dog råde over egen andel. I den ældre romerske ret antoges faderen ved sin død at leve videre i sønnerne, der som hans arvinger succederede umiddelbart i hans *potestas* og i forvaltningen

---

10 *Michael H. Gelting*, Det komparative perspektiv i dansk højmiddelalderforskning, i: Historisk Tidsskrift, Bd. 99, 1, 156 ff.

11 *Michael H. Gelting*, 159 ff.

12 *Otto Gerhard Oexle*, Haus und Ökonomie im frühen Mittelalter, i: Person und Gemeinschaft im Mittelalter, 101-122.

af husets formue. Familiens ejendom, *patrimoniet*, fulgte familien over genera-
tioner. Disse forestillinger ophørte dog i den klassiske romerret.

I det klassiske *societas* kunne nye medlemmer indtræde med de andres sam-
tykke, men selskabet måtte opløses, hvis en af parterne døde. Den fælles formue
udgjorde en *communio* (et sameje) ligesom arven i consortiet (arvingsfælles-
skabet), men eventuel gæld var ikke fælles gæld, kun separat gæld for de enkelte
parthavere. Selv om man vedtog at stifte et *societas omnium bonorum*, blev fælles-
formuen ikke automatisk sameje ved konsensualkontraktens vedtagelse, hvori
man i øvrigt fastsatte anparternes størrelse både hvad angik gevinst og tab[13]. De
romerske jurister nævnte som eksempler på *societas* både selskaber med vedva-
rende formål og eengangsforetagender, jf. I. 3. 25. Man kunne indgå *societas*
med hele formuen eller med henblik på en enkelt forretning som salg af nogle
slaver, et parti korn eller vin, jf. C. 4. 37. 1. Sådanne lejlighedsselskaber blev
typisk indgået for at modvirke de mange risici ved handel på Middelhavet, her-
under sørøveri, i det 12. og 13. århundrede[14]. Et *societas* eller interessentskab
kunne ikke være bærer af rettigheder og pligter og havde ikke karakter af en
person, men lignede i den henseende det germanske fællesskab med sameje. In-
teressenternes *indbyrdes* ansvar bedømtes efter den senromerske regel om
diligentia quam in suis rebus, d.v.s. at enhver havde ansvar som for egne sager
indadtil. Normalt fandtes der i et *societas* ingen særlig fællesformue, som kunne
tilhøre parterne „zu gesamter Hand". Men hvis der undtagelsesvis var tale om en
slags fællesformue, antoges hver deltager ligesom efter *communio* at eje en ideel
anpart, som den enkeltes kreditorer kunne gøre til genstand for retsforfølg-
ning[15].

Som eksempler på *collegia* nævnte Schulz professionelle korporationer som
gilder af mekanikere, købmænd, skibsejere m.v., begravelsesforeninger og reli-
giøse sammenslutninger. De havde „offentligretlig" karakter, idet de tjente visse
„offentlige, samfundsmæssigt vigtige formål". I den justinianske romerret, Di-
gesterne 3-4. 1, blev det fastslået, at det ikke uden videre var alle og enhver tilladt
at danne selskaber eller foreninger (*neque societatem neque collegium neque cor-
pus*). Retten hertil begrænsedes af love, senatsbeslutninger og kejserlige forord-
ninger. Staten forbeholdt sig ret til at begrænse adgangen til oprettelse af korpo-
rationer med selvstændig retssubjektivitet (risikoen ved at danne en stat i staten).

13 *Fritz Schulz*, Classical Roman Law, 93, 215, 549 ff.
14 *Ernst Andersen*, Middelalderens Renteforbud, 41-46.
15 *Stig Iuul*, Forelæsninger, 132.

Man accepterede erhvervsdrivende korporationer med en særlig fond (*arcam communem*) og en direktør eller bestyrer (*actorem sive syndicam*). Retten til oprettelse af en sådan organisation kunne gives til deltagerne i forbindelse med forpagtning af told, af guld- eller sølvgruber eller saltværker. Også møllere og redere kunne opnå en korporativ ret[16]. Et *collegium* kunne have rettigheder og pligter i forhold til ikke-medlemmer. Hvis antallet af medlemmerne faldt til under tre, ophørte det med at eksistere. Ellers krævedes til opløsning en fælles vedtagelse. Man kunne også stille krav om tilladelse til afholdelse af møder mellem medlemmerne. Det romerske styre frygtede især politiske korporationer. Muligheden for at udvikle „private" økonomiske korporationer uden et „offentligt" anerkendt formål var derfor lille, nærmest umulig. Også de kristne forsamlinger blev betragtet som ulovlige før kejser Konstantin. Alligevel lykkedes det dem at fortsætte som mere eller mindre tålte begravelsesforeninger[17].

Korporationen, *corpus* eller *universitas*, f.eks. håndværkerlaug, universiteter eller klostre, kunne bestå, selv om de enkelte medlemmer blev udskiftet. Det var glossatorerne, der definerede det særlige fællesskab, *universitas*, som en forbindelse *in unum corpus*. Et *corpus* kunne være bærer af pligter og rettigheder i modsætning til det simple selskab, *societas*, hvori de flere personer ikke opfattedes som en enhed. Fra *kanonisk* ret overtoges forestillingen om et *universitas fingatur una persona*, altså at fællesskabet betragtedes som en person. Men det var kommentatorerne, der opstillede begrebet *en juridisk person*, der forudsatte offentlig godkendelse eller autorisation i form af en *confirmatio*[18].

Fællesskaber omfatter altid en dobbeltrelation, nemlig det *interne eller indbyrdes* forhold mellem deltagerne og det *eksterne eller forholdet udadtil* i forhold til andre rettighedshavere, som f.eks. kreditorer med krav på betaling af gæld, bøder eller erstatning. I Digesterne 17. 2, omtales et partrederi, der blev indgået ved en *societas*-aftale, der pålagde deltagerne forskellige pligter og rettigheder samt andel af gevinst og tab i det indbyrdes forhold. Det havde form af et *communio*, hvori deltagerne havde ret til at råde over egen andel og pligt til at hæfte i forhold til andelen udadtil, jf. Digesterne 14. 1. 4. Princippet om ligedeling af tab og gevinst vedrørte det *interne* forhold, og gælden *udadtil* skulle betales først og afgjorde, om der blev nogen deling. Denne form for delingsprincip blev en bestanddel af mange europæiske fællesskabsformer, herunder

16 *Inger Dübeck*, Aktieselskabernes Retshistorie, 28, 34, 69.
17 *Fritz Schulz*, 92, 95-101.
18 *Stig Iuul*, Forelæsninger, 36-40; *Claudius von Schwerin*, 48 ff.

ægtefælle-, familie- og brydefællig. Hvis man i det romerske partrederi havde udpeget en af rederne til kaptajn, forpligtede han enhver af medrederne solidarisk for det fulde beløb, dog mod indbyrdes regres.

2. Germansk ret

Et vigtigt begreb i ældre *germanske kilder* er „Gesamthand" eller „zu gesamter Hand". Begrebet kan belyse både de *indbyrdes* og de *udadrettede* retlige aspekter, og det udgør grundstammen i de ældre begreber „Gemeinderschaft", „Hausgemeinschaft", „Brüdergemeinschaft" og „Erbengemeinschaft", som rummer forudsætningen for udviklingen af familiefælliget og de yngre handelsselskaber. „Gesamthand"-begrebet udtrykker, at flere personer optræder med samlet hånd, f.eks. som skyldnere eller kautionister, jf. udtryk som *cum communicatis manibus consimilique consensu* eller *unanimi consensu et manu composita* eller „mit einem mund und mit gesamter hand" i kilder fra det 13. århundrede.

Gesamthands-princippet vedrørte fællesskaber med få medlemmer, f.eks. et broderfællig om landbrug eller en handel i form af *compagnia* eller *societas duorum fratrum*. De enkelte deltagere kunne oprindelig hverken råde alene, over helheden eller over en andel. Enhver disposition skulle ske i enighed med alles samtykke efter enstemmighedsprincippet. Afgik en deltager ved døden, skete der en tilvækst i forhold til de andre. Efterhånden accepteredes, at børn kunne overtage faders andel og fortsætte i fællesskabet. Gæld påhvilede hele fællesskabet, og en enkelt kunne ikke betale sin andel med frigørende virkning alene. Der var solidarisk hæftelse[19]. Gesamthands-princippet fik også betydning for fællesskabsopfattelsen af ægteskabet og det fortsatte fællig.

Hvor sikkerhed efter ældre ret søgtes ved hjælp af kaution, og kautionisterne havde forpligtet sig med samlet hånd, „zu gesamter Hand", antoges hæftelsen uden yderligere aftale at være solidarisk. Senere antoges der kun at indtræde en pro rata-hæftelse, medmindre kautionisterne udtrykkeligt havde påtaget sig den solidariske hæftelse („een for alle og alle for een"). I købstadretlige kilder fra 1200-tallets *Italien* finder man bag udtryk som *alius pro alia* og *unus pro alio* den solidariske hæftelse. Denne strenge hæftelse synes især indført for at modvirke svigagtige formueoverdragelser i familie- eller selskabsforhold.

---

19 *G. Buchda*, „Gesamthand", i: HRG, 1587-1591.

Det var en ny form for „kollektivhæftelse", som adskilte sig fra det kollektive slægtsansvar. I receptionstidens tyske praksis begyndte man at bruge de romerske begreber, *societas* og *communio*, i stedet for det germanske retsinstitut „Gemeinderschaft" og at udvikle nye begreber om fællesskaber som *dominium plurium in solidum* eller *condominium germanicum* som et germansk modstykke til det romerske *condominium pro parte indivisis*[20].

Ved „Gemeinschaft zur gesamten Hand" blev det ret tidligt accepteret, at husbonden, faderen eller den ældste bror kunne repræsentere helheden udadtil i familiens dagligdag eller ved arvingsfællig. De forskellige Gemeinschaftsformer havde rod i det germanske „Hausgemeinschaft", hvor faderens „Munt" (herskerforhold), d.v.s. værgemål og myndighed, var afgørende i forhold til de ham undergivne, d.v.s. hustru, børn (indtil de blev udskiftet) og andre medlemmer af slægten, en gammel mor, ugifte søstre, svigerdøtre, børnebørn samt tyende og gæster. Manden havde en række magtbeføjelser, også af disciplinær art (revselsesretten), samt pligt til at forvalte hustruens og de umyndige børns formuer. Husets sønner kunne, mens faderen levede, have andel i formuen som udtryk for et formuefællesskab, der bevirkede, at de ved faderens død indtrådte i et brødrefællesskab om disse formuedele[21].

„Brüdergemeinschaft" opstod, hvor sønnerne efter faderens død blev boende sammen i en fælles husholdning og fortsatte dette „Hausgemeinschaft" (fælliget). Det kunne også kaldes et „Erbengemeinschaft", jf. Edictum Rothari 167, *si fratres post mortem patris in casa commune remanserint*. I brødrefælliget herskede et lighedsprincip med hensyn til andelsret, men den ældste bror kunne have ret til at optræde som stedfortræder og værge for yngre søskende og ugifte søstre. Dispositioner over fællesformuen krævede enstemmighed. Døde en af brødrene, indgik hans andel i fælliget som en tilvækst til de andre. Men var han gift og havde børn, kunne de indtræde i hans ret. „Brüderschafts"-formen brugtes som nævnt også i handelsforhold. Blandt de meget kendte familieselskaber kan nævnes „Fugger gebrudere"[22]. Et arvefællesskab kunne have hjemmel i lov eller testamente. Det havde normalt form af et „Gesamthandgemeinschaft". Der herskede derfor et generelt enstemmighedsprincip. Dog var det siden middelal-

---

20 *Inger Dübeck*, Aktieselskabernes Retshistorie, 68-73; *G. Buchda*, „Gesamthand", i: HRG, 1590.
21 *W. Ogris*, „Hausgemeinschaft", i: HRG, 520-521.
22 *W. Ogris*, „Brüdergemeinschaft", i: HRG, 520-521.

deren accepteret, at en arving kunne kræve sig udskiftet, om end der gjaldt enkelte begrænsninger blandt adelige eller i omfattende købmandsforhold[23].

I *Frankerriget* syd for Loire udviklede adkomstforholdene sig efter romerretligt mønster, hvorimod germanske fællesskabsformer ikke vandt indpas. Nord for Loire, i de kutymeretlige områder, hvor man indrettede sig i landsbyer, blev germanske fællesskabsordninger almindelige. I Westfalen og nedre Rhinområder blev enkeltbosættelser mere almindelige. Jord- og dyrkningsfællesskaber var de fremherskende, hvor frankiske og saliske sædvaneretsordninger forblev gældende, formentlig i sammenhæng med, at man her med fordel kunne gennemføre mark- og dyrkningsfællesskaber med det karakteristiske tremarksskifte, som kan påvises allerede fra det 8. århundrede. Hver gård eller husholdning blev en retlig enhed, med „huset" eller *„mansus"* (som stammer fra „manere" = at bo (jf. fr. maison), der svarede til det nordiske „bol" eller „bo") som det bærende symbol. *Mansus*-begrebet omfattede bygninger, have, agerjord og udyrket jord. Den samlede værdi af *mansus* svarede til en fuld mandebod[24].

Oprindelig var kun løsøre, herunder bygninger, genstand for fri arveret, også for kvinder, mens jord arvedes af sønnerne alene. Var der ingen, gik jorden tilbage til slægten (ascendensen), men dette ændredes ret snart, således at også døtre eller søstre kunne arve. Men var der ingen livsarvinger, hjemfaldt jorden til den slægt, hvorfra den var kommet. Efterhånden indtrådte der en vis forskelsbehandling af arve- og fællesskabsjorden (agerjord og alminding) i forhold til bebyggede og nyopdyrkede dele af *mansus*, som blev opfattet som en slags „privat ejendomsret" måske netop på grund af ændringerne i arveretten, som også var begyndt at respektere (børne)børns repræsentationsret i forhold til afdøde børn. Den opfattelse, at herreløs jord, som ikke var inddraget under landsbyalmindingen (*silva communis*), var undergivet kongens ejendomsret (*silva regis*) ligesom floder og hærveje, accepteredes tidligt i frankisk ret. Men kongerne kæmpede længe med større eller mindre succes for at gennemtvinge, at almindingerne ikke automatisk skulle opfattes som landsbybeboernes fælleseje, men som kongens regale overejendomsret. Jordregale-princippet antages kendt allerede hos de saliske frankere i det 6. århundrede, hvorefter den enkelte landsby kun havde sin almindingsandel i privat*brug*, ikke i privat*eje*[25].

Middelalderens *tyske* landområder måtte bevidne en fortløbende kamp mel-

---

23 *W. Ogris*, „Erbengemeinschaft", i: HRG, 953-955.
24 *R. Schrøder*, Lehrbuch der Deutschen Rechtsgeschichte, 1889, 195 ff.
25 *R. Schrøder*, 201 ff.

lem de frie bønders selvstændige jorder og et stærkt voksende stratum af gejstlige eller verdslige jorddrotter, der ved køb eller anden form for økonomisk overtagelse, især gaver, inddrog store områder under deres besiddelser, hvorved hele landsbyer nogle steder kom under fæsteafhængighed, således at det var de færreste landsbyer, der var frie. Men der fandtes trods det middelalderen igennem et vist antal blandede landsbyer med både frie og fæstebønder. Overalt fortsatte dyrkningsfællesskabet og anvendelsen af fælles værdimål for den enkelte gårds tilliggender ligesom bolet i Danmark[26].

3. Engelsk ret

Anderledes synes forholdene i *England* at have været. De ældre retshistorikere, Pollock & Maitland, rejste tvivl, om det overhovedet er muligt i engelske kilder fra tiden før Wilhelm Erobreren at finde spor af „co-ownership" eller af korporative enheder. De nævnte nogle ganske få eksempler, bl.a. et fra 1293, der tyder på, at der i visse fællesforhold har forekommet krav om enstemmighed i forbindelse med udlejning af jord fra en landsby[27].

De ville dog ikke afvise, at *sameje* i senmiddelalderens England kunne forekomme på i hvert fald fire felter, nemlig som 1) „tenancy in common", fælles jordleje med arveret til en ideel andel, 2) „joint tenancy", hvorefter en vedtægt om fælles fæste medfører, at en andel ikke falder i arv, men tillægges fælliget som en tilvækstret, 3) „co-parcenary", det partnerskab, som kunne opstå mellem arvinger til jord og 4) ægtefællernes særlige fællesskab eller besiddelse af helheden, „tenancy by entireties"[28].

4. Dansk ret

4.1. Begrebet „fællig"
I løbet af middelalderen fremkom også i Danmark forskellige fællesskabsformer i købstæderne og i landbruget. De kunne fremtræde som en sammenlægning af kapital fra en eller flere mod erlæggelse af arbejdskraft fra en eller flere andre personer. I hanseatiske kilder talte man om „selschap", „Kumpanie" eller „wed-

---

26 *R. Schrøder*, 407-409.
27 *Pollock & Maitland*, The History of English Law, I, 630. Se også *Jacob Braude*, Die Familiengemeinschaften der Angelsachsen, 65 ff.
28 *Pollock & Maitland*, II, 245 f. Se nærmere Kap. 3, II. Formuestrukturer.

derlegginge". Partrederiet nævntes som „selscop in scepes parten"[29]. Danske og nordiske kilder var under sproglig påvirkning fra andre europæiske samfund. Men enkelte udtryk synes at være rent nordiske. Selve ordet „fællig" hidrører dels fra ordet *fæ, fé eller fee*, der betyder gods eller penge og dermed også kvæg, der brugtes som betalingsmiddel. Sammensætningen af „fé" med „lag" til *fælagh, félag, fællig, fèolaga* eller i formen *leggja fé saman* betyder, at man skyder værdier sammen for at gøre noget i fællesskab. Felag kom efterhånden til at betegne en forening eller aftale om hver deltagers anpartsret i en formuemasse. En fælligbryde var en bryde eller forpagter, som var i fællig med ejeren om en gårds indtægter, besætning og bohave[30].

Ordet *felagi* kendes i tidlige runeindskrifter således i en indskrift fra Sigtuna, hvorefter nogle frisiske gildesbrødre havde rejst stenen for at hædre deres *fælle (fellow)*. Johannes Steenstrup nævner i sit værk om Normannerne, at sådanne runeindskrifter var udbredt i hele Norden, og at det ofte netop var et *felag*, som rejste stenen over den dræbte kammerat, fordi der gjaldt regler om et *felags* ret til mandebod ligesom ved fostbroderskab og handelsfællesskab[31].

Ordet *vederlag* eller *vederlægning* havde samme betydning af et fællesskab, hvor flere personer skød værdier sammen. I hanseatisk ret brugtes begreber som *wedderlegginge* eller *matscap* om et sådant fællig med kapitalindsats til fælles gevinst eller tab, der også kunne kaldes *cumpanscap*. I Norge brugtes udtrykket *felag* ved handel eller skibsfart, hvor to eller flere *kumpaner* besluttede at lægge *fé i lag* for at udruste et skib og rejse på handelsfærd. Hvis der var tale om to, der delte værdierne, talte man om *helmingarfelag*, et udtryk, der også brugtes om fællig mellem ægtefæller. Begrebet *matscap* brugtes i nogle stadsretter om en fælles husholdning, *contubernium*. *Matscap* kommer fra det nederlandske ord *maatschappij*, som netop betyder selskab, og hvorfra ordet *maskepi* stammer.

I nordiske kilder finder man ved siden af betegnelserne *felag og vederlægning også begrebet bolag*, som har samme grundbetydning som felag, jf. f.eks. et *fiskebolag* for ejerne af et fiskevand. Lejede man et skib „mit selscap", betød det, at man lejede det sammen med andre. Var man indtrådt i et selskab, kunne man kun udtræde med de andres samtykke. Disse selskaber omkring kapital- eller

---

29 *Claudius von Schwerin*, 56 f.

30 *G.F.V. Lund*, Ordbog til de gamle danske Landskabslove m.v.; The Concise Oxford Dictionary, 9. udgave, 1996: *fellow* one who laid out money in a partnership: *fèolaga* from Old Norse félagi

31 *Johannes Steenstrup*, Normannerne, IV, Danelagen, 1882/1972, 296 f.

arbejdsindskud lignede det sydeuropæiske *societas navalis*. I Norge brugtes de meget til farten mellem Norge og henholdsvis Island, Grønland eller England. De danske middelalderlove er meget lidt oplysende om handels- eller skibsfællig, men landskabslovene antyder, at fællig kunne forekomme om købmandsskab, jf. SKL 230. Det synes også bekræftet, at en dansk købmand kunne indgå et handelsselskab med to fremmede, jf. DD, II, nr. 158, hvorefter befragtning af et dansk skib kunne ske ved to lübske og en dansk købmand[32].

I sit Glossarium fra 1652 oplyser Osterssøn Weylle, at fællig kunne betyde „fællesskab mellem to, tre eller flere, hvorefter de aftaler at participere i løst og fast gods". Han nævnte en række forhold, som faldt ind under fællesbegrebet, herunder familiefælliget, fortsat fællig, fællig mellem lodsejere med hensyn til græsning og fiskeri, fælligslave m.v. Særligt vedrørende Norske Lov (Chr. IV's fra 1604) fremhæves, at hvis husbonden ønsker, at ægtefællerne skal lægge deres penge til „jævned", da er det kun fællig, hvis de tillægger alt det de ejer eller ejendes vorder, både af arv og i andre måder, uanset om det skal skiftes med børn eller udarvinger, d.v.s. et fuldstændigt formuefællesskab, jf. VSL I, 3-4. Det kunne også betyde det samme som „matskapi", som kan holdes af to eller flere især i købmandsskab eller i andre måder, således at enhver må stå last og brast med hinanden. „Det kaldes også på latin Societas"[33].

4.2. Landsbyfællesskabet

Fællesskabet i dansk middelalder om dele af landsbyens jorder opfattedes ikke som en juridisk person eller korporation i romerretlig forstand. De enkelte bønder ejede hver sin anpart og rådede nogenlunde frit over den. Men det var et krav, at de enkelte husstandes medlemmer så vidt muligt skulle bo sammen i landsbyen[34]. Landsbyfællesskabet omfattede et vist jordfællesskab i form af fælles besiddelse af overdrev og alminding m.v. Også agerjorden var under en slags fællesskab, som især ytrede sig gennem adgangen til rebning af jorden. Rebningen hvilede på grundsætningen om bymændenes andelsret som afgørende for omfanget af deres jordbesiddelse og brugsret over fællesjorder samt for fordelingen af en række rettigheder og forpligtelser. Andelen af alminding var en *ideel*

---

32 „Kompagniskap", i: KHLNM, VIII, 678 ff.
33 *Chresten Osterssøn Weylle*, Glossarium Juridicum Danico-Norwegico, 260, om „Fellig og fled". Udtrykket „flæt og fælig" ses i ældre lovgivning og praksis især om ægtefælle- eller familiefælliget under samme tag, idet „flæt" nærmest betyder „hus".
34 *Poul Johs. Jørgensen*, Dansk Retshistorie, 178, 185.

anpart, mens andelen af den rebede agerjord var en *konkret* og bestemt påviselig besiddelse, der kunne ændres ved omrebning[35]. Begrebet jordfællesskab må efter Poul Meyer ikke tages til indtægt for den opfattelse, at der skulle have eksisteret en kollektiv ejendomsret til agerjorden, men nok til overdrev, alminding og ævredgræsning[36].

I det indbyrdes forhold var der tale om et fælles ejer- eller besiddelseskrav til almindingen, mens den rebede jord som nævnt var underlagt konkret enkelt-besiddelse, men dog et krav om fælles dyrkning og hegning m.v. Bylaget var det fælleslaug, som alle bosiddende mænd i en landsby var medlem af. Det var her beslutninger om markernes dyrkning m.v. blev truffet. Der krævedes normalt enighed, jf. ESL II, 58, og SKL 70. Efter Poul Meyer må sådanne „bylag" have været kendt langt tilbage i tiden, da man ikke kan forestille sig et fælleseje til udyrket almindingsjord uden en vis indre organisation. Han forestillede sig, at landsbyorganisationen kunne have afløst en slægtsorganisation i henseende til sikring af fred og forsvar, fordi ældre kilder viser, at landsbyens bønder i talrige forhold har måttet optræde som en enhed udadtil, f.eks. over for tilstødende landsbyer eller omkring magthaveres opkrævning af skatter og afgifter[37]. Han oplyser dog ikke, på hvilket retligt grundlag en sådan slægtsorganisation skulle have bygget. Det lokale landsbystyre i Danmark var reguleret i landskabslove og i vider og vedtægter. De byggede som udgangspunkt på forestillingen om, at beslutninger skulle være enstemmigt aftalt af alle jordejende bønder. Efterhån-den trængte flertalsprincippet ind, ligesom man også fik valgte tillidsmænd som oldermænd, grandefogder eller markmænd[38].

For at forstå den retlige karakter af landsbylauget er det nødvendigt at iagt-tage de sociale, økonomiske og geografiske faktorer. Poul Meyer karakteriserede netop landsbylauget som et „arbejdslag bestemt af fællesskabet i jord og drift", hvorfor dets kompetence måtte antages at være begrænset af omfanget af fælles-skabet. Han påviste, at hvor landsbyerne, således som det var tilfældet flere steder i Skånes skovområder, var fuldstændigt isolerede enheder, adskilt fra andre lands-byer af en omliggende udyrket alminding, ville fællesskabet være begrænset til de lodtagne bønder i byen, men hvor landsbyerne derimod stødte op til andre landsbyer som på Sjælland, ville der tillige også kunne forekomme fællesskaber

---

35 *Poul Meyer*, Danske Bylag, 20 f.
36 *Poul Meyer*, 21.
37 *Poul Meyer*, 40 f.
38 *Poul Meyer*, „Landsbystyre", i: KHLNM, X, 224 ff.

med disse andre, hvorved der kunne etableres videregående fællesskaber, som i øvrigt ofte førte til oprettelse af skriftlige vedtægter om f.eks. fællesgræsning på almindinger og ævred[39].

I sin undersøgelse af danske landsbyfællesskaber fra 1909, især vedrørende almindinger og jordfællesskab, redegjorde den tyske retshistoriker, Karl Haff, også for det karakteristiske ved disse fællesformer og spurgte, om der retligt var tale om fællig med sameje, eller om de var juridiske personer. Han foretog analysen blandt andet ved at gennemgå forskellige regler i landskabslovene om fællesforføjninger af alle landsbyfolkene. Efter JL I, 51, måtte ingen mand bygge på forten, for den tilhører alle. Den fastslog også, at alle tofter, der lå i byen, skulle have forte: både gamle tofter og svorne tofter. Forten var efter Kroman og Iuul den åbne plads mellem landsbyens gårde, bypladsen. Men efter AS 26 omfattedes også bygaden. Efter JL I, 48, brugtes udtrykket „forte og fægang", altså en kvægfold eller indhegnet vej til kvæget. Det var en svoren toft, hvis „alle mænd" tog en del af det, som før var agerland, og gjorde det til toft, dog netop således, at der af den samme svorne toft også skulle gøres forte, jf. også JL I, 51[40]. Efter de skånske og sjællandske regler (ESL II, 58, og SKL 70) måtte der træffes fælles beslutninger ved enstemmighed og ikke blot ved flertalsafgørelse. En fælleshæftelse for landsbyfolkene var også hjemlet ved ESL II, 59, og JL III, 68. I hvert fald for Skåne og Sjælland synes man ikke at kunne tale om landsbyfællesskabet som en juridisk person efter Haff.

I øvrigt var mange regler i Skånske Lov netop udtryk for et enstemmighedsprincip, f.eks. SKL 67 om den særlige bevisfordel for dem, som vil bevise, at en bebygget gade eller forte, „tilhørte dem alle", jf. AS 26, som udtrykker den generelle opfattelse, at „alles fælles og hver enkelts særlige tarv kræver, at der i hver landsby er visse fællesarealer, nemlig veje og pladser, og visse private arealer, der tjener de pågældende personer til brug i forhold til deres ejendomsret, og inden for disse bør enhver uretmæssig besiddelsestagelse bødes ved lighedsrebet, således at hele landsbyen ved opmåling ved dette deles i lige store lodder, som man på folkesproget (dansk) almindeligt kalder „bol", og som vi på latin kan kalde *mansi*, hvorved de til lodderne hørende tofter indbyrdes og disse tofters tilliggende jorder indbyrdes gøres lig med hinanden". Det er en for mig at se ret

---

39 *Poul Meyer*, Danske Bylag, 370 ff.
40 *Karl Haff*, Die dänischen Gemeinderechte, I, 196; *Henning Matzen*, Forelæsninger over den Danske Retshistorie, Privatret, II, 15 ff.; Danmarks gamle love på nutidsdansk, III, 17; „Forte", i: KHLNM, 536 ff.

opsigtsvækkende „moderne" forklaring, der bygger på et lighedsprincip og et fællesskabsprincip, hvor sidstnævnte fremtræder, dels som en slags almennytte-princip, dels som udtryk for fællesskabsinteresser i forhold til den enkeltes private interesser[41].

Flere ord og begreber har relation til den europæiske retlige baggrund, f.eks. *utilitatis* (nytte, brug), *communio* (sameje), *communis universorum* (fæl-lig), *dominio* (ejendomsret), *injustam occupationem* (uretmæssig besiddelse), *aequales partes* (lige andele)[42].

ESL II, 54, om uenighed med nogen uden for bolet, krævede *alle* gran-derne sammenkaldt, og hvis „alle uden undtagelse bliver enige", da kunne de gøre deres tofter så små og så store, som de ville. Også ESL II, 58, krævede enstemmighed og ikke blot en flertalsafgørelse. Herefter kunne ingen mand føre sit kvæg, hverken okse eller ko eller hest på anden mands mark, medmindre alle granderne, som var i byen, samtykkede deri. Hvis alle tillod det, undtagen een, da skulle han dog give bøde til den ene, som ikke gav tilladelse. På samme måde kunne ingen mand give en anden tilladelse til at hugge i uskiftet skov eller fiske i noget vand, hvad enten det var en sø eller en gravet dam, medmindre „alle giver ham tilladelse".

Efter JL III, 55, kunne en fremmed ikke-bosiddende erhverve jord til græs-ning for sine stodheste. Granderne kunne dog tvinge ham til kun at anbringe så mange heste, som jorden kunne tåle efter guldvurdering, og de der boede i byen skulle bestemme antallet, for de vidste, hvad deres mark kunne føde. En enkelt bonde kunne faktisk sælge af sin andel af jorden, mens fællesskabet måtte nøjes med at sætte grænser for den græsning, jorden kunne bære.

Efter SKL 71 om et bylag, som havde en alminding sammen, hvad enten det var skov, lynghede eller anden ødemark, gjaldt, at om nogen ville opdyrke og forbedre denne jord, mens andre ikke ville, da skulle de stævne *alle* til at rebe imellem sig. De, som blev væk og derfor ikke fik skiftet, måtte vente med at få nyt skifte, til de selv havde ryddet og opdyrket jorden, jf. AS 32, hvor det understre-

---

41 På latin lyder AS 26 således: *De distributione per funiculum facienda, communis universorum et privata deposcit utilitatis singulorum ut, sint in villa qualibet, quedam communia vie videlicet et platee et quidam propria serventia pro dominio quarumlibet personarum usibus earundem, in quibus omnem injustam occupationem debet equitatis funiculus emendare cujus dimensione tota villa in aequales parte (portiones) redigitur, quas materna lingua vulgariter* bool *appellant et nos in latino sermone „mansos" possumus apellare. Earum fundis inter se, predisque inter se, fundis ipsis adjacentibus ad equandis.*

42 *P.G. Thorsen*, Skaanske Lov, 113.

gedes, at der på tinge skulle fastsættes en dag for „alle lodsejere" til at foretage skiftet. Hvis de, som protesterede, udeblev, skulle de, som havde krævet afgørelse ved skifte, ikke desto mindre – hver i forhold til sin lod – have fri adgang til at opdyrke de fælles jorder på hvilken måde, de ville (*quibus modis voluerint excolendis*), og de skulle ikke senere tvinges af deres modparter til at foretage nogen deling, førend de selv havde taget deres lodder ind til dyrkning. Flerheden og helheden var således væsentlige faktorer i datidens ret. Landsbyens beboere kunne normalt kun træffe beslutninger på grundlag af enstemmighed[43].

4.3. Den enkelte bymand og fællesskabet

Efter Poul Johs. Jørgensen (s. 178) var det fællesskab, som omfattede landsbyens jord, retligt set et samejeforhold. Landsbyen var ikke en juridisk person (korporation), der ejede jorden. Enhver anpartshaver kunne frit disponere over sin andel ved retshandel og derved sætte en anden i sit sted. Denne andelsret angaves ved bolbegrebet, der både havde denne interne betydning som landsbyanparten for den enkelte gård og en ekstern øvrighedsbetydning, nemlig med hensyn til landsbyanparten af visse skatter og afgifter.

Annette Hoff udtalte[44] i forbindelse med spørgsmål om almindingsskov: „Men det er vigtigt her at bemærke, at bønderne altså i fællesskab havde ejendomsretten til almindingsskovens jord. Der kan også henvises til s. 130 f.n., hvor hun yderligere hævdede, at det er „muligt, at „ejerlaugene" i visse dele af Danmark allerede tidligt i jernalderen har været så veldefinerede...", og videre at „det øde område var inddraget i ejerlauget...", se også s. 131 f.n. om „ejerlaugets ressourceområde". Hun synes nærmest at opfatte landsbylauget som en korporation eller juridisk person, der ejede almindingsjorden i fællesskab. Jeg er enig med Poul Johs. Jørgensen i, at dette ikke var tilfældet, og at der var tale om en slags sameje, men jeg opfatter ligesom Poul Meyer snarere fællesskabet som udtryk for et organiseret interessentskab til varetagelse af fælles opgaver[45]. Annette Hoff nævnte faktisk selv s. 186, 5. afsnit, om engangsbruget, at det var et kollektivt foretagende, hvor den enkelte jorddyrker blev underlagt et vist regelsæt, for at fællesskabet kunne fungere. Når hun hævder, at SKL 189 rummer et yngre træk i procesretten ved den manglende bevisførelse (s. 188, 1. afsnit), idet loven slet og ret påbyder den bymand, der unddrager sig det kollektive hegningsan-

---

43 *Karl Haff*, 160 f., 199 ff.
44 *Annette Hoff*, Lov og Landskab, 128.
45 *Poul Meyer*, 39 ff., om „Bystævnet".

svar, at betale bøder og ikke giver ham nogen mulighed for at frakende sig ansvaret ved hjælp af edsbevis fra mededsmænd, stiller jeg mig tvivlende. Jeg læser de omtalte regler på en lidt anden måde, ikke som bevisregler, men dels som regler om markfreden og dels som regler om forholdet mellem den enkelte bymand og landsbylauget, d.v.s. det interne retsforhold. Der er tale om en slags „laugsretlige" vedtægter truffet ved indbyrdes overenskomst, hvorefter det, som alle har vedtaget, skal efterleves af alle, jf. s. 186, 3. afsnit f.n. En mand eller to kan ikke senere forhindre beslutningen uden at ifalde bøde over for fællesskabet, jf. princippet i JL I, 50.

Både hegnsregler og regler om vogtning af kreaturer handler om brud på markfreden. Oprindelig skulle hver enkelt bymand selv hegne sig fred til for sin egen ager. I JL III, 57 pålægges bymændene en kollektiv hegnspligt, jf. JL III, 58, for så vidt angik vangebruget, men ikke særjord. JL III, 57 bygger i øvrigt på en fællesvedtagelse mellem bymændene. Den kræver først interne bøder og derefter afgørelse på tinge med bøder også til kongen.

Den omtalte fællesskabsproblematik dukker også op i afsnittet om hyrder i forbindelse med en udlægning af reglerne i ESL II, 71 og 73, se Anette Hoff s. 220 f. Efter ESL II, 73, skulle kvægejer kun betale erstatning, ikke bøde, hvis der var fælles hyrde, og kvæget var brudt ind gennem vangens gærde, men ville en af granderne ikke have hyrde fælles med de andre, og hans kvæg kom i vangen, måtte han både erstatte og bøde. Fra denne ansvarsregel slutter hun s. 221, 2. afsnit, at de lovkyndige ønskede fælleshyrde i stedet for egen hyrde. Mon ikke der blot er tale om differentierede ansvarsregler for fælligforhold og for enkeltmandsforhold?

Når hun i det følgende afsnit 3 på s. 221 taler om at „tvinge granderne til at have fælles hyrde", og at man har „benyttet sig af lovens magt" til at påtvinge fælleshyrde, synes hun at bortse fra fællesskabsmomentet. Hvis man læser ordlyden i ESL II, 71, og især II, 72, fremgår det, at granderne i fællesskab havde antaget en hyrde. ESL II, 72, bruger udtryk som „grandernes samtykke", „tilladelse af alle granderne" og „man skal ikke bøde for dem, der har fået tilladelse af alle". Der er her typisk tale om et rent fællesforhold, hvor vigtige beslutninger for fællesskabet skal træffes i enighed, mens beslutninger om den enkeltes andel eller anpart træffes af anpartshaveren selv.

Omtalen af gadestævnet og kirkestævnet s. 228, næstsidste afsnit, og den fælles hegningsoverenskomst mellem flere landbyer burde have været sammenkoblet med de omtalte regler om landsbyen som retlig organisation. Hoff er faktisk selv inde på tanken, når hun karakteriserer gadestævnet som en institution med besluttende kompetence under henvisning til ESL II, 76. Men hun har ikke søgt at afklare forholdet mellem tinget og gade- eller grandestævne. Grande-stævnet havde kompetence i småsager og kunne afgive kendelse om bøder. Hvis man ikke rettede sig efter en kendelse, måtte man efter Poul Meyers opfattelse, som jeg finder rimelig, gå til tinget. Han påpegede i *Danske Bylag* s. 36, at landskabslovene har mange eksempler på bymændenes kompetence til at indgå aftaler om retsforhold, og at de uden tingets medvirken kunne afgøre forskellige retstvister, ja endog idømme bøder. Men hvis der skulle gennemtrumfes en tvangsfuldbyrdelse af bødebetaling, måtte tinget medvirke.

Han tilføjede, at de mange bestemmelser efter hans mening efterlader det hovedindtryk, at landskabslovene i udpræget grad var polemisk indstillet over for bylagets domsmyndighed. En vagtsomhed fra de kredse, hvorfra retsbogsopteg-nelsen udgik, fandt han forståelig i en tid, hvor det offentlige ting, ikke mindst landstingene, tilkæmpede sig „autoritet til at sætte lov og dom over selvtægt". Poul Meyer antog således, at bylaget i ældre tid har varetaget egne tvistemål og haft et udpræget selvstyre[46].

4.4. Fællesbryden

Det højmiddelalderlige danske godssystem var karakteriseret ved mindre gods-enheder, der ofte kunne omfatte en eller flere landsbyer eller en del deraf, lige-som et gods kunne bestå af en eller flere store brydegårde med tilhørende land-arbejdere, de såkaldte landboer og gårdsæder. Brydesystemet var en organiseret stordriftsform, som før 1200 især udnyttedes af adelige slægter, af kronen eller kirkelige institutioner. Bryden stod i spidsen som forvalter. Bryder har i øvrigt fundet omtale allerede i runeindskrifter fra vikingetiden, hvilket Niels Lund ta-ger som tegn på, at nogle allerede da ejede mere jord, end de selv kunne admini-strere, og at sådanne jorder kunne være ejede af flere, eventuelt familieejede. Endnu i 1300-årene var brydesystemet udbredt. Efter JL II, 1, skulle en sande-mand have egen jord eller mindst være fælligbryde. Landskabslovene havde flere regler om, at en mand kunne tage en anden mand i fællig med sig. Bryden kunne eje meget beskatningspligtig jord ved siden af jorden i brydefælliget. Efter JL III, 66, skulle bonden på tinge lyse, at hans bryde var fælligbryde, d.v.s. forpag-ter, og ikke kun forvalter. Havde bryden selv en gård og en bryde derpå, var han husbonde der og værge for den anden bryde. Bryder kunne drive storgodser eller styre familiegodser som familiemedlem eller som udenforstående. Hvis

46 *Inger Dübeck*, Lov og Landskab, i: Historie, 1998, 1, 118-120.

bonden eller bryden, når de skulle skilles og skifte, sagde, at de ejer noget uden for fælliget, da var den, som ville bevise fællig for dem begge, nærmest til at føre beviset. Det havde altså sandsynligheden for sig, at fælliget omfattede alt gods. Bryden kunne også blive medlem af et *fællig* om *brugen* af bondens jord og et *sameje* med hensyn til indbragt besætning og inventar. Fælligbryden formodedes at bo i samme gård som bonden. De delte udbyttet i forhold til brydens andel i det fælles løsøre, når brydeforholdet ophørte, JL II, 70. Også slægtninge eller en svigersøn kunne indgå under brydefælligvilkår, ESL I, 11[47].

4.5. Fællesskaber i handel og håndværk

Selv om der er mange ældre kilder, der dokumenterer forekomsten af selskabs-retlige organisationsformer, fortæller de sjældent meget om de konkrete sel-skabsretlige betingelser, herunder om hæftelsesformerne. Da Christian III ind-førte tyske bjergværksordninger i Norge, overførtes også dele af de tyske regler om andelsretten i form af „kuxer" eller aktier. Oprettelsen af aktieselskabslig-nende selskabsformer indledtes i det egentlige Danmark med det ostindiske kompagni, som oktrojeredes i 1616 for en 12 års periode. Det var opbygget efter nederlandske forbilleder. Men de tidlige erhvervsdrivende selskaber var dog mere beslægtet med det ansvarlige interessentskab (*societas*) end med nutidens aktieselskaber med begrænset hæftelse[48].

Omkring hæftelsesproblemet i forbindelse med samkaution skete der i 1554 ved en rettertingsdom en ændring i forståelsen af begrebet hæftelse „med samlet hånd", der, ligesom vi så i ældre germanske kilder om „Gesamthand", hidtil havde medført solidarisk hæftelse for dem, der havde lovet med sammenlagte hænder. Efter dommen skulle der kun hæftes *pro rata*, medmindre kautionis-terne udtrykkeligt havde erklæret sig solidarisk ansvarlige, en opfattelse der holdt sig frem til Danske Lov, og som blev optaget deri, jf. 1-23-13 og 14[49].

Men ved udviklingen af det ansvarlige selskab og nye handelsretlige ekse-kutionsformer i forbindelse med selskabsgæld udvikledes *solidaritetsprincippet* i retning af de regler, som efter romanistisk påvirkning gjaldt om mandat og fuldmagtsforhold. Herefter kunne en *socius* forpligte de andre deltagere til soli-darisk hæftelse via sit mandat, hvilket var til fordel for selskabskreditorerne på

---

47 KHLNM, II, 270-272; *Niels Lund*, Viking Age Society in Denmark. Evidence and Theories, i: Danish Medieval History, New Currents, 31; *Helge Paludan*, Familia og Familie, 27 f., 40 f., 53 f.

48 *Inger Dübeck*, Aktieselskabernes Retshistorie, 17.

49 *Inger Dübeck*, 68 ff.

særkreditorernes bekostning. Fra det 16.-17. århundrede begyndte de europæiske handels- og købstadretlige kilder at afspejle en skærpelse af synet på selskabsformen som en sammenskudt fond, der nu opfattedes som et selvstændigt hæftelsesobjekt ved siden af de enkelte deltagere med deres personlige, solidariske hæftelse. Selskabsretten bevægede sig i denne periode ad nye veje, ligesom det kan ses vedrørende de gamle familie- og husfællesskaber[50].

For trediemand, d.v.s. kreditor, panthaver, skadelidte eller andre rettigheds- eller fordringshavere, var det blevet væsentligt, hvilken form for garanti et selskab kunne tilbyde: om alle deltagerne hæftede på lige fod og med hele deres formue (personligt) og for hele selskabets gæld (solidarisk) eller kun for dele af denne gæld (pro rata) eller for ingen del, idet selskabsformuen hæfter alene. Der er ingen tvivl om, at bortset fra f.eks. kaution og de nye selskabsformer inden for bjergværker og oktrojederede handelskompagnier, foretrak man i Danmark selskaber med personlig og solidarisk hæftelse for hver interessent i forhold til hele selskabsgælden. Selskabskreditorerne kunne dog affinde sig med en principal pro rata-hæftelse for hver deltager og først subsidiært, hvis der herefter endnu måtte restere noget gæld, indkræve restbeløbet hos hvem som helst af de solvente deltagere (principalt pro rata og subsidiært solidarisk hæftelse).

Da kongen ved forordning om silkehandlerne i København af 27. september 1620 havde lovet dem at ville forstrække dem med penge til deres handels iværksættelse, krævede han, at hver skulle stå inde for sin anpart og det „ganske kompagni", og handlens varer tillige skulle hæfte. Der synes tale om en pro rata-hæftelse for deltagerne og en slags fondshæftelse med kompagniets værdier og varelager. Pro rata-begrænsningen omfattede traditionelt både tab og gevinst[51].

III. Sammenfatning

Erhvervsorienterede fællesskaber fandtes i såvel antikken som den tidlige middelalders romanske og germanske samfund. Så langt vi kan spore tilbage, gælder dette også i Danmark. Disse fællesskaber udviklede både i de romerretligt påvirkede områder i det sydlige Europa og i de sædvaneretlige, „germanske", dele af Mellem- og Nordeuropa tidligt regler til regulering af såvel organisations- som formueforhold.

---

50 *Inger Dübeck*, 71-73.
51 *Inger Dübeck*, 74.

De romerretlige områder tog udgangspunkt i „societas"-begrebet vedrørende organisationsforhold og i „communio"-begrebet om sameje vedrørende fællesskabsmidlerne, hvorover de enkelte deltagere havde rådighed i forhold til deres andel udadtil og ret til deling efter samme andel indadtil i forhold til tab eller gevinst. Communio-begrebet gav efter romersk opfattelse enhver deltager vetoret. Det ubetingede krav om enstemmighed betragtedes imidlertid som upraktisk i daglig handel og vandel. Societas ansås ikke som bærer af rettigheder og pligter, således som det var tilfældet med den yngre selskabskonstruktion, korporationen, der ansås som en juridisk person.

De germanske, sædvaneretligt regulerede fællesskaber byggede på et „Gesamthand"-begreb, der var udtryk for et samejeprincip, og som organisatorisk forudsatte enstemmighed. Både det romerske „communio" og det germanske „Gesamthand" krævede således enstemmighed om beslutninger vedrørende rådigheden over samejemidler. Begge former synes under indflydelse af ændrede økonomiske og retlige forhold at ændres i løbet af senmiddelalder og tidlig nytid, således at rådigheden kunne tillægges en enkelt på de andres vegne, og hæftelsen kunne begrænses til en pro rata- eller anpartshæftelse. Dette rådighedsprincip synes også at slå igennem i familieforhold, men ikke hæftelsesbegrænsningen.

Fællesskaber havde øjensynlig meget stor praktisk betydning i de nordiske lande, som det også kan udlæses af ældre sprogbrug og af runeindskrifter fra vikingetiden og århundrederne derefter. Danske regler om landsbyfællesskaber opererede både med ideelle anparter og konkret, påviselige andele, og efter reglerne at dømme var andelsretten lige så karakteristisk som fællesskabsretten. Også dansk ret byggede længe på enstemmighedsprincippet.

Det er på den her skitserede økonomiske og retlige baggrund den efterfølgende undersøgelse af formuefællesskaber i familie- og ægteskabsforhold skal vurderes.

· 3 ·
Familiestrukturer og formuestrukturer

I. Familiestrukturer

Skyldes familieformuerettens særpræg ikke blot et retligt, men tillige et kulturelt historisk fænomen? Var familien, forstået som den under samme tag boende sociale og økonomiske enhed, bestående af beslægtede, eventuelt tillige besvogrede, hinanden nærtstående personer, en faktor af betydning for statsmagten, kirken og det omgivende lokale civilsamfund? Hvis *et* mål for den kirkelige og den verdslige magt var stabilitet i samfundet, et *andet* slægtsværdiernes bevaring og *et tredie* slægternes eftermæle og magt, ville disse mål da betyde, at familien blev den grundlæggende retlige og økonomiske faktor i samfundet snarere end slægten med dens uklare afgrænsning, og at familiestrukturen måtte indvirke på rettens udformning? Stabilitet, fred og ro kunne søges fremmet via retlig regulering, hvor modstridende interesser ellers ofte brydes, f.eks. omkring formuernes overgang ved arv, kontrakt eller testamente. På samme måde kunne jordisk barmhjertighed og sjælenes frelse fremmes ved at sikre forsørgelse af børn, kvinder, gamle samt syge.

At middelalderkirken og dens efterfølgere i Nordeuropa, de protestantiske kirker, ønskede indflydelse på alle sider af familielivet er utvivlsomt, men også at der ofte opstod sammenstød mellem kirkelige intentioner og de sociale, økonomiske og kulturelle forudsætninger på lokalt hold. Det hævdes i nyere nordisk historieforskning, at kirkens „redefinition af, hvad der konstituerede et legitimt ægteskab"[1], øgede behovet for retliggørelse af familieaftaler og familieforhold.

---

1 *Agnes Arnorsdottir og Thyra Nors*, i: Ægteskab i Norden fra Saxo til i dag, Nord 1999, 48.

Kirkens krav om monogami, ægteskabets uopløselighed og forbud mod ægteskab mellem for nært beslægtede og besvogrede samt dermed sammenhængende fjendtlighed over for uægteskabelige forbindelser og ditto frugter, fik afgørende indflydelse på reglerne om familieformueretten og de arveretlige regler.

1. Europæiske forhold

David Sabean har i en del af sin forskning i familiehistorie understreget, at man i forbindelse med en analyse af familiens natur og af de forskellige retsvirkninger og konsekvenser af formueforholdene må undgå at behandle familien som en statisk enhed. Enhver familie har en tidsdimension, som begynder med den personlige forening mellem to parter og det dermed følgende økonomiske arrangement, som overalt i Europa var almindeligt blandt bønder. Når børnene ankom, fik familien nye ansvarligheder og funktioner. Hustruen fik ofte efter første barns fødsel en retligt mere integreret position i mandens familie. Når børnene voksede til, opstod spørgsmål om fusion mellem forældrefamilien med næste generations nye familier, senere efterfulgt af aftægts- eller andre generationsskifteordninger, og valget mellem skifte eller et fortsat fællig ved førstafdødes død blev aktuelt efter nogle retsordninger, mens et søskendefællig kunne blive aktuelt efter længstlevendes død. Nogle steder, som f.eks. i Danmark og visse dele af Frankrig, boede gifte børn ofte i fællesskab med forældregenerationen[2]. Efter fransk retshistorisk opfattelse synes det muligt at påvise i hvert fald en vis sammenhæng mellem valget af formueordning og økonomisk basis. Fæstebønder, som i forhold til jorddrotter måtte sikre den fortsatte brug af fæstejorden for efterslægten, valgte typisk en fælligordning, mens selvejende bønder, der ikke var afhængige af en godsejer, foretrak en anden formueordning, hvor særeje dominerede[3].

Problemet om de forskellige familiestrukturers tilsynekomst på det nordvesteuropæiske atlas skal belyses ud fra yngre og ældre historisk og retshistorisk forskning, der på et komparativt materiale har kastet lys over den europæiske retshistorie. Den europæiske sædvaneretsudvikling hviler gennemgående på en

---

2 *David Sabean*, Kinship and Property in rural Western Europe before 1800, i: Family and Inheritance, 96-105.

3 *Le Roy Ladurie*, Family Structures and Inheritance Customs in sixteenth Century France, i: Family and Inheritance, 61-70.

3. Kalkmaleriet fremstiller et „Anna Selvtredie-billede" med Jesu mormoder, Anna, som centralfigur med jomfru Maria som moderen med Jesusbarnet på skødet. Gruppen er omgivet af to gifte kvinder. Kvinden til venstre ammer et lille drengebarn, mens tre større drenge ser på. Det er formentlig Marias halvsøster, Maria Kleofas, med sønnerne Jacob den yngre, Josef, Simon Zelotes og Judas Taddæus. Kvinden til højre kunne være den anden halvsøster, Maria Salome, med sønnerne Jacob den ældre og Johannes evangelisten.

Den hellige familie, 1525, Sanderum Kirke, www.kalkmalerier.dk

4. „Den hellige familie" repræsenterer her den lille hjemmeindustri. Josef arbejder med sin høvl, og bag ham ses de øvrige tømrerredskaber (sav, hammer mv.). Maria arbejder flittigt med nål, tråd og saks, mens Jesusbarnet leger på gulvet. Fuglen repræsenterer muligvis den apokryfe fortælling fra Thomasevangeliet, hvor den femårige Jesus modellerede spurve af ler og bragte dem til live. Renaissancens malere udviklede de særlige gruppeportrætter, der er kendt som „Den hellige familie" (Sacra famiglia, Holy Kinship, Heilige Familie), ofte dog omfattende Marias øvrige slægt.
Den hellige familie eller *Kristus som barn i sine forældres hjem*, midten af 15. århundrede, spansk bønnebog, hylde-ID: add 18193, by permission of the British Library.

5. Højre sideskab i denne sidealtertavle forestiller jomfru Marias halvsøster, Maria Kleofas, med ægtemand Ælfæus og fire sønner: Jacob den yngre, Josef, Simon Zelotes og Judas Taddæus. Midterskabet er beskadiget, idet de to mødre, jomfru Maria og kusinen Elisabeth, mangler deres børn, Jesus og Johannes Døberen. Mormoderen, Anna, er ikke i centrum. Hun sidder til højre i forreste række og læser i en bog. På bageste række ses ægtemændene Zakarias og Josef bag Elisabeth og Maria samt Annas tre (successive) ægtemænd. Sideskabet til venstre viser jomfru Marias anden halvsøster, Maria Salome, med ægtemanden Zebedæus og sønnerne Johannes evangelisten og Jacob den ældre. Hele sidealtertavlen afspejler „Den hellige familie" som storfamilie.
Sidealtertavle af nordtysk herkomst fra Vor Frue Kirke i Odense, cirka 1500, foto: Nationalmuseet.

6. Fremstilling af den hellige familie som en storfamilie. I midten mormoderen, Anna,
med Jesusbarnet på skødet ved siden af jomfru Maria og Josef. Bagest står tre mænd,
som kunne være Annas successive ægtemænd: Kleofas, Salomo og Joachim. Forrest le-
ger to børn, som kunne være de to ældre sønner af Marias halvsøster, Maria Kleofas,
som ses på venstre sidefløj med de to mindste drenge og ægtemanden stående i bag-
grunden. På højre sidefløj ses Marias anden halvsøster, Maria Salome, med to sønner og
ægtemanden Zebedæus i baggrunden. Det er tydeligvis kvinder og børn, som er de cen-
trale figurer i familien. Kvinderne signalerer inderlighed, kærlighed og omsorg.
Den hellige familie, Lucas Cranach d.æ., Torgauer alter, 1509, 120 × 186 cm,
Städelsches Kunstinstitut, Frankfurt am Main, foto: Blauel/Gnamm – Artothek.

7. „Anna Selvtredie" som centrum for „Den hellige familie" omfattende jomfru Marias
to halvsøstre, deres henholdsvis to og fire sønner, der alle blev disciple af Jesus, samt
stående bagved mormoderen, Annas, tre (successive) ægtemænd, fædrene til de tre sø-
stre og disses ægtemænd. „Den hellige familie" er her opfattet som en storfamilie, hvis
centrum udgøres af mormoderen til de syv børn.

Disse billeder hører til genrerne „andagtsbilleder" og „kultiske repræsentationsbille-
der", som begyndte at dominere i det sene 14. og i det 15. århundrede. De hører til ka-
tegorien „Jesu barndom og bliven menneske", hvortil netop mormoderen og moderen
spillede en stor rolle, og som giver barnet en mere fremtrædende placering i familie-
portrættet. „Den hellige familie" som andagtsbillede levede videre ind i barokken, hvor
det opnåede en ny blomstring (se illustration 8 og 9).

Relief fra den nu nedrevne Rodsted Kirke i Himmerland, cirka 1500, foto: Nationalmu-
seet.

8. „Den hellige familie" i Bartolomé Esteban Murillos (1618-1682) udformning. Maria
sidder flittigt og spinder, mens en yngre Josef har lagt sit værktøj fra sig på høvlebænken
i baggrunden og er rykket frem i forgrunden sammen med Jesusbarnet, der med spur-
ven i hånden synes at drille den lille hund. Billedet udstråler en borgerlig-verdslig fami-
lieglæde.
Den hellige familie med spurv, Bartolomé Esteban Murillo, 1650, 144 × 188 cm,
Museo del Prado, rettigheder forbeholdt © Museo Nacional del Prado.

9. Maria med Jesusbarnet på skødet og muligvis Elisabeth med Johannes Døberen. Manden til højre i skyggen kunne være Josef. De centrale personer er de to mødre og de to drenge.

Den hellige familie på trappen, tilhænger af Nicolas Poussin, 1648, 68 × 98 cm, National Gallery of Art, Washington, Samuel H. Kress Collection, foto: Lyle Peterzell, © 2003 Board of Trustees, National Gallery of Art, Washington.

lighedstanke (lige arveret mellem brødre (søskende)), men kender dog regler, der tilsidesætter hensynet til ligedeling, f.eks. reglerne om udskiftning af børn, eller om testamentariske begunstigelser af en eller enkelte arvinger. Den nedskrevne, ældre sædvaneret anses for „egalitær", hvorimod de yngre særregler om arvebegunstigelser ikke tilsigtede lighed, men netop særinteresser. Bofællesskab under samme tag af flere generationer indicerer efter Emmanuel Todd et autoritetsprincip forstået på den måde, at der er indbygget et afhængighedsforhold mellem de forskellige generationer, som fortsætter, selv om forældrene er blevet gamle og børnene voksne. Hvor forholdet mellem forældre og børn byggede på mindre afhængighed for de yngre, f.eks. i „kernefamilien", ville der typisk ske en hurtig udskiftning af børnene. Samspillet mellem arvereglerne og reglerne om husfællesskab kunne efter Todd fremme en udvikling mod flerfamiliesystemet.

Todds sondring mellem kernefamilier og flergenerationsfamilier førte ham til følgende antagelser: Kernefamiliens børn stiftede tidligt egne, uafhængige hjem, ligesom fordelingen af familieformuen for en dels vedkommende kunne ske i forældrenes levende live, mens resten fordeltes enten efter testamente som udtryk for ulighed eller efter et strengt ligedelingsprincip. Ved flergenerationsfamilien sondredes mellem, hvad man kunne kalde to-generationsfællesskaber og egentlige storfamilier. Den eller de hjemmeboende børn skulle sikre familiens fortsatte eksistens på familiens jord i to-familiefællesskabet. Derfor udvikledes typisk regler om særbegunstigelse af en af børnene til ulempe for de øvrige. Familien var karakteriseret ved en særlig indbyrdes afhængighed og autoritetsudøvelse oppefra og nedefter. Det var således autoritetsprincippet og ikke lighedsprincippet, som var fremherskende. I storfamilien blev de gifte sønner boende og etablerede efterhånden et tregenerationsfællesskab, der, når faderen døde, som samboende brødre delte formuen mellem sig. Dog skete det, at brødrene undlod at skifte og fortsatte deres bofællesskab under samme tag, hvorved de etablerede, hvad Todd betegner som et egentlig „système communautaire", et økonomisk formuefællesskab (mellem ligestillede), hvorved et oprindeligt autoritetsprincip afløstes af et lighedsprincip[4].

Den engelske forsker, David Sabean, har prøvet at samle de forskellige aspekter omkring familieadfærd og ejendomsforhold i det agrare Vesteuropa før 1800 for at undersøge, om og hvorledes ejendomsforholdene påvirkede familiestrukturen. I familier, hvor værdierne fortrinsvis bestod af løsøre, spillede fade-

---

4 *Emmanuel Todd*, L'Invention de L'Europe, 29-32.

ren ingen særlig overordnet rolle, og båndene mellem familiens enkelte medlemmer var løse, ligesom børnene tidligt kom ud at tjene som tyende eller lærlinge.

Selv hvor værdierne især bestod af jord, kunne der være sociale forskelle, som det er kendt fra landsbysamfund. Hver husholdning i landsbyen havde sin egen status baseret på mængden af jord, familiens størrelse og moralske omdømme. Husholdningen var den primære økonomiske og retlige enhed i samfundet. Også skatte- og militære pligter hvilede på den enkelte husholdning. Det var derfor afgørende, om den enkelte husholdning formåede at bevare sine formueværdier og via disses overgang til næste generation at sikre familiens sociale *kontinuitet* og forældregenerationens alderdomsforsørgelse[5].

Man kunne hertil føje en formodning om, at på det tidspunkt, hvor retspraksis omkring disse problemer havde fået karakter af en mere etableret sædvaneret og måske var blevet nedfældet skriftligt i retsbøger m.v., var al dyrkbar jord bragt under ploven og inddraget under familiebesiddelser, således at enhver ung kvinde typisk blev gift ind i mandens familie til en form for fællesskab eller anden formueordning, eller omvendt at den ugifte mand, som blev udskiftet og forlod familien, enten ville blive optaget som svigersøn i hustruens familiefællesskab eller som ægtemand og måske stedfar i en enkes fortsatte fællig med umyndige børn, og at det næppe overalt var det mest typiske, at et par kunne købe en gård eller overtage fæstet til en (øde)gård, hvormed de kunne starte en helt ny familie. Om kvinden forblev medlem af sin egen familie, eller om hun straks eller efterhånden gled ind og blev medlem af mandens familie, beroede på lovgivning, aftaler eller praksis[6].

2. Danske forhold

Der synes ikke i dansk forskning at være foretaget mere indgående systematiske studier i sammenhængen mellem familiestrukturer, bolig- og ejendomsforhold i middelalderen. Det er derfor vanskeligt at udtale, hvad der måtte have været karakteristisk for de forskellige familietypers livsomstændigheder. Det er dog påfaldende, at kernefamilien i en del nyere forskning antages at have været den dominerende familiemodel allerede fra ca. 1300-tallet, mens husholdninger med

---

5 *David Sabean*, 96-103.
6 *Jack Goody*, Inheritance, Property and Women, i: Family and Inheritance, 14-25, 30-36.

mange personer, bofællesskab, især antages at have været dominerende ved fyrstelige eller adelige gårdes husholdninger med mange folk[7].

Modstillingen: *kernefamilien* contra *storbonden/stormanden* med en omfattende *familia* i form af undergivne og tjenestefolk har også været fremhævet af Helge Paludan i forbindelse med hans undersøgelse af begreberne „Familia" og „Familie". Det beskyttende „villications"- eller brydesystem, som kirken anvendte i hele Nordvesteuropa, og som i Danmark især styrkedes efter indflydelse fra Cistercienserklostrenes stordriftssystem, og som hjemledes i rigsloven fra 1304, var udtryk for det *familia*system, der hørte under en jorddrot, mens udviklingen af *kernefamilien* antages at skyldes kirkens ønske om at gøre ægteskabet til et sakramente og det eneste tilladte fællesskab mellem mand og kvinde.

Erik Menveds forordning af 13. marts 1304 bestemte i § 5 om overtagelse af forsvar for andre, at „ingen, ligegyldig af hvilken stilling, må driste sig til at påtage sig ansvaret for nogen, undtagen de hører til hans undergivne eller bor på hans jord, eller den forurettede på grund af lovlige hindringer, nemlig stor fattigdom, alderdom og andre legemlige svagheder, ikke er i stand til eller evner selv at forfølge sin sag, i hvilke tilfælde det tilstås de forurettedes slægtninge ... at forfølge deres sag ... Det forordnes ... også: alt, som måtte være foretaget af sandemænd og nævninge og alle andre i ligegyldigt hvilke sager, i hvilke forsvar er påtaget for nogle eller nogen – undtagen i tilfælde på grund af skrøbelighed – er ugyldigt og virkningsløst..."[8]. Det var efter ordlyden ikke tilsigtet at sætte „arvemekanismen" ud af funktion. Forordningen vedrører det processuelle værn af undergivne og begrænsede retten til at overtage et sådant forsvar til alene at omfatte „undergivne" folk, som bor på værnerens jord, eller de nævnte meget svage grupper. I øvrigt var mange både før 1304 og senere beføjet til at varetage andres interesser på tinge, uden at det havde indflydelse på de beskyttedes arveret.

Helge Paludan kommer ad nogle ret krogede veje til det resultat, at den danske villicationsordning og *familia*systemet efter 1304 satte arvemekanismen ud af funktion for dem, der havde behov for beskyttelse[9]. Paludan mente, at man „eftertrykkeligt (havde) udryddet de slægtsbeskyttende „bondones" og den egalitære arvetænkning". En „arvegang i familiens eget regi" var udelukket. Det

---

7 *Bjørn Poulsen*, Dagliglivets fællesskaber, i: Middelalderens Danmark, 191.
8 DRB, 2. rk., V, 310.
9 *Helge Paludan*, Familia og Familie, 166 ff., 180 ff.

forekommer mærkeligt at drage denne arveretlige slutning af de skærpede vær-
neregler. Selvsagt kan man ikke tale om arvejord, når der er tale om fæstejord.
Men der var intet til hinder for at arve løsøre, herunder købejord, bygninger,
redskaber og kvæg. Arvemekanismen som sådan blev ikke sat ud af funktion.

Familiernes størrelse i den enkelte husholdning i retning af en-, to- eller fler-
generationsfamilier har formodentlig varieret af både praktiske, økonomiske og
sociale grunde. Landskabslovenes regler om fælig lader os forstå, at alle tre for-
mer kunne forekomme. Det bør bemærkes, at en del af landskabslovenes regler
taler om voksne børn, der er „i fælig" med forældrene (jf. reglerne om hustru-
ens og børns rådighedsret og om udskiftning) i betydningen, at de bor hjemme.
Når også arkæologerne kan konstatere, at der i hele middelalderen forekom både
store og små husholdninger, kunne de større tænkes at have dannet basis for
„storfamilier" og ikke blot kernefamilier med mange tjenestefolk.

Landbruget var allerede omkring 500 e.Kr. baseret på landsbysamfund.
Herefter blev det almindeligt med store langhuse, der gav plads til større besæt-
ninger og vel også flere personer under samme tag. I Europa fandtes næsten
overalt både stordrift og bondebrug, men uanset hvilke brugsformer, krævedes
der en organisering af arbejds- og administrationsprocesserne, hvortil der kræve-
des samarbejde både indadtil i familierne og udadtil i landsbysamfundene, og til
dette brug måtte der nødvendigvis udvikles visse sædvaner, som via praksis
kunne fæstne sig og måske få karakter af egentlige retlige vedtægter eller regule-
ringer. Ligesom teknologi og dyrkningsmetoder spredte sig, således kunne også
reglerne omkring driftsforholdene spredes[10].

Da reglerne i landskabslovene om formueforhold selvsagt var udviklet
blandt de besiddende bønder, må man formode, at regler, som åbnede mulighed
for flergenerationsfamilier, også kan have været interessante for den adelige eller
økonomiske overklasse såvel som for de besiddende bønder. I landskabslovene
møder man et socialt differentieret landbosamfund, hvor nogle gårdejere havde
råderet over alle gårdens bygninger og tilliggender, mens andre havde en be-
grænset ret over et enkelt rum eller en bod eller hytte inden for gårdsleddet. De,
som kunne bo på en gård ud over ejeren, kunne være bryder, indsidere, landboer
eller gårdsæder. Men det fremgår ikke klart af lovene selv, om de mange enkelt-
rum eller småhuse i en større gård normalt var beboet af fremmede undergivne,
eller om de jævnligt var bolig for en familie bestående af to eller flere generatio-
ner.

10 Den store Danske Encyclopædi, „Landbrug".

Man kan altså rejse det spørgsmål, om det samfund, som således afspejles i landskabslovene, svarede til virkeligheden i den tidlige eller senere middelalder? Var det et samfund af selvejerbønder, eller domineredes det af fæstebønder, eller var der tale om en vekslen imellem disse former for besiddelse, og havde besiddelsesformerne forbindelse med jordenes geografi og bonitet? Disse brændende spørgsmål skal ikke søges besvaret her, men bør dog nævnes for at sætte problemerne om formuestrukturer i et bredere relief.

Helge Paludan forbinder i sin tolkning af SKL 76 slægtskabsforholdet mellem rig og fattig med ejerforholdene. Han taler om en „rigid slægtsordning af landsbyernes jordfordeling", som forberedte et andet fordelingssystem, der ikke baserede sig på horisontal ligestilling mellem fattige og rige slægtninge, men på et koncept om et vertikalt over- og underordnelsesforhold mellem jordejere og jordlejere. Der skete et afgørende skred, hvorved „forbindelsen mellem jord og slægt løsnedes" en udvikling, hvorefter hovedparten af danske bønder skulle blive fæstebønder i forhold til et besiddende, mindre omfattende lag af godsejere og herremænd[11]. Paludan synes at opfatte det ældre samfund som en guldalder med ligestilling mellem rig og fattig. Men han lader en række spørgsmål ubesvarede, herunder slægtsbegrebet og slægtsreglernes betydning.

Blev storbønderne herremænd eller fæstebønder, eller forblev de selvejerbønder? Forekom selvejerbønder allerede i vikingetiden, og hvor kom de fra? Var de veltjente soldater, kolonister, der havde fået selvejerrettigheder af konge eller høvding?

Til supplement kan der også henvises til C.A. Christensens omtale af de kongelige prærogativer i artiklen „Begrebet bol"[12]. Han opfatter kongens markskelsridning som en slags dømmende myndighed og påpeger, at denne kompetence må have været betydningsfuld i forbindelse med afgrænsningen mellem de øde og ubebyggede almindingsområder, som ingen ejede, og landsbyjorde. Kongens beføjelser var hjemlet i sædvaneretten ifølge et diplom fra Valdemar den Store, hvor det siges: *sicut moris nostri est*[13]. Kongemagtens tidlige beslaglæggelse af øde jord og påbud om en almindelig ledingspligt for den dyrkede jord opfatter han som tegn på fremvæksten af en kongemagt med fysiske tvangsmid-

11 *Helge Paludan*, 110-115.
12 *C.A. Christensen*, Begrebet Bol, Historisk Tidsskrift, 1983, 27 f.
13 DD, I, 2, nr. 128 (1158-1160).

ler bag sig. Idet han henviser til en artikel af Anne K.G. Kristensen, rejser han spørgsmålet, om der lå feudalretlige tankegange bag[14].

Arkæologisk kan man groft opdele Danmark efter år 1000 i „landsbyer" på den ene side og „eneste gårde" på den anden, idet dog „landsbylandet" efter Erland Porsmose i udpræget grad var dominerende. På den anden side var der også „store områder af landet, hvor enestegårdene var mere fremtrædende, ja der var sogne, hvor de udgjorde et flertal". Enestegårdene fandtes, hvor samlede landsbybebyggelser var uhensigtsmæssige, idet disse krævede meget god ager-jord samlet i en rimelig kort afstand fra landsbyen. Enestegårdene lå i uregel-mæssigt, ofte kuperet terræn, eller terræn med dårlige jorder med store arbejds-afstande. Der var ofte meget skov eller hede på disse områder. Agerbrug kunne ikke betale sig her, men det kunne derimod kvægavl eller fårehold, produktion af smør eller trækul m.v. Det intensive jordbrug med kornavl foregik på de fede jorder omkring landsbyerne, som til gengæld ikke tillige kunne overkomme et større husdyrhold. De magre jorder krævede eksklusive arealer til husdyrholdet for at kunne ernære enestegårdens familie.

Hungersnøden i 1315 og Den Sorte Død omkring 1350 og de derefter følgende pestepidemier fremkaldte i hele Europa, også i Danmark, en befolk-ningsnedgang med ødegårde i tusindtal til følge. Hele landsbyer forsvandt. Med den faldt også jordpriserne og -afgifterne.

Brydegårdsdriften besværliggjordes, bryder og gårdsæder foretrak en anden løsning, nemlig at blive landbo eller fæstebonde. De større brydedrevne gårde med hjælp fra gårdsæder forsvandt og ændredes typisk til fæstegårde eller selvejergårde af nogenlunde ensartet størrelse fra omkring 1400. Disse fæste-gårde var store nok til hestehold og forudsatte 4-6 personers arbejdskraft, som jo kunne klares af familien alene, hvis man havde hjemmeboende voksne sønner eller svigersønner. Det var sådanne jævnstore fæstegårde, der kom til at udgøre kernen i landsbyerne frem til landboreformerne. Netop i denne periode vandt de

---

14 *Anne K.G. Kristensen*, Frie bønder i tidlig europæisk middelalder: selvejere, frigivne eller hvad?, Historisk Tidsskrift, 1980, 419 ff., især s. 430, hvor hun netop tager fat på spørgsmå-let, om al jord oprindelig var blevet betragtet som kongens eller hærens jord, en *ager publi-cus*, der blev delt ud til len eller anden form for leje eller besiddelse, som i tidens løb, under-tiden sammen med jordoverdragelser, kunne ændres til en ejerform ved hjælp af et kongeligt privilegium. Hun peger på, at et *ager publicus*-begreb forekom både hos frankerne og i det angelsaksiske England. Se også *Inger Dübeck*, Historie, 1998, I, 122-124, og *Jens E. Olesen*, Middelalderen til 1536: Fra Rejsekongedømme til Administrationscentrum, i: Dansk Forvaltningshistorie, I, 21, om selvejerbønder på vikingetidsbebyggelser, hvor kongerne kan have oprettet kolonier af deres krigere.

rummelige tre- og firlængede gårde frem, som også kunne give plads for flere generationer, eventuelt aftægtsfamilier eller enker.

For at forstå familiestrukturerne og de på dette grundlag udviklede regler er det vigtigt at opfatte familien som et *continuum*, hvor de enkelte medlemmer over et tidsmæssigt forløb indtager skiftende familieretlige positioner. På landskabslovenes tid var det næppe almindeligt, at to unge nygifte startede egen virksomhed eller gård. Snarere blev de sluset ind i allerede eksisterende husholdninger på en jordejendom med en familiefader som overhoved. Det første blev muligvis mere almindeligt efter Den Sorte Død omkring 1350 med de mange ødegårde[15].

Til yderligere belysning af forholdet mellem kongemagten og agrarsamfundet kan tilføjes følgende bemærkninger. Kirken overtog den af de romerske kejsere udviklede praksis med at udstede privilegier, som i øvrigt blev et vigtigt led i udviklingen af skreven ret. I perioden efter 700-tallet forløb udviklingen sideløbende både i kirkelig og verdslig privilegieret. Hvis kongen mødte modstand mod sine krav på kongelige rettigheder, fik han ofte støtte fra kirken[16]. Således fik Valdemar Sejr støtte fra Gregor IX ved et brev af 23. november 1240, der bemyndigede kongen til at tilbagekalde de rettigheder, som hans forfædre havde afhændet til skade for kronen i modstrid med kroningseden[17]. I Danmark havde kongerne allerede i 1000-tallet hævdet forskellige regaler, såsom møntregalet og retten til at opkræve afgifter, told og bøder samt ret til danefæ[18]. I Kong Niels' brev til Skt. Knuds Kirke i Odense (1104-1117) fik brødrene ret til at nyde flere kongelige rettigheder med undtagelse af vrag, ledingsbøde og fredkøb, hvorimod de skulle nyde halvdelen af danefæ og fredløses boslod[19]. I Svend Grathes privilegium (1146-1157) til Ribe bisp og kirkens landboer, skulle bispen nyde halvdelen af kongens ret, *iuris regii*, med undtagelse af forban, strandvrag og 40-marksbøder[20]. I et gavebrev fra Valdemar den Store til Skt. Peders Kirke i Slesvig 1175 overdrog kongen halvdelen af sin regale møntret. Regalerne udgjordes af en række fiskale og andre kongelige særrettigheder[21].

---

15 *Erland Porsmose*, Landsbyens verden, i: Middelalderens Danmark, 177-187; *Helge Paludan*, 166 f.; *Troels Dahlerup*, Gyldendals og Politikens Danmarkshistorie, bind 6, 1989, 86-90.

16 KHLNM, VII, 522.

17 DRB, I, 7, nr. 61.

18 KHLNM, XIII, 698.

19 DRB, I, 2, nr. 32.

20 DD, I, 2, nr. 98

21 Se *Inger Dübeck*, Skaanske Lov og den europæiske baggrund, i: Historie, 18, 3, 1990, 406 ff.

II. Formuestrukturer

1. Indledning

Både i europæisk og dansk ægteskabsret finder man tidligt to basalt forskellige hovedordninger af formueforholdet mellem ægtefæller: særeje og formuefællesskab. I enkelte områder eller socialgrupper dominerede det fuldstændige særeje og i andre det fuldstændige formuefællesskab. Men allerede i 1200-tallets sædvaneretsordninger kan man identificere en række variationer og mellemformer imellem disse ordninger.

Det er blevet hævdet, at særejeordninger var knyttet til det traditionelle kontraktægteskab, hvor kvindens slægt bevarede en vis magt over hende og hendes medbragte formue, og at dette især var fremherskende i den aristokratiske og magtfulde overklasse med stærke slægts- og jordinteresser, mens fællesejet passede bedre til de jordløse og mere afhængige fæstebønder og til de kapitalkrævende købmandsinteresser i købstæderne. Den aristokratiske såkaldte verdslige ægteskabsmodel var et anliggende, der tilsigtede opretholdelsen af den herskende sociale orden med tætte kontakter mellem magtfulde familier og vigtige venskabsforbindelser, mens den kirkelige ægteskabsmodel var beregnet på at opretholde den guddommelige orden.

William Holdsworth mente, at reglerne i engelsk ret om formueforholdet mellem ægtefæller på samme måde som anden lovgivning havde sammenhæng med familiens sociale status, således at der gjaldt forskellige regler for adelige, for ikke-adelige, frie borgere og for ufrie fæstebønder. I sine overvejelser over de europæiske ordninger fandt han, at fælligsystemet var et sædvaneretligt, fleksibelt system, der antoges at være til fordel for hustruen, men at hustruen under de særejeretlige dotalordninger ikke var uden fordele[22].

Efter James A. Brundage krævede kanonisterne ikke blot indflydelse på reglerne om ægteskabs stiftelse og opløsning, men også på formueforholdene. Kirken tilpassede bevidst de kanoniskretlige principper til den lokale verdslige sædvaneret, også vedrørende formueforholdet mellem ægtefæller, via de gejstlige domstole, der eksempelvis i Nordfrankrig fik mulighed for at tage stilling til krav om anerkendelse af formuefællesskab, og som i den sammenhæng understøttede kravet om ligedeling ved ægteskabets ophør, mens den i England, Normandiet

---

22 *William Holdsworth*, History of English Law, III, 520-524.

og Flandern samt i de sydfranske områder fulgte de lokale retlige opfattelser, hvorefter ægtemanden eller hans arvinger, herunder den ældste søn begunstigedes på skifte. Det er blevet hævdet, at fælliget passede bedre til kirkens ideal om et uopløseligt og sakramentalt ægteskab. Den kristne tanke om, at mand og hustru er eet, kunne bruges til at understrege, at de skulle dele alle verdslige goder: Det kristne ægtepar skulle dele godt og ondt[23]. En årsag til kirkens aktive interesse i hustruernes formueretlige retsstilling kunne være ønsket om derigennem tillige at beskytte enkerne. Jakobs brev 1, 27, siger herom, at „en ren og ægte gudsdyrkelse er i Guds øjne, at se til forældreløse og enker i deres nød...", se også Esejeas 1, 17: „Hjælp fortrykte, skaf faderløse ret, før enkernes sag".

Kirken var imod tvang og derfor også imod direkte brudekøb. Man krævede både kvindens samtykke og en frivillig brudegave fra manden til hustruen, ofte i form af en symbolsk gave, f.eks. en mønt, der som pant på det fremtidige krav overraktes bruden foran kirkedøren i præstens og familiens påsyn, hvorved gaven bevislig blev gyldig. Løftet om en sådan *dos* indgik nogle steder i det kirkelige bryllupsritual, „de mes biens je tu done....", og kanonisk ret krævede med sætningen, „nullum sine dote fiat conjugium", der var udtalt på concilliet i Arles 524, at intet ægteskab blev indgået uden en *dos*, for at adskille dette fra konkubinatet[24]. Denne gave, *dos*, symboliserede på steder, hvor den fremherskende formueordning var fuldstændig særeje, enkens krav på en del af mandens særejeformue i forhold til mandens arvinger, hvis hun var barnløs ved hans død. Hvor fælligformen dominerede, trådte fælligaftaler ofte i stedet for gaveaftaler; men begge ordninger kunne forekomme sideordnede.

Hvis særeje historisk var den oprindelige formueordning, hvad kan så forklaringen være på den aftalepraksis, som førte til fælligordninger? Det kunne være et ønske om økonomisk at friholde visse værdier for opsplitning ved arvekrav, et ønske som var typisk for selvejende bønder, og som kunne opfyldes ved det fortsatte fællig. Det kunne også være et ønske om at styrke omsætning og kreditværdighed. Det ville typiske gælde for købmænd i byerne og kunne føre til et ønske om fuldstændigt formuefællesskab mellem ægtefæller, hvorved mandens likviditet øgedes. En begrundelse for fælligordningernes fremvækst kunne også være den stigende værdi af løsøre, hvilket ikke var uden betydning for fæstebøn-

---

23 *James A. Brundage*, Law, Sex and Christian Society in Medieval Europe, 479; *Le Roy Ladurie*, 56.

24 *André Lemaire*, Les Origines de la Communauté de biens entre époux dans le Droit coutumier Français, 27-64.

der. Også det forhold at købejord og jord i byerne ikke overalt havde status som særeje pegede i samme retning. Dertil kom kirkens ønske om at sikre enkerne mulighed for at give sjælegaver til deres egen sjæls frelse, dvs. gaver til kirker, klostre eller fattige. Kirken kunne derfor have en interesse i at sikre, at enkernes fordringsret på *dos* fra mandens særeje havde et rimeligt omfang, eller at enken fik en så stor anpartsret som muligt i fælligmidlerne. Et moment kunne også være at sikre enken en rimelig andel i den værdiforøgelse, som skyldtes hendes arbejdsindsats under ægteskabet.

Hvis kirken i andre europæiske lande må antages at have ønsket indflydelse også på ægtefællers økonomiske forhold, vil det ikke være ganske urimeligt at antage, at fælligudviklingen i dansk ret tilsvarende var et resultat af såvel økonomisk som kirkelig indflydelse, og at dansk ret derfor trods mindre afvigelser i enkeltreglernes udformning, udviklede tilsvarende hovedelementer, som f.eks. i fransk og tysk ret vedrørende ægtefællers formueforhold.

2. Europæisk ret

Ægteskabet skulle efter mange ældre sædvaneretsordninger i Europa indgås under afgivelse af fæstepenge eller løfter om senere betaling af værdier fra brudgommen til kvindens far eller giftemand eller til hende selv eller af medgift fra faderen til manden. Der findes mange betegnelser for disse betalinger eller løfter: Fæstemål, *dos, donatio propter nuptias, wittum, pretium puellae, pretium nuptiale* etc.

I den klassiske *romerret* byggede formueforholdet mellem ægtefæller på en fuldstændig særejeordning. Parternes respektive formueforhold ændredes ikke ved indgåelse af ægteskab. Var hustruen underlagt faderens magt, vedblev dette forhold; var hun *sui iuris*, forblev hun selvstændigt rådende under ægteskabet. Ægtefællerne måtte ikke give hinanden gaver, og der bestod en formodning for, at hustruens erhvervelser under ægteskabet hidrørte fra manden, for at der ikke skulle opstå mistanke om, at hun havde erhvervet dem på usømmelig vis (*præsumptio muciana*). Men det var skik og brug, at manden modtog en gave, *dos*, ved ægteskabets indgåelse, som han kunne råde over under ægteskabet, men som ved dettes ophør måtte tilbagegives helt eller delvist til kvindens forsørgelse. Efter romerretten var *dos* under ægteskabet således „in bonis mariti", og ægtemanden kunne derfor udøve enhver af ejendomsretten flydende rådighed over genstanden. Dog antages *dos* også *„naturaliter in dominio uxoris permanere"*, jf. C. 5. 12. 30. *Dos* skulle, medens ægteskabet bestod, være til stede for at sikre hustruens underhold, ligesom hun, hvis manden blev uvederhæftig, kunne fordre selv at have bestyrelsen deraf. Ved ægteskabets ophør tilfaldt *dos* helt ud hende selv. Justinian gennemførte en del ændringer i det romerretlige dotalsystem, hvoraf den vigtigste antages at være, at hustruen fik et generalhypothek i mandens hele formue for kravet på restitution af *dos* med prioritet endog forud for de viljesbestemte panterettigheder, som manden måtte have stiftet forud for ægteskabets indgåelse, C. 8. 17. 12. 1[25]. Det dotalsystem, der bredte sig over store dele af Europa som en sædvaneret, der åbnede mulighed for at indgå konkrete aftaler om gavens nærmere betingelser, var dog ikke identisk med det romerretlige.

2.1. Legale eller aftalte fælligordninger

Analysen vil, hvor det er muligt, omfatte dels familiefælliget mellem medlemmer af en samboende familie, eventuelt flere generationer under samme tag eller et brødrefælli, dels det ægteskabelige fælli.

Angelsaksisk ret fra før 1066 antages at kunne have åbnet mulighed for et formuefællesskab mellem ægtefæller, der tillod hustruen ved mandens død at kræve en anpart, sædvaneretligt ofte i form af 1/3 af løsøret, der kan have mindet om det islandske „hjónefélag". Når fælliginstituttet i engelsk middelalderret blev trængt tilbage til fordel for en særejeordning, skyldtes det efter Pollock & Maitland den processuelle opdeling, hvorefter de gejstlige domstole skulle varetage ægtefællernes successionsretlige forhold med hensyn til løsøre, mens Common Law-domstolene skulle varetage konflikter om ægtefællernes økonomiske forhold, mens ægteskabet varede, især for så vidt angik jord[26]. Mens denne ret til fællesskab bl.a. på grund af de gejstlige retters overtagelse af jurisdiktionen i ægteskabssager i det 13. århundrede forsvandt i *England*, levede den videre i Skotland, især vedrørende løsøre[27]. I Nordfrankrig skete der en vis udvikling af reglerne i retning af formuefællesskab, idet kirken efter Brundage i sine domstole behandlede ægtefællerne som „joint tenants of property" eller fællesejere for så vidt angik formue erhvervet under ægteskabet („*aquest property*") og krævede, at sådanne formueværdier blev ligedelt ved ægteskabets ophør[28].

---

25 *Fritz Schulz*, 120.
26 *Pollock & Maitland*, The History of English Law, II, 402; *Agnes Arnórsdóttir og Thyra Nors*, 44.
27 *J.H. Baker*, An Introduction to English Legal History, 551 f., 435 f.
28 *James A. Brundage*, 479.

Pollock & Maitland havde i begyndelsen af 1900-tallet udtrykt tvivl om muligheden for at finde en forklaring på forekomsten af fællig i engelsk ret ved hjælp af en enkelt model baseret på etniske forklaringer (sachsere, vikinger eller franker). Derimod var de ret sikre på, at retsinstituttets tilbagetrængen omkring år 1200 i England skyldtes den processuelle tvedeling, der som omtalt skete ved, at ægtefællernes *successionsretlige forhold* med hensyn til løsøre sammen med de almindelige ægteskabsretlige forhold overførtes til de gejstlige domstole og dermed blev fjernet fra Common Law-domstolene, som derefter kun skulle varetage ægtefællernes økonomiske problemer, *mens ægteskabet varede* i parternes levende live, hvor det jo undtagelsesfrit gjaldt, at manden havde enerådighed og fuld besiddelse af enhver formueværdi. De opfattede den engelske udvikling som meget forskellig fra den, som foregik i Frankrig, hvor der i samfundets „lavere“ sociale lag (borgerskabet), men ikke blandt den adelige overklasses jordejende stratum, udvikledes et fælligsystem. I Frankrig kunne en mellem- og underklasse skabe en retspraksis, mens retten i England så at sige „gik oppefra og nedefter“, idet den ret, som gjaldt for de store, også kom til at gælde for de små![29].

William Holdsworth gik noget videre ad samme vej, idet han antog, at udgangspunktet *oprindeligt* havde sammenhæng med problemet om familiens status, og at der måtte gælde særlige regler for adelige, andre regler for frie, men ikke-adelige og atter andre for borgere i købstæderne. Man kunne tilføje, at også de ufrie fæstebønder måtte være underlagt særregler. Han mente endvidere, at den fremvækst, som den lærde romerret nød næsten overalt i Europa, fremmede regler, som koncentrerede sig om at beskytte hustruens dos (snarere end hendes selvstændighed) og derfor i nogen grad tilsidesatte fælligsystemet. Dette synspunkt understøttes af det faktum, at kirkens indflydelse på ægteskabsideologien havde været voksende og dermed også fik betydning for retsopfattelsen af formueforholdet mellem ægtefæller[30].

Vi ser her en blanding af sociologiske, kirkepolitiske og retlige forklaringer. Men Holdsworth måtte erkende, at der faktisk findes dokumentation for, at forskellige fælligformer og fælligelementer forekom i tiden før det 13. århundredes bastante afvisning af fælliginstituttet satte ind i selve England, mens man andre steder i datidens Europa kun synes at erfare en vis regulering af formuefælliget.

Han forsøgte derfor på grundlag af ældre praksis og komparative europæiske studier at opstille en slags oversigt eller systematik og sondrede inden for fællig-

---

29 *Pollock & Maitland*, II, 402.
30 *W. Holdsworth*, A History of English Law, III, 1966, 520 f.

systemet mellem forskellige former: 1) „co-partnership in aquisitions" (Spanien og Sydvestfrankrig), som synes at svare til de almindelige økonomiske fællig, 2) „co-ownership of movables and aquisitions" (i fransk „pays du droit coutumier" og i dele af Tyskland), der havde klare ligheder med de danske fælligvarianter og 3) „co-ownership in all property" fuldstændig formuefællesskab (i dele af Tyskland og i de danske sønderjyske købstæder fra det 16. århundrede, hvor man begynder at behandle fast ejendom efter samme regler som løsøre). Afvisning af fælligsystemet fandtes bl.a. i andre dele af Tyskland og i sydfransk „pays de droit écrit". Han opfattede fælligsystemet som et flexibelt og foranderligt institut, der antoges at være til fordel for hustruen, idet det gjorde hende interesseret i at fremme husholdningens økonomi og status. Han overså dog efter min mening i denne henseende, at fælligsystemerne bl.a. via reglerne om hustrulegitimationen faktisk tillige gav hustruen en vis dispositionsret over den fælles fond[31].

Holdsworth mente med støtte i ældre fransk teori, at udbredelsen af fællig-formen i Frankrig og Tyskland havde sammenhæng med sociale forhold, og at fælligformen principielt var „the law of merchants", d.v.s. et retsinstitut, der var fordelagtigt i bymæssige samfund, men som også fandtes blandt jordløse fæste-bønder. Jorden tilhørte herren, men bønderne kunne eje løsøreværdier, som typisk var i fællig. Ja, fælligformen på landet antoges at være den foretrukne netop blandt fæstebønder, hvorimod landadelen stort set afviste den[32].

Efter Jack Goody medførte den ældre form for fællesskab, at enken efter en fri (feudal) jordbesidder havde ret til 1/4 eller halvdelen af den ægteskabelige (= mandens) formue, mens enken (ufri) på landsbyplan havde ret til at overtage halvdelen eller mere af mandens fæstejord. Dette fællesskabssystem tillod i prak-sis tidlige ægteskaber og store husholdninger[33]. Cicily Howell supplerede opfat-telsen i ældre teori med nye iagttagelser baseret på praksis. Hun mente, at mange lokale sædvaneretlige regler i Kent og Leistershire næsten var identiske med sædvaneretlige regler i Frankrig og Nordeuropa, herunder Skandinavian, og at retspraksis uden for kongens domstole ikke lignede Glanvilles nedtegnelser[34].

Hvor familier i Frankrig boede sammen i storfamilier under samme tag, hvil-ket kunne forekomme i alle stænder, selv blandt livegne fæstebønder, etableredes i middelalderen ofte et familiefællig, *communauté familiale* med en særlig form

---

31 *W. Holdsworth*, III, 522.

32 *W. Holdsworth*, III, 524 f.

33 *Jack Goody*, 25 og 30 f.

34 *Cicily Howell*, Peasant Inheritance Customs in the Midlands 1280-1700, i: Family and Inheritance, 6, 119.

for fællesforvaltning mellem familiemedlemmerne eller et *communauté conjugal* mellem ægtefællerne alene med hensyn til den formue, som parterne ejede ved ægteskabets indgåelse, løsøre såvel som fast ejendom, det vil sige det respektive særeje („propre"), men ikke med hensyn til det under ægteskabet erhvervede („acquêt" eller „conquêts")[35], som var under særråden.

Et fællig mellem ægtefæller i form af *communauté conjugal* er omtalt allerede i frankisk ret. Ægtefællerne lagde såvel fast som løs ejendom sammen i en fælles *fond* ved ægteskabets indgåelse, men den *indbragte* faste ejendom vedblev dog at være særeje. Fast ejendom, som *erhvervedes* under ægteskabet takket være parternes personlige indsats, havde derimod karakter af købejord (conquêt), hvorover den, som havde erhvervet godet, havde særråden under ægteskabet. Fælligfonden opløstes normalt ved en ægtefælles død, hvorefter særejedelene vendte tilbage til den pågældende selv eller hans slægt. Købejord og løsøre blev delt lige imellem parterne ligesom gælden. Hustruen kunne slippe for gælden ved at give afkald på kravet på løsøre. Man opfatter i fransk ret dette „communauté" med en fællesfond som en slags „société".

I sin ældre undersøgelse af oprindelsen til formuefællesskabet mellem ægtefæller i fransk kutymeret påpegede André Lemaire i 1929, at fællesskabet som legal ordning først begynder at dukke op i sædvaneretsbøgerne fra det 13. århundrede. Ældre tekster herom findes ikke. Alligevel påviser han, at der skete en vis udvikling i denne retning allerede i praksis fra slutningen af det 9. århundrede og fremefter, selv om dotalprincippet synes at have været obligatorisk.

André Lemaire undersøgte de kirkelige franske arkiver, idet der ikke fandtes arkivalier bevaret fra jorddrotternes godsarkiver. Han mente, at et „communauté" i form af en forening af ægtefællernes pekuniære interesse med hensyn til *erhvervelser* („acquêts) var meget gammelt, mens et „communauté" i form af en *fælles fond* af alle erhvervelser, herunder løsøre samt gæld, først udformes endeligt af retsvidenskaben i det 16. århundrede. I tiden før det 13. århundrede forekom et fællesskab med hensyn til erhvervelser under henvisning til hustruens dotalret og et sameje om erhvervelser på grundlag af enkeltaftaler mellem ægtefællerne.

Den anden form for formuefællig, *sameje* mellem ægtefæller m.h.t. individuelt bestemte løsøreværdier, havde også gamle rødder i tidlig germansk ret, ja endog i romerretten. Aftalen havde karakter af et gensidigt testamente. Lemaire kalder denne form for fællig for „copropriété" (sameje) og påpeger, at det er

---

35 *Fr. Olivier-Martin*, Précis d'Histoire du Droit Français, nr. 157 og 513-521.

noget andet end „communauté" (formuefællesskab). Men dette sameje var mere fordelagtigt for enken end den nedenfor omtalte trediedelsret, og der findes et righoldigt materiale i de kirkelige arkiver til belysning af samejeløsningen fra 900-tallet og fremefter. Der findes talrige breve frem til 12. århundrede for hele Frankrig, som ikke bruger udtrykket „copropriété", men andre ord, der udtrykker, at ægtefæller træffer indbyrdes retshandler[36].

Trods begge formers mangler ville han alligevel karakterisere både den dotale trediedel og samejet, som båret af en „esprit communitaire", som også var ved at få fodfæste i f.eks. Nederlandene under indflydelse af kristendommen. Fællesskabstanken byggede ikke på et hensyn til børnene, men til ægtefællerne selv, til længstlevende, og især til hustruen som enke.

Trods ægtemandens absolutte magt under ægteskabet, tøvede, i *Frankrig*, de sædvaneretlige forfattere ikke med at påstå, at formuefællesskabet var profitabelt for hustruen: „Det er et „société léonine", hvori kvinden, idet hun håber på gevinst, ikke løber nogen risiko for tab ..." Kvinden var i realiteten simpelthen „spectatrice de la régie de la communauté", og skulle det vise sig at gå galt, havde hun altid ret til at give afkald derpå.

Kvinder kunne efter 1667-ordannancen (VII art. 5) inden for en frist af tre måneder oprette et inventarium og blive frigjort i løbet af 14 dage[37]. Dette udvikledes på grundlag af det kongelige kancellis bevillingspraksis fra begyndelsen af det 16. århundrede.

Ofte forekom der i ægtepagter en klausul, som modificerede den legale ligedeling af formuefællesskabet, således kunne f.eks. aftales en forlods udtagelse af en anpart for længstlevende, der tillod denne at udvælge inden for de fikserede rammer de løsøremidler, han eller hun ønskede. Man kunne også aftale, at hustruens arvinger, hvis hun døde først, kun skulle have ret til en begrænset andel af fællesskabet. I de nordfranske områder var det almindeligt at tildele hele formuefællesskabet til længstlevende, og det betragtedes ikke som en gavedisposition, men som en simpel ægtepagtsaftale[38]. Længstlevende kunne også fortsætte formuefællesskabet uden videre, hvis han eller hun fortsatte med at leve sammen med børnene. Denne praksis kan følges helt tilbage til Beaumanoir og „Grand Coutumier", og den opfattes som et udtryk for et tavst fælig, „communauté taisible". Denne „coutumes muettes", hvorefter det forhold, at man blan-

36 *André Lemaire*, 31-47.
37 *Paul Ourliac et J. de Malafosse*, Histoire du Droit Privée, 267 f.
38 *Ourliac et Malafosse*, 269.

dede sine midler og boede sammen endog med andre arvinger end descendens, opretholdtes også efter det 16. århundrede[39].

Som resultat af den almindelige økonomiske opgang fra det 12. århundrede kunne løsøreværdier ikke længere betragtes som ligegyldige i økonomisk henseende. Det formuefællesskab, som blev almindeligt i det 13. århundrede, havde dog et variabelt indhold i de forskellige områder. Vigtigt var også, at gældskrav i denne epoke blev eksigible både i forhold til fast og til løs ejendom (jf. i dansk ret Erik Glippings Håndfæstning af 1282), selv om man typisk først gik til løsøret med sit eksekutionskrav. Lemaire påviste, at det meget vigtige princip, som også gjaldt i dansk middelalder, *fællig om formuen forudsætter fællig om gæld*, nu blev almindeligt accepteret. Fælligformuen konstituerede en formuemasse, der bestod af aktiver og passiver.

Udviklingen i Frankrig var karakteriseret ved en slags sammenblanding af formuefællesskabsret med dotalret og af dotalret med arveret. Hustruens ret til fælliget viste sig også i fransk ret først efter mandens død. „Les Livre de Jostice et de Plet" fra det 13. århundrede udtalte, at når manden døde „sa feme sera heir en la moitié, par la reson de la compoignie"... Her ser vi også selskabstanken udtrykt derved, at ægteskabet lignes ved et *kompagni*. Det slås fast, også i retspraksis, at „le mari est vrai mêtre des aquêts durant le mariage et les peut vendre et aliener même contre le gré de son epouse", men adskillige kilder fastslog enkens fulde ret til halvdelen af alle erhvervelser både sine egne og mandens løsøre eller faste ejendom og for *sin levetid* som enke til halvdelen af fast ejendom (arvejord) som en dotal *brugsret* („Coutumes Anciènnes").

Hustruens ret til købejord og løsøre var en *enkeret*, som knyttede sig til hendes dotalret, og som skal ses i sammenhæng med det kirkelige bryllupsritual: „de mes biens je tu done..." og kanonisk retsregel: „Nullum sine dote fiat conjugium" (intet ægteskab uden en dos) samt princippet om „enkens ret til halvdelen". Når Du Moulin i det 16. århundrede udtalte „uxor – non est proprie socia, sed speratur fore –" udtrykte han blot, hvad der meget længe havde været en dyb og fastgroet praksis i Frankrig[40].

Også i *Tyskland* forekom en række variationer imellem dotal- eller særejeordninger og fælligordninger. I mange ordninger afhang *enkens* retsstilling af, om der var *børn* i ægteskabet, som endnu var i live, eller om ægteskabet var barnløst. Var der i dotalordningerne børn, fik moderens ret til *dos* form af en

---

39 *Ourliac et Malafosse*, 270.
40 *André Lemaire*, 27-64 (hustruen er ikke medejer, men håber at blive det (nemlig som enke)).

livsvarig brugsret til de af *dos* omfattede faste ejendomme. Hvis ikke der var børn, deltes M's særeje straks imellem enken og mandens arvinger, ofte i forholdet 1/3 til 2/3, medmindre der ved ægtepagt var aftalt en anden fordeling[41].

Den frankiske „tertia" (1/3) til løsøre og/eller fast ejendom er ét eksempel på valgmulighed mellem forskellige ordninger med fællesskabstræk, fællig om „erhvervelser" var et andet (evt. kombineret med muligheden for at inddrage også „indbragte" formueværdier). Ved *gensidig ægtepagt* kunne længstlevende få tillagt hele boet. Nogle steder indtrådte fællesskabet automatisk, hvis der ikke kom børn, og delingsforholdet ved skifte var da halvdelen til hver. Dette kendtes også i flanderske kilder fra 1200-tallet og i visse nordtyske stadsretter (Hamborg 1292). Det var i øvrigt især de driftige byer som så en økonomisk fordel ved fælligreglerne med kravet om forudgående gældshæftelse, inden delingen fandt sted[42].

En beskrivelse af de formueretlige relationer mellem ægtefællerne i de middelalderlige *tyske* territorier må ligeso for Frankrigs vedkommende fastslå, at legale, d.v.s. nedskrevne, fælligordninger var resultat af en forudgående aftaleretlig tradition, hvorefter ægtepagter om *dos* eller fællesskab spillede en afgørende rolle. I Tyskland kunne hustruen også indrømmes en brugsret til en betydelig del af ægtemandens efterladte formue og tilsvarende for ægtemanden med hensyn til hustruens faste ejendom. Nogle steder var det afgørende for længstlevendes retsstilling, om der var børn i ægteskabet, eller modsat om det var barnløst. Var der børn i ægteskabet, fik den længstlevende som oftest en råderet over *halvdelen* af den af den anden ægtefælle i ægteskabet *indbragte* formue. Var det hustruen, kunne hun endvidere udtage *halvdelen* af den under ægteskabet af manden *erhvervede* del af formuen (købejord m.v.), og var det manden, som blev længstlevende, kunne han tillige udtage *hele* hustruens *erhvervede* formue. Vi ser således, at der også i tysk ret sondredes mellem *indbragt* og *erhvervet* formue. Stig Iuul opfattede de tyske ordninger som hvilende på tre principper: en slags klassisk særejeordning, en større eller mindre sammensmeltning af de fra begge sider hidrørende særejeformuer og fælleseje vedrørende erhvervelser (s. 166).

I driftige tyske byer med stor handel og omsætning opstod der forskellige formuefællesskabsordninger med ligedeling på skifte af hele eller dele af formuen. I områder, der kom under den reciperede romerrets indflydelse, vandt det romerretlige dotalsystem frem på bekostning af germanske ordninger, hvor en

41 *Stig Iuul*, Fællig og Hovedlod, 161.
42 *Stig Iuul*, 164-168.

vis sammensmeltning af formuerne havde kunnet finde sted. Dotalsystemet fik
som Gemeines Recht indflydelse i de højere, jordejende klasser og fortrængte
mange steder de fremvoksede fælligvarianter. Ændringerne influerede i høj grad
på rådighedsspørgsmålet, idet mandens rådighed over hustruens indbragte for-
mue, med undtagelse af *parapherna*, nu betragtedes som en *ususfructus mari-
talis,* en særlig ægtemandsbrugsret. Fælliget blev til et forvaltningsfællig af to
særejer. *Parapherna*, hustruens indbragte formue i form af smykker, husgeråd
m.v., var fortsat underlagt hendes egen dispositionsret og forvaltning, men hvad
hun i øvrigt indbragte, betragtedes som hendes *dos,* der således blev undergivet
mandens rådighed. Havde hun indbragt rede penge, kunne der ved ægtepagt ske
en sikring af midlerne som særeje i en særlig værges hånd. Dette særeje kaldtes
„spelepenninge". Det blev efterhånden en meget populær ordning, som også
kunne oprettes ved tredjemands viljesbestemmelse, som fremkaldte et legalt
„modangreb", hvorefter hele hustruens indbragte formue hæftede for mandens
gæld for at sikre hans kreditorer[43].

De legale ordninger havde typisk karakter af *deklaratoriske ordninger*, der
gav plads for afvigende aftaler, der kunne hjemle fuldstændigt fællig, fællig om
erhvervelser eller fællig om løsøre alene. Hvis aftalen om en fælligordning med-
førte, at der skabtes en „conjugal fund" eller en samlet formue, ville det i tilfælde
af død være muligt at begunstige længstlevende ægtefælle på bekostning af ud-
arvingerne. I tysk retshistorisk teori opfattes de forskellige fælligordninger som
supplement til det oprindelige *særejesystem.* Det påpeges, at ændringerne i vidt
omfang skyldtes *ægtepagtspraksis,* hvoraf man efterhånden udledte de forskellige
fælligformer. I mange germanske ordninger sondredes mellem mandens *ind-
bragte* formue, „Mannesgut" og hustruens tilsvarende „Frauengut". Men efter-
hånden anerkendtes enten via aftaler (ægtepagter) eller via legale ordninger ind-
stiftelsen af et vist fællesskab omkring formueværdier *erhvervede* under ægteska-
bet. Det middelalderlige Tyskland kendte således forskellige former for sammen-
kobling eller sammensmeltning af de fra begge sider hidrørende formuer. Begre-
bet „Verwaltungsgemeinschaft" relaterer sig til *samforvaltning* af særejemidler,
ikke til en ejendomsretlig sammensmeltning. Manden havde hustruens „Frauen-
gut" i „gewere" og var som værge berettiget til at råde over det udadtil. Dog
skulle han ved fast ejendom have hustruens samtykke, mens han rådede frit over
hendes løsøre. Den under mandens „gewere" værende ægteskabelige formue
(d.v.s. indbefattende hans egen) kunne hustruen kun råde over inden for sin

---

43 *Stig Iuul,* 171.

„Schlüsselgewalt". „Verwaltungsgemeinschaft" blev foretrukket af mange, især hvor der ikke var børn i ægteskabet.

Egentlige fælligordninger, „Gütergemeinschaft", forekommer både i en mere begrænset og en fuldstændig form. Den begrænsede form vedrørte ofte et *løsørefællig alene* eller et *erhvervelsesfællesskab*. Det udelukkede ikke forekomsten af særeje for begge parter ved siden af. Det særegne ved fælliget var, at der var tale om *sameje*, „Gesamtgut", for begge ægtefæller „zu gesamter Hand". Det betød, at vel havde manden også her normalt forvaltningen af alle midler. Hvis der skulle rådes over hustruens faste ejendom, uanset om det var særeje eller sameje, skulle det ske „zur gesamten Hand", d.v.s. begge skulle tage del i handlen. Over løsørefællig og eget særeje kunne manden råde alene[44]. Ved skifte efter dødsfald skete efter nogle fælligordninger en ligedeling, efter andre ordninger skete en anpartsfordeling. En form for *uskiftet bo* eller fortsat fællig kunne indtræde, f.eks. hvis enken forblev ugift sammen med børnene. Fælliget kunne udstrækkes til hele formuen, typisk ved gensidig aftale. Her gjaldt reglen om „*Gesamtgut zu gesamter Hand*" eller sameje om alle værdier.

2.2. Legale eller aftalte dotalordninger

Efter *langobardisk ret* skulle brudgommen ved trolovelsen love en *meta, mefio eller mundium* til brudens værge (for at løskøbe hende fra faderens værgemål, *mundium*), mens hun skulle medbringe et udstyr, det såkaldte *faderfio (paraphernalia)*, som bestod af klæder, smykker og andet løsøre, men som allerede fra det 7. århundrede, også efter frankisk ret, kunne omfatte fast ejendom, og som kunne være forbundet med en betingelse om et forhåndsafkald på arv. Det var desuden almindeligt, at manden gav kvinden en morgengave ved brylluppet. I den yngre langobardiske ret (Liutprand, 89) brugtes *meta* eller *mefio* ikke længere til at løskøbe pigen fra faderens værgemål (*mundium*), men den tilkom nu bruden selv. Dens størrelse afhang af en nærmere aftale. Morgengaven var en frivillig, ensidig gave fra manden. En lov fra 717 fastsatte morgengaven til 1/4 af ægtemandens formue. Efterhånden smeltede de to gaver, mefio og morgengave, sammen til een, den såkaldte „*quarta*"[45].

---

44 *Claudius von Schwerin*, 132-135. Den nytteret, som efter nogle ordninger tilkom ægtemanden, opfattedes i den romanistisk påvirkede teori som en *ususfructus maritalis*. Den fælles-optræden, „Gesamthand", som forudsattes i forbindelse med fælligordninger, var vanskelig at opfatte som en slags *societas eller communio*, og man forsøgte derfor at forklare det ægteskabelige fællesskab som en juridisk person.

45 *Stig Iuul*, Fællig og Hovedlod, 156-157.

Ved hustruens død arvede manden alt hendes gods, mens hun som enke ved mandens død udtog *mefio, morgengave og paraphernalia*. Derimod havde hun ingen arveret efter ham. Også efter de *frankiske* retsordninger smeltede morgengaven efterhånden sammen med *mefio* til den såkaldte „*frankiske tertia*" eller *dos*, som altså modsvarede et krav på en trediedel af mandens nuværende og fremtidige formue. Ved mandens død udtog hustruen sit *paraphernalia* (udstyr m.v.) *uden om skiftet*, mens muligheden for at få rådigheden over trediedelen eller *dos* afhang af, om der var børn i ægteskabet eller ej. I bekræftende fald ansås *dos* for at tilhøre børnene, men med en livsvarig brugs- og udnyttelsesret for hustruen. Var der ingen børn, måtte hun dele *dos* med mandens arvinger. Delingsforholdet var genstand for aftale mellem ægtefællerne. Efterhånden blev der via aftalepraksis fastslået en ligedelingsordning mellem enken og mandens arvinger, en ordning som kendtes i både *lex Salica og lex Ribuaria*. Det vil sige, at den sædvaneretlige udvikling gik i retning af at begunstige enken på udarvingernes bekostning[46].

Den germanske *dos* var således noget ganske andet end den romerske *dos*. Oprindelsen til den germanske var den *Muntschatz* (*mefio* eller *mundium*) eller *brudepris* for at overtage værgemålet, som brudgommen skulle betale til faderen eller familien for pigen. Den tilkom familien og brugtes delvist til hendes udstyr. Da bruden efter kirkelig indflydelse blev selvstændig aftalepartner, blev *dos* til en gave fra manden til bruden, og kirken begyndte at kræve erlæggelse af denne *dos* som betingelse for ægteskabets gyldighed (lex Visigothorum, ERV, III, 1, 9). Oprindelig bestod *dos* af løsøre, senere kunne som nævnt også fast ejendom indgå. Størrelsen af *dos* kunne aftales konkret, f.eks. et bestemt jordstykke, men kunne også fastsættes som en ideel brøkdel af mandens formue, f.eks. den saliske eller *frankiske tertia*. Og hvor det var tilfældet, kom *dos* til at omfatte mandens *fremtidige* formue, hvorved man faktisk nærmede sig et aftalemæssigt fællig med hensyn til værdier erhvervet under ægteskabet. Det kunne medføre bevisproblemer, når *dos* kom til udlodning. I Franken krævedes partsed med 12 mededsmænd, og efter lex Ribuaria kunne beviset foreligge i en skriftlig aftale, *dos conscripta*, som et dokumentbevis, der i øvrigt efterhånden altid krævedes, hvor der var tale om fast ejendom.

Det blev normalt aftalt i ægteskabskontrakten, hvilken formueretlig retsstilling hustruen havde under ægteskabet (ejendoms- eller medejendomsret, brugsret eller en betroelsesform (gewere)). Manden derimod havde en klar nydelses-

46 *Stig Iuul*, 160-161.

og forvaltningsret over hustruens *dos* efter principperne om „forvaltningsfællig",
som bl.a. forudsatte hendes samtykke til nogle af hans dispositioner. Ved hustru-
ens død gik *dos* tilbage til manden, medmindre der var børn i ægteskabet, idet
han så måtte nøjes med en livslang nydelses- og brugsret. Hvis hustruen overle-
vede ham, fik hun en tilsvarende nydelses- og brugsret, som mindede om et
dominium utile. Var der ingen børn, gik *dos* efter hendes død til den afdøde
mands øvrige arvinger[47].

At det også har været påkrævet med en brudepris i ældre anglosaksisk ret
fremgår af forskellige regler om, hvad der skulle ske, hvis aftalen ikke blev fuld-
byrdet. Var der tale om svig, skulle kvinden føres til sit hjem, og manden få sit
udlagte gods igen (Aethelbert 601-604). Hvis giftemanden hindrede giftermå-
let, skulle han give godset tilbage og betale bøder (Ines lov 688-959). Der synes
at have været tale om et reelt *brudekøb*. I Knud den Stores (Canute) lov (1027-
1034) bestemtes, at en kvinde ikke måtte tvinges til at tage en mand, som hun
ikke kunne lide, og hun måtte ikke gives bort for penge, medmindre de var en
frivillig gave fra brudgommen. Man har nu forladt det formodede brudekøb til
fordel for en gaveaftale. Også i England krævede kirken senere med støtte i Gra-
tians Dekret, at et ægteskab kun måtte indgås med *dos*. „*nullum sine dote fiat
conjugium*". Gammelverdslig sædvaneret antages at være blevet inkorporeret i
kanonisk ret, hvorfra den kom til at indgå i vielsesritualerne. Selv om bestemmel-
serne hos Gratian var hentet fra de pseudoisidoriske dekretaler, fik de således
både faktisk og retlig betydning helt frem til afsløringen af disse i slutningen af
1500-tallet[48].

Det *engelske* dotalsystem videreudvikledes efter den normanniske erobring i
1066. Da hustruen ikke var i slægt med manden, havde hun ingen mulighed for
at arve ham. Ligesom efter romerretten var gaver mellem ægtefæller ugyldige,
bortset fra gaver i forbindelse med ægteskabets indgåelse, f.eks. den såkaldte
dower fra manden, som under præstens opsyn symbolsk overdroges hustruen
foran kirkedøren, hvor ægteskabet bekræftedes, men som først fik retsvirkning
ved mandens død. Efter Common Law var *dower* = *dos* (i germansk forstand).
Efter andre europæiske retssystemer kunne *dos* også betyde det samme som det
engelske begreb *dowry* = en gave til hustruen eller til både manden og hustruen
fra hustruens forældre eller familie, vel nærmest svarende til en medgift. Den jord,
som omfattedes af gaven, var selvfølgelig aftalt på forhånd mellem de to familier.

47 *W. Ogris*, „Dos", i: HRG, 775-778.
48 *Lizzie Carlsson*, Jag giver dig min dottor, II, 46-59.

Alligevel var konflikter om størrelsen af dower hyppige mellem enken og mandens slægt. Dower måtte ikke omfatte mere end 1/3 af mandens jord. Men aftalen kunne gå ud på en fordringsret i al mandens jord, hvilket betød, at hun ved hans død kunne kræve en „rimelig andel" af denne. I yngre Common Law udvikledes den opfattelse, at hun, selv om det ikke var aftalt i ægteskabskontrakten, også skulle have adgang til at disponere over en rimelig andel i levende live. Dower var enkens fri ejendom i betydningen fri livstidsbesiddelse eller livstidsfæste eller fri brugs- og nydelsesret. I ægteskabskontrakter begyndte man også at træffe aftaler om, at jord skulle tilfalde ægtefællerne i sameje (jointly) for at begunstige den længstlevende. Sådanne aftaler kom med tiden til at afløse aftaler om dower. Ved siden af dower, gaven fra manden, forekom som nævnt dowry eller *maritagium*, der bestod i en gave til hustruen eller til mand og hustru fra hustruens fader eller familie[49].

I 1983 fremlagde Jack Goody en detailleret undersøgelse af udviklingen i den tidlige middelalder med hensyn til de beløb eller løfter om betaling, som blev givet ved forlovelser eller indgåelse af ægteskab og med hensyn til, hvilke retlige krav hustruen kunne fremsætte i forbindelse med henholdsvis ægtemandens og faderens død. Han havde undersøgt de ældre sædvaneretlige love, de germanske såkaldte *leges barborum*, de angelsaksiske regler og de spanske *leges visigothorum*. På dette grundlag opstillede han en slags oversigt over de forskellige ydelser fra parterne. *Dower* var hustruens andel i mandens formue ved hans død og derfor indtil dødsfaldet kun en slags fordringsret. *Dowry*, der kunne bestå af løsøre, jord eller penge, var de midler, som hustruen medbragte til ægtemanden eller i hvert fald løftet om disse. En *indirekte dowry* bestod af en gave fra manden til bruden (eller for hende til faderen). Denne gave kaldtes nogle steder morgengave, der gaves *propter nuptias*. Hvor der var tale om en gave til faderen, opfattedes den som en slags brudepris.

Dowry var udtryk for den andel af *hustruens familieformue*, som manden havde krav på ved faderens død, mens *dower* var udtryk for den andel, som hustruen havde krav på ved *mandens død*. Den „indirekte dowry" til fordel for hustruen blev typisk sikret ved et testamente, som skulle opfylde løftet om ydelser fra den antenuptiale ægtepagt eller ægteskabskontrakt. Goody nævner i sin undersøgelse forskellige eksempler herpå. Således garanterede Thurstan sin hustru Aethelgyd „everything which I have in Norfolk, as I gave to her before as a marriage payment and in accordance with our contract". Goody nævner også et

---

49 *J.H. Baker*, 308-311.

eksempel på en dower givet ved kirkedøren, „with all my wordly goods I thee endow", hvilket var lig med 1/3. Hvis det omfattede halvdelen, opfattedes det som udtryk for enkens ret til „free bench" = livsfæsterettighed. Goody opfatter reglerne om de forskellige ydelser som konstituerende et *betalingssystem*, snarere end som en overgang fra en slags betaling til en anden. Der var åbenbart flere aftalemuligheder, som kunne benyttes samtidig[50].

I Wales svarede *dower* til eller substituerede en arveret. I de tidlige germanske og angelsachsiske love havde kvinder haft rådighed over i hvert fald de løsøreaktiver, som de modtog, og sommetider også over fast ejendom. I en ægteskabskontrakt lovede Wulfric ærkebiskop Wufstan, at når han havde taget dennes søster som hustru, skulle hun få forskellige stykker land, noget for livstid, noget „for her disposal, together with gold, men and horses"[51]. I Wales kendte man også til „joint property" i form af en fællesformue, hvorover hustruen kunne have en fri rådighed. I 1376 havde en vis Dafydd gjort sig skyldig i kontraktsbrud i forhold til sin tidligere hustru med hensyn til en del af det fælles gods, idet aftalen var, at han ikke måtte afhænde noget af hendes andel, før de var blevet enige om separation[52].

Det blev i løbet af middelalderen almindeligt i ægteskabskontrakter at aftale en særlig samejeordning, der gav den længstlevende en livslang nydelse og brug af jorden, således at enken fik denne ret indtil sin død i stedet for krav på dower. Men på landsbyplan synes der i *England* blandt arvefæsterne at have eksisteret en form for formuefællesskab, der medførte brugsret for den efterlevende ægtefælle til halvdelen af den fæstede jord[53].

I *Frankrig* skete der i den tidlige middelalder i det nordlige sædvaneretsområde en vis sammensmeltning af den germanske *dos* med den sædvaneretlige morgengave, der nu fremtrådte som den franske *douaire*.

Hvis hustruen var længstlevende, kunne hun ud over delingen gøre krav på en vis brugs- og nydelsesret i mandens efterladte særejeformue („douaire"). Her kunne romerretlige principper blandes med germanskretlige via forskellige aftaleordninger, hvorefter enken fik krav på 1/3 eller halvdelen af mandens formue. Det var også muligt at aftale gensidigt, at den længstlevende skulle have

---

50 *Jack Goody*, The Development of the Family and Marriage in Europe,
   Appendix 2, 244; 3, 17.
51 *Jack Goody*, 154, 259.
52 *R.R. Davies*, The Status of Women and the Practice of Marriage in late medieval Wales, i:
   The Welsh Law of Women, 110, 114.
53 *Jack Goody*, 10-36; *J.H. Baker*, 309.

afdødes andel af løsøre og købejord, en ordning som var mere liberal end den romanske ordning[54].

Retten til 1/3 af erhvervelser var allerede udtrykt i lex Ribuaria art 37. I burgundisk ret opereredes med en trediedels *brugs- og nytteret* for enken. Ludvig den Fromme foreskrev i sine *missi*, at man burde overlade enken tredieparten. Denne trediedel blev således en slags *legal* overlevelsesrente for enkerne. Fra det 9. århundrede inkorporerede man trediedelskravet i „dos"-kravet imod ægtemanden, hvorved det blev fast legaliseret sædvaneret[55]. Efterhånden bevægede praksis sig væk fra trediedelen henimod en aftalt halvdel, ikke blot af alle aktuelle besiddelser, men også af fremtidige. De gejstlige arkiver indeholdt mange ægtepagter, også sådanne der var indgået under ægteskabet. De afspejlede forskellige løsninger, f.eks. en brugsret til dos-værdier eller en trediedelsret til alle goder, arvejord som købejord og løsøre i praksis fra omkring år 1000. I kutymeområderne fandtes næsten ingen overleveret praksis fra tiden før 13. århundrede, men Lemaire mente at kunne påvise, at også her kendte man den praksis med trediedelen af både særeje og erhvervelser, som kan føres tilbage til den „frankiske tertia"[56].

Der har i de senere år også i engelsk forskning om familieforhold været en udpræget tendens til at opsøge andre kilder fra praksis end de Common Law-afgørelser, som tegner et meget ensidigt billede af den senmiddelalderlige og lidt yngre retsopfattelse på området for formueforholdet mellem ægtefæller. Man er i England ligesom i Tyskland og Frankrig blevet mere opmærksom på de arkiver, der rummer ægtepagter, især den type aftaler, som sikrede den gifte kvindes særformue som særeje under ægteskabet. Denne formueart hørte under Equity Law og ikke under Common Law. Særejeordningerne antoges efter lidt ældre teori at vedrøre alene velhavende kvinder fra overklassen. Det er imidlertid overbevisende påvist af Amy Louise Erickson i hendes undersøgelse af brugen af ægtepagter i senmiddelalderen og nyere tid, at man brugte ægtepagtsformen til at beskytte hustruens ejendomsret, uanset om hun hørte til blandt de lavere klasser eller aristokratiet.

Det var selve systemet i Common Law med „coverture" over hustruen, som fremkaldte behovet for beskyttelse. Enker, der ikke indgik nyt ægteskab, eller bekymrede forældre til en ung uerfaren kvinde kunne ønske at reducere risikoen

---

54 *Fr. Olivier-Martin*, 187-189.
55 *André Lemaire*, 5-12.
56 *André Lemaire*, 12.

for ægtemænds misbrug af deres økonomiske rettigheder. Hun har ud fra disse motiver undersøgt klagesagerne fra „Court of Chancery" for at se, hvem der forelagde sådanne aftaler, og hvorfor, og eksekutor- og andre boopgørelser for at se, hvilke formuedele, der måtte være sikret hustruen via ægtepagt. Det er i øvrigt hendes opfattelse i modsætning til dele af den nyere forskning, at samtidens borgere var sig vel bevidst, at de ikke skulle søge beskyttelse i Common Law med dens snævre regler om „dower" for at sikre deres retsstilling, men at der var andre alternativer som „Equity, Ecclesiastical and Manorial Law", som kunne yde større retssikkerhed for hustruerne.

Til at garantere sin enkestand kunne en kvinde ved ægtepagt i forbindelse med ægteskabets indgåelse aftale den særlige „jointure" i form af en engangssum eller en annuitet, som sikredes via Equity Courts, og som baseredes på „joint tenancy of land" eller en slags fælles fæsteadkomst. En sådan aftale ville uden videre blive tilsidesat efter Common Law, fordi kvindens antenuptiale kontrakter blev nulliteter på grund af det efterfølgende ægteskab. „Chancery" derimod opretholdt såvel disse som andre retshandler fra hustruens hånd, f.eks. et testamente eller en påtaget forpligtelse fra mandens side, om at han ville sikre sin kone så og så stor en sum penge ved sin død.

I senmiddelalderen blev det almindeligt at indgå den slags antenuptiale ægtepagter, „jointures", om jord som værende fælles i den forstand, at hustruen som enke og længstlevende kunne kræve brugsretten til denne jord i stedet for dower for sin livstid. „Jointure" kunne således betyde en ægtepagt om enkens brugsret til *mandens formue* i stedet for dower[57].

De kirkeretlige regler omhandlede alle skifteretlige forhold, mens Common Law omhandlede formueforholdet under ægteskabet. Hustruen var berettiget til en trediedel af mandens personlige ejendom, uanset om der var testamente eller ej. Var der testamente, gjorde manden ofte hustruen til eksekutor af hans del af boet. Var der ingen børn, havde hun som enke ret til at administrere hans ejendom[58].

I det 17. århundredes England var der mange tilbud om råd og vejledning for den, som overvejede ægteskab. „The Ladies Dictionary" fra 1694 og „The Lady's Law" fra 1732 informerede bl.a. om, hvorledes kvinder kunne beholde deres jord, løsøre og mest værdifulde ting. Ikke blot havde *præcedenssamlinger*,

---

57 *J.H. Baker*, 309, 353; *David Sabean*, 105.
58 *Amy Louise Erickson*, Marriage Settlements in Early Modern England, i: Law in History: Histories of Law and Society, Vol. II, 409 ff.

f.eks. Gilbert Horsmans trebindsværk „Precedents in conveyancing" fra 1744, stor betydning i det 18. århundrede, mens andre samlinger viste, at ægtepagter havde haft stor betydning helt tilbage i det 16. århundrede som John Rastells „Newe boke of presidents" fra 1543[59].

Med sin indgående analyse af Chancery Court-materialet dokumenterer hun med overbevisende kraft sine påstande. Kilderne tyder på, at kvinder fra alle andre samfundslag end aristokratiet (hvor der gjorde sig særlige forhold gældende) som en selvfølge ønskede at sikre sig et rimeligt udkomme, når de blev enker. Ægtepagter og andre aftaler var langt mere almindelige end hidtil antaget med hensyn til „almindelige" kvinder i hele perioden fra det 12. til det 19. århundrede på grund af de upraktiske ejendomsretlige principper i Common Law, og i hvert fald fra ca. 1550 og frem til 1850 mener hun, at kvinder i England havde gode muligheder for at møde disse problemer med alternative løsninger bl.a. via ægtepagter[60].

3. Dansk ret

Stig Iuul gjorde i sin disputats fra 1940 opmærksom på, at hidtidig dansk retshistorie havde behandlet landskabslovenes regler om formueforholdet mellem ægtefæller *rent retsdogmatisk* og derfor ikke taget hensyn til de fundamentale tvivlsspørgsmål. Desværre synes denne kritik i begrænset omfang også at kunne rettes mod dele af hans eget arbejde, men han var dog mere opmærksom på de sociale, økonomiske og kulturelle sammenhænge. Derimod gik samtidens nyere tyske *retshistorie* efter Iuul meget videnskabeligt og kildekritisk til værks, ligesom den ikke mindst satte den *komparative retshistorie* i fokus[61].

Ældre dansk retshistorie havde ikke som den ældre germanistiske forsøgt at skildre formueforholdet mellem familiemedlemmerne, men indskrænket sig til formueforholdet mellem ægtefæller, hvorfor ordningernes indhold og det indbyrdes samspil mellem dansk og tysk ret blev ret uforståeligt. For at imødekomme begge dele, opdelte han sin disputats i to hoveddele, hvoraf første del omhandlede *familieformuefælliget* i såvel germanske som danske, svenske og frisiske kilder, mens anden del alene omhandlede *formueforholdet mellem ægtefæller*

---

59 *Amy Louise Erickson*, 414-415.
60 *Amy Louise Erickson*, 423-425.
61 *Stig Iuul*, Fællig og Hovedlod, 17-18.

i Danmark fra landskabslovene og frem til Danske Lov, hvorved han bortset fra spredte iagttagelser tabte det komparative perspektiv.

Blandt forskellige teorier om de germanske ordninger af familieformuefælliget valgte han at sondre mellem især to opfattelser: Efter den ene tilhørte familieformuen forældre og børn i forening i et egentligt formuefællesskab med ideelle anparter. Efter den anden bestod formuefællesskabet alene mellem de mandlige familiemedlemmer og havde form af et sameje, Gesamtgut, hvorover faderen havde dispositionsretten, dog at videregående dispositioner krævedes foretaget „mit gesamter Hand" (*communicate manu*). Døde faderen, fortsatte sønnerne fælliget indbyrdes. En myndig søn kunne udskiftes, men der herskede tvivl, om den andel, han kunne få med sig, var en hovedlod, som allerede tilhørte ham, eller om faderen gav ham et udstyr, der ikke havde betydning for sønnens efterfølgende arveretlige stilling[62]. De to opfattelser synes i Iuuls gengivelse at stå som modsætninger og ikke som variationer af fællesskabsformer.

Stig Iuul fremhævede også i 1940, at de danske ordninger af formueforholdet mellem ægtefæller adskilte sig fra de ældre af ham beskrevne ordninger i det nordvestlige Europa, bl.a. derved at disse tillagde det retlig betydning, om de *indbragte* formueværdier hidrørte fra hustruens medgift, udgjorde mandens morgengave til hende eller en oprindelig købesum. De danske landskabslove brugte ikke disse sondringer, ligesom de ikke forudsatte, at formuefællesskab mellem ægtefællerne skulle aftales ved en ægtepagt ved ægteskabets indgåelse, men derimod indeholdt regler om et legalt, d.v.s. i loven forudsat, fællig, der indtrådte automatisk, medmindre andet blev aftalt[63].

Med støtte i brevmateriale ses, at kvinder kunne arve jord, og at hustruer og enker kunne skænke jord til kirker og klostre i det 12. århundrede. Men Iuul antog, at „formueforholdet mellem ægtefæller i en tid, som ikke ligger meget forud for landskabslovene, i det hele har haft karakter af en særejeordning", idet lovene reflekterer et retssystem, hvorefter en voksende andel af de samlede formuer i ægteskabet inddrages i fælliget, og idet det *legale fællig* mellem ægtefællerne bygger på en udvikling, hvor fællig var afhængig af *særlig aftale*[64].

Iuul har utvivlsomt ret i, at landskabslovene afspejler et ret sent trin i udviklingen, men ikke i at dansk ret var særegen og helt forskellig fra de kontinentale ordninger. Landskabslovenes formueordning var som de europæiske ordninger

---

62 *Stig Iuul*, 21-23.
63 *Stig Iuul*, 181.
64 *Stig Iuul*, 182.

typisk deklaratorisk, d.v.s. at de nedskrevne regler kunne tilsidesættes ved sær-aftaler, hvilket i øvrigt ikke var ualmindeligt i mere velstående og veluddannede familier, der enten sørgede for at få dem skriftligt nedfældet og tinglyst, således som det kan dokumenteres i ældre brevmateriale, hvorimod bondebefolk-ningen, der var uden tradition for skriftlighed, formentlig fulgte de sædvaneret-lige ordninger i landskabslovene.

Iuul tog afstand fra Hans Tägerts udredninger om frisisk ret og Chr. Kiers om langobardisk arveret blandt andet på grund af sidstnævntes afvigende opfat-telse af arvejordens betydning for det oprindelige familiefællig. De to forfatteres øvrige detaillerede analyser blev ikke inddraget i Iuuls egen analyse af dansk ret, som fulgte den da traditionelle „indadvendte" danske retshistoriske metode, som tog meget lidt hensyn til forskningen i europæiske retsordninger. På dette snævre grundlag nåede han nogle resultater vedrørende familieformuefælliget, som ser bort fra de resultater vedrørende „fællesgermansk" ret, som han rede-gjorde for i første del af Første Hovedafsnit (s. 21-30). De to underafsnit hænger ikke sammen. Landskabslovenes ordning af familiefælliget på landskabslovenes tid opfattes derfor som en helt ny foreteelse. Måske skal en del af den afvisende holdning over for det „germanske" og dets mulige indflydelse på dansk rets-udvikling ses i et historisk-politisk perspektiv. Disputatsen udkom i 1940, hvor det måske ikke var politisk korrekt at dyrke „germanske" islæt[65].

Han skærpede i øvrigt senere den opfattelse[66], hvorefter det ville være en misforståelse at gøre sig overdrevne forestillinger om formuefælligets alder. Det var efter Iuul ikke et ældgammelt germansk retsinstitut, hvis successive forsvin-den afspejlede sig i de danske landskabslove. Iuul så, som også yngre nordiske retshistorikere har gjort det, med skepsis på de forskere, der ville søge inspiration bag landskabslovenes regler i f.eks. langobardisk ret. Men den kraftige afstandta-gen synes længe at have medført, at han undlod at overveje muligheden for at se dansk ret som en del af en bredere europæisk retsudvikling med forskellige såvel særeje- som formuefællesskabsformer. Stig Iuul medvirkede således til at bremse nye forsøg på at sætte de danske formuefællesskabsregler ind i en historisk kom-parativ kontekst og derved til at fastholde den traditionelle retsdogmatiske ana-lyse. Først sent i sit forfatterskab begyndte Stig Iuul at interessere sig mere kon-sekvent for forholdet mellem dansk og europæisk retshistorie.

---

65 *Stig Iuul*, 26-28.
66 KHLNM, IV, 487 ff.

3.1. Legale ordninger

3.1.1. Brødre- eller søskendefællig

I sin behandling af familieformuefælliget indledte Stig Iuul som omtalt med en beskrivelse af germansk ret (s. 21-29) og de danske landskabslove (s. 30-61) og gengav i førstnævnte blandt andet den germanske opfattelse om eksistensen af et oprindeligt formuefællesskab mellem mandlige familiemedlemmer og et derfra udviklet brødrefællesskab, men omtalte ikke i den efterfølgende beskrivelse af dansk ret, at landskabslovene indeholdt flere regler om brødre- eller søskende-fællig. For dansk middelalderrets vedkommende melder der sig flere spørgsmål, som skal søges besvaret her og i følgende kapitler. Stig Iuul tog slet ikke stilling til, om det danske *brødre- eller søskendefællig* var beslægtet med det germanske „Brüdergemeinschaft" eller det gammelromerske „Consortium", eller til spørgsmålet om det var en nyskabelse?

Chr. Kiers afhandling, „Dansk og langobardisk Arveret"[67], skal kort præsenteres. Han påpegede ved mange eksempler, at fællig og arv hvilede på *forskellige* regler og retlige principper. Mens familiefælliget omfattede den nærmere familiekreds (fader, børn, søskende), vedrørte arvereglerne især den lidt fjernere slægt („udarvinger"). Efter Edictus Rothari tiltrådte ægte søn, naturlig søn (uægte), ægte datter og ægtefødt søster ikke faderens eller broderens efterladenskaber i kraft af arv, men i kraft af deres anpartsret til fælligmidler. Den langobardiske ordning var et formuefællig mellem far og børn + søstre, hvor den sjællandske primært var et familiefællig mellem *begge forældre* + børn + eventuelle søstre m.fl.[68].

Hvis faderen døde, kunne efter langobardisk ret de legitime eller de naturlige sønner overtage eller dele husfælligets ting, men ikke en udskiftet søn, der oprindelig ikke kunne få andel i fælligets midler efter udskiftningen. Fælliget kunne og ville måske ofte fortsætte uden skifte, især hvis der var ugifte kvinder i familien. Var der ikke legitime sønner, blev efter langobardisk ret både søstre og døtre, som boede i husfælliget, andelshavere i formuen eventuelt sammen med uægte sønner. Døtre udtrådte normalt af fælliget ved ægteskab, men genindtrådte, hvis de blev enker. Efter Ed. Roth. fik kun mænd ret til formuemidlerne,

---

67 *Frantz Dahl*, Hovedpunkter af den danske Retsvidenskab, i: Festskrift i Anledning af To-hundrede Aars Dagen for Indførelsen af Juridisk Eksamen, 218-219, hvorefter *Chr. Kiers* afhandling vakte stor opmærksomhed i udlandet, cf. *Ditlev Tamm*, der ikke omtaler Chr. Kier i sin oversigt over „Retsvidenskaben i Danmark" fra 1992.

68 *Chr. Kier*, Dansk og Langobardisk Arveret, 7-14.

men hvis sønnerne var døde, kunne søstre og døtre få en andelsret, men ingen rådighedsret. Chr. Kier så også den enkelte families historie som et *continuum*. En kvinde, der endte som faster i et fællig, kunne have begyndt sin familie-karriere som datter, senere som søster og endnu senere overgå til at blive faster, alt imens fælligets midler gik fra far til søn og fra søn til sønnesøn. De ældre ugifte kvinder, som boede i fælliget, fik kun ret til underhold eller alimentation. Efter Edictum Rothari 201 måtte ingen langobardisk kvinde leve selvstændigt, men skulle opholde sig i brødrenes hus. Var der kun uægte sønner, fik søsteren anpartsret lige med døtre. Enken, som vendte hjem til faderens eller broderens hus med sin morgengave og faderfio, måtte lade dette afregne til de to slægter, morgengaven til mandens og faderfio til sin egen familie. Når det var sket, indgik hun på lige fod med de andre kvinder med ret til en fast andel af fælliget[69]. Mens danske landskabslove havde regler om, at den kvinde, som blev gift ind i et fællig, f.eks. som stedmor eller svigerdatter, kunne få krav på en andelsret, havde lango-bardisk ret ingen regler om hustruers anpartsret. Det var karakteristisk for ældre germansk ret, at husfællesskabet med sameje mellem fader og sønner, hvori hu-struen ikke havde lod, efter faderens død overgik til et „brødrefællesskab", der som et arvingsfællesskab i sameje fortsatte husholdning og drift, jf. Edictum Rothari 167. Regler om varetagelse af underhold for mindreårige brødre og ugifte søstre m.fl. udvikledes efterhånden[70].

Anders Sunesen betjente sig af det romerretlige begreb *consortium*, hvor han omtalte fællesskab, jf. AS 9 „communi consorcio" (i fællig), hvortil han formentlig henførte brødrefællesskabet. Se også SKL 16. *Consortium* omhand-lede efter Gaius et fællig af samarvinger (*fratrum societas*), som, idet de ønskede at udsætte skiftet, på denne måde aftalte et fællesskab ved at lade deres arve-lodder indgå i den fælles formue. For at skabe et sådant *consortium* krævedes *consensus*, idet man efter romerretten ikke kendte et *communio bonorum*, der trådte automatisk i funktion[71]. Der var tale om et familieretligt forhold (en slags *societas*) baseret på ligeberettigelse. I det klassiske Rom blev husets arvinger *sui heredes*, når *pater familias* døde, og dannede et *fortsat husfællesskab*. Der var ikke blot tale om, at formuen blev fælles, men der skete tillige en „familieretlig for-brødring". Alle arvinger blev først nu myndige. Med faderens og ægtemandens

69 *Chr. Kier*, 14-21, 29-35, *Samme*, Edictus Rothari, 95.
70 *W. Ogris*, „Brüdergemeinschaft", 520 f., og „Erbengemeinschaft", 953 ff., i: HRG.
71 *Fritz Schulz*, Classical Roman Law, 550; *Max Kaser*, Römisches Privatrecht, 62, 178, 263, 268.

død trådte husets børn og enken i hans sted, hvorved de bevarede familien som et „Kultfællig" for husguderne og som en driftsenhed på bondegården. Senere arveopdelinger tenderede mod opsplitning af jorden og var måske medvirkende til at afvikle „consortium"s-løsningen.

JL I, 19, om den ældste bror blandt flere søskende, som tager sig en kone, og om hvorledes de andres retsstilling er i forhold til broderens eventuelle børn, forekommer interessant i flere sammenhænge. Knud Mikkelsen henviste i sine Glosser om JL I, 19, dels til, at de i fællig værende andre søskende måtte formodes at kunne protestere, hvis de var myndige. Gjorde de ikke det, gjaldt det almindelig princip, om at „den som tier, samtykker": („quia qui tacet, consentire videtur"), dels til Thords art. 54 (27), *„de tacita communita"*, som Knud Mikkelsen antog ikke blot ændrede JL I, 20, men også modificerede JL I, 19.

Også JL I, 43, handler om søskendefællig, nemlig om en ugift søster i fællig med sin bror, jf. VSL I, 68, om børn, der sidder i fællig sammen, og ESL I, 44, der tillige begrænsede muligheden for at afhænde jord. Det økonomiske forhold mellem søskende understreges i ESL I, 42, hvorefter alt det, som børn, der er i fællig sammen efter deres far eller mor, erhverver ved køb, salg eller på anden måde, *tilhører dem alle*. Lider de noget tab, da gælder også det samme. Hvad der bliver givet den ene, tilhører også dem alle, medmindre de er halvsøskende, jf. SKL 16 og AS 9.

Brødre- eller søskendefælliget fremtrådte i landskabslovene som et økonomisk fællesskab beslægtet med det romerretlige *societas* og det germanske Gesamthand-fællig med ligedeling af gevinst og tab og krav om enstemmighed, i hvert fald for de involverede brødre. Ønsket om at bevare slægtsjorden udelt må have været et væsentligt motiv bag dette retsinstitut, der for mig at se må være beslægtet med europæiske ordninger af tilsvarende karakter, herunder også de ældre germanske, uanset om børnene erhvervede deres andele ved arv eller som følge af et allerede eksisterende familiefællig.

Nedenfor i Kapitel 4 skal spørgsmålet om danske brødre- eller søskende-fællesskabers udvikling og baggrund uddybes nærmere blandt andet under henvisning til lovgivningen under Christian III.

3.1.2. Familiefællig contra ægtefællefællig
Holder det for en nærmere analyse, at det udvidede fællig, *familieformuefælliget* med nye medlemmer (stedmor, svigerdatter etc.), som af Iuul hævdet, var en nyskabelse? Stig Iuul fremhævede, at formueforholdet mellem ægtefæller på et tidspunkt, der ikke lå meget forud for landskabslovene, i det hele har haft karak-

ter af en særejeordning, og at landskabslovenes legale fælligordninger skyldtes en aftalepraksis, en konstatering, der dog ikke gav ham anledning til at søge paralleller i europæiske ordninger, skønt de på samme måde via ægtepagter og testamenter havde gennemløbet en udvikling frem imod visse fællesskabselementer[72].

Iuul hævdede endvidere, at udviklingen i middelalderen gik i retning af at udvide fælliget ikke blot til fordel for ægtefællerne, men også for de øvrige familiemedlemmer, og at det var fælliget mellem ægtefæller, der banede vej for denne udvidelse. Han udtalte således (s. 50) „På forhånd synes det en mere nærliggende forklaring, at det legale udvidede fællig, som man træffer i retsbøgerne, har udviklet sig af viljesbestemte ordninger, men at sådanne dog stadig har kunnet tænkes etableret, og at man for disse undtagelsesordninger vedblivende har benyttet det udtryk, som i ældre tid anvendtes om enhver ordning, ved hvilken der etableredes et fællesskab m.h.t. formuen". Løsningen kan forekomme noget spekulativ, baseret som den er alene på sproglige slutninger.

I det jyske retsområde var familieformueordningen ikke helt som i de øvrige retsområder. Hvor begrebet „fællig" optrådte, dækkede det ofte „Huset", *domus*, i videste forstand, d.v.s. omfattende børn og tyende, jf. JL II, 29. „Fællig" var her lig med *bofællesskab*, jf. JL I, 9, 10, 12 og 13, og ikke med et *ejerfællesskab*. I, 9 og 10, handler om arv efter barn eller udarving, som lever i fællig, mens I, 12, handler om søn, der drager på købmandsfærd udenlands, og om hvorledes der skal forholdes, hvis han enten ikke er udskiftet eller er udskiftet på grund af ægteskab („gifter han sig ud af fælliget"). I første fald skal han føre alt, hvad han ejer, tilbage til fælliget med henblik på skiftet for at få arv. I sidste fald bevarer han sin arveret.

Den legale fælligordning kunne føre til ubillige resultater, hvis den person, som blev optaget udefra, var meget velhavende. I så tilfælde kunne der aftales en særordning, der gav den pågældende en større andel end hovedlodden, eller man kunne få den pågældendes formue vurderet med det formål, at han eller hun til sin tid kunne udtage tilsvarende værdier af boet, uanset dettes størrelse, hvilket var ensbetydende med en særejelignende status.

Det østdanske familieformuefællig havde en vis lighed med et egentligt økonomisk sameje ligesom brødrefælliget[73]. Det kunne omfatte en ny ægtemand for enken eller en ny hustru for enkemanden, ligesom det kunne omfatte sammenbragte børn, SKL 6 (AS 4) og ESL I, 4. Svigersøn og svigerdatter samt slegfred-

---

72 *Stig Iuul*, 182, 189.
73 Danmarks gamle love på nutidsdansk, Indledning, XXV-XXVIII.

børn kunne også optages. Ifølge JL kunne svigerdatteren kun blive deltager i fælliget, hvis der forelå *særlig aftale*, hvorimod hun efter de andre landskabslove indtrådte automatisk. Hvis der imidlertid blev truffet særlig aftale i forbindelse med optagelse af en svigerdatter, der havde en meget stor formue, og der senere opstod tvist om, hvorvidt der forelå en sådan særaftale eller et lovbestemt fællig, fastslog ESL I, 25, at man principielt burde holde aftalen, men i tilfælde af uenighed, da var det nærmest til bevis, at der skulle deles efter hovedlodder, jf. også VSL I, 39[74].

Når ESL talte om at „lægge i fællig til lige brug og fordel", betød det ligedeling på skifte uden aftale. Hvis en søn eller datter giftede sig og forblev boende i fælliget uden udskiftning, kunne svigerbarnet ved således at lægge sine indbragte midler „i fællig" *uden aftale* opnå en lige anpart i forhold til de andre på skifte. Hvis midlerne derimod blev indtaget efter vurdering foretaget ved lysning på tinge, havde svigerbarnet krav på alle sine indbragte midler, dvs. som særeje. Blev der ikke truffet aftale, gjaldt derfor lovbogens almindelige regel om en hovedlod, uanset hvor meget der var indbragt.

At „lægge i fællig" betød således efter de skånske og sjællandske retsbøger, at en person automatisk blev deltager med ret til en hovedlod, medmindre der blev truffet anden aftale eller vurdering. Efter JL betød at „lægge i fællig", at en person, der ellers ikke var omfattet af de almindelige fælligregler, kun ved særaftale kunne blive optaget i fælliget. De sjællandske og skånske retsbøger forudsatte *familieformuefælliget* som den herskende *sædvaneretligt hjemlede ordning*, således at særaftale kun krævedes, hvor den fremmede ønskede en anden løsning, mens Jyske Lov forudsatte *ægtefællefælliget* som den sædvaneretligt hjemlede ordning. Stig Iuul ville gerne se Jyske Lovs ordning som den ældre og det udvidede familiefællig som den yngre. Han bruger ligefrem udtrykket: „Den ældre Retstilstand er derimod bevaret i Jylland ..."[75] Sammenhængende dermed var Iuul af den opfattelse, at fælliget oprindeligt forudsatte eller var fremkommet ved, at de to parter ved ægteskabets indgåelse indskød lige store andele, og at gensidighedsreglen om arvebed dels forudsatte, at al arv var særeje, men at arv fra begge ægtefællers slægt kunne medføre, at det modtagne blev fælli som et udslag af tendensen til at udvide formuefællesskabet[76]. For mig at se behøver man ikke at vælge enten familieformuefælliget eller ægtefællefælliget som ældste ordning. De

---

74 Ibd., Indledning, XXV.
75 *Stig Iuul*, Fællig og Hovedlod, 50.
76 *Stig Iuul*, 182-186.

kan have været sideordnede løsninger afhængige af økonomiske og sociale for-
udsætninger. De europæiske ordninger i samtiden kunne også fremvise flere
mulige samtidige varianter. Jeg er derfor mere tilbøjelig til at slutte mig til den
ældre teori, især til Stemann, der så JL's begrænsning af børns ret til at kræve
andele af fælliget, så længe forældrene levede, som repræsenterende en nydan-
nelse, der også fandt udtryk i en del af de yngre stadsretlige bestemmelser, jf.
Københavns Stadsret af 1294 §§ 90-92 og Christoffer af Bayerns Stadsret af
1443 §§ 28-29[77].

Da Iuul senere i Kulturhistorisk Leksikon for Nordisk Middelalder (sp. 489)
fremhævede, at fælliget i sit udspring var udtryk for, at en vis del af den formue,
som udgjorde grundlaget for familiens eksistens, ved skifte deltes på en anden
måde end efter de sædvanlige arveregler mellem de personer, der ved at leve i
samme husstand bidrog til at opretholde og forøge dette fællig, synes han i hø-
jere grad end i disputatsen at lægge vægt også på økonomiske og sociale forhold.

3.1.3. Fortsat fællig

Selv om danske enker var afskåret fra at arve deres mænd på samme måde som
deres europæiske søstre, og normalt var henvist til ligedelingen eller anparts-
retten i fælliget ved skifte samt egen arvejord og eventuel medgift, kendte dansk
ret også en særlig *brugs- og nytteret* for den enke, der sad alene med børnene og
forblev ugift. Efter SKL 58 (AS 22) måtte frænderne ikke tage børnene fra deres
mor, så længe hun som ugift „sørger for børnene i deres ejendom", selv om de
skulle have tilsyn med hendes forvaltning af denne. Anders Sunesen udtrykte sig
lidt mere følelsesmæssigt, når han udtalte „Ret og tillader og hensynet til
forældrekærligheden tilsiger, at den ømme moder, hvem dødens bud har røvet
hendes mands selskab, styrkes ved at søge passende trøst hos sønnerne, der „med
al deres gods bør overgives i moderens varetægt"". Den samme regel udtrykkes
i ESL I, 46, hvorefter hun mistede børnene til værgen, hvis hun giftede sig, eller
kunne fratages forvaltningen af deres gods, hvis „hun er så dårlig en husholder,
at hun er skyld i, at deres gods forødes", hvorimod JL I, 29, begrænsede hendes
adgang til at administrere børnenes arvegods til fordel for frænderne, selv om
hun ikke giftede sig igen, men hun „skal dog have alt udbyttet af den (arve-
jorden) og råde derover, som hun vil". Hustruen fik i Danmark enten en *brugs-
og nytteret* eller dog en ret til *udbyttet for sin livstid* af mandens efterladte formue,
hvis hun forblev ugift.

---

77 *Chr. L.E. Stemann*, Den danske Retshistorie indtil Christian V's Lov, 361-71.

Denne enkeret minder ganske meget om den ret, som de europæiske særeje- og dotalordninger havde sikret enkerne, hvor der var børn i ægteskabet. Dette frister til den *hypotese*, at man i dansk ret før landskabslovene kunne have kendt til aftaleordninger mellem brudens familie og brudgommen, der lignede de kontinentale dotalordninger, og som gik ud på, at hustruen via „mundium" sikredes en fordringsret i mandens særeje, hvis hun sad barnløs tilbage og en livsvarig brugs- og nytteret, hvis der var børn, altså en fordringsret for enken i forhold til mandens efterladte særejemidler i en eller anden brøkdelsfordeling i forhold til mandens arvinger, hvor der ingen børn var i ægteskabet.

Efter JL skulle enken, som ellers sad i *fortsat fællig* med børnene, skifte, hvis hun indgik nyt ægteskab, medmindre børnenes slægtninge efter I, 30, tillod, at stedfaderen optog dem i sit fællig eller overtog deres ejendele efter vurdering. Men flyttede han ind hos enken, og en delingsnorm ikke blev tinglyst, kunne han efter JL I, 20, ikke få andel i boet ud over, hvad børnene med kønsed godtgjorde, at han havde indført.

Heri skete der en ændring med Thords art. 54 (27), der antages nedfældet efter 1304, og som indførte det såkaldte „tavse fællig". Den bestemte: Om kone sidder med sine børn *i fællig* efter deres fars død, og fanger husbond i sengen igen og deres fædrene arv (*patrimonio*) ikke bliver kundgjort på tinge (*non promulgato*), da er de alle sammen i „thiende fællig" (*tacita communitas*). Det samme gælder for manden, hvis hustruen er død[78]. Hvis frænderne ikke tinglyste, hvor meget der var tilfaldet børnene i fædrene arv, indtrådte der et *tacita communitas* mellem stedfaderen eller stedmoderen, børnene og den længstlevende af forældrene med hensyn til hele den rørlige formue. Efter JL I, 20, krævedes en særlig aftale, efter Thords art. 54 (27) indtrådte dette automatisk, hvis tinglysning undlodes[79].

Begrebet *communitas tacita, communauté taisible* på fransk eller „det tavse fællig" på dansk synes at dukke op i retsbøgerne nogenlunde samtidig i Frankrig og Danmark, nemlig i det 13. århundredes slutning med en vis udbredelse i det 14. århundrede. I Frankrig var det som allerede nævnt i visse territorier blevet almindeligt i middelalderen, at flere generationer, herunder gifte børn, boede under samme tag. Det ser ud, som om man ønskede at styrke husstanden og fælligordningen ved hjælp af såvel indbragt som erhvervet jord. Efter Thord

---

78 *P.G. Thorsen*, De med Jydske Lov beslægtede Stadsretter m.v. med Tillæg af Thord Degns Artikler, 266, 289.

79 *Stig Iuul*, 225 f., 146 f.

Degn synes børnenes fædrene arv og dermed også jord at indgå i det tavse fællig som en udvidelse af dette. Det er fristende at se både det franske og det jyske „tavse fællig" som en måde at holde sammen på familieformuen på, især med hensyn til besiddelsen af jorden. Den længstlevende sad i Danmark i en slags fortsat fællig og rådede frit over afkastet af børnenes fædrene arvejord, JL I, 29. I fransk teori er „communauté taisible" blevet sat i forbindelse med bøndernes kamp imod kirkens såkaldte „døde hånd", d.v.s. gejstlige juridiske personer som anstalter og stiftelser, der på grund af deres vedvarende formål (hospitaler, universiteter, skoler etc.) aldrig måtte afhænde sådanne gode jorder, som de havde erhvervet ved dødsgave eller testamenter [80]. Det tavse fællig kunne hindre, at god bondejord således gik ud af cirkulation ved at blive frataget de efterladte og straks efter mandens død komme på kirkelige hænder. Det kan vel ikke ganske udelukkes, at den samme tankegang kunne ligge bag den jyske ændring ved Thords Artikler § 54 (27), som jo derved ville blive i større overensstemmelse med den østdanske ordning med den automatiske indtræden af fællig, hvis ikke andet var særlig aftalt.

Efter Reformationen afskaffede den københavnske reces af 6. december 1547 med § 28, jf. Koldingske reces af 13. december 1558 § 52 og DL 5-2-19, familiefælliget til fordel for et *ægtefællefællig*, således at børn overalt i Danmark herefter var reduceret til arvinger af fælliget såvel som af særejet og ikke længere var medejere af fælliget. Ved skifte mellem ægtefællerne skulle fælliget deles lige, uanset om der var børn eller ej i ægteskabet.

3.1.4. Fællig eller særeje

Også i danske retsordninger sondres mellem *indbragte* og *erhvervede* værdier, især vedrørende jord. Indbragt arvejord fra begge sider var særeje efter retsbøgerne, mens fælliget omfattede købejord samt erhvervet løsøre, jf. SKL 7 og ESL I, 1. Indbragt løsøre kunne efter omstændighederne blive fælleseje, men var ellers særeje. Der var ikke tale om *fuldstændigt* formuefællesskab, men om blandingsordninger. For hustruen havde arvejorden ofte været en del af medgiften.

Al arvejord var undtaget fra fælliget efter landskabslovene. Under arvegods omhandledes også den *dos* eller morgengave i henholdsvis Slesvig Stadsret § 7 og „hjemfærd", d.v.s. medgift, som omtales i JL I, 15. Købejord, kvæg, løsøre, hus etc., som *erhvervedes* under ægteskabet, var fællig, mens arvejord, der også erhvervedes under ægteskabet, eller gaver fra den fremtidige arvelader forblev sær-

---

80 W. *Ogris,* „Tote Hand", i: HRG, 281-282.

eje for modtageren. Arvet løsøre kunne blive fællig i tilfælde af f.eks. arvebed. Hvis ægtefællerne var barnløse, skulle „hus, løsøre og købejord" efter JL I, 6, deles ligeligt på skifte mellem den længstlevende og afdødes arvinger. I kraft af sin husbondmyndighed og værgeret over hustruen varetog manden under ægteskabet hendes økonomiske interesser, men han måtte ikke afhænde hendes arvejord, medmindre han havde børn med hende og tilstrækkelig egen jord at stille som sikkerhed for hustruens jord, jf. SKL 8 (AS 5), ESL I, 27, og JL I, 35. Var der ingen børn, var hans rådighedsret begrænset.

Indtil Danske Lov forblev arvejord særeje, dog ikke i købstæderne, hvor jord ikke havde den samme betydning som på landet. Både i de sønderjyske købstæder og i de skånske henregnedes arvejorden allerede i middelalderen til løsøre eller boskab og blev ligedelt mellem ægtefællerne, jf. Slesvig Stadsret § 40 og Skånske Birkeret § 28[81].

Den gæld, som ægtefællerne hver især skyldte bort ved ægteskabets indgåelse, blev fælles gæld, ligesom deres respektive fordringsrettigheder blev fælles. Den under ægteskabet stiftede gæld var ikke nærmere reguleret i landskabslovene, bortset fra bødegæld. Dog må her nævnes AS 9, om at alt, hvad der i fællig enten tabes eller vindes ved de enkeltes skyld eller flid, tilfalder dem alle, jf. SKL 16. Først i Christian III's recesser dukkede den bestemmelse op, at al vitterlig gæld skulle betales af fællesboet, jf. 1558-recessen § 53. En tilsvarende regel var dog allerede gældende i Slesvig Stadsret art. 84 og Skånske Birkeret § 31[82].

3.1.5. Slutbemærkning

Til slut skal føjes nogle få kommentarer til Helge Paludans tanker om fælliget i dansk ret til supplering af de i det foregående fremsatte bemærkninger. Helge Paludan opregner i sin bog „Familia og Familie" (s. 121) 4 varianter af fælliginstituttet: 1) mellem ægtefæller, 2) mellem forældre, børn, svigerbørn eller stedbørn, 3) mellem jorddrot og bryde og 4) mellem forskellige jordbesiddere. Selv om man kan tale om fællig i alle 4 varianter, finder jeg det mere hensigtsmæssigt at sondre mellem *kun* 3 former: 1) ægtefællefællig, 2) familiefællig og 3) det almindelige økonomiske fællig (uden særlige familiebånd).

Helge Paludan har svært ved at forklare[83], hvorfor fælligets udvikling „gik i stå" trods de mange former. Men fælligordningerne gik ikke i stå allesammen.

---

81 *Henning Matzen*, Privatret, I, Familieret, 69-74.
82 *Henning Matzen*, 74-75.
83 *Helge Paludan*, 121 ff.

Ægtefællefælliget fortsætter med visse variationer (til i dag), og de forskellige fæl-ligformer mellem jordejere, skibsejere eller ejere af andre formueværdier fort-satte, men under andre betegnelser, som f.eks. sameje, kompagniskab, partrederi etc. Det udvidede familiefællig omdannedes via praksis formentlig i løbet af 14.-15. århundrede til det ægtefællefællig, som blev kodificeret i 1547. Men brødre-fælliget til adeligt jordegods styrkedes ved 1547-recessen § 24 om sædegårde, jf. Koldingske reces 1558 § 39 og DL 5-2-65.

Helge Paludan bruger flere af sine teser om samfundsforholdene på disse fælligregler. Således hævder han, at flergenerationsfælliget som en „særegen dansk" foreteelse var et produkt af en afværgereaktion fra husstandens side mod slægtsindblanding i deres dispositioner, jf. SKL 76 (s. 114-116). Hertil er først at bemærke, at man bør være forsigtig med uden videre at postulere, at et retsin-stitut er særegent dansk. Ikke blot denne undersøgelse, men allerede Stig Iuul, har påvist forekomsten af forskellige fælligformer på det europæiske kontinent, også i Frankrig i middelalderen. Paludan hævder (s. 117), at „fælliget imødekom et behov i 1100-1200 årenes samfund for at forankre individerne i et fællesskab på et andet niveau end slægten". Selvsagt betyder fælligordninger, at den længst-levende ægtefælle og børnene begunstiges på fjernere slægtninges bekostning. Men skulle der være tale om en kamp imod slægtssamfundet, skulle man da langt tidligere have inddraget også arvejorden under fælligformuen.

Paludan opfatter SKL 7, om skifte af fællig mellem barnløse ægtefæller som en regel om familiefællig, der skulle vise, at alle parthavere i et fællig var lige. En henvisning til SKL 6 havde været mere hensigtsmæssig som eksempel på det han betegner en husstandsinteresse over for en utidig slægtsindblanding. Han næv-ner i samme forbindelse JL III, 43, om indbyrdes ægtefælletransaktioner som et yderligere eksempel. Men hvem repræsenterede typisk slægtsinteressen? Det gjorde arvingerne, d.v.s. i første række netop børnene, livsarvingerne, og hvis sådanne savnedes, da først i anden række fjernere slægtninge som forældre, sø-skende, onkler.

De „pompøst opsatte bestemmelser om fælliget" synes efter Paludan mest af alt at ligne en historie, der aldrig blev til noget, idet det udvidede familiefællig jo ophørte igen (s. 122). Han mener, at reglerne, skønt vendt mod slægtssamfun-det, snarere fik betydning som overgangsled mod en styrkelse af husbondmyn-digheden over de underordnede, hvorved han griber fat i grundtesen om begre-bet *familia*.

Jeg mener, at forklaringen om modstand mod slægtssamfundet er for enkel, også når det drejer sig om familiefælligets udvikling. I Jylland ser vi faktisk en styrkelse af familiefælliget med Thords artikler § 54 (27) om det tavse fællig, som netop antages at være nedfældet i tiden efter 1304 (det magiske år for Paludan). Det tavse fællig var efter min mening ikke vendt imod slægtssamfundet, men fremstod som en *positiv* mulighed for sikring af familiens subsistensgrundlag, jorden, i forhold til kirken og de store jorddrotter.

I stedet for at se fælligreglerne som vendt imod slægten, ser jeg dem som udtryk for en mulighed for at fastholde jorden på familiens hænder (og derved indirekte til fordel for slægten) frem for at tillade jorden at komme ud af cirkulation, som det var tilfældet med den jord, som kirkelige institutioner lagde deres „døde" hånd på (mortmain, mainmorte, Tote Hand, Den døde Hånd). Et eksempel på den døde hånd er reglen i JL I, 44, hvorefter der kræves 40 vintres ubestridt besiddelse for at vinde hævd over for kirken, mens kirken kunne nøjes med 30 vintres ubestridt besiddelse for at vinde hævd over for en bonde. Reglen var hentet fra kanonisk ret og med held indsat i JL[84].

3.2. Aftalte ordninger

Eftersom formueforholdet på landskabslovenes tid nok kan siges at have stabiliseret sig i retning af en blandingsordning med særeje for indbragt jordegods og fællig for købejord og erhvervet løsøre, forudsatte en del regler alligevel, at der kunne træffes særaftaler både om fuldstændigt særeje eller andre delingsforhold.

Ikke blot morgengaver, men også fæstensgaver blev almindelige i tidlig nytid, og begge dele blev brugt til begunstigelse af især barnløse enker på bekostning af mandens fjernere slægtninge eller børn af et tidligere ægteskab med den følge, at retskonflikter ikke så sjældent blev resultatet om ikke før, så når enken døde.

Den adelige Otte Gyldenstjerne gav i 1540erne sin hustru 3 gårde, mens Peder Oxe gav sin hustru Mette Rosenkrantz to sædegårde og 10.000 daler. Anna Hardenberg fik i 1574 ret til at bruge Bregentved og Svanholm samt noget jord i Skåne for livstid. Her protesterede arvingerne og gik til Kongens Retterting[85]. I praksis lå det ikke klart, i hvilket omfang sådanne gaver var beskyttede mod arvingernes krav. En landstingsdom fra Viborg 1566 accepterede, at fæstens- og morgengaver kunne blive udtaget på forhånd af boet før skiftet, mens

---

84 *Niels Knud Andersen*, Kanonisk rets indflydelse på Jyske Lov, i: Med Lov skal Land bygges, 119; 20 X, II, 26.

85 Kancelliets Brevbøger af 11. september 1507; Gamle Danske Domme, IV, 371; Kongens Rettertings Domme, I, 189.

en anden bekræftede denne ret for morgengaver. I 1578, da Mette Rosenkrantz krævede sin morgengave, accepteredes dette synspunkt, men kun for den halvdel af boet, der tilhørte ægtemanden, hvorfor hans arvinger måtte betale hende de 10.000 daler[86].

Retspraksis synes efterhånden at have krævet en strikte opfyldelse af de formelle betingelser for at acceptere sådanne gavers gyldighed. Ved en forordning af 18. oktober 1572 begrænsedes det lovlige gavebeløb til 2.000 daler, medmindre arvingerne samtykkede i et højere beløb. Derfor antages morgengaver efterhånden at forsvinde som grundlag for enkers pension. De blev nu for små til forsørgelsesformålet for enkers livstid. Også fæstensgaver begrænsedes, fordi deres værdier havde været voksende, måske som følge af morgengavernes begrænsning. Forordningen af 1. maj 1624 om fæstensgaver kan dog også ses som et mere almindeligt udslag af civilisations- og socialiseringstendensen under den strengt ortodokse Lutherdom under Christian IV med henblik på luksusbegrænsninger. Fæstensgaver måtte herefter ikke overstige 10 pund guld, og ulovlige fæstensgaver kunne tilsidesættes af arvingerne. I det 17. århundrede opfattedes fæstensgaver som det normale blandt ikke-adelige dele af befolkningen, mens morgengaver var en særret for adelige, jf. DL 5-4-2, hvor morgengaver begrænsedes til 4.000 pund sølv uden arvingers samtykke[87]. Eksempler på medgiftsaftaler var almindelige i hertugdømmerne, se Detlef von Thamme, som fik attest på at øge sin hustrus medgift i 1561[88].

Aftaler om medgift (*dos*) eller morgengaver i forbindelse med ægteskabs indgåelse var ikke ukendte, om end sparsomt belyst i middelalderlovene.

Hvis børn ville udskilles fra familiefælliget for at gifte sig eller etablere sig andetsteds, kunne faderen efter SKL 17 give, hvad han selv ville, og mere måtte de ikke kræve i levende live. Efter de sjællandske regler, VSL I, 1, og ESL I, 7, havde en datter, som fik en mand, krav på sin hovedlod af fælliget. Faderen havde endvidere adgang til at give den søn, der ville udskilles, noget af den mødrene arvejord. Han var i så fald forpligtet til også at give de andre børn, herunder datteren, en forholdsvis tilsvarende mængde mødrene arvejord efter ESL I, 7. Faderen kunne dog påstå, at det kun var til låns for sønnen. Hverken skånsk eller sjællandsk ret brugte betegnelsen medgift for de værdier, som datteren fik med.

---

86 *Stig Iuul*, Fællig og Hovedlod, 264 med note 42 og 265 med note 43 og 44; Danske Domme 1375-1662. De private Domssamlinger, III, nr. 454 (31/5-1578).
87 *Stig Iuul*, 266 ff.
88 De Hansborgske Domme, 1545-1578, III, 1205.

De sjællandske ordninger med familiefællig gav således børn, som ville giftes eller af andre grunde forlade det fælles hjem, ret til at få den del af fælliget udskiftet, som ville tilfalde dem ved faderens død, d.v.s. hovelodden, fordi den antoges allerede at tilhøre dem inden skiftet. Efter de skånske retsbøger var dette ikke tilfældet, og her afhang det af faderen, hvor meget han ville give. JL I, 15, brugte heller ikke ordet medgift, men udtrykket „hemfærth", et ord som af Knud Mikkelsen i glosserne oversættes til „dos vel dotis pretium". Efter JL I, 7, kunne sønnerne, hvis de var 15 år gamle, rejse bort med deres mødrene arv. Døtrene kunne ved indgåelse af ægteskab (med faderens samtykke) få deres mødrene arv udskiftet, men hverken sønner eller døtre havde ret til at få noget af fælliget[89].

I breve og aktstykker derimod brugtes typisk betegnelsen „medgift" eller „medgave". Iuul citerer et skøde, hvor nogle ejendomme af en borger i Ribe ved søsterens ægteskab medgives til svogeren „ratione dotis sue dicte mæthgyfft". Han nævner en række eksempler og fremhæver, at man ud over betegnelsen „dos" i latinsksprogede dokumenter ofte også finder udtrykket „dotalicium". Der er ingen tvivl om, at denne medgift tjente samme *formål* som den germanske *paraphernalia* (faderfio) eller den engelske *dowry*, uanset disse retsinstitutters mulige forskellighed i det praktiske retsliv. De samtidig med medgiften overdragne ejendomme betragtedes i nogle tilfælde som hustruens særeje og behandledes som hendes arvejord, hvis de var overdraget til hende personligt. Men hvis skødningen fandt sted til manden alene eller til begge ægtefæller kunne de blive enten mandens eller begges særeje. I sidstnævnte tilfælde ville ejendommen få karakter af et (lige) sameje. I nogle tilfælde måtte manden nøjes med en panteforskrivning på medgiften[90].

Udtrykkelige regler om medgift er som nævnt sparsomme i kilderne, og regler om *morgengaver* mangler helt, men begrebet findes dog omtalt i Slesvig Stadsret § 7 om enkes ret til at udtage 3 mark „pro dote", som i den plattyske udgave oversættes ved „morgen gaue" (§ 10) (DGKL, I, 5 og 19). Først i det 14. århundrede findes dokumentation for brug af morgengaver i mere omfattende grad, men kun i brevmateriale fra Skåne[91]. Stig Iuul omtaler en række eksempler, som viser, at morgengaver ofte bestod af sølvpenge, men også kunne bestå af fast ejendom. Han antog, at der var tale om en påvirkning fra svensk ret,

---

89 *Stig Iuul*, 190 f., 222.
90 *Stig Iuul*, 191 f.
91 *Hans Peterson*, Morgongåvoinstitutet i Sverige under tiden fram till omkring 1734-års lag, 49 ff.

som i visse tilfælde påberåbtes direkte, og fordi forbindelsen til Sverige forekom åbenlys, f.eks. ved ægteskab mellem personer af dansk og svensk adel under Kalmarunionen.

I lighed med praksis i dele af Tyskland kunne enker også efter dansk praksis indrømmes en *livsvarig brugsret* til større eller mindre dele af mandens efterladte formue, eller gtefællerne kunne i forening *gensidigt* træffe tilsvarende dispositioner, som blev helt almindelige i 1500-tallet i fyrstelige og aristokratiske kredse. Både ægtepagter og testamenter brugtes i hele Nordvesteuropa til at forbere den længstlevendes retsstilling i forhold til børnene eller andre arvinger. Det var mange steder praksis via testamenter at lade hele gården gå til enken for hendes livstid og først derefter til sønnen.

Der var i landskabslovene lagt visse hindringer for ægtefællernes indbyrdes aftaler under ægteskabet for så vidt angik skødning eller overdragelse af jord, hvilket i sig selv kan tages som udtryk for, at den slags aftaler ikke har været helt ukendte. Stig Iuul understregede, at en ægtemand ikke ensidigt kunne skaffe sin hustru en bedre retsstilling som enke, end den som fulgte af lovens almindelige regler. Omgåelser kunne dog finde sted ved skødninger i levende live uden vederlag, hvorved man kom uden om lovbydelseskravet. Men JL krævede arvingernes samtykke og gjorde det derfor frivilligt for dem, om de ville respektere en sådan („hemmelig") skødning. JL III, 43, fastslog, at hvis ægtefæller indbyrdes til hinanden eller via en stråmand ville afhænde jord ved at tilskøde det uden vederlag, skulle de have arvingernes samtykke for at være gyldige[92].

III. Sammenfatning

1. Familiestrukturer (størrelse og sammensætning) i middelalderen og senere synes at have frembudt tilsvarende variationer i Danmark som i det øvrige Nordvesteuropa. Baggrunden synes at være et samspil mellem økonomiske forudsætninger og ønsker om opfyldelse af stabiliserende mål. Problemet har ikke været gjort til genstand for mere systematisk behandling heller ikke i denne sammenhæng, der dog har forsøgt at anlægge en mere differentieret synsvinkel. Økonomien i senmiddelalderen og de ændrede byggeskikke med tre- og firelængede gårde udelukker ikke, men gør det sandsynligt, at familier med hjemmeboende

---

92 *Stig Iuul*, 192-196, 216-220.

voksne børn eller med forældre på aftægt har kunnet eksistere i et vist økonomisk fællesskab under samme tag. Reglerne om det skånske og sjællandske familie-fællig muliggør flergenerationsfamilier i bofællesskaber, mens Jyske Lovs regler snarere favoriserede kernefamilien, hvor ægtefællerne var de vigtigste aktører, selv om også søskendefællig var reguleret.

2. Formuestrukturer. Ved betegnelsen formuestrukturer tænkes især på spørgsmålet, om familiens formue bestod af to separate særejeformuer under fælles administration, eller om der var opstået samejeformer og deraf følgende fællesskabsregler for den samboende familie eller for ægtefællerne alene. Efter visse ordninger viste fælligets retsvirkninger sig allerede under ægteskabet, mens det efter andre ordninger først realiseredes retligt ved ægteskabets ophør ved dødsfald, således at fælligreglerne udvikledes i en vis sammenblanding med dotalregler eller arveregler.

Den formentlig oprindelige formueordning i dansk ret med fuldt særeje mellem ægtefællerne blev formentlig afløst af en formueordning baseret på konkrete aftaler om fællig med hensyn til erhvervet løsøre og købejord med lige store andele for deltagerne. Da de danske sædvaneretsordninger blev skriftligt nedfældet, blev den legale ordning en blandingsordning, hvorefter arvejord var særeje, mens løsøre samt erhvervelser under ægteskabet typisk indgik i det fællig, som indtrådte automatisk ved ægteskabets indgåelse. Visse købstæder udviklede et mere omfattende fællig bl.a. på grund af særregler om fast ejendom, og måske fordi købstædernes handelsomsætning ønskede en risikovillig, likvid kapital og kreditorgarantier, som formuefælliget begunstigede. Forestillingen om, at fæl-lesskab om formuen forudsatte fællesskab om gælden slog igennem i 1500-tal-lets danske ret. Aftaler om særordninger, f.eks. via bebrevelser, havde ofte karak-ter af tiltag, der skulle sikre jordens og værdiernes forbliven hos enken og bør-nene. I det hele synes særordninger ofte at tilsigte begunstigelse af længstleven-de, typisk en enke, og vil derfor blive nærmere behandlet i forbindelse med arv og generationsskifte i Kapitel 4.

Engelsk teori peger på, at den fundamentale afvisning af formuefællesskab i Common Law og dennes næsten totale tilsidesættelse af hustruens økonomiske rettigheder til fordel for manden lige fra middelalderen blev mødt med alterna-tive løsninger, der ofte var baseret på konkrete aftaler, især i form af ægtepagter (gensidige) eller testamenter. Fællesskabsformer optrådte f.eks. i købstaderne og ved gensidige bebrevelser i form af „jointures" blandt bønder. Varianter af fælligformen blev valgt af folk fra de almindelige samfundslag, fordi de kunne opnå støtte ved de kirkelige domstole eller ved „Court of Chancery", som begge

ønskede at sikre enkers retsstilling, mens aristokratiet modsat havde større fordel
af Common Law-systemet.

I *fransk* teori fremhæves en klar udvikling i retning af fællesskabsformer, især
i kutymeområderne. Man ser tidligt eksempler på, at der ved siden af gamle (sæd-
vaneretlige) dotalordninger fremkom andre ordninger, som byggede på individu-
elle aftaler via ægtepagter eller gensidige testamenter ligesom i England. I det
hele taget synes fælligelementer eller en „esprit communitaire" at have bredt sig
i Nordeuropa omkring 1100-1200-tallet, ikke uden sammenhæng med udbre-
delsen af kirkens domstole og styrkelse af kanonisk ret. Man begyndte tidligt at
betragte indbragte formuer som en fællesfond under mandens rådighed til beg-
ges fordel, men med disses tilbagevenden til udarvingerne (fædrene og mødrene)
ved barnløshed. Erhvervelser og købejord var under ægteskabet under parternes
respektive særråden, men med udviklingen af det ægteskabelige formuefælles-
skab ligedeltes disse midler ved ægteskabets ophør efter betaling af fælles gæld.

En samejeform „copropriété" kunne i Frankrig via særaftaler give et mere
fordelagtig grundlag for hustruens rettigheder end den dotale trediedel, når hun
blev enke. Et „egentligt" selskabsretligt kompagniskab som ved brødrefælli var
der ikke tale om i forhold til hustruen, selv om hun i enkelte kilder måtte være
opfattet som kompagnon.

Fransk teori begrunder udviklingen med de varierende fællesskabsformer i
familie og ægteskab med højmiddelalderens økonomiske opsving samt hensynet
til kreditorerne og enkerne. Man accepterede i det 13. århundrede, at løsørevær-
dier og i visse tilfælde også fast ejendom, kunne være exekutionsobjekt for doku-
menterede gældskrav. Man taler om en nær sammenhæng mellem fælli og gæld
som et sædvaneretligt retsprincip: *fælli om formue forudsatte fælli om gæld.*
Hustruens ret til halvdelen af boet betragtedes efterhånden som et verdsligt
sædvaneretsprincip, som en *enkeret*, der dog fik støtte via vielsesritualer og ka-
noniskretlige sætninger. Ved siden af de i praksis fremvoksende fællesskabsretlige
ordninger vedblev et dotalretligt system at have gyldighed i fransk ret.

Også i *Tyskland* finder man et samspil mellem gamle sædvaneretsordninger
baseret på et særejesystem og yngre aftale- eller ægtepagtsordninger, der i vari-
erende omfang havde fællesskabskarakter, og som i løbet af middelalderen blev
nedskrevet i sædvaneretsordningerne. Også her gaves mulighed for at lægge
særejemidler sammen i en fællesfond under et forvaltningsfællesskab. Man kun-
ne supplerende aftale et formuefællesskab om erhvervede formueværdier under
ægteskabet, således at begge former forekom hos samme ægtepar. Formuefælles-
skab, „Gütergemeinschaft", kunne også have karakter af et sameje.

Såvel i nordfranske som tyske og danske familier fandtes således særeje og fællig i varierende blandingsformer. Typisk var indbragt jord særeje, uanset om det havde karakter af en medgift eller udskiftet arv. Erhvervelser fik efterhånden karakter af fællig, men begge dele var typisk underlagt mandens forvaltning og rådighed under ægteskabet, uanset om hustruens samtykke udkrævedes til visse dispositioner. Ved mandens død kunne kvinden, hvor der var særeje eller dotalordninger, udtage sit eget særeje samt fæstegaver, smykker m.v. Hvis der var børn, havde enken, også efter engelsk ret, normalt sin livsvarige brugs- og nytteret, sin *dos* (dower), der var en fordringsret på en trediedel eller halvdelen af mandens særeje, men var ægteskabet barnløst, måtte hun skifte med mandens arvinger. Selv havde hun ingen arveret.

Hvor der var blandede formueordninger eller fuldstændig formuefælleskab, kunne enken enten fortsætte fælliget med hjemmeboende børn eller skifte, hvorved hun fik sin andel af fælliget, og børnene fik deres, mens mandens andel faldt i arv til børnene. Var der ingen børn, havde enken efter dansk ret krav på halvdelen af fælliget i forhold til mandens arvinger. Efter de europæiske ordninger gjaldt noget tilsvarende eller kunne være aftalt.

Familien har i fremstillingen været anskuet som en økonomisk enhed og grundlaget for retlige formueordninger af varierende indhold. Familien, og især ægteskabet, har været relateret til kirken og kirkens retlige opfattelser, mens forholdet til staten i denne periode ikke har spillet en særlig fremtrædende rolle. Familien har tillige været opfattet som en del af det omgivende landsby- eller købstadsamfund, selv om dettes socialpsykologiske og etiske magt ikke har været særskilt fremhævet. Familiens forhold til markedet blev især styrket i købmands- og købstadforhold, hvor såvel brødrefællig og ægtefællefællig som andre fælligformer var foretrukne.

Der kan således med en vis forsigtighed tegnes et relationsskema (se næste side) mellem civilsamfund, marked, stat og kirke, til brug ved vurderingen af familiens status i middelaldersamfundet. Hvor kirkens og statens (kongens) magt styrkedes (bevægelse mod højre), fulgte en styrkelse af retliggørelsen af familieforholdene bl.a. via nedskrivning af sædvaneretsordninger eller egentlig lovgivning og øget judiciel aktivitet i forbindelse med ægteskabssager. Det omgivende landsby- eller købstadsamfund, civilsamfundet, havde betydning for familiesolidaritet og sammenhold, men også for modstridende interesser og gensidige stridigheder (arv, udskiftning, salg). Når markedsrelationer er inddraget, skyldes det den voksende interesse for både fjern- og nærhandel, omsætning, pantsætning og kredit i senmiddelalderen, hvor løsøreværdier og jordtilliggen-

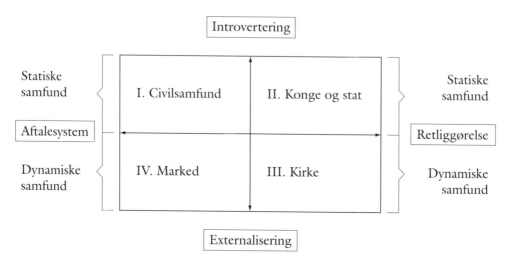

der fik stigende værdi, og hvor man begyndte at handle, også med arvejord. Stigende kulturel indflydelse gjorde såvel våben som husgeråd og huse mere værdifulde, bl.a. ved brug af kunstneriske udsmykning og ædle metaller. Ægteskabet og familien fik stigende betydning som faktor i den sene middelalder og tidlige nytids europæiske samfund.

Mere skematisk kan man hævde, at jo mere betydning civilsamfund og marked havde for familiens dagligdag (bevægelse mod venstre), jo mere ville indbyrdes aftaler og kontrakter afgøre rettens udvikling, mens omvendt jo mere indflydelse kongemagt og kirke fik, jo mere udpræget ville retliggørelsen fremtræde via lovgivning og retspleje.

Man kan måske også hævde, at hvor familien indkapsledes i det statiske landsbysamfund med dettes kontrol og vedtagne normer samt en fjern kongemagt, der via sin lensmand sikrede stabiliteten (bevægelse opad), jo mere ville der være tale om en introverteret livsform og retsdannelse. Men hvor familien mødte eksterne udfordringer fra kirken og den voksende handel og søfart (bevægelse nedad), jo mere blev den en del af et dynamisk samfund, der satte sig spor i livsformen og i ændrede retlige og økonomiske krav.

De dynamiske kontraktssamfund synes at have fremelsket formuefællesskab omkring omsættelige værdier, mens de mere statiske med deres konserverende grundholdning over for jord formentlig lagde mere vægt på sikringen af jordværdiernes forbliven i familiens hænder og dermed på en fastholden af særejet.

· 4 ·
Arv og generationsskifte

I. Indledning

Mens arveregler typisk tager sigte på dødsfald og fordeling af efterladte midler, tager generationsskifte sigte på at etablere en ordning af formuen i levende live, som anteciperer dødsfaldssituationen, ofte med henblik på formuens konservering og eventuelt ved begunstigelse af en eller enkelte arvinger på de andres bekostning.

Arvereglerne, hvorved forstås reglerne om overførsel af rettigheder til materielle goder ved dødsfald (*mortis causa*), har historisk været knyttet til familien, således at værdierne normalt fordeltes mellem de beslægtede, som samarbejdede i samme husholdning og deltog i fælles bespisning. Arveretten vedrørte rettigheder til produktionsmidler (jord, redskaber, dyr, penge etc.). Arvereglerne vedrørende overførsel af retten til jord var typisk båret af hensyntagen til dennes bevarelse som en enhed til gavn for den yngre generation eller for at hindre opsplitning i mange enkeltlodder. På den anden side udvikledes også tidligt regler om en vis ligedeling af arvemidlerne mellem arvingerne, som netop medførte en sådan opsplitning.

I den ældre germanistiske retshistoriske teori var den opfattelse fremherskende, at slægtskab i den tidlige middelalder var ordnet efter et parentelsystem, som antoges at være det oprindelige. Det kan påvises i frisiske, frankiske, bayeriske, schwabiske og frem for alt i lensretlige ordninger, mens yngre teori antog, at den f.eks. sachsiske ordning, der havde en opregning efter slægtskredse i koncentriske cirkler, en snævrere omfattende far, mor, søn, datter, bror, søster og en videre omfattende nevøer og niecer beregnet efter grader, var ældre[1].

---

1 *Claudius von Schwerin*, Deutsche Rechtsgeschichte, 123-124.

En repræsentationsret for børnebørn til at indtræde i deres afdøde forældres sted synes at blive anerkendt i begyndelsen af det 10. århundrede med en deling i stammer, *stirpes*. Den lensretlige parentelordning antoges at brede sig i løbet af middelalderen. Den vandt indpas i normannisk-engelsk ret, i de franske kutyme-ordninger, i frisisk, sydhollandsk og flamsk ret samt i dele af sydtyske ordninger.

Med romerrettens reception i moderne nytid fik den justinianske Novella 118 med sine 4 parenteliske arveklasser indflydelse også på de nyere lovbøger[2]. Den svenske historiker Elsa Sjöholm har i sit opgør med ældre retshistorie også inddraget arveretlige spørgsmål. Hun påpeger, at de europæiske arveordninger har to fællesnævnere. Den ene udgøres af den kanoniskretlige slægtskabsberegning, der satte en grænse for det biologiske slægtskab ved 7. led og fra 1215 ved 4. led som udtryk for grænsen for ægteskabshindrende slægtskab. Den byggede på en gradsnærhed til fælles slægtninge. Den anden slægtskabsberegning fulgte af reglerne i Novella 118 i den justinianske arveordning.

I europæiske middelalderlige kilder var gradualprincippet ofte kombineret med princippet om mandlig arveret på bekostning af kvindelig og af mandslinjer frem for kvindelinjer. Sådanne ordninger finder man i langobardisk ret og i den af kirken annekterede mosaiske, mens den justinianske romerret tillempede et parentelprincip, der ligestillede mandlige og kvindelige arvinger og arvelinjer. Sjöholm fremhæver, at parentelsystemet har den ulempe at opsplitte arvegodset i højere grad end det lombardiske eller mosaiske kanoniske system, som til gengæld medførte en forringelse af kvindens myndighedsretlige stilling, idet hun herefter ansås som helt umyndig i overensstemmelse med kirkens grundopfat-telse og det feudale samfunds behov. Den justinianske ordning kom derimod ikke til at øve nogen indflydelse på spørgsmålet om større ligestilling for kvin-den, som llers forudsat i Novella 118. Hertil antages biskoppens myndighed at have været for stor[3].

Eftersom en arveret før landskabslovene ikke kan dokumenteres direkte, mente Michael H. Gelting, at man i Danmark må have haft et ejendomssystem, der var at ligne med det ældre norske og svenske gradualprincip, hvorefter arv alene tilfaldt mandlige slægtninge til afdøde, mens kvinder kun arvede, hvis der ingen nære mandlige arvinger fandtes. Døtre blev efter dette system forsynet med en medgift ved ægteskabs indgåelse, hvorfor han finder det logisk, at de

---

2 *Claudius von Schwerin*, 144-146.

3 *Elsa Sjöholm*, Sveriges Medeltidslagar. Europæisk rättstradition i politisk omvandling, 120-129.

danske landskabslove „hardly mention dowry at all". Medgiften blev simpelthen betragtet som en „anticipation upon the daughter's inheritance". Jeg kan ikke umiddelbart se det logiske i den manglende omtale af medgiften[4].

De sjællandske regler ESL I, 7, og VSL I, 1, falder til dels helt uden for denne problemstilling. De hjemler en udskiftning af fælliget af de pågældendes egne andele som en ret for både døtre og sønner. Derimod havde børnene ikke ret til at kræve en andel i arvejorden, men hvis faderen frivilligt gav en søn en andel af arvejorden, skulle de andre, også døtre, have deres tilkommende andel. Efter SKL 17 kunne faderen bestemme, hvad børnene ved udskiftningen måtte få af faderens egne midler, som skulle tinglyses. Men en mødrene arveandel måtte han ikke forholde dem, AS 10. SKL 19 pålægger de udskiftede børn, som vil deltagei arvedelingen efter faderens død, at tilbageføre alt det gods, faderen forud havde givet dem.

Disse regler om andel i arvejorden i de sjællandske love og om adgangen til at få andele af faderens midler i skånsk lov havde således karakteraf arveforskud med krav om tilbagebetaling, kollationspligt, for sidstnævntes vedkommende, såfremt børnene trods udskiftningen ville indgå på lige fo i arvedelingen efter forældrene.

Selv om JL I, 15, bruger begrebet „hemfærth" om dattrs arveforskud, må reglen ligesom SKL 17 og 19 opfattes som en regel om udskiftning medet arveforskud, der skal indbetales, hvis barnet senere ønsker at deltag i arvedelingen på lige fod med de andre arvinger. I modsat fald skulle en tilsvarende del af arven fragå de pågældende.

Sammenhængen mellem medgift/arveforskud og kollationspligt bevirker for mig at se, at det ældre nordiske gradualprincip ikke kan have haft betydning for de nævnte reglers udformning. Kvindelig arveret, omend kun til en halv lod, var accepteret sideordnet med mandlig arveret. Et parentelprincip synes at ligge bag.

Hvad der gjaldt før landskabslovene er selvsagt vanskeligt at redegøre for. Men mere end 20 af vikingetidens runesten – og ikke de mindste af dem – var rejst af kvinder fra fremtrædende familier. De beviser, at kvinder, måske især enker, kunne opnå en selvstændig position. Stenene er rejst for at hædre en far, en

---

4 *Michael H. Gelting*, Odelsret - lovbydelse - bördsrätt - retrait 'lignager: Kindred and Land in the Nordic Countries in the Twelfth and Thirteenth Centuries, i: Family, Marriage and Property Devolution in the Middle Ages, 140.

søn eller bror eller en mor, en datter eller søster. Den nære familie blev hædret. Kvinder og mænd kunne også sammen lade rejse en sten[5].

Det har ikke været billigt at få hugget runeteksten og rejst stenen. Hvilke midler har de stenrejsende kvinder haft til deres disposition? Særeje i form af medgift eller arveforskud, en enkeret (dos) til en trediedel af mandens efterladte særeje, eventuelt suppleret af en fælligandel? Disse muligheder var kendte og almindelige på kontinentet omkring vikingetiden.

Reglerne om overgang af værdier som følge af dødsfald kunne suppleres af særlige aftaler om hustruers retsstilling, f.eks. om „dowry" eller andre gaver, der havde karakter af forskud på arv. Et særligt problem mellem ægtefæller var, om den længstlevende, især enken, kunne få andel i arvejord eller kun i løsøre. Ægteskabskontrakter eller ægtepagter og testamenter fik stigende betydning for tilrettelæggelse af generationsskifteordninger[6]. Et vigtigt problem i de ældre kontinentale ordninger var, om en udskiftet datter eller søn kunne genvinde sin status som arving eller ved udskiftningen mistede muligheden for fremtidig arv.

Generationsskifteanalysen vil bygge på samspillet mellem familie- og arveretlige regler ud fra især *tre* aspekter: 1) aftægtsordninger, klostergang og fledføring, hvor der typisk var tale om at overgive formue som betaling for forsørgelse og pleje, 2) fortsat fællig, uskiftet bo, brødrefællig, hvor formuen forbliver samlet, og 3) begunstigelse af en arving eller en ægtefælle (via bebrevelser, aftaler, arvefæste m.v.), dvs. fastholdelse af jorden samlet på een hånd af hensyn til familiens subsistens.

II. Europæiske arveretsordninger

Det i Kapitel 2 omtalte gammelromerske „consortium", et fællesskab af arvinger eller brødre, der ønskede at udstte arvedelingen, var et eksempel på et partnerskab, *fratrum societas.* Sønnerne antoges at succedere umiddelbart i faderens potestas og forvaltning af formuen, patrimoniet, hvorved faderen antoges at leve videre i sønnerne. Så længe dette ejendomsfællesskab bestod, opstod der ingen arvefølge eller formueovergang. *Patrimoniet* fulgte familien fra generation til generation. I klassisk romersk ret spillede de primitive forestillinger om overta-

---

5 *Erik Moltke*, Runerne i Danmark og deres oprindelse, 253-256.
6 *Jack Goody*, Inheritance, Property and Women: some comparative Considerations, i: Family and Inheritance, 10-16.

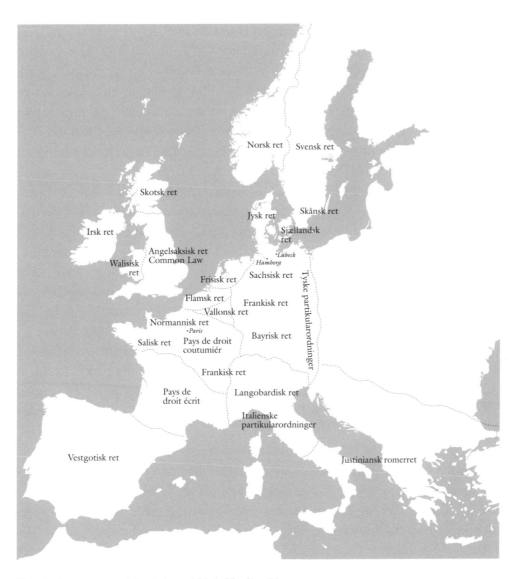

Norsk ret   Svensk ret

Skotsk ret

Jysk ret   Skånsk ret

Irsk ret   Sjællandsk ret

Angelsaksisk ret   *Lübeck*
Walisisk   Common Law   *Hamborg*
ret

Frisisk ret   Sachsisk ret

Flamsk ret   Frankisk ret

Vallonsk ret

Normannisk ret

Paris

Salisk ret   Pays de droit   Bayrisk ret
coutumiér

Frankisk ret

Pays de   Langobardisk ret
droit écrit

Italienske
partikularordninger

Vestgotisk ret   Justiniansk romerret

Tyske partikularordninger

De vigtigste retsområder i det middelalderlige Vesteuropa

gelse af faderens personlighed ikke længere nogen rolle, bl.a. fordi testamentsarven havde fået en fremtrædende betydning, selv om der også forekom intestatarv *ex iure civili*[7].

I *England* var det på Knud den Stores tid (c. 995-1035 – tillige konge i

---

7 *C.W. Westrup*, Rettens Opståen, 26-35, 48-49; *Fritz Schulz*, Classical Roman Law, 215; *O.A. Borum*, Arvefaldet, 36 ff.

Danmark fra 1019) usædvanligt, hvis en mand døde uden „det sidste ord", en såkaldt „cwiðe" eller erklæring om fordelingen af hans løsøre mellem hustru, børn og nære frænder. Også frigivelse af slaver kunne ske ved en „cwiðe". Selve ordet „cwiðe" antoges i engelsk retshistorie blot at betyde en erklæring, et „dictum", men det kunne være beslægtet med det enslydende gammeldanske „cwiðe", som betød sorg og frygt[8]. Men uanset ordets oprindelse, kan det ikke udelukkes, at en tilsvarende praksis også var kendt i Danmark, hvad enten den var kommet fra York til Danmark eller fra Danmark til York.

I engelsk ret kunne kun den mand, som hverken efterlod sig kone eller børn, råde frit over løsøre, „chattels". Pollock & Maitland antog, at der også i det 13. århundrede gjaldt det samme som kendtes i York i 1692 og i Skotland i 1800-tallet, nemlig at hvis testator hverken efterlod kone eller børn, kunne han bortgive al sit løsøre; efterlod han sig hustru uden børn, eller et barn, men ingen hustru, måtte hans løsøre, efter at gælden var betalt, deles i to halvdele, hvoraf den ene kunne testamenteres bort som „the dead's part", mens den anden tilhørte enken eller barnet. Efterlod han sig både hustru og børn, måtte der ske en tredeling: konen tog 1/3, børnene delte 1/3, mens den sidste trediedel var friarv; man talte om „wife's part", „bairns' part", og „dead's part". Børnene måtte dele lige indbyrdes, og sønner havde ingen fordele for piger. Hvis børn havde været udskiftet, var der kollationspligt for dem, som ville deltage i arvedelingen.

Pollock & Maitland mente, at overensstemmelsen mellem skotsk ret og sædvaneretten omkring York viste, at delingsmåden med den dødes part havde meget gamle rødder, idet der ikke er noget tegn på, at et sådant system har været kendt i Normandiet, og at denne sædvaneretlige delingsmåde må have haft sammenhæng med eksistensen af en slags *løsørefællig*[9]. I England i øvrigt gik praksis i retning af at frakende hustruen og børnene en „tvangs"arvepart, så at arvelader kunne testere frit over det hele. Tredelingspraksis forsvandt således efterhånden i resten af England.

Tredelingen var under Knud den Store gældende ret i den forstand, at han ønskede, at hvis en mand døde uden at have gjort testamente, skulle hans overherre dele den afdødes værdier mellem hans kone, børn og slægtninge efter at have taget sin egen andel (s. 356). Også Glanville og Bracton nævnte, at en

---

8 *Pollock & Maitland*, The History of English Law II, 316; *G.F.U. Lund*, Ordbog over det ældste danske Sprog; (se også udtrykket: „kvidefuld i kloster fare").

9 *Pollock & Maitland*, II, 348-350; bairn (bearn) ordet "bairn" er gammelskotsk for barn, mens oldengelsk havde „bearn" i betydningen „barn".

mand måtte bestemme, at hans løsøre deltes i de nævnte tre dele, når gælden var betalt. Efterlodes kun børn, skulle de have en halvdel, og en halvdel var da den dødes egen andel eller friarv, og havde han heller ingen børn, var alt løsøre friarv.

Sager om fordeling af arven blev bragt for de gejstlige domstole, der sørgede for indsættelse af en eksekutor. De gejstlige retter må i denne sammenhæng have fulgt den lokale verdslige sædvaneret. I 1342 fordømte ærkebiskop Stratford i sine provinsvedtægter de folk, der på deres dødsleje gav *inter vivos*-gaver med det formål at bedrage kirken for dens dødsgaver, kreditorerne for gældens betaling eller kone og børn for deres retmæssige andel efter „sædvane og ret" (uxoresque et liberi coniugatorum suis portionibus de consuetudi ne vel de iure ipsis debitis irrecuperabiliter defraudantur) (s. 352-353). De romerretskyndige gejstlige fandt intet i Institutiones om „wife's part", „bairns' part" og „dead's part". Den særlige Act fra 1692 for de nordengelske provinser forbød ikke direkte den gamle praksis, men tillod at man tilsidesatte den for at kunne begunstige yngre børn. Man fandt, at hustruen blev for stærkt begunstiget, f.eks. hvis hun ved siden af et gensidigt testamente også kunne kræve „wife's part" (s. 355).

Cicily Howell gør i sine undersøgelser af „peasant inheritance customs in the Midlands 1280-1700" opmærksom på, at de middelalderlige, romerretsskolede jurister Glanville og Bracton, hvorefter der ikke eksisterede nogen arveret til landsbyjord, ikke tog hensyn til den daværende praksis hverken i de gejstlige retter eller i de lokale jorddrotters retter (*manor courts*). Denne praksis viser nemlig, at man aldrig tvivlede på, at familiens arveret eksisterede. De lærde jurister interesserede sig kun for den skrevne ret, „*lex*", selv om de erkendte, at kutymer kunne være både stærkere end og fortrænge „lex". Forskellen mellem den middelalderlige retsteori og praksis var større vedrørende landsbyforhold end med hensyn til noget andet forhold i retssystemet.

Fra Berkshire nævnes et eksempel fra 1212 fra „Curia Regis rolls", hvorefter enken ifølge lokal sædvaneret overtog hele den jord, som ægtemanden havde besiddet, hvis han var fæstebonde, men kun 1/3 hvis han havde været fri selvejerbonde. I Shropshire opretholdt retten i 1235 den skik, at jorden skulle gå til den *yngste* søn, mens løsøre skulle gå til enken og de andre børn. Under *Den Sorte Død* medførte forholdene yderligere ændringer i praksis, idet man fastslog, at enken kunne arve alene, eller to brødre kunne arve sammen, eller *en datter alene* med udelukkelse af de andre døtre[10].

10 *Cicily Howell*, Peasant Inheritance Customs in the Midlands, 1280-1700, i: Family and Inheritance, 112-122.

Ved jord tænktes i kutymeretten typisk på arvejord og derfor på en jord, der var uoverdragelig ved køb og salg, men ikke ved arv. En række testamenter dokumenterer, at det åbenbart var fast praksis, at hele gården gik til enken alene eller først til hende for hendes livstid eller for en bestemt periode og derefter til en søn. I nogle tilfælde arvede enken og barnet sammen, således at enken skulle have gården, indtil arvingen blev 21 år, hvorefter han overtog gården med forpligtelse til at sørge for enken, medmindre hun giftede sig igen. Der lå også et klart forsørgelsesmoment i de testamenter, hvorefter efterladenskaberne gik direkte til en søn eller datter, men med forpligtelse til at forsørge enken. Hvis enken ikke omtaltes i et testamente, antages hun at være død inden dets nedfældelse[11].

Cicily Howell tillagde testamenternes fordeling af fast ejendom og løsøre mellem hustru og børn stor betydning og påpegede, at testamenterne som kildemateriale adskiller sig fra domsprotokoller og sogneregistre; i godsejerretter synes det eksempelvis at have været praksis, at hele boet skulle gå til enken. Howell har undersøgt 1193 testamenter fra ægtemænd, hvoraf 29,5% overlod jorden til enken alene, 17,6% overlod jorden til enken og en slægtning eller en søn til fælles besiddelse, 14,5% gik til en søn eller datter alene, mens enken stadig levede, og 16,6% gik til en søn eller datter efter moderens død. Af den første kategori, der omfattede 56 testamenter, var kun 15 barnløse. Hvor enken fik lov at besidde jorden i fællesskab med en slægtning, skete det normalt som en livsvarig brugsret, eller indtil arvingen var 21 år, mod at han garanterede hendes forsørgelse for resten af livet. Hun mener at kunne konstatere, at ægtemænd, som nærmede sig deres livs afslutning, bevidst ønskede at sikre enken[12].

For at en formue skulle kunne gå i arv, måtte arvelader efter frankisk ret (lex Ribuaria) mindst være frigiven. En frigivelse kunne både være kirkelig og verdslig. Hvis en frigiven efter den verdslige ordning døde barnløs, tilfaldt arven efter ham *fiscus*. Også i karolingisk ret havde man regler om, at fiscus eller kongens kasse kunne kræve herreløs arv efter frigivne, som i øvrigt ved normal arvefølge var pålagt forskelige arveafgifter („Todfall", „mortuarium", „manus mortua"), som især forekom i agrare (feudale) områder. En arveafgift bestod længe i en ret for den værnende (feudale) godsherre til efter den frigivnes død at udtage det bedste stykke af hans efterladte løsøre, f.eks. den bedste hest, ko eller gris eller det bedste klæde. Efterhånden afløstes denne ydelse af et fast pengebidrag. Afgif-

---

11 *Cicily Howell*, 123-144.
12 *Cicily Howell*, 141 ff.

ten kendetegnede værnetilhøret og blev opfattet som en ydelse fra den afdøde selv, som han skulle erlæggeaf sin „Totenteil". I visse frankiske områder kendes fra det 9. århundrede eksempler på „autotraditio", d.v.s. frie folk som overgav sig til en kirke som „tributarii" eller fæstebønder, der forpligtede sig til at betale årsrenter, bryllupsgeby og arveafgift mod kirkensbeskyttelse[13].

Kongens beskyttelse af fremmede, som ingen andenbeskytter havde, var hjemlet i de tidligere frankiske retskilder, hos anglosachsere og langobardere. Denne beskyttelsesret blev senere en del af fremmedregalet. Hvis den fremmede ingen sønner havde, tilfaldt arven værneherren efter longobardisk ret, og hvis den fremmede ønskede at testere over formuen, måtte han have kgl. bevilling. Efter frankisk ret kunne kongen tage den fremmedes formue, også selv om der var børn[14].

I sin artikel, „Family structures and inheritance customs in sixteenth-century France", om den arveretlige sædvaneret i *Frankrig* i det 16. århundrede fremhæver Le Roy Ladurie ihærdigt, at hensigten bag de arveretlige kutymeregler næsten altid kan påvises at have været ønsket om at undgå en *kraftig opsplitning af familiejorden og at bibeholde gården intakt*. Det kunne tilgodeses ved en ordning, hvor man vel fastholdt et ligedelingsprincip, men kun anvendte det på de (få) hjemmeboende børn, som fortsat levede i formuefælliget og deltog i gårdens daglige drift, samtidig med at man udelukkede de via arveforskud tidligere begunstigede børn. Denne løsning betragtede han som udtryk for en mere arkaisk landsbymodel.

Ønsket om at bevare jorden uopsplittet skyldes selvfølgelig ønsket om, at familien fortsat kunne overleve på den. I øvrigt mente han, at modellen stemte overens med den faktiske demografiske tilstand i perioden, idet børnedødeligheden var ret væsentlig. Mange børn nåede ikke voksenalderen, og der overlevede ofte højst 2-3 stykker. Hvis to af disse brød op fra hjemmet for at giftes eller slå sig ned andetsteds og blev udstyret med e arveforskud eller blev udskiftet, ville modellen passe til realiteterne, fordi de to med forskud ikke kunne gøre flere krav gældende, med den følge, at den hjemmeboende overtog gården[15].

I mange tilfælde var det økonomiske fællesskab ikke begrænset til ægtefæller og børn, men omfattede også andre familiemedlemmer, herunder svigerbørn,

---

13 *Heinrich Brunner*, Deutsche Rechtsgeschichte, 354 ff.
14 *Heinrich Brunner*, 400 f.
15 *Le Roy Ladurie*, Family Structures and Inheritance Customs in Sixteenth Century France, i: Family and Inheritance, 41-43.

d.v.s. flere generationer samtidig. Flere samboende brødre med familier kunne bo og arbejde sammen og i fællesskab opbygge en formue, som udgjorde en slags *fællesfond*, hvortil alle bidrog, nød godt af og fik (lige) andel eller tab af etc. Der fandtes også eksempler på ordninger, hvor der ikke skiftedes ved førstafdødes død, det *fortsatte fællig*, hvor afdødes andel indgik i fælliget (*konsolidationssystemet*). Disse *communautés familiales* eksisterede såvel mellem den adelige overklasses medlemmer som mellem borgere og fæstebønder[16].

Efter fransk kutymeret skete begunstigelser typisk ved arveforskud, men ofte således at tidligere begunstigede efter førstafdødes død kunne få del i arven mod at tilbagebetale forskuddet eller et forskelsbeløb til boet til supplement af arvemassen. Efter nogle middelalderlige ordninger blev det på forhånd begunstigede barn helt udelukket fra yderligere arvekrav, mens andre ordninger tillod en valgfrihed mellem at nøjes medarveforskuddet eller at genoprette balancen ved at betale det modtagne tilbage til den fælles fond. En sådan praksis med at udelukke tidligere begunstigede arvinger kendtes også i Provence og i områder, der var behersket af store jordejere og feudale fæsteforhold, hvor „arven" bestod i en *de facto-fortsættelse* af familiens ret til at dyrke det stykke land (*mansus*), hvorpå de altid havde boet, tidligere måske som ejere, senere måske som fæstebønder i et landsbyfællesskab[17].

Udviklingen med udelukkelse af de børn, der havde etableret sig andetsteds, og ligearvedeling for de hjemmeboende børn var forbundet med forskellige familietyper. I Midtfrankrig var der typisk tale om storfamilier i form af husholdninger med flere generationer boende sammen (flere ægtepar), eller hvis forældrene var døde, da en storfamilie (brødrefællig) bestående af brødre og søstre med deres ægtefæller med det formål at bevare jorden for familien.

Efterhånden finder man i ægteskabskontrakter for udskiftede børn indsat klausuler om revision af princippet om, at de var udelukket fra senere at komme til arv. Og i kutymereglerne fra pariserområdet fra 1510 indførtes en ny praksis, hvorefter der åbnedes mulighed for valgfrihed imellem at nøjes med arveforskud eller via genoprettelse af familieformuens „status quo" at komme ind i varmen på lige fod med de øvrige arvinger. Man kunne altså vælge mellem at være legatar (gavemodtager) eller at være egentlig arving (co-parcener) og dermed samejer ved igen at blive medlem af familiefælliget med ret til en andel[18].

---

16 *Fr. Olivier-Martin*, Précis d'Histoire de Droit Français, 184 f.
17 *Le Roy Ladurie*, 37-46.
18 *Le Roy Ladurie*, 47-51.

Den første model indeholdt to konsekvenser til beskyttelse og *bevarelse af familiegården* imod opsplitning: 1) udelukkelse af arveforskudsbarnet fra yderligere arv og 2) begunstigelse af tilbageværende børn i husholdningen. Den anden model, hvor arvinger stilles lige, medførte en risiko for opsplitning af familiegodset. Le Roy Ladurie nævnte to områder, som var hinandens retlige modpoler: *Vallonien* stod forarveforskudspraksis i forbindelse med ægteskabskontrakt for nogle af familiens udskiftede børn, mens de *flamske* ordninger ofte forbød begunstigelse af enkelte børn på de øvriges bekostning, medmindre der gaves valgmulighed til at komme med i arven igen på lige fod med de øvrige.

I Vallonien ønskede man at fremelske familiefællesskaber til fordel for længstlevende ægtefælle og hjemmeboende børn, ligesom det blandt ikke-adelige var almindeligt at aftale gensidige begunstigelser mellem ægtefæller til fordel for længstlevende med hensyn til at råde over *hele* ejendommen. Vallonien var således orienteret mod en retsopfattelse, hvor størrelsen af *mansus* (bolet) som grundlag for familiens underhold i husholdningen blev afgørende. Det var en politisk og kulturelt afgrænset zone, hvor de fraflyttede havde givet afkald på yderligere arveret end selv forskudslodden.

Efter *fransk* retshistorisk opfattelse antages de kilder, som dokumenterer tilsvarende forhold, typisk at vedrøre de *afhængige* bønder, navnlig *fæstebønder*, som måtte passe godt på deres familiefæste eller mansus for at sikre sig fortsat besiddelse for efterslægten i forhold til jorddrotten (arvefæste). Dette sikredes via kontinuerlig besiddelse og brugsret til jorden, hvorimod flamsk og normannisk ret, der praktiserede egalitet mellem arvinger, typisk vedrørte *frie selvejerbønder*, der ikke var under pres af en jorddrot med hjemfaldsret til den jord, der ikke længere dyrkedes. Mens det således var slægtskabet, der var det afgørende kriterium i Normandiet og Flandern, var det hos vallonerne fællesskabet og den fælles husholdning, der udgjorde den retlige grundsten[19].

Emmanuel Todd fremhævede især to slags europæiske familiebrug, der blev drevet af *ikke-ejere*, og som på fransk kaldtes henholdsvis „fermage" og „métoyage", hvorefter „fermage" var kendetegnet ved betaling af en *fast afgift* til jorddrotten, mens „métoyage" var en slags partnerskab med jorddrotten, hvor partneren betalte en nærmere aftalt brøkdel af det samlede udbytte til ejeren. Sondringen minder om forskellen på f.eks. „landbo" og „fællesbryde", idet landboen drev jorden for egen regning og selv oppebar udbyttet af driften mod

---

19 *Le Roy Ladurie*, 61-70.

et bestemt vederlag i penge eller arbejde til ejeren, mens bryden som forpagter og fællesbryde modtog en kvotapart af udbyttet, men drev jorden for *ejerens* regning.

Efter Todds opfattelse ansporede en kernefamiliestruktur til „fermage" eller fæsteforhold med fast afgift, idet man i kernefamilierne havde en hurtig udskiftning af børn, bl.a. fordi gårdene ofte var mindre uden plads til flere generationer, mens storfamiliestrukturen ansporede til „métoyage". Den adelige jordejer risikerede ikke, at en „fermage"-besidder groede fast, eller at besiddelsen omdannedes til en egentlig ejendomsret, ligesom „fermage"-besiddere ikke var så afhængige af ejeren som fællig-forvalteren[20].

Der har i ældre tysk retshistorie været en vis strid om forståelsen af „Totenteil" som retsinstitut. Efter Brunner ændredes den (hedenske) „Totenteil", den dødes andel under kristendommens indflydelse, til en fridel til fordel for fromme formål, en sjælegave eller et krav, om at fridelen skulle bruges „pro salute animae". Andre mente, at fridelen efter kirkelig påvirkning var at opfatte som en ideel anpart af husets værdier, hvorover husfaderen frit kunne forføje[21]. Ingen af de tyske teorier synes at tage stilling til det forhold, at den engelske tredeling vedrørte løsøre og derfor kunne være udtryk for en tidlig fælligpraksis, som antaget af Pollock & Maitland.

Selv om der ikke var tale om tro på en slags reinkarnation af den døde i en levende person, synes den forestilling ikke fremmed i ældre *tyske* områder, at afdøde selv kunne optræde i retssager, også som sagsøger. Liget blev bragt på en båre for retten. Af indlysende grunde erstattedes efterhånden denne fremgangsmåde med den såkaldte „Klage mit der toten Hand". Afdødes hånd afhuggedes og konserveredes, så den kunne bruges i retten som symbol på afdøde under sagen[22]. Tanken om, at den døde retligt levede videre, ytrede sig også i forestillingen om „Seelgeräte". Begrebet „Totenteil" (der synes skabt af Brunner) var den andel, der retligt tilkom den døde selv af hans efterladenskaber, ofte 1/3 af

---

20 *H. Paludan*, Familia og Familie, 181-182 med note 26; *Henning Matzen*, Privatret, I, Personret, 21-23.

21 *A. Erler*, „Totenteil", i: HRG, 282-284. En deling efter trediedele mellem mand og hustru, der levede i fællig i Norge, var kendt i den tidlige middelalderlovgivning, hvorefter manden havde krav på 2/3 og hustruen på 1/3, se *Fr. Brandt*, Forelæsninger over den norske Retshistorie, I, 116 ff.

22 Rundt på tyske kirkegårde har man fundet mange afhuggede højrehænder, som har haft processuel betydning for en afdød, jf. *Stig Iuul*, Forelæsninger over hovedlinier i europæisk retsudvikling fra romerretten til nutiden, 173-175.

løsøret. Dette er kildemæssigt kun belagt i engelsk ret („dead's part"), men antoges i ældre tysk retshistorie at have været et almengermansk retsinstitut. Det er dog et spørgsmål, om man bør bruge begrebet arveret om den ret, der efter de ældre germanske retsordninger tilkom de i det faderlige hus boende sønner, hvis de havde levet i samme husholdning i en slags formuefællesskab med faderen. De blev ved faderens død til et brødrefællig, idet faderens andel i fælliget netop udskiltes som „Totenteil" til brug for begravelsen og sørgehøjtideligheden. Faderens andel kunne bestå af våben, heste, køer, jagtfugle, hunde, værktøj etc. Man måtte ikke lægge fremmed gods i graven til den døde. Efter Brunners opfattelse forvandledes denne „Totenteil", som den døde oprindeligt fik med på bålet eller i graven, efter kristen indflydelse til en sjælegave til kirken, som skulle gå i forbøn for den afdøde[23]. Efter faderens død eller efter en fælles udskiftning af sønnerne, forblev sønnerne ofte sammen i en fælles husholdning og fortsatte husfællesskabet som et (arvings)fællig, jf. Edictus Rothari 167: *„si fratres post mortem patris in casa commune remanserint ..."*[24].

Efter ældre tysk ret opstod der altid et sameje mellem arvingerne, men formentlig allerede fra den tidlige middelalder havde enhver arving ret til at kræve skifte efter den foreskrevne tidsfrist, hvorefter der ville ske arvedeling i hovedlodder. Arveretten fulgte som nævnt mange steder et parentelprincip, hvorefter et parentel udgjordes af de personer, som var bundet sammen i forhold til den nærmeste arvelader eller forfader. Det nærmeste parentel arvede før det fjernere.

Ved siden af regler om den almindelige slægtsarv, som nedfældedes i de sædvaneretlige land- og byretter, udvikledes forskellige særordninger. Hvis en mand efterlod sig sønner, der stod ham lige nær, og som derfor kaldtes til arv sammen, indtrådte også efter yngre *tysk* ret på grund af den samtidige succession et arvingsfællesskab, „Ganerbenschaft". Dette samejeforhold kunne ophæves ved skifte, medmindre skifte var udelukket på grund af kontrakt eller sædvaneretlige krav. Også søstre kunne deltage heri, men måtte ofte nøjes med en mindre andel end brødrene ved skifte. En enkelt kunne overtage jorden og betale de andre ud eller påtage sig løbende at betale renter til dem[25].

„Anerbenschaft" var en særlig form for enkeltarvefølge til fordel for ældste eller yngste søn, som dog kunne være kombineret med en forpligtelse over for

---

23 *Heinrich Brunner,* 108 f.; *Heinrich Brunner und Ernst Heymann,* Grundzüge der deutschen Rechtsgeschichte, 189, 234; *W. Ogris,* „Hausgemeinschaft"; *A. Erler,* „Totenteil", i: HRG.
24 *W. Ogris,* „Brüdergemeinschaft", i: HRG, 520.
25 *Claudius von Schwerin,* 146 f.

enken via en ægtepagt. Arvinger kunne som modydelse være forpligtet til at sikre en aftægtsordning. Det kunne også være aftalt, at gården som en særlig arve-masse gik over til en enkeltarving, mens de øvrige arvinger måtte nøjes med et affindelseskrav. Ordninger som disse kunne være lovhjemlet eller dog tilsikret ved en særlig overtagelsesret. Blandt slesvig-holstenske fæstebønder forekom denne forret kun som en særlig overtagelsesret[26].

Allerede efter frankisk ret kendtes som omtalt dispositioner, der havde karakter af sjælegaver til fromme formål. I verdslig ret stod man tøvende eller afvisende over for den slags dødsgaver, og mange regler krævede bevis på giverens kraft og styrke for at acceptere den. Men testamenter og dødslejegaver accepteredes efterhånden af lægfolk, dog kun for halvt så store gaver: Formkravene var ret strenge af bevismæssige grunde for at beskytte arvingerne. Vedrørende dispositioner over jord krævedes arvingernes samtykke. Men gensidige testamenter mellem ægtefæller blev hurtigt almindelige[27].

Dødsgaver var oprindelig utilladelige, fordi sådanne gaver antoges at gå fra arvemassen. Men en barnløs arvelader kunne give sådanne gaver til en adopteret arving, „thinx" eller „gairethinx", som det kaldtes i langobardisk ret, og „adfatimus" i frankisk ret. Men fra det syvende århundrede blev det almindeligt med gaver til kirken „*donationes post obitem*" via et overdragelsesdokument „traditio cartae", som skulle sikre modtageren, mens giveren i sin livstid bevarede „proprietas", ejendomsretten, uden dog at måtte disponere over den.

Dispositioner, som var udtryk for den sidste vilje, og testamenter hørte under kirkens jurisdiktion, og den krævede disse dispositioner opretholdt af både retlige og moralske grunde. De kaldtes i verdslig ret for „Seelenteil", sjælegaver. For at gøre dem uafhængige af intestatarvingernes indflydelse, indsatte man eksekutorer, „Treuhände" eller „erogatores" til at gennemføre arvedelingen[28].

Ægtefællearv tilkom i den ældste germanske tid kun manden; men efterhånden sikredes enken i barnløse ægteskaber en fordringsret på op til halvdelen af mandens ejendom. Var der børn, fik hun kun en nytte- og brugsret til mandens særeje[29]. I disse sidste tilfælde kunne der også blive tale om en slags fortsat fællig med den faderlige formue, hvor sådanne ordninger var accepteret. Ved barnløse ægteskaber kunne enker ved særaftaler have opnået ret til at fortsætte med hele

---

26 *W. Bungenstock*, „Anerbenrecht", i: HRG, 163-166.

27 *Claudius von Schwerin*, 149-151.

28 *Heinrich Brunner und Ernst Heymann*, 241-243.

29 *Claudius von Schwerin*, 147-149.

den fælles formue for sin livstid, hvis ikke måtte hun skifte med mandens arvinger efter en trediedels- eller halvdelsret[30].

Ægtepagter og arvepagter samt testamenter fik i løbet af middelalderen voksende betydning ved at formidle begunstigelser af enker eller børn, ofte med det sigte at holde arvemassen samlet. Arvelader kunne foretage en „donatio de presenti" (livsgave) og derved sikre sig selv nydelsen af gaven, f.eks. en gård for sin livstid. Brugsretten sikredes ved en lejeaftale mellem giver og gavemodtager mod rentebetaling. En overdragelse kunne også finde sted via arveaftaler, hvor der skete en arveindsættelse eller et arveafkald. Førstnævnte mulighed var hyppig blandt ægtefæller, der indsatte hinanden gensidigt med hensyn til den andens hele formue eller en del deraf. Arveafkald fulgte ofte efter en udskiftning af en søn eller datter, som ville giftes.

Retten for en arvelader til at afstå en del af sin formue eller den hele til de nærmeste arvinger mod til gengæld at få underhold og pleje for resten af livet samt en passende begravelse var i ældre ret accepteret. Man kender sådanne aftaler fra en frankisk formelsamling fra det syvende århundrede (*Formulae Andecavenses*, 58), og de er siden det 13. århundrede påvist i frankiske og frisiske områder under betegnelsen „evelganc" (übel, krank). Især forekommer tilsvarende afståelser af gods vedrørende bondejord helt frem til nyere tid under betegnelsen „Altenteil"[31].

III. Dansk ret

1. Arveordninger

I sit „Glossarium Juridicum" forklarede Osterssøn Weylle om arv, at arveretten er befalet af Gud selv. Han henviste til 4. mosebog, 27. cap., vers 1-12, hvor Herren bl.a. sagde til Moses: „Når en mand dør uden at efterlade sig nogen søn, da skal I lade hans arvelod gå i arv til hans datter; har han heller ingen datter, skal I give hans arvelod til hans brødre ..." Efter Det gamle Testamente har almindelig arvefølge, også den kvindelige, således en ret ophøjet hjemmel, jfr. også 4. Mosebog, 36. cap.[32]

---

30 *Claudius von Schwerin*, 134-135.
31 *Heinrich Brunner und Ernst Heymann*, 241.
32 *Christen Osterssøn Weylle*, Glossarium Juridicum Danico-Norwegico, 48.

En persons arvinger omfattede først og fremmest hans børn eller børnebørn, hvis ingen børn var levende. De trådte i de afdøde forældres sted. Der var således ikke tale om, at flere generationer kunne arve samtidig. Var der ingen descendens, arvede arveladers far eller mor. Efter sjællandsk ret arvede både moderen og faderen i konkurrence med arveladers søskende, mens efter skånsk ret alene moderen måtte konkurrere med disse. Formentlig var moderen efter skånsk og jysk ret udelukket fra arv, så længe faderen var i live. Alligevel må man med Iuul fastslå, at udviklingen medførte en forbedring af kvindens arveretlige stilling og en begrænsning af fjernere arvingers arveretlige stilling blandt andet takket være anerkendelsen af dødsgaver og testamenter[33].

Efter dansk middelalderret gav ægteskabet ikke hustruen adkomst til at arve manden, heller ikke selv om der var fælles børn i ægteskabet. Efter landskabslovene fik manden arveret efter hustruen, hvis han havde barn med hende, som levede ved hendes død, idet han da arvede en „Myndelod" i alt, hvad hustruen ejede af både fast ejendom og løsøre. Efter JL I, 6, begrænsedes hans ret dog til en lod i jord alene, ikke i hvad hun i øvrigt ejede, ligesom loddens størrelse var afhængig af, om det overlevende barn var en søn eller en datter. Hans lod var således ikke altid en sønnelod[34].

Alle landskabslove samt yngre lovgivning skelnede altid mellem, om der var børn i ægteskabet eller ej. Var der børn i ægteskabet eller i fælliget indtagne særbørn, fik den efterlevende ægtefælle en lod med hver af fælligdeltagerne i købejord og løsøre, manden, konen og sønnerne en fuld lod, døtre en halv lod. Dog fik konen som døtrene, hvis der ingen mænd var med i fælliget. Var der ikke børn, deltes købejord og løsøre lige mellem den længstlevende og afdødes udarvinger, mens længstlevende ikke fik nogen andel i arvejorden. I visse købstæder opfattedes arvejord som købejord, d.v.s. at arvejord indgik i fælliget, således at man her kunne tale om fuldstændigt formuefællesskab[35].

Alle løsøreerhvervelser, herunder købejord, samt arbejdsindtægter, ikke blot mandens og hustruens men også børns, svigerbørns eller stedbørns, indgik i fælliget. Retsvirkningen af fælliget var, at hvis der skulle skiftes ved faderens død, opdeltes det i en række lodder, hvis antal og størrelse afhang af fælligdeltagernes antal og køn. Også den afdøde fader tilregnedes en lod. Den enhver tilfaldende lod hed *hovedlodden*, idet der fandt deling sted efter hoveder – *in capita*. Hoved-

---

33 KHLNM, I, 258 ff.
34 *Henning Matzen*, Privatret, I, Arveret, 119.
35 *T. Algreen-Ussing*, Haandbog i den danske Arveret, 4-7.

lodden kunne udskiftes i levende live, hvis en søn eller datter ville forlade fælliget. På Sjælland var dette en ret, og hovedlodden antoges at tilhøre den pågældende allerede inden skiftet. Dette var ikke tilfældet efter SKL og JL. I Skåne afhang det af faderens forgodtbefindende, hvor meget der ville blive udskiftet. Det samme gjorde sig gældende i Jylland. Dog, hvis et barn allerede havde fået en sådan begunstigelse, kunne de andre børn ikke senere hindres deri[36].

Arvedelingen var udtryk for en „ligedeling" (bortset fra hovedloddens størrelse for henholdsvis kvinder som mænd) *in capita* mellem descendenter, der kaldtes til arv *in stirpes*, idet dog børnebørn ville træde i stedet for deres afdøde forældre efter *repræsentationsprincippet*, hvorimod ascendenter kaldtes til arv efter *grader* eller *linier* (*in lineas*). I praksis var det almindeligt at fortsætte familiefælliget, selv om en af ægtefællerne døde, således at kun førstafdødes arvejord blev delt ved skiftet.

Iuul turde ikke med sikkerhed sige, om begrebet hovedlod, *capitalis porcio*, var kendt i Danmark allerede i hedensk tid, eller om det stammede fra Augustin. Han synes nærmest at mene, at man i tidens løb har brugt „hovedlod" også, hvor der var tale om en ligedeling af arveanparter mellem flere, uanset om de havde levet i fælig. Han har i „Fællig og Hovedlod" også belyst begrebet hovedloddens betydning i forbindelse med deliktsansvar. Hovedlodsfortabelse forekom kun i få tilfælde som straf i landskabslovene, mens rigslovgivningen fra det 13. århundrede og Københavns stadsret nævnte den hyppigere. Han fandt det påfaldende, at hovedlodsfortabelse foreskreves som straf i en periode, hvor hovedlodden var ved at forsvinde i sin ældre form. Meget tyder ifølge Iuul på, at den almindelige erstatningshæftelse eller tilbagebetalingspligt ved f.eks. tyveri påhvilede alle fælligdeltagere, mens hæftelsen for bøder til kongen var begrænset til den skyldiges hovedlod. Begrænsningen til gerningsmandens hovedlod findes dog fortrinsvis i de yngre bestemmelser i landskabslovene. Iuul så de nye regler som resultat af den kirkelige reformpolitik i retning af at bekæmpe det kollektive ansvar i form af hævn og slægtsbod[37].

Reformbevægelsen satte efter Iuul ind netop på det tidspunkt, da man var nået til den opfattelse, at der bestod et fælleseje i form af sameje med ideelle anparter, hvorfor kanonisk rets skyldprincip måtte medføre, at retsbryderen hæftede alene og med sin lod i fælliget. Denne opfattelse kan udlæses af landskabslovene, som byggede på princippet om fællesformuens hæftelse for private krav,

36 Danmarks gamle love på nutidsdansk, Indledning, XXV f.
37 *Stig Iuul*, Fællig og Hovedlod, 87-98.

indtil retsbryderen var udskiftet. Iuul ofrer en del omtale af anvendelsen af dette princip i forbindelse med Poul Laxmand-sagen i dommen fra 1502, hvor ikke blot al Laxmands gods, jord og løsøre blev tilkendt kongen, men også børnenes mødrene arv, hvad der var uretmæssigt. Hans nye hustrus formue blev ikke rørt[38].

Hovedlodden havde i øvrigt betydning dels ved *dispositiones mortis causa*, og dels hvis en familiefar med eller uden hustru ønskede at gå i kloster. Princippet om skifte i tilfælde af, at en person ønskede at gå i kloster, kan efter Stig Iuul, føres tilbage til omkring 1100, hvor der allerede fandtes flere klostersamfund i Danmark. Han mente, at Augustins tanker om en hovedlod til Kristus var kendt før Gratians Dekret 1140, idet de også indeholdtes i *Institutio canonica* fra konciliet i Aachen 816, som dagligt skulle oplæses for kannikerne[39].

De tidligste regler herom blev optaget i den skånske og sjællandske kirkeret, der havde form af overenskomster, fra det 12. århundrede, hvor den, som lå på sin dødsseng eller sotteseng, ikke måtte give mere end en halv hovedlod til kirken. Også de lidt yngre landskabslove havde regler om en halv hovedlod ved dødsgaver og testamenter, jf. SKL 38, JL I, 39, og III, 45, VSL I, 4 og 50, ESL I, 31 og 32. Forklaringen på, at Augustins *hele* hovedlod bliver til *en halv* i dansk middelalderret, skulle være enten befolkningens stærke modstand eller et kompromis mellem den hele lod i romersk-kanonisk ret og den i germansk ret fremherskende opfattelse, der fastholdt slægtsarven som eneste vej. Som vi så ovenfor, holder sidstnævnte ikke helt stik. Det var nok snarere, således som Iuul hævdede, at kirken i det 12. århundrede måtte indgå en række kompromisser med befolkningen, og at det derfor ikke var mærkeligt, hvis den også måtte slå af på sine fordringer på dette felt[40].

I romerretten gjaldt oprindelig, at hvis der ingen arvinger var, gik arven til folket, *aerarium populi romani*, som *res publicae*, og senere til *fiscus principis*, eller statskassen som kejserembedets ejendom modsat kejserfamiliens private formue, *patrimonium*[41].

Det som ingen anden mand ejer, det ejer kongen, sagde JL III, 61. Jyske Lov opererede med begrebet „danefæ", der egentlig betyder gods efterladt ved død, d.v.s. det samme som „danearv". I praksis brugtes begrebet „danefæ" især om arkæologiske værdigenstande af guld og sølv, der opgraves af jorden. „Da-

---

38 *Stig Iuul*, 98-101.
39 *Stig Iuul*, Forelæsninger, 66-71.
40 *Stig Iuul*, 75-76.
41 *Fritz Schulz*, 91, 340 f.

nefæ" havde betydningen af „danearv" i f.eks. Roskilde stadsret fra 1268 § 11, hvorefter den efterladte arv, hvis nogen dør i byen uden arvinger, skal deponeres der i år og dag og derefter tilfalder det kronen, hvis ingen arvinger melder sig[42].

Pave Innocens III skrev i et brev fra 1198, at i den danske kirkeprovins var *testamenter* ikke i brug på samme måde som andre steder, men at *gaver*, som en person havde givet som sin sidste vilje (eller for sin sjæl) til et kloster eller en kirke ved en skødning (*scotatio*) skulle respekteres. Ærkebiskop Absalons testamente fra 1201[43] indeholdt en formel testation, sjælegave for Absalon samt personlige, private gaver til hans familie, venner og tyende eller slaver, som blev givet fri. De personlige gaver omfattede tøj, heste og drikkebægre, d.v.s. løsøre, som normalt indgik i de „sidste vilje"-gaver, som vi kender fra England under navn af „cwiðe".

Det er fristende også i Danmark at antage muligheden af en tradition med „sidste vilje"-gaver, der kunne være af samme alder som den, man kender fra England under Knud den Store under navnet „cwiðe", og at denne tradition, som netop omfattede løsøre, herunder heste, tøj og andre brugsgenstande, der blev givet som legater til de nærmeste hirdfolk, tjenere, frigivne eller andre, kunne have forberedt indførelsen af de „sjælegaver", som dels skete i form af skødninger af jord til klostre og kirker, som Innocens III omtalte det, og dels ved overdragelse af løsøre eller købejord som hovedlods- eller fridelsgave. Det ældste danske sprog kendte et udtryk som „kvidefuld i kloster fare", hvilket kunne være udtryk for samme opfattelse, som fremgår af reglerne i Skånske Kirkelov 5 og Sjællandske Kirkelov 8, om at man på sin dødsseng eller sotteseng kun må give sin halve hovedlod, mens en rask, der vil give sig i kloster, må give en hel hovedlod. Det var ligesom i engelsk ret om „dead's part" i skånsk og sjællandsk ret almindeligt, at der blev afsat en hovedlod til afdøde, „en lod for den døde", jf. SKL 21 AS (11), VSL I, 50, og den såkaldte Erik Glippings Dalbyske Forordning § 2 i skifter, hvor der findes flere kuld børn, og hvor der er tale om fællig gods, som erstatter arvegods. Formelle skriftlige testationer dukker kun sporadisk op i 1200-tallets kilder, typisk i form af klerikertestamenter, der havde en anden karakter, end de romerretlige testamenter jfr. netop Absalons testamente fra 1202 (se note 43).

Jyske Lov III, 45, nævnte udtrykkeligt begrebet testamente. Skånske Kirke-

---

42 *Poul Johs. Jørgensen*, Dansk Retshistorie, 265-266; „Danefæ", i: KHLNM, II, 638 f.
43 Danmarks Riges Breve, 1. rk., bd. 4., 1958, Nr. 32.

lov fra 1174 og Sjællandske Kirkelov fra 1171 havde regler om dødslejegaver, mens ESL I, 32, og JL I, 39, samt SKL 38 (AS 15) havde regler om dødsgaver og sjælegaver. Begrebet „sjælegave" betød en gave uanset form, men brugtes også om det formelle skriftlige testamente. Udtrykket „sidste vilje" kom i kristen terminologi tidligt til netop at betyde en erklæring, d.v.s. et testamente. Den omfattende gejstlige jurisdiktion i sager om testamenter og gaver til kirker eller klostre forklarer, at verdslige love er forholdsvis tavse om disse spørgsmål, også i sager om ejendomsforhold, hvor det ellers efterhånden blev mere almindeligt at gøre brug af kongebrevsforfølgningen, der var mere effektiv i sin tvangsfuld-byrdelse[44]. Når det drejede sig om „mortis causa"-gaver bestående af jord, var det sikreste at skøde overdragelsen på tinge, jf. ESL I, 32, hvorefter husbonden som dødsgave ikke kunne bortgive mere end sin halve hovedlod, og det samme gjaldt konen. Men gav han sin halve hovedlod og samtidig foretog skødning på tinge, da skulle det altid stå fast, som der er tingsvidner på, hvad enten han gav til Guds hus eller til andre.

Det blev tidligt praksis at lade retshandler, navnlig donatoriske dispositio-ner, bl.a. testamenter, bekræfte af Kongen eller en fremtrædende gejstlig. Kon-gens konfirmation tilsigtede især at fastslå, at en donation ikke stred imod dansk ret, men også at dispositionen var korrekt. Kongelige konfirmationer kendes helt frem til Danske Lov og derefter[45]. Men var testamentet ulovligt, kunne konfir-mation ikke reparere dette, jf. sagen om Johan Friis' skøde til Hesselagergaard fra 1572.

En rettertingsdom fra den 16. august 1515 ville kun give enken „bedste barns lod" efter loven og gammel sædvane, mens hendes nye ægtemand havde krævet halvdelen af fælliget efter hendes afdøde mand, uanset at der var børn i ægteskabet. Men dommen ville ikke gå imod den ældre opfattelse før „konge og rigsråd med menigmands samtykke (d.v.s. ved lov) besluttede anderledes", hvil-ket først skete ved reces af 1547 § 28, der fastslog hustruens *arveret* til det *halve bo*. Iuul fortolkede dommen således, at den opfattelse, hvorefter fælliget tilhørte samtlige deltagere med en ideel anpart til hver, var ved at forsvinde. Hoved-lodderne var nu *ægtefællernes andele*, der efterhånden kom til at hedde boslodder. Han mente også, at § 28 var udtryk ikke blot for enkens andelsret til halvdelen af boet, men at ingen af ægtefællernes børn var berettigede til en andel i boet i ægtefællernes levende live[46].

---

44 *K. Sindballe*, Af Testamentarvens Historie i Dansk Ret, 37-38.
45 *K. Sindballe*, 59 f.
46 *Stig Iuul*, Fællig og Hovedlod, 259-261.

Efter 1547 § 28, jf. også 1558-recessen § 52, var den legale ordning et fællesskab om løsøre og erhvervelser, herunder købejord. Fast ejendom, som ægtefællerne ejede ved ægteskabets indgåelse eller senere erhvervede ved arv eller gave, var stadigvæk særeje, medmindre der gjaldt særlige ordninger som i visse købstæder. I princippet svarede recessernes regler til den grundsætning om „communauté des meubles et aquêts", som tidligt var blevet den legale ordning i området i og omkring Paris i 1500-tallet. Ved to herredagsdomme fra 1500-tallet blev det legale formuefællesskab om løsøre og erhvervelser i nogle danske købstæder udvidet til at omfatte al købstadjord, herunder arvejord[47].

2. Generationsskifteordninger

Grundlæggende i arveretten var i århundreder formuernes, især jordens, bevarelse i familierne og sikring af kontinuiteten ved generationsskifter. Men for at forstå og forsøge at forklare nogle af de mange særordninger, også i dansk retsudvikling, er det nødvendigt at iagttage de familie- og arveretlige regler i deres indbyrdes samspil.

Som eksempler på dette samspil skal nedenfor behandles følgende forhold: 1) aftægtsordninger, f.eks. via fledføring, klostergang eller andre aftaleordninger, 2) fortsat fællig, uskiftet bo, brødrefællig, 3) begunstigelse af én arving eller en ægtefælle via arveforskud, aftaler, bebrevelser m.v.

2.1. Aftægtsordninger
I 500-tallet opstod i Europa en række klosterasyler, der gav formuende personer mulighed for at indgå aftægtskontrakter om pleje, mad og husly, og senere i middelalderen oprettedes hospitaler eller institutioner alene berenet for syge, fattige og gamle. Hospitalsvæsenet har orientalsk oprindelse og kom med munkerne til Vesteuropa. Fra tiden efter 1300 afløstes disse stifts- og klosterhospitaler, som især havde tilknytning til de middelalderlige byer, af verdsligt drevne anstalter. Denne differentiering mellem verdslige og kirkelige stiftelser førte til en deling af forsorgs- og plejeopgaverne i fattig-, pilgrims-, spedalskheds- eller andre hospitaler, hvoraf de verdslige i stigende grad varetog fattig-, alderdoms- og sygepleje[48].

Også i Danmark spillede kirkelige institutioner, klostre og hospitaler en rolle

---

47 Rettertingsdom 23/10 1553 og 25/10 1553.
48 *H. Feine*, Kirchliche Rechtsgeschichte, 417-421.

for de syges og de gamles pleje, ligesom verdslige institutioner efterhånden kom
til. Efter Reformationen kom de under kirkens kontrol og tilsyn. Forordningen
om borgmestre, overformyndere, overkøbmænd m.fl. af 7. april 1619 § 1 gjorde
hvervet som overformynder i købstæderne til et borgerligt ombud. Overfor-
mynderne skulle have tilsyn med alle værger for folk, der ikke kunne værge sig
selv på grund af alder, vanvittighed, skødesløshed eller af andre årsager.

Ikke alle landskabslovene åbnede mulighed for klostergang. Efter VSL I, 46
kunne husfaderen gå i kloster medbringende en hel hovedlod efter skifte med
børnene, hvis han var rask. Børnene tog henholdsvis en hel (mænd) og en halv
(kvinder) lod af faderens fædrene og mødrene jord og af al hans arv og eje. Var
han syg, måtte han kun medtage en halv hovedlod. Lignende regler gjaldt for
hustruen efter VSL I, 51. Også ESL havde regler om klostergang, men ESL I,
31, fastslog, at mand og hustru ikke kunne gå i kloster hver for sig. De skulle gå
sammen, en regel der antages påvirket fra kanonisk ret (1.X.3-32). De skånske
regler om klostergang svarede til de sjællandske, jf. SKL 38 og 40, AS 15. JL
savnede sådanne regler om klostergang for en mand med ret til at medbringe en
del af sin ejendom. Derimod havde den regler om hustruens *manglende* adgang
til at skænke sin halve hovedlod eller anden stor gave som sjælegave uden man-
dens samtykke, hvis hun havde barn med ham. Den hustru, som ikke havde barn
med sin mand, måtte give sin halve hovedlod, jf. JL I, 39, og III, 45[49].

I Sverige indførte kirken den „arvelige", eller som den også kaldes, *vedva-
rende* besiddelsesret i 1200-tallet. Dette retsinstitut kaldtes i kanonisk ret „*em-
phyteusis*", og det indebar, at kirken lod en besidder leje den kirkelige jord mod
lejebetaling til kirken. Modellen reciperedes hurtigt i verdslig ret i form af en
„*arvelig*" besiddelsesret til indtaget almindingsjord. Den medførte dog kun en
brugsret for besidderen, og den betragtedes ikke som fast ejendom, men som
løsøre[50]. Emphyteusis vandt også ind i dansk middelalderret via kirken og kirke-
lige stiftelser, som byggede på det romerretlige retsinstitut, der var annekteret af
romerkirken såvel vedrørende godsfæstning som gårdfæstning med eller uden
afgift. De, som solgte eller skænkede gods til et kloster, kunne komme til at
fortsætte brugen af godset ved en sådan dyrkningsaftale eller få et andet i stedet
til brug.

Tidlige eksempler på livsfæste og andre fæsteaftaler var ofte forbundet med
gaver til klostre og kirker, hvori giveren betingede sig ret til, at han og hans

---

49 *Stig Iuul*, 30-34, 34-40 ff.
50 *Göran Inger*, Svensk Rättshistoria, 39 f.

hustru og eventuelle børn kunne forblive på gården i deres livstid. Denne mulighed oprethøldtes ved 1547-recessen § 33, jf. 1558-recessen § 41, som hjemlede arvefæste[51]. Også aftægtskontrakter blev ofte indgået i forbindelse med sådan overdragelse af ejendom til klostre eller kirker, hvor giver eller testator betingede sig et livsvarigt underhold i form af en eksisterende bolig eller mulighed for opførelse af n aftægtsbolig med et beskedent dyrehold og lidt jord, måske mod betaling af en vis landgilde. En aftale kunne yderligere gå ud på, at den pågældende betingede sig et gravsted og læsning af sjælemesser, men man kunne også skøde alt, hvad man ejede til klostret mod at få ophold og pleje der, eller mod at oppebære den halve indtægt for sin livstid.

I forbindelse med sin undersøgelse af odelsretlige forhold og lovbydelse i dansk middelalder påviser Michael H. Gelting, at det ikke har været ualmindeligt, at arvejord kom bort fra slægten via gaver med eller uden slægtssamtykke, og i den forbindelse at slægten i sidstnævnte fald kunne rejse klagemål, det så-kaldte *calumnia*, der egentlig betød en falsk og chikanøs anklage, over gaver til fromme formål. Tilmed påvises det, at den vanlige sprogbrug i dokumenterne er nært beslægtet med terminologien i samtidige tilsvarende dokumenter fra Frankrig om gaver bestående af arvejord. Sådanne klager kunne bruges til at sikre yngre medlemmer af slægten del i den åndelige fornyelse, som fulgte med en retlig bekræftelse af de ældre gaver[52].

Gennemførelsen af Reformationen i 1536 fik også indflydelse på gaver til fromme formål, selv om der ikke tilstræbtes nogen radikal omvæltning for stiftelser som helligåndshuse og hospitaler. De kirkelige midler blev ikke uden videre inddraget til verdslige formål, men blev ofte henlagt til formål, der mindede om hidtidig brug, efter det også i moderne ret anerkendte permutationsprincip, som hidrører fra romersk testamentsret.

Christian III's håndfæstning og recessen af 1536 samt kirkeordinansen indeholdt regler om anvendelse af kirkegodset. Mens midler til kirker og til aflønning af præster ikke berørtes, måtte sjælemesserne, der i løbet af middelalderen var blevet indstiftet ved overdragelse af gods og jord som sjælegaver til en kirkelig institution, ophøre, og godset overgå til andet formål, f.eks. til aflønning af præster eller skolelærere. Der indrømmedes dog adelen den særlige begunstigelse, at dens medlemmer kunne fordre godset tilbage, hvis efterkommerne kunne bevise, at de var rette arvinger, dog først når den, der måtte have sådan

---

51 *Henning Matzen*, Privatret, II, Tingsret, 125 f., jf. nedenfor om begunstigelsesordninger.
52 *Michael H. Gelting*, 142-143.

jord i fæste, var afgået ved døden. Der kunne også være taget særligt forbehold om, at jorden skulle gå tilbage, hvis messerne ikke blev afholdt.

I løbet af 1537 måtte kongen og medlemmerne af rettertinget afgøre en række sådanne tilbagefordringskrav[53]. I en sag fra april 1537 mellem forstanderen for Aalborg Helligåndshus og en adelsmand fik sagsøgte ret til at tilbagetage en gård og et bol i en landsby, hvorimod nogle andre ejendomme tildømtes Helligåndshuset, da det var oplyst, at det havde erhvervet dem ved mageskifte med sagsøgtes far, medmindre sagsøgte kunne bevise, at Helligåndshuset havde modtaget dem for messer mod et genbrev[54]. I en sag fra 30. april 1537 var de omtvistede gårde netop blevet skænket for sjælemesser, og Randers Helligåndshus havde ved et gavebrev forpligtet sig til at udlevere gårdene, hvis messerne ikke blev holdt[55]. Derimod fik Viborg Hospital 3. maj 1537 medhold, fordi de omtvistede to gårde var skænket af kongen og St. Anna præstegilde. Sagsøgte, der havde oppebåret indtægterne, måtte erstatte disse[56]. På samme måde blev samme dag en række adelige herrer og fruer tilpligtet at tilbagelevere det klostergods, som de uden rettergang havde tilbagetaget, fordi der ikke mere holdtes sjælemesser i Aalborg Helligåndshus[57]. Man fornemmer, at der har været udøvet en vis selvtægt.

Borgmesteren i Stege sagsøgte en borger vedrørende altergods i Stege Kirke. Rettertinget tildømte 2. august 1537 den sagsøgte borger godset, fordi det blev skænket mod afholdelse af messer, som ikke holdtes mere, og fordi den fundats, hvorved gaven i 1487 blev „skødet og givet", foreskrev, at givernes arvinger i så fald havde magt til at „tage och annamme alt thet guotzs och clenodia, som the haffuer giftuet"[58]. Man synes også at have taget hensyn til ikke blot, at der ikke længere holdtes sjælemesser, men at arvingerne havde stort behov for ejendommen (en gård i Nørregade skænket til Petri Kirke)[59].

Det kom til forlig i en sag fra september 1537 om en gård i Højbrostræde, der var skænket til Helligåndshuset i København mod afholdelse af sjælemesser. Sagen mellem dette og giverens arvinger forligtes under hensyn til, at indtægten

53 *Ditlev Tamm*, Træk af dansk stiftelsesrets historie, i: Betænkning om Fonde 970, 1982, 9-23 og i: Med lov skal land bygges og andre retshistoriske afhandlinger, 48-65, især 53.
54 Det Kgl. Rettertings Domme og Rigens Forfølgninger fra Christian III's Tid, I, 80.
55 Det Kgl. Rettertings Domme og Rigens Forfølgninger fra Christian III's Tid, I, 98.
56 Det Kgl. Rettertings Domme og Rigens Forfølgninger fra Christian III's Tid, I, 39.
57 Det Kgl. Rettertings Domme og Rigens Forfølgninger fra Christian III's Tid, I, 142.
58 Det Kgl. Rettertings Domme og Rigens Forfølgninger fra Christian III's Tid, I, 259.
59 Det Kgl. Rettertings Domme og Rigens Forfølgninger fra Christian III's Tid, I, 291.

af gården efter ophør af messerne blev henlagt til hospitalet. Arvingerne skulle have gården tilbage imod at betale Helligåndshuset 1000 mark danske, der skulle sættes på rente til gavn for de fattige og syge i Helligåndshuset[60].

I 1578 blev en sag om aftægt afgjort ved Hansborg ret. Sagsøgeren, der havde forbeholdt sig en del af gården, blev genstand for en række forstyrrelser og indgreb fra sagsøgte, der også boede på gåden. Aftægtskontrakten var blevet oprettet ved ægteskabs stiftelse. Sagsøgeren og hans hustru fik medhold. Aftalen var gyldig og skulle overholdes af sagsøgte, som havde vedgået den. Sagsøgte var sagsøgers svigersøn[61].

Generationsskifte i fæsteforhold skete i senmiddelalder og nyere tid typis va aftægtskontrakter. E dl aftægtskontrakter er bevaret, fordi de mere eller mindre tilfældigt blev tinglyst. Hvor der ikke var en enke, som kunne fortsætte fæstet med en ny ægtefælle, skete fæsterskifte oftest derved, at den gamle fæster oplod sin gård til næste generation, eller ved at en søn/svigersøn arvede fæsteretten til gården ved den gamle fæsters død. (Se om fæsteaftaler i forbindelse med gaver nedenfor under 2.3.).

Opladelsen af fæstegården til næste generation som led i et generationsskifte var ikke ualmindeligt. Men ofte skulle opladelsen først træde i kraft ved den gamles død. Hans Henrik Appel påpeger i sin undersøgelse, at der ser ud til at have været en lag række faktorer, der spillede ind på valget af tidspunkt for opladelsen. ogle aftægtsfolk var ganske svagelige på opladelsestidspunktet, andre ikke. En grund til at oplade fæstet kunne være en ægtefælles død. Hvis ikke der var udsigt til et givtigt nyt ægteskab, var det bedst at oplade, inden en ny ægtefælle og dennes arvinger kunne komme med særlige arvekrav. Var der en søn parat til at overtage gården, var det bedst at foretage overdragelsen, før de nye fik andel i arven[62].

Haakon Bennike Madsen gør i sin afhandling fra 1978 opmærksom på, at kildematerialet omkring beskatning og mandtal har haft svært ved at skelne mellem „gårdmænd, husmænd, inderster og gadehusmænd". Mange af betegnelserne har omfatet „aftægtsfolk, enten velaflagte med noget på kistebunden eller syge og gamle stakler, der måtte ernære sig ved tiggeri". Nogle boede på selve gården og havde måske part i den, mens andre boede i et særskilt hus på gårdens

---

60 Det Kgl. Rettertings Domme og Rigens Forfølgninger fra Christian III's Tid, I, 301.
61 *Henning Matzen*, Privatret II, Tingsret, 211-212, hvor der omtales en række forskellige eksempler fra middelalderlige diplomer; De Hansborgske Domme, II, Domme 1560-1578, 954.
62 *Hans Henrik Appel*, Tinget, magten og æren, 138-149.

grund, der suppleree en aftægtsydelse med indtægten fra et lille håndværk. Husmænd med avl kunne i realitetenvære aftægtsfolk, hvor avlen var en dl af aftægtsydelsen. Husmændene kunne bo i selvstændige huse på gårdens grund („i huse") eller i selve gårdens bygning („til huse"). Skrubbeltrang inddelte *indersterne* i fire grupper: 1) fhv. gårdmandsfolk, der er gået på aftægt (med eller uden formue, 2) medbrugere af gårde, 3) folk i fast tjenesteforhold og 4) socialt ringe stillede enker, invalider, gamle)[63].

Poul Johs. Jørgensen mente, at reglerne om *fledføring* afspejlede forskellige lag, og at en fledføring sommetider sammenstilledes med en træl og sommetider med en gammel og fattig. Han antog, at fledføringsforholdet i sig havde optaget to ældre forhold, der havde været undergivet forskellige regler om henholdsvis den *frivillige hengiven sig til trældom*, hvis man manglede midler, og om *aftægtsforholdet for gamle eller svagelige*. Han sluttede ud fra visse udtryk i reglerne, der ikke omtalte „børn", at fledføring kun forekom i forhold til „andre", d.v.s. fjernere arvinger, hvorimod børn antoges at have en (moralsk, kristen) pligt til at forsørge forældrene. Man må formode, at fledføring derfor næppe blev brugt, hvor de ældre og yngre levede i fællig sammen, men netop kun, hvor der ingen børn var i ægteskabet[64].

Reglerne om fledføring i ESL I, 38-41, synes netop at forudsætte, at der ingen børn var i ægteskabet, og at husbonden, efter at han havde skiftet med sine udarvinger, skulle gå på forsørgelsesomgng mellem dem. Som årsag til fledføring nævner ESL I, 38, „nød eller ælde eller sygdom", og reglen gælder i lige grad mænd og kvinder. Fledføringen skulle ske på tinge. Hvis denne betingelse ikke var opfyldt, var det muligt at genvinde „frihed og selvbestemmelsesret". ESL I, 41, opstillede klare krav til en forsørgelse med mad og drikke af en rimelig standard. Protesterede udarvingerne på tinge mod at tage imod ham, kunne han rejse, til hvem han ville med sin hovedlod. Fledføringsreglerne i SKL 41-44, jf. (AS 17), åbnede tre muligheder: 1) manden kunne ligesom efter ESL skifte hele sin formue, således at han intet fik selv og derefter gik på omgang mellem de arvinger, der overtog hans formue på skiftet; 2) han kunne skifte med arvingerne, men beholde sin hovedlod og med den drage til hvem af arvingerne han ville. Hvis hovedlodden oversteg 3 mark, skulle det overskydende deles mellem

---

63 *Haakon Bennike Madsen*, Det danske Skattevæsen. Kategorier og klasser, 79-88.

64 *Poul Johs. Jørgensen*, 208-209. Begrebet „fled" betød hus eller husstand eller en lav bænk langs væggene, hvor sengene stod; flet/fled kom til at betyde bolig- og ejendomsfællesskab og brugtes derfor også om familiefælliget, som betegnedes „flet og fællig", se „Fled" og „Fledføre" i Ordbog over det Danske Sprog, IV, 1922, 1165.

dem alle, mens den arving, der modtog ham, havde krav på resten. Hvis ingen arvinger ville modtage ham, kunne han 3) drage hvorhen han ville uden for arvingernes kreds, uden at skifte. JL var meget sparsom med regler om fledføring og om de fledførtes formue. Ingen arvinger havde en egentlig retlig pligt, hvis tilsidesættelse kunne straffes, til at forsørge gamle eller svagelige slægtninge[65]. Derimod var der indført en klagemulighed i SKL 44, såfremt den svage var utilfreds med forplejningen. JL I, 32, sidestiller direkte fledføringen med trældom. Fejl ved selve fledføringsformen medførte, at han fik sin frihed tilbage. En gift mand kunne ikke fledføre sig, medmindre hustruen valgte at fledføre sig sammen med ham, eller biskoppen tillod ægtefællerne at leve adskilt.

2.2. Fortsat fællig, brødrefællig, uskiftet bo

Formuefælliget mellem forældre og børn var forudsætningen for det udvidede fællig mellem forældrene som svigerforældre og de voksne børns indbragte ægtefæller som svigerbørn. På *Sjælland* gjaldt, at den mængde gods som et svigerbarn bragte med sig efter aftale enten kun indgik i fælliget således, at en tilsvarende mængde på skifte udlagdes svigerbarnet eller blev indtaget efter vurdering og tinglysning, VSL I, 2, og ESL I, 11, hvorefter den pågældende på skifte kunne udtage tilsvarende mængde værdier. Foretog man sig ikke noget, indtrådte det lovbestemte formuefællig efter en vis frist, hvorved svigerbarnet blev berettiget til en hovedlod. Den gifte datter opnåede som sådan også ret til en fuld hovedlod i fælliget.

I *Skåne* indtrådte formuefælliget også automatisk, hvis ikke andet blev aftalt. I *Jylland* gjaldt efter JL I, 13, at den søn, som førte en hustru med ind i hus- og bofællesskabet, dog ikke havde andelsret i fælliget, så længe forældrene levede. Hvis derfor sønnen døde, måtte svigerdatteren nøjes med at tage sit eget gods med sig. Endvidere gjaldt, at enke eller enkemand, som indgik nyt ægteskab uden at skifte med børnene, kunne blive udsat for, at børnene med kønsnævn svor på, hvor meget stedfaderen eller stedmoderen havde indbragt, hvorefter det blev udtaget, og resten delt efter hovedlodder mellem den længstlevende ægtefælle og børnene, JL I, 20; hvis ikke dette skete, kunne der efter Thords art. 54 indtræde et stiltiende fællig.

Endelig kunne børnene efter begge forældres død overalt i Danmark blive siddende i et søskende- eller brødrefællig[66]. Var manden den overlevende, havde

---

65 *Stig Iuul*, 40-45, 84-87.
66 *Henning Matzen*, Privatret I, Familieret, 89-93.

han efter JL I, 6, men ikke efter de øvrige landskabslove, ret til at beholde købe-
jorden uskiftet, så den først faldt i arv efter hans død[67]. Det særegne forhold, at
børn efter de øvrige landskabslove ejede en ideel anpart i forældrenes fællig,
havde også indflydelse på reglerne om længstlevendes retsstilling. Børnene var,
som Matzen udtrykte det, *passive interessenter* under faderens rådighed, så længe
fælliget bestod, men de kunne gøre deres *aktive andelsret* gældende i forbindelse
med skifte, idet de tog deres lod som *medejere* i fællesejet, ikke som *arv*.

Hvis moderen døde, kunne børnene anmode om skifte, men hvis faderen
afviste det og fortsatte fælliget med dem, måtte de affinde sig med hans råden
både over fællig og over moderens arvejord, jf. ESL I, 12, og VSL I, 1-3. Døde
faderen først, kunne moderen fortsætte fælliget med sine umyndige børn og
råde over fællesgodset, dog måtte hun ikke sælge, men nok bruge og udnytte
børnenes arvegods og var derfor under frændernes værgetilsyn, indtil hun even-
tuelt giftede sig igen. Blev en søn myndig, blev han hendes værge[68].

Efter skånsk ret var børnene ikke berettiget til at kræve skifte i faderens le-
vende live, heller ikke efter moderens død; et skifte afhang som flere gange
nævnt af faderes velvillighed over for et eller flere af børnene. Han havde dog
ikke efter moderens død rådighed over hendes arvejord. Var det faderen, som
døde, kunne moderen på samme måde fortsætte fælliget med børnene under
frændernes tilsyn, SKL 58.

Efter JL kunne børnene ikke kræve nogen andel udskiftet i faderens levende
live, fordi de ikke antoges at have en andel i boet, så længe forældrene levede.
Alligevel havde lovbogen reminiscenser af en ældre ordning, der kunne ligne
den sjællandske og skånske. Den taler om børn, der „lever i fællig" med foræl-
drene, JL I, 9, 12, 13 og II, 65, og om at boet skiftedes efter hovedlodder, som
børnene i øvrigt kunne forbryde i levende live, jf. JL I, 24, II 97, 99, 100 og
101. Efter moderens død kunne de myndige sønner, som ville udskiftes, og
døtre, som skulle giftes, kræve deres mødrene arv med undtagelse af købejorden;
de, som blev boende hjemme, havde ingen ret til at kræve skifte. Faderen fort-
satte sin rådighed over fællesgods, men måtte ikke sælge børnenes mødrene
gård[69].

Et uskiftet bo hjemledes allerede i JL I, 3, for den enke, der sagde, at hun
ventede barn med afdøde, dog kun for en begrænset periode. Ellers gik udviklin-

---

67 *Henning Matzen*, 80.
68 *Henning Matzen*, 84-86.
69 *Henning Matzen*, 87-89.

gen af det *fortsatte fællig* i retning af, at de enkelte lodder blev fikseret ved et skifte, men indgik i det (nye) fællig, som derfor kom til at ligne et almindeligt økonomisk fællig mere end et familiefællig, eftersom arven ansås for faldet straks ved arveladers død og dermed straks erhvervet af arvingerne. Kreditorerne kunne straks gøre krav mod deres anparter for afdødes gæld. Efterhånden blev det imidlertid muligt at sidde i uskitet bo med kgl. bevilling, således at krav mod arvingerne måtte vente, men ikke krav mod fælliget, som kunne fremsættes straks over for enken[70].

I det følgende skal disse problemer søges belyst ved eksempler fra praksis. En rettertingsdom fra 5. marts 1546 omhandlede to brødre, der sad i et brødrefællig. Ved forældrenes død havde brødrene „schiftte mett theris ssysckyndtt", og disse udtog hver især deres arvelodder, mens brødrene „thoge theris lodt wnder etth" og udfærdigede en overenskomst derom, d.v.s. *stiftede* et fællig. Der var altså tale om, at de 5 søskende blev udskiftet, men at de to brødre aftalte et nyt fællig om deres arveandele (et brødreconsortium). I kommentaren til dommen antages der at være tale om et fortsat fællig. Dette ny fællig er retligt set *ikke* et fortsat fællig, men et nystiftet brødrefællig, som har karakter af et almindeligt økonomisk fællig. I løbet af fælligforholdet foretog brødrene en række dispositioner ved køb og salg med begges penge, som kom begge til nytte og gavn, indtil den ene blev gift, og fællesskabet opløstes ved et skifte, hvorunder noget købejord blev holdt udenfor. Det statueredes, at det, som den ene havde købt, for halvdelens vedkommende skulle tilfalde den anden, selv om skødet kun lød på den ene. Arvingerne fik således ikke medhold i deres krav på denne købejord. Under sagsbehandlingen blev der lagt stor vægt på, om fælliget på et eller andet tidspunkt havde været ophævet, hvad ikke var tilfældet, jf. JL III, 19 om betaling af afgift for søskende, der bor i fællig, som dog ikke anføres, men hvis princip åbenbart blev tillagt vægt[71]. Også princippet i ESL I, 42 om børn, der er i fællig sammen efter deres far og mor, synes tillagt betydning. Heller ikke denne regel nævnes.

I en rettertingsdom fra 11. juli 1572 pålagdes det enken at udrede halvdelen af mandens efterladte gæld, mens arvingerne skulle udrede den anden halvdel, når de til sin tid efter hendes død tog arv. Enken havde med arvingernes samtykke af sin mand fået brev på, at hun, hvis hun overlevede ham, skulle overtage alt hans gods i sin levetid. Her møder vi en blanding mellem en nytte- og brugs-

70 *Stig Iuul*, 326 f.
71 Danske Domme, I, 1375-1553, nr. 119, 260 ff.

ret med hjemmel i testamente og et fortsat fællig, idet alle mandens efterladen-skaber, hovedgård, jordegods, løsøre, bo og bopenge omtales som stående „endttnu i fledtt och fellig inde hos for*ne* frue Gretthe wskifftt i alle maade", bortset fra, at hun har pligt til at betale af *fællesboet* al vitterlig gæld (jf. reces 1547 § 29 og reces 1558 § 53). De forskellige formuedele (fællesbo, jordegods etc.) holdes samlet under betegnelsen „flet og fællig", hvilket tyder på, at man betrag-tede forholdet som en fortsættelse af fælliget[72].

De private Domssamlinger, Danske Domme fra 1375-1662, rummer for den ældre periode en række domme, der fastslår, at bondejord ikke må opsplittes ved generationsskifte. De synes at udgøre et ikke uvæsentligt supplement til den refererede udvikling omkring brødrefælliget. Viborg landsting fastslog i et re-sponsum af 20. november 1507, bygget på en ældre rettertingsdom fra 1423, at bondegods ikke må splittes ad, men at den arving, som besidder den største andel, skal beholde det og svare kronens afgifter samt erlægge skæppeskyld til de andre, d.v.s. en slags fæstepenge. Princippet var allerede lovfæstet i forordning for Nørrejylland af 1. september 1466 og i Kong Hans' overenskomst om Fyns vedtægt af 19. februar 1492 § 18.

Den 5. november 1526 måtte rettertinget atter tage stilling til problemet. Der var flere arvinger til en bondegård. Efter dommen skulle samfrænder skøn-ne, hvem af arvingerne, der kunne bære gårdens byrder. Det skulle være den med den største andel i gården og den nærmeste arving. Han skulle beholde gården og have en andel i den tilgrænsende fællesskov, mens de andre arvinger skulle have en godtgørelse, hvis han kunne magte det, og de andre måtte ikke bruge gården eller dens andel i fællesskoven. Afgørelsen havde mere karakter af en resolution fra kongen og rigsrådet end en dom[73]. Ved samfrænder forstod man et udvalg på 12 mænd bestående af henholdsvis 6 fædrene og 6 mødrene frænder, jf. SKL 27 og 28 (AS 13), ESL I, 21, og JL I, 16. Efter ESL I, 24, og III, 9, var det dog de 12 bedste mænd i herredet, som skulle afgøre arvingernes stridighe-der, og dette var også tilfældet, hvis ingen samfrænder fandtes. Samfrænder eller gode mænd vedblev med at spille en rolle i forbindelse med skiftesager. Den kalundborgske reces af 21. november 1576 § 2 bestemte, at kongens befaling skulle udgå i de sager, hvori samfrænder skulle dømme.

Domskarakter havde derimod en afgørelse fra 26. juni 1558, hvor en af arvingerne dels havde arvet, dels havde købt en part i en bondegård, og desuden

---

72 Danske Domme, III, 1570-1581, nr. 397, 117 ff.
73 Danske Domme, I, nr. 60, 167 ff.

fremlagt et samfrændebrev og en afgørelse afsagt af gode mænd, som pegede på ham. Tvistigheder om arv og anpartsrettigheder i formuefællig afgjordes af samfrænder. Rettertinget tildømte ham gården som den største andelshaver mod at give stedmoderen og medarvingerne skæppeskyld og deres tilgodehavende i det omfang gården kunne bære det ved siden af kongens skatter. Dommen henviser i øvrigt til Christian III's odenske reces 1539 § 11, 1547-recessen § 32 og 1558-recessen § 40[74]. Efter JL I, 16, skulle stridigheder om arv mellem blandt andre søskende afgøres ved ed. Ved stridigheder mellem en mor eller en far og børn var det nok at føre bevis med frænderne, for „arven vidnes da ikke fra børnene, hvis de overlever" den længstlevende, jf. ESL I, 8.

En Viborg Landstingsdom fra 1574 handlede om en klage over, at arvingerne havde „adskilt i mange parter" et „sielff eyger bunde eyge", fordi enhver ville bruge sin anpart, som han lystede. De så altså stort på det normale krav i samejeforhold om enighed om dispositioner. Klageren var indehaver af herlighedsværdierne over samme jord, som havde opnået adelig fristatus, og han havde ikke tilladt, at gården således blev splittet ad. Dommen fastslog i overensstemmelse med lov og ret, at „bunde eyge" ikke må splittes ad uden kongens tilladelse. Den arving, der bedst kunne overkomme det, måtte derfor overtage gården mod skæppeskyld til de andre[75].

Oprindelig fandtes ingen grænser for gårdenes udstykning ved bortsalg (stuf- og særkøb) eller ved arvedeling[76]. Hvor der var mange deltagere i et fællig om en gård, kunne det ske, at hver lodsejer misbrugte jordens tilliggender, bl.a. skoven, hvis ikke der var en vis indre styring af fælliget enten via en myndig enke eller en ældre bror. Man får det indtryk, at der i denne sag var tale om, at parterne enten savnede fælligdisciplin eller også opfattede fælliget som et partnerskab med rådighedsret over de fikserede anparter og ikke som et sameje, der krævede optræden med samlet hånd. Denne uklarhed resulterede nu i offentligretlige, fiskale krav om, at der på hver gård skulle være een person, som havde det fulde ansvar.

Et åbent brev af 6. september 1604 afskaffede formelt enkens ret til umiddelbart at hensidde i uskiftet bo. Begrundelsen anførtes at være, at kongen var blevet klar over, at enker af både borgerlig og adelig stand var kommet ind på den praksis at tage børnenes gods og løsøre under deres værgemål, før der var

---

74 Danske Domme, II, nr. 266, 185 ff.
75 Danske Domme, III, nr. 419, 180 ff., se også V, nr. 647.
76 Se *Henning Matzen*, Privatret, I, Arveret, 117 f.; *Poul Johs. Jørgensen*, 467.

skiftet med samfrænder til fastslåelse af egne og børnenes arvelodder efter beta-
ling af udestående gæld, hvilket havde medført konflikter og retssager. Derfor
besluttede kongen og rigsrådet, at enker ikke måtte tage vare på børnenes arve-
gods, før der var sket registrering af værdierne og gælden. Først derefter måtte
enkerne overtage forvaltningen af børnenes arv.

Forordningen om gæld af 1. juli 1623 fastlagde nærmere fremgangsmåden i
forbindelse med arv og skifte og opstillede detaillerede regler om registrering,
forkyndelse og sikring af kreditorernes retsstilling, mens forordningen af 23.
april 1632 havde fastlagt reglerne om arvefølgen. En del af Jyske Lovs regler blev
hermed kodificeret og gjort til almen ret også uden for Jylland og Fyn. Stig Iuul
gør i øvrigt opmærksom på, at sene tekster af SKL har erstattet betegnelsen fort-
sat fællig med uskiftet bo, og at hovedlod ikke længere synes at betegne en ideel
anpart i boet[77].

Udviklingen i retning af bondejordens fastholden på én hånd havde således
nok sin grund i flere forhold, fiskale såvel som dårlige erfaringer med fælligfor-
men fra det 15. århundredes midte, ligesom udviklingen i retning af det uskif-
tede bo, som blev mærkbar omkring det 16. århundredes begyndelse, forment-
lig havde flere lignende årsager, herunder et hensyn til kreditorerne. (Se i øvrigt
om bebrevelser under 2.3. Begunstigelser).

Afslutningsvis skal nogle betragtninger specielt om brødre- eller søskende-
fælliget fremsættes til supplement af de flere gange i de foregående kapitler frem-
førte bemærkninger. I Kapitel 3 rejstes det spørgsmål, om brødrefælliget på
landskabslovenes tid, som af Stig Iuul hævdet, var en nydannelse i dansk ret? Et
andet spørgsmål, som kan rejses om dette fællig, er om det retligt set var mere
beslægtet med almindelige økonomiske fælligformer end med familiefælliget?
Og endelig kan man spørge, hvor længe vedblev dette arvingsfællig at bevare sin
betydning i dansk ret?

Brødrefælliget bør efter min mening vurderes som et selvstændigt retsinsti-
tut, løsrevet fra reglerne om ægtefællers formueret. Der er ikke noget til hinder
for at se det som en retsdannelse, der harmonerede med ældre tiders økonomiske
betingelser, som på forskellig tid og forskellige steder kunne opstå uahængigt af
hinanden, f.eks. i det ældre Rom med dets „consortium" af sønner og i frankisk
og langobardisk ret som et probat middel til at bevare familiegods og formue
samlet. Man behøver ikke at forudsætte en direkte påvirkning ra de ældre ger-
manske retskilder til udformningen af brødrefælliget i middelalderens retsbøger.

---

77 *Stig Iuul*, 254-256.

Denne fælligstruktr kan have meldt sig som den mest hensigtsmæssige (se oven-
for Kapitel 3, II, 3.1., og Kapitel 4, II). En vis påvirkning via hertugdømmerne
fra yngre tyske brødrefælligordninger synes dog ikke usandsynlig.

I landskabslovene fremtrådte et brødrefælli i form af et økonomisk fælles-
skab, der lignede det romerske „societas" og det germanske „Brüdergemein-
schaft" med ligedeling af gevinst og tab, jf. JL I, 19, I,43, VSL I, 68, og ESL I,
42, 43 og 44, hvor især ESL I, 42, understreger et partnerskabs- eller et sel-
skabsretligt element, se også SKL 16 (AS 9), der dog ikke explicit taler om brød-
refælli, selv om det synes forudsat, eftersom begrebet „Barn" er hovedpersonen
og ikke „Fader" eller „Moder".

Man kan hævde, at landskabslovene ikke hindrede stiftelse af brødre- eller
søskendefælli efter forældrenes død, men heller ikke at de påbød dem. Men
landskabslovene hjemlede ikke ret til begunstigelse af enkeltarvinger. Dette sy-
nes at ændre sig i begyndelsen af det 16. århundrede, hvor en række domme
fastslog, at bondejord ikke måtte opsplittes efter forældrenes død. Princippet var
som nævnt allerede fastslået i en forordningen af 1. september 1466 og i Fyns
vedtægt af 1492. En lang række afgørelser påpegede som også nævnt, at en af
arvingerne, typisk den med den største andel, skulle besidde og administrere
gården, og (ikke mindst) svare de offentlige afgifter og andre forpligtelser på de
andres vegne. Flere domme viser, hvorledes arvinger havde opsplittet „et selvejer
bondeeje", fordi enhver ville bruge sin anpart, som han lystede[78].

Med den københavnske reces af 6. december 1547 blev reglerne om fælles-
skaber nærmere præciserede. Recessen synes i det hele at være stærkt koncentre-
ret om regulering af fælligforhold, idet den med § 28 begrænsede familiefælliget
til et fælli mellem ægtefællerne alene, men udvidede det til også at omfatte
arveløsøre og gav hustruen en andelsret til halvdelen, når efter § 29 gæld m.v. var
betalt (jf. Koldingske reces §§ 52 og 53).

Om adelens sædegårde fastslog § 24, at brødrene havde pligt til at danne et
brødrefælli af den faldne arv og forpligtelse til at sørge for søstrenes andel med
andet jordegods eller penge (jf. Koldingske reces § 39). Om bondegods med
mange arvinger gjaldt efter § 32 (jf. Koldingske reces 1558 § 40), at den arving,
som sidder på gården som selvejerbonde, ikke må tillade de andre medarvinger
at bruge gårdens tilliggender, men at de må nøjes med at blive fyldestgjort af
den, som besidder gården, medmindre han misrøgter den, da kan medarvinger-

---

78 Danske Domme, III, nr. 419, 180 ff., jf. V, nr. 647.

ne med lensmandens hjælp indsætte en anden af medarvingerne til at drive går-
den.

En sammenligning med den knapt 140 år yngre Danske Lov fra 1683 viser,
at man der på samme måde opretholdt forskellige fælligformer, idet ægtefælle-
fælliget efter 5-2-19 udvidedes til at omfatte også arvejord, mens reglerne om
sædegårde optoges i 5-2-63 og 64, som fortsat udtrykte det overordnede mål at
holde sammen på slægtsjorden. Måske kan man også her henvise til 5-3-15:
„sidde nogen i fællig sammen, og en af dem [med fælles penge og middel] kiø-
ber gods, da høre godset dennem samtlig til, som i fællig sidde", som havende
sammenhæng med denne udvikling, selv om den ikke bygger på en ældre regel,
men indkom i „Første Projekt" og under forarbejderne tilføjedes det i skarp
parentes indrammede indskud[79].

Brødrefælliget opretholdtes som et adelsprivilegium også i DL 5-2-63, der
måske var beslægtet med den yngre tyske „ritterliche Ganerbenrecht". Men for
bondejord blev de middelalderlige regler om den ældste brors ret til i et søsken-
defællig at varetage de yngre søskendes interesser som deres overhoved yderli-
gere præciseret i 1500-tallets recesser. Han fik en særlig ret til at overtage gården
ved at købe en eller flere af de andre ud. Denne begunstigelse af en enkeltarving
vedrørende bondejord på de øvrige søskendes bekostning giver mindelse om
den tyske Anerbenrecht, der var kendt i Slesvig-Holsten. De andre arvinger blev
passive interessenter, mens søstrene til de adelige sædegårdsejere måtte nøjes
med en affindelsesordning i andre værdier.

2.3. Begunstigelser

Ægtepagter, arvepagter og testamenter samt andre aftaleretlige ordninger til
overførelse af ejendom i forbindelse med dødsfald blev i stigende grad alminde-
ligt med henblik på at begunstige enken eller et barn. Visse kontrakter skulle
tinglyses og sikres i forhold til arvingerne eventuelt i form af lovbydelse, eller i
forhold til andre rettighedshavere.

Begunstigelse af arvinger skete som nævnt hyppigt ved udskiftning i form af
et arveforskud til brug for medgift eller etablering. Efter VSL havde søn og
datter ret til ved giftermål at forlade fælliget med henholdsvis en hel eller en halv
lod, dog ikke af den fædrene arvejord. Ville sønnen gå i kloster uden faderens
vilje, måtte han nøjes med en hovedlod beregnet på grundlag af købejord og
løsøre, hvorefter han mistede retten til yderligere arv efter faderens død, VSL I,

---

79 Forarbejderne til Kong Kristian V's Danske Lov, II, 127 og 373.

69. Efter ESL I, 7, havde søn og datter også ret til at begære skifte i tilfælde af ægteskab. Den udskiftede lod hidrørte fra fælliget og bestod af løsøre og købejord. Ville faderen give sønnen noget af sin arvejord, skulle de andre børn have en tilsvarende andel. Skifte kunne også ske i anledning af en søns udlandsrejse på studieophold eller købmandsfærd, ESL I, 34. Faderen kunne udskifte en søn, der savnede fornuftens brug, eller som ved at ifalde bøder havde forringet fælliget, ESL I, 45[80].

I Skåne måtte børnene rette sig efter faderen, hvis de ville udskiftes. SKL 17 bestemte, at han skulle drage til landstinget eller herredstinget og tinglyse, at de ville skilles fra ham, og derefter skulle han give dem, hvad han ville give, hvorefter de ikke havde krav på mere i hans levetid. Iuul mente ikke, at man her finder en regel, der vender sig imod en tidligere ordning, eller at der skulle være tale om en forringelse i forhold til de sjællandske regler, idet SKL stadig fastslog, at faderen havde pligt til at udskifte børnene, når de ønskede det. JL savnede som flere gange nævnt regler om børns ret til at kræve en lod udskiftet af familieformuen i forældrenes levende live, selv om der fandtes mulighed for skifte af løsøre, jf. JL I, 6, jf. 13, om overladelse af visse formuegoder til barnet og om pligt til at give de andre børn lige så meget[81].

Den almindelige slægtsskabs- eller familiearv byggede på en forudsætning om, at arveladeren var død. Hvis en søn, der levede i fæl/ig med faderen, døde, betragtedes han, som om han aldrig havde eksisteret. Men var han udskiftet af fælliget, kunne hans formue falde i arv.

Problemet om fastholdelse af den legale „lige" arveret eller om ønskeligheden af særbegunstigelser i forbindelse med skifte gjaldt ikke blot i forhold til børn. Også længstlevende, og især enken, søgtes ofte begunstiget på forskellig måde. Lighedsprincippet var så grundfæstet i dansk arveret, at det betød en væsentlig hemsko for testamentarisk begunstigelse af enkelte livsarvinger, jf. ESL I, 32, og Thord art. 34. Ældre lovgivning og retspraksis havde dog skabt en særlig adgang til oprettelse af en form for gensidigt testamente mellem ægtefæller, kaldet *bebrevelse*, jf. senere DL 5-4-20. Herefter kunne barnløse ægtefæller bebreve hinanden til som længstlevende at „nyde, bruge og beholde den hele fælles bo og formue uskiftet", så længe den pågældende forblev ugift. Længstlevende skulle straks efter førstafdødes død med bistand fra samfrænder eller ved rettens hjælp få foretaget en registrering af boets aktiver og passiver og dernæst selv

---

80 *Stig Iuul*, 34-40.
81 *Stig Iuul*, 40-45.

betale gælden og derved fritage den afdødes udarvinger for krav i den anledning. Det påhvilede herefter den længstlevende at passe og bevare boet, især jord og bygninger m.v. og med brev forsikre arvingerne, at jorden ikke ville blive pantsat eller afhændet[82].

Efter JL III, 43, var arvingerne ikke forpligtet til at respektere et *skøde* mellem mand og hustru. Det var ikke forbudt ægtefæller, der ikke havde børn sammen, at give deres halve boslod til andre (fromme formål), men nok at give gaver til hinanden. En gyldig gave forudsatte arvingernes samtykke. Dog havde rettertinget efter K. Sindballe (76 f.) godkendt, at man i Skåne skulle dømme efter skånsk ret, der tillod bortgivelse af en halv hovedlod, til hvem man ville. Rettertingsommen[83], der stadfæstede Malmø Bytings dom, opretholdt gaven som en morgengave, fordi den både var opført i afdødes regnskabsbog og indført i et senere oprettet testamente.

I Tyskland var det fra middelalderens slutning visse stder blevet almindeligt at indrømme enken en livsvarig brugsret til en større eller mindre del af formuen eller at tillad, at ægtefællerne i forening traf sådanne dispositioner til fordel for hinanden, eventuelt kombineret med en enkepensionsordning i form netop af en morgengave eller et livgeding aftalt ved en ægtepagt. Sådanne bebrevelser, der især blev almindelige i det 16. og 17. århundrede, kom efter Iuul ind i dansk ret via sædvanen eller skik og brug i visse kredse, som var påvirket af tysk ret[84].

Mens formelle testamenter kun omfattede gaver til fromme formål, blev gaver i form af fæstens- eller morgengaver betragtet som gyldige og fik stor praktisk betydning som supplement, idet det gensidige testamente, bebrevelsen, der var at anse som en dødsgave til fordel for længstlevende, jo krævede samtykke fra arvingerne, hvad fæstens- og morgengaver ikke gjorde, ligesom de som tidligere omtalt kunne repræsentere betydelige værdier, indtil lovgivningen satte en vis bremse herpå[85].

Morgengavens formål, at fungere som *enkeforsørgelse*, opnåedes i Danmark for ikke-adelige typisk ad anden vej, nemlig ved *ligedeling* af fælliget i tilfælde af

---

82 Danske Domme, 1375-1662, nr. 86, 90 og 240.
83 Danske Domme, 1375-1662, (nr. 818) af 23. maj 1604.
84 *Stig Iuul*, 217, 253.
85 Kong Hans' almindelige stadsret (efter 1443) satte 20 mark som grænse, forordningen af 18. oktober 1577: 2000 daler; forordningen af 1624: 10 lod sølv, jf. 1643-recessen 2-8-2-13. Efter DL 5-4-2 var grænsen 4000 lod sølv, medmindre arvingerne samtykkede; *Stig Iuul*, 280 ff., 290 f.

barnløshed, og hvis der var børn, ved *fortsat fællig*, i hvert fald indtil børnene blev myndige eller senere ved hensidden i uskiftet bo, hvor hustruen kunne oppebære helt eller delvist afkast eller frugter af børnenes arvegods. Hertil kom, at ægtemanden i levende live kunne begunstige hustruen ved forskellige dispositioner på arvingernes bekostning, selv om man i Jylland forsøgte at komme dette til livs.

En rettertingsdom fra 1562 fastslog, at fæstens- og morgengaver skulle udtages forlods af boet, hvilket fik som konsekvens, at morgengaver blev almindeligt udbredte og gjorde enkerne attraktive på ægteskabsmarkedet, således at arvingerne ofte sad tilbage med større gæld, end dødsboet kunne dække. Recessen af 18. oktober 1577 begrænsede derfor morgengaver til 2.000 daler, hvis ikke arvingerne samtykkede i mere. Medgiften, der normalt betaltes af brudens fader, kunne enken også udtage forlods. § 28 i 1547-recessen om *ligedeling* på skifte af købejord og løsøre, uanset om der var børn eller ej, ændrede ikke ved medgiftens særlige karakter af forsørgelsesmiddel. Således udtalte § 29, at inden ligedeling skulle al vitterlig gæld, hjemfærd og børnepenge betales af fællesboet. Hjemfærd eller medgift skulle udredes forlods og anses som arvejord, d.v.s. behandles som særeje i overensstemmelse med retspraksis. Der havde dog i retspraksis været tvivl om medgiftens karakter af løsøre og dermed „fællig"-formue eller af arvejord og dermed særeje. Først efter Danske Lov og et stykke ind i 1700-tallet begynder egentlige *enkepensionsordninger* at blive almindelige til sikring af enkers forsørgelse.

Frem til DL 5-2-19 havde en efterlevende ægtefælle ret til at udtage sin egen arvejord på skiftet efter førstafdøde. Desuden havde den barnløse enke ret til forlods udtagelse af fæste- og morgengave samt medgift, hvilket var af væsentlig betydning for gældsansvaret i adelige dødsboer. Fæstensgaven var en slags håndpenge, som brudgommen ved trolovelsen forærede bruden. Det kunne være smykker eller en pengefordring, som hun kunne gøre gældende, selv om manden døde før selve vielsen. Morgengaven var typisk en fordringsret mod mandens formue, der skulle opfyldes, når hustruen blev enke, hvis ægteskabet var barnløst. Morgengaven skulle sikre enkens forsørgelse til kompensation for den manglende arveret efter manden[86].

Hvis gensidige testamenter eller ægtepagter blev oprettet umiddelbart efter ægteskabet indgåelse under forudsætning af, at der ikke efterlodes livsarvinger, kunne længstlevende bruge og beholde boet uden registrering og vurdering.

---

86 *Ole Fenger*, Adel forpligter..., 84 ff.

Men i tilfælde af nyt ægteskab måtte der dog opnås kgl. konfirmation, jf. den langt senere Plakat af 20 marts 1717 post 1, litra B[87].

Var der ingen livsarvinger, kunne der opnås kgl. bevilling til at udsætte skiftet i et vist tidsrum, og med arvingernes samtykke kunne der etableres en brugsretsordning for enkens levetid ved en bebrevelse. Dette blev i Danmark udbredt almindeligt som supplement til ordningen med morgengaver[88].

Stig Iuul understregede, at en ægtemand ikke ensidigt kunne skaffe sin hustru en bedre retsstilling som enke, end den som fulgte af lovens almindelige regler. Omgåelser kunne dog finde sted ved skødninger i levende live uden vederlag, hvorved man kom uden om lovbydelseskravet. Men JL krævede arvingernes samtykke og gjorde det derfor frivilligt for dem, om de efter dødsfaldet ville respektere en sådan („hemmelig") skødning.

1547-recessen § 24 (jf. Koldingske reces af 1558 § 39) om sædegårde bestemte, at de, når de faldt i arv, skulle blive på sværdsiden hos brødrene, som skulle gøre søstrene og svogrene fyldest med andet jordegods og penge efter samfrænders samtykke. Dette skulle følges ved al arv blandt adelen, når de alle var lige nære. Lige nære mandlige arvinger tog sædegården, og kvinderne fik andre værdier i forholdet 2 til 1. Hvor der ingen mandlige var, deltes arven mellem kvinderne[89].

I sagen om Johan Friis' stamhus-skøde, som var konfirmeret af Christian III og rigsrådet, men som blev underkendt af Rettertinget på grund af særbegunstigelsen henvistes både til Jyske Lov og recessen, der begge krænkedes ved bestemmelsen om, at ældste nevø skulle overtage gården forlods og siden gå lige i arv med sine øvrige søskende. Fejlen var, at Friis ønskede at begunstige kun een, nemlig den ældste blandt flere brødre – i modstrid med 1547-recessen § 24 om brødrefælliget, ligesom ligearveretsprincippet i Jyske Lov var tilsidesat[90].

En senere sag udsprang også af problemet om lighed contra særbegunstigelse. Christoffer Gøye, der var en meget stor jorddrot, havde ved 2 gavebreve skænket sin broders børn, Mogens, Falke, Mette og Margrethe Gøye, dels godset Bollerup i Skåne, hvortil nevøerne skulle have broderlodder og niecen en søsterlod, dels Gunderslevholm på Sjælland, uden at en delingsnorm var fastsat. Den ene af sagsøgerne, afdøde Mettes mand Axel Brahe, mente, at hvis begge gavebreve skulle tolkes ens, ville gavegiveren selv have nævnt det i brevet. Han

---

87 *T. Algreen-Ussing*, 196-200.
88 *Stig Iuul*, 278-279.
89 *Henning Matzen*, 115 f.
90 Danske Domme, 1375-1662, III, nr. 400.

støttede sig til en ældre rettertingsdom fra 1555 (Bind II, nr. 220), som statuerede ligedeling mellem en bror og en søster. Endvidere fremhævedes, at der var tale om gaver (*in vivo*) og ikke om arv, mens 1558-recessen § 39 handlede om arv. Mogens Gøye krævede på de andres vegne, at gaven burde skiftes efter loven og recessen, fordi den nu var faldet i arv til dem som søskende, og at den påberåbte dom vel var afsagt inden 1558, men efter 1547-rcessens § 24. Men den i 1555-dommen nævnte testamentariske disposition var fra 1536 og derfor ældre end 1547-recessen. Derfor burde gaven deles efter broderlodsordningen. Rettertinget fandt, at gavegiveren ved at bestemme, at hovedgården skulle blive på sværdsiden hos brødrene, dermed selv havde forklaret, at man både skulle følge broderlodsordningen til fordel for brødrene og fælligreglen i 1558-recessen § 39, således at søstrene derfor måtte nøjes med en søsterlod i det øvrige gods[91].

Som omtalt ovenfor kunne engelske fæstebønder både arve og gøre testamenter over deres rettigheder til jorden. Helge Paludan mener, at dette resultat afviger markant fra danske forhold. „Når danske bønder ikke som f.eks. deres sydtyske standsfæller benyttede deres styrkeposition til at gennemtvinge arvedelinger, må det tages som udtryk for, at de har haft afvigende forestillinger om, hvordan et familiebrug etableres og bemandes ...", siger han og kalder husstanden et „engangsfænomen", der ophørte, når det „husstandsledende ægtepar" faldt bort. Paludan rejser et relevant spørgsmål, som han desværre besvarer bekræftende via en anden, nemlig familieantropologen E. Todd. Spørgsmålet lyder: „Kan danske forestillinger om familien i så henseende have udviklet sig afvigende fra andre lande?" og det helt relevante underspørgsmål: „Er det overhovedet tænkeligt?". Svarene har sandsynligvis sammenhæng med d'herrers opfattelse af ejendoms- og arveretsbegrebet. De opfatter *besiddelse* eller *fæsteretten* som en ejendomsret, noget bønderne kunne eje, og derfor arve. Men hverken i Tyskland eller England „ejede" fæsterne fæstejorden. Fæsteretten kunne sikres ikke blot for livstid, men også for enkens og sønnernes livstid. Derimod kunne deres løsøre gå i arv på normal måde. Det, som var arveligt vedrørende fæsteforhold, var altså ikke jorden men *fæsteretten*, opfattet som en *løsøreret*. Herfra afveg de danske forhold næppe eklatant, idet der tidligt blev tale om livsfæste, som ved aftale kunne overtages af enken eller en søn ved konkrete aftaler, altså et de facto arvefæste.

91 Danske Domme, 1375-1662, nr. 737 (26. juli 1595), jf. *Henning Matzen*, 116 f., som mente, at Rettertinget tilsidesatte den ældre dom. Noterne til nr. 737 synes at forklare, at dette ikke var tilfældet, idet forholdene havde været anderledes.

De mange eksempler på aftalemæssige særløsninger både i fremmed og dansk ret dokumenterer, at svaret på Paludans spørgsmål i begge tilfælde burde være et nej: Danmark og danske bønder var *ikke* undtagelsen, men en del af Europa og europæisk kultur – også retskultur[92].

Et brugsforhold kunne også stiftes ved et forleningsbrev på livstid til hustruen. Lejeren stod da som husbond over for de undergivne fæstere og oppebar deres ydelse. Almindelig gårdfæstning stiftedes for et år ad gangen, jf. SKL 238-241 (AS 143-150), men Frederik I's forordning af 14. maj 1523 sikrede fæstebønderne livsfæste. Selv om deres rettigheder modificeredes med Christian III's recesser fra 1547 §§ 31, 33 og 36 og fra 1558 §§ 42, 44 og 45, vedblev fæsteforholdet almindeligt at være livsfæste. Ved stiftelse af kirkelige fæsteordninger var det almindeligt, at giveren forbeholdt ikke blot sin egen brug, men også hustrus og børns brug for livstid[93].

Efter den Dronningborgske reces 1551 § 10 (jf. Koldingske reces § 43) havde enkerne været pålagt nyt fæste senest ved første fardag efter dødsfaldet. Frederik II betænkte dog enker efter fæstebønder på sine egne jorder og kronens gods, fordi man havde klaget over, at enken således blev presset til at fæste den samme gård. Derfor bestemte han i åbent brev af 23. oktober 1565 § 1, at enken uden fornyet indfæstning måtte besidde gården med alle sine tilliggender, så længe hun forblev ugift. Hvis hun ville giftes, måtte den nye mand fæste gården og opnå lensmandens samtykke, inden han flyttede ind. Denne regel blev i generaliseret form gældende for alle enker på alle fæstegårde optaget i DL 3-13-4.

Brydefælliget etableredes for en del ved brugsoverdragelsen. Der blev indgået en aftale om fællesdrift af et jordbrug, hvor ejeren leverede jorden, mens løsøret, navnlig besætning og inventar til en vis grad var i sameje, jf. ESL I, 11, og JL II, 71. Endvidere indtrådte et sameje m.h.t. udbyttet, som bonden og bryden delte i et vist forhold, ofte 2/3 til bryden og 1/3 til bonden. Fællesskabet om løsøret bortfaldt efterhånden, hvad reglerne om tvistigheder synes at dokumentere. I senere regler spiller opgørelsen mindre rolle. Den almindelige ordning i det 14. århundrede blev, at bonden overleverede bryden en del besætning og inventar („holdsfæ" og „holdskorn") efter vurdering, således at den samme værdi skulle svares ved forholdets ophør. Omkring udbyttedelingen var der ingen problemer. Efterhånden blev bryderne til egentlige fæstere, idet kon-

---

92 *Helge Paludan*, 171-173.
93 *Henning Matzen*, Privatret, II, Tingsret, 124 ff., 193 ff.

trakten blev indgået som brugs- eller fæstekontrakter. Men de vedblev endnu i 15. århundrede at kalde sig bryder[94].

Reglerne om selvejerbøndergårde, der senere kom ind i Danske Lov, byggede som allerede nævnt på regler og praksis fra det 16. århundrede, jf. 1558-recessens § 40, hvori det forudsattes, at gården udelukkende tilfaldt en af arvingerne, som fik ret til at bruge den og alle dens tilliggender, mens de andre måtte nøjes med, hvad gårdens besidder, den foretrukne arving, kunne tilbyde dem. Reglerne ophørte med at have betydning i det 18. århundrede på grund af nye regler om arvefæste og selvejergårde, som blev underlagt en anden lovgivning, der forudsatte gårdens salg på offentlig auktion med fordeling af provenuet, hvis der ikke forelå testamente.

IV. Sammenfatning

Skønt arvereglerne fastholdt en forskelsbehandling mellem mænd og kvinder, findes der flere træk i både de sædvaneretlig retsbøger, yngre lovgivning og retspraksis på, at enker fik en mere ligeværdig status i forhold til deres afdøde ægtemænd og mænd i det hele, og at konkrete aftaler netop ofte gik ud på, f.eks. via gensidige bebrevelser, at begunstige enker på arvingers bekostning. Også yngre retspraksis synes på sine steder at afspejle denne tendens, som i øvrigt også kunne vedrøre ugifte eller gifte kvinder[95].

Baggrunden for generationsskifteregler var som nævnt dels hensynet til værdiernes, især jordens, bevarelse som fremtidig subsistensgrundlag for familien og dens efterkommere i et samfund, hvis økonomiske basis udgjordes af jordbrug, uanset om der var tale om ejendoms- eller fæsteforhold. Disse hensyn kunne også ligge bag f.eks. købmandsslægters retlige arrangementer, men typisk var det andre hensyn, som var bærende i købstadforhold. Handel og omsætning fordrede et andet regelsystem, som kunne sikre kreditværdighed, investeringer, risikospredning og kapital. På samme måde var hensigten med reglerne om aftægts- eller fledføringsaftaler, at de skulle sikre de gamles underholds- og plejebehov.

---

94 *Henning Matzen*, Privatret, II, Obligationsret, 191 ff.

95 Sagregistre til Skasts Herreds Tingbøger 1636-1640, 1980, 47, om tilfælde, hvor sønner og døtre arvede lige (1637: 112, 1638: 473, 1638: 526), hvor brødre bevilgede søster fuld arvelod (1637: 744), og hvor enke bestemte lige arv for sønner og døtre (1640: 143).

Udvidelse af det ægteskabelige formuefællesskab fik betydning som generationsskifteordning og enkesikring. Det blev derfor også vigtigt at sikre enken særlige skiftefordele med ret til forlods udtagelse af visse værdier i forhold til fælligkreditorerne, som måske ellers kunne udtømme hele boets midler.

De legale ordninger med ægtefællefællig, fortsat eller udvidet fællig samt brødrefællig havde ved siden af muligheden for aftalemæssige særbegunstigelser i øvrigt i form af ægtefællebebrevelser eller arvingsbegunstigelse det basisformål at fastholde jord samlet i successionsrækkefølgen.

I det 16. århundrede styrkede retspraksis et lighedsprincip mellem brødre via reglerne om brødrefællig med sameje til adelige sædegårde, men svækkede det tilsvarende i forhold til kvindelige adelige arvinger. Med hensyn til ikke-adeligt gods, selvejergårde, svækkedes det middelalderlige søskendefællig fra det 15. århundrede, idet det erkendtes, at opsplitning af jord på mange andele var uheldigt, hvorfor tendensen her gik i retning af at begunstige en af arvingerne eller i hvert fald at sikre, at det ved arvedelingen skabte arvingssameje blev reguleret, således at en af arvingerne blev besidder og ansvarlig udadtil over for det offentlige og kreditorer, og den som kunne træffe beslutninger indadtil.

· 5 ·
Kvinders formuedispositioner i familie- og erhvervsliv

I. Ægtefællernes indbyrdes forhold: Ideologier og virkelighed

Forskelsbehandling mellem mænd og kvinder i familieformueretlig og arveretlig hensende skyldtes ikke alene, at hustruer og ugifte døtre var underlagt en særlig husherre- eller faderlig magt. Denne magt var begrundet i et særligt værgemål og var ikke årsag til en generel myndighed for voksne kvinder. Ægtemandens eller faderens værgeegenskab (tysk: Munt) havde oprindelig alene sammenhæng med hans ret til at forsvare og repræsentere hustruen eller datteren i retssager, der jo i ældre perioder kunne udarte til fejder på våben. Begrænsningen af gifte kvinders retlige råden eller handleevne i formueretlig hensende var en følge af ægtemandens ret til enhver formueretlig råden over de sammenbragte formuer, mens begrænsningen af ugifte kvinders formueretlige handleevne begrundedes med, at de ikke normalt kunne være deres egen værge og altså var at betragte som umyndige[1].

Når begrebet „rådighed" foretrækkes frem for begrebet myndighed i denne sammenhæng, skyldes det de overalt i de nordvesteuropæiske middelaldersamfund gældende regler om kvinders manglende eller begrænsede ret til at råde, d.v.s. foretage retshandler såvel over egne som over fælles midler. For en realistisk beskrivelse af kvindens, her hustruens, retsstilling, er det vigtigt at sondre mellem denne rådighed i formueforhold og den retlige evne til f.eks. at indgå ægteskab, træffe aftale om personligt arbejde eller udfærdige testamenter. Sidstnævn-

---

1 *Inger Dübeck*, Købekoner og Konkurrence, 52-54.

te handlinger forpligter hende personligt, mens rådighed forpligter en formue-masse (egen særformue, fællesformuen eller ægtemandens formue) med eller uden personlig hæftelse på den anden side. Umyndighed er derfor mangel på evne til at indgå retshandler, hvor man forpligter sig økonomisk, men vedrører ikke retshandler, hvor man forpligter sig personligt, såfremt man har opnået personlig myndighed eller er kommet til „skelsår og alder". Urådighed for hustruen er lig med mangel på rådighed eller dispositionsret over ægtefællernes fælles formue, men ikke nødvendigvis over hustruens særeje eller selverhvervede midler. I mange relationer var hustruen efter europæiske retsordninger i middelalder og tidlig nytid myndig, men savnede *rådighed* over dele af (eller hele) formuen, fordi rådigheden alene tilkom ægtemanden, uanset om der var fuldstændigt sær-eje eller formuefællesskab eller blandede formueordninger mellem ægtefællerne.

Ved ægtepagt eller testamente kunne hustruen være tillagt rådighed over f.eks. eget særeje, alene eller med en kurator. Men sideordnet med sin rådigheds-ret havde ægtemanden ret til at bemyndige hustruen (eller andre) til at råde på sine vegne med hensyn til dispositioner, der berørte familiens formue. En sådan speciel eller udtrykkelig autorisation eller fuldmagt fra manden (*voluntas mariti*) var således en konsekvens af hovedprincippet om mandens enerådighed.

Ved siden af denne mulighed, som kunne være praktisk i kritiske situationer eller under mandens fravær, åbnede sædvaneretlige retsordninger og stadsretter ofte mulighed for, at hustruen kunne optræde også uden mandens aktuelle viden og vilje i husholdningsforhold til opfyldelse af familiens behov, i nyere tysk ret kaldet „Schlüsselgewalt". Hustruen kunne herefter råde inden for et meget be-grænset beløbsmaksimum over fælliget eller ægtemandens formue og på den måde forpligte denne og ham. Efterhånden accepteredes det i mange praktiske situationer, at hustruen også uden for husholdningsforhold kunne optræde i formueretlige sammenhænge med mandens stiltiende samtykke eller på grund af hans passivitet trods formodet viden, nemlig hvis hustruen f.eks. optrådte fast som handlende på torvet. Disse muligheder vil blive nærmere analyseret i det følgende.

„Huset" som indbegrebet af patriarkalsk herredømme eller herskermagt i over- og underordnelsesforholdet mellem en husherre og hans undergivne, der udsprang af det middelalderlige adelsherskab, og som omfattede familie, hus-fæller og tyende („*familia*"), fik mindre betydning i borger- eller bondehus-holdninger i middelalder og tidlig nytid, hvor man snarere byggede på et fami-liebegreb omfattende et ægtepar med børn i et arbejdsfællesskab. Modelfamilien var den „hellige familie": Maria, Jesusbarnet og Josef. (se billedsider III ff.)

I Reformationstiden ændrede reformatorerne syn på Huset som det „private" system. Husholdning blev et udtryk for Guds orden. Den blev det grundlæggende element (*societas christiana*) i samfundet og opnåede derfor betydning som „offentligt" system. Husholdning blev et almenvæsen, hvori husmoderen dominerede og udfyldte en offentligretlig funktion, skønt hun forblev under husfaderens magt. Hun blev således nu udstyret med „autoritet".

Voksne, ugifte kvinder og enker betragtedes både i engelsk og fransk middelalder som myndige med selvstændig rådighed („femes soles"), selv om de fortsat måtte have en procesværge. De udøvede derfor almindelig ejerråden over deres formueværdier. Efter enkelte partikularordninger, f.eks. lübske, var dette ikke tilfældet, og her krævedes en særlig værge for den ugifte, men ikke for enken. Efter nogle ordninger kunne enlige kvinder nok råde over løsøre, men ikke over fast ejendom, efter andre kunne de med en kurators medvirken råde over fast ejendom[2].

Men uanset hvor meget de enkelte retssystemer „beskyttede" og dermed undertrykte kvinderne, bevirkede den økonomiske opblomstring i senmiddelalderens nordvestlige Europa, at især de større byer, men også mindre byer, havde behov for kvinders medvirken i det lokale erhvervsliv som småhandlende m.v. eller som billig arbejdskraft, og at den hidtidige retlige fortielse i lovgivning og retsbøger af kvindernes faktiske funktioner ikke kunne opretholdes. Den faktiske virkelighed var ofte anderledes end de retlige kilder lader formode. Hvor man hårdhændet og ensidigt udelukkede kvinder fra deltagelse i erhvervslivet, skabte man et omfattende socialt problem med tiggeri og prostitution.

En direkte påvirkning imellem to eller flere retssystemer kan en komparativ analyse sjældent dokumentere med sikkerhed, men den vil kunne skabe grundlag for nye synsvinkler og nye problemstillinger også ved analysen af dansk rets udvikling, idet de sociale og økonomiske forhold i de valgte fremmede og i det danske retssamfund ofte var mere ensartede end de respektive nedarvede regelsystemer. Det er i øvrigt et ikke ukendt fænomen, at regler som opretholdes igennem flere århundreder, gennemløber en betydningsforskydning og i et senere forløb kan knyttes til andre kendsgerninger end oprindeligt, jf. DL 3-19-2's historie[3].

---

2 *Inger Dübeck*, 62-71.
3 *Inger Dübeck*, Det historiske principalansvar, TfR 1965, 529 ff.

II. Kvinden som hustru eller enke

1. Europæisk ret

1.1. Rådighed *inter vivos* over fællig eller særeje

Ægtemanden havde i *England* under ægteskabets beståen kontrollen over den ejendom, som han selv og hustruen ejede. Han kunne disponere uden hendes samtykke, men måtte ikke udhule de værdier, som skulle underholde hende som enke. Hustruens mulighed for at *indgå* kontrakter skal vurderes i sammenhæng med hendes mulighed for at *eje* særskilt ejendom. Hun kunne optræde som mandens fuldmægtig og forpligte ham, men hun kunne også indgå kontrakter, der forpligtede hendes eget særeje, hvis hun ifølge lokale sædvaneretlige regler havde tilladelse til at drive handel. Bortset fra sådanne afvigelser var hendes retshandler normalt ugyldige, hvorfor ægtemanden ikke havde pligt til at opfylde dem, således som det var tilfældet, når hun optrådte som hans agent[4].

Common Law havde nemlig tidligt anerkendt, at en kontrakt kunne indgås ved en agent eller fuldmægtig, og dette agentsystem accepteredes også i det ægteskabelige forhold. Imidlertid betragtedes hustruens retshandler efter Common Law som udført af manden, fordi ægteparret opfattedes som een person, eet kød og blod. Hustruen kunne i praksis have både en speciel „authority" og en generel[5]. Hvis en gift kvinde købte varer på markedet til familiens brug, krævedes i slutningen af det 15. århundrede, at det var sket efter mandens befaling eller med efterfølgende godkendelse (= speciel). Hvis hun havde købt varer til husholdningen, der var konsumeret, men uden at en sådan autorisation forelå, kunne han ikke tilpligtes at hæfte for hende, og sælger måtte formentlig kunne tvinges til at tilbagebetale købesummen. En forestilling om, at der forelå en „implied agency", altså en præsumeret (= generel) autorisation, dukkede først sent op i engelsk ret. Var ægtemanden forvist eller forsvundet, indtrådte en slags nødretlig situation, der gav hustruen adkomst til at handle til husbehov, således at ægtemanden og formuen måtte hæfte[6].

I modsætning til den middelalderlige Common Law betragtede Equity Law fra det 15. århundrede hustruen som en selvstændig person i formueretlig hen-

---

4 *J.H. Baker*, An Introduction to English Legal History, 555-556.
5 *Inger Dübeck*, Købekoner og Konkurrence, 128.
6 *Inger Dübeck*, 119 f.

seende, f.s.v. som hun ansås for berettiget til i Chancery Court at sagsøge uaf-
hængigt af ægtemanden, ja selv imod ham. Det betragtedes i dette regi ikke som
noget urimeligt at tilgodese en hustru uafhængigt af ægtemanden. Nogle dom-
mere betragtede allerede i denne periode en sædvane eller praksis, der faldt ud til
gunst for den gifte kvinde, som gyldig. Man begyndte at acceptere trust-arrange-
menter alene til fordel for en hustru og at gennemtvinge dem ved Chancery
Court, hvorved hustruen kunne opnå samme uafhængige status, som havde hun
været en enlig kvinde, „feme sole". I det 18. århundrede kunne Chancery Court
ligefrem diktere ægtemænd at sørge for at etablere en slags særeje eller særråden
til hustruens selvstændige brug[7].

Ægtepagter blev efterhånden ret almindelige. Herigennem kunne hustruer
ikke blot opnå tilladelse til selv at nyde deres „nålepenge" til opfyldelse af egne
behov, men også og i stigende grad til at holde særeje under egen kontrol. Det
skete ved særlige trust-ordninger over „nålepengene", som modsvarede et årligt
underholdsbidrag til hustuens personlige behov for at sikre hende under ægte-
skabet, hvorved hun blev i stand til at eje ejendom uafhængig af ægtemanden.
Lommepenge eller opsparede husholdningspenge ønskede Chancery Court dog
ikke at sikre ved en trust-ordning. Kvinder måtte ikke kunne samle penge hem-
meligt, idet man mente, at det rummede en risiko for, at de blev brugt til
usømmelige formål. Et stigende antal kvinder, især de, som havde været gift før,
hensatte deres formuer i en særlig trustee-ordning, før de indgik nyt ægteskab, så
at de nye ægtemænd til deres ærgrelse ikke kunne røre den del af formuen[8]. En
snedig ægtemand kunne dog omgå ægtepagter om hustruens „equitable estate",
hvis hun stod svagt over for ham. Han kunne f.eks. lade hendes formue hæfte for
egen gæld. Netop for at modvirke sådant misbrug indsattes ofte en klausul i
ægtepagterne om en slags båndlæggelse, således at hustruen hindredes i at dis-
ponere over kapitalen under ægteskabet. Hun var „cestui que trust", mens en
trustee (f.eks. en advokat) disponerede på hendes vegne. Hun var „equitable
ejer" eller interessesubjekt, mens ægteskabet varede, og opnåede først fuld ejer-
råden, når hun blev enke som rådighedssubjekt[9].

På disse måder beskyttedes landadelens og overklassens kvinder, hvorimod
de fattigere og middelstandens borgerkvinder ikke havde mulighed for at opnå
trust-ordninger, ligesom de heller ikke trods egen erhvervsvirksomhed havde

7 *J.H. Baker*, 553.
8 *Lawrence Stone*, Family, Sex and Marriage in England 1500-1800, 244.
9 *J.H. Baker*, 328-332.

mulighed for at friholde egne tjente penge fra ægtemandens krav[10]. For de velha-vende klasser var hele denne udvikling især mærkbar fra det 17. århundrede. Efter 1620 var Chancery Court begyndt på denne mere ihærdig praksis omkring ægtepagter og havde således i løbet af omkring 50 år skabt den nye retlige dok-trin for hustruerne. Udviklingen viste sig også gunstig for erhvervslivet, bl.a. fordi man derved fik mulighed for at undgå total ruin for hele familier, hvis manden gik fallit. Men denne udvej forblev ukendt for de lavere kredse af sam-fundet[11].

I de *nordfranske* kutymeområder udvikledes en kombination af det syd-franske dotalsystem og det nordfranske fælleskabssystem. Ægtemanden admini-strerede hustruens „dos" og særeje, samt formuefælliget og behøvede ikke hen-des samtykke til dispositioner, men fik det alligevel ofte vedrørende afhændelse af hustruens faste ejendom, skønt det ikke var foreskrevet[12]. Både efter ældre sydfransk og nordfransk ret kunne hustruen *autoriseres* af ægtemanden til at foretage retshandler. Det var dog i det 13. og 14. århundrede tilstrækkeligt, at ægtemanden efterfølgende ratificerede hustruens retshandler. Senere krævedes forudgående autorisation. Fransk teori har udtrykt tvivl, om denne bemyndi-gelse skulle være udtrykkelig, eller om en stiltiende var tilstrækkelig, og hvilken konsekvens tilsidesættelse heraf skulle have. Om bemyndigelsen skulle være spe-ciel eller kunne udledes af de ægteskabsretlige regler som en generel autorisation til at optræde uden mandens viden og vilje, var også uklart i teorien. Dele af teorien opfattede den generelle autorisation som en abdikation af husbond-myndigheden[13]. En almindelig husmoderbeføjelse til at forpligte fællesformuen til opfyldelse af familiens behov var også accepteret i ældre fransk ret som „le mandat domestique", skønt ægtemanden bibeholdt retten til efterfølgende at erklære en retshandel for ugyldig. I Paris og Beauvaisis måtte hustruer i 13.-15. århundrede forvalte fælles forretninger, hvis ægtemanden var syg eller fravæ-rende, dog normalt kun løsøre, ikke fast ejendom.

Hvis manden var så ødsel eller udygtig, at hustruens dos eller erhvervsind-tægt kom i fare, begyndte man at acceptere bosondringer[14]. Flere af de kutyme-retlige optegnelser, f.eks. „Coutumes de Paris" fra 1510, rummer bestemmelser om bosondring, *separatio quoad bona*. Efter Ernst Andersen synes dette retsin-

---

10 *J.H. Baker*, 553-554.
11 *Lawrence Stone*, 330-331.
12 *Fr. Olivier-Martin*, Précis d'Histoire du Droit Français, 200.
13 *Inger Dübeck*, 128-130.
14 *Inger Dübeck*, 120.

stitut skabt af de gejstlige domstole som en „æquitas canonica" og derfra videre-
ført til verdslige forhold og myndigheder. Fra det 14. århundredes slutning ken-
des eksempler på, at gejstlige domstole har givet *separatio quoad bona*, hvor man
ikke kunne give almindelig separation med hensyn til bord og seng[15]. I løbet af
ægteskabet kunne hustruen således opnå bosondring, hvis manden udsatte sin
og hustruens formue for fare i form af insolvens. Det skulle ske ad rettens vej.
Hustruen fik efter kutymeretten den frie nydelse af sine indkomster og fuld myn-
dighed til selv at administrere sine midler, men ved dispositioner over fast ejen-
dom eller større værdier behøvede hun mandens autorisation lige til hans død[16].

Beaumanoir opregnede en række omstændigheder, hvorefter de af hustruen
foretagne retshandler ikke efterfølgende kunne tilsidesættes af manden. Disse
omstændigheder drejede sig alle om tilfælde af praktisk nødvendighed. Der var
altså tale om et nødrets- eller nødvendighedsprincip eller måske snarere om et
negotiorum gestio-princip, f.eks. hvis manden blev så sindssyg, at han ikke
kunne varetage familiens tarv og formuens forvaltning, tilfælde af langvarig
bortrejse, flugt, forvisning, fængsling under omstændigheder, der ikke efterlod
håb om snarlig hjemkomst[17].

Efter de *tyske* retsordninger stod hustruen under ægtemandens „Munt" og
betragtedes som umyndig. Men hans rådighedsret eller nydelsesret over ægtefæl-
lens formuer var et udslag af hans husbondmyndighed (*potestas maritalis*), ikke
af hans værgeegenskab, som alene vedrørte det forhold, at han måtte repræsen-
tere hende i retten[18]. Ægtemanden kunne efter de senmiddelalderlige ordninger
specielt autorisere hustruen til at foretage formueretlige dispositioner med for-
pligtende virkning for ægtemanden og boet. Efter de ældre germanske husbond-
regler skulle autorisation foreligge som en befaling, d.v.s. som en tilkendegivelse
af vilje eller viden. Ifølge stadsretterne kunne en stiltiende autorisation (eller
passivitet) påføre ægtemanden forpligtelse for hustruens dispositioner. Men
yngre teori krævede en udtrykkelig, om end ikke nødvendigvis forudgående,
viljestilkendegivelse fra ægtemanden[19].

Med hjemmel i en række tyske senmiddelalderlige stadsretter kunne hustru-
en dog helt uden autorisation forpligte boet inden for det område, som dække-
des af „Schlüsselgewalt" eller den almindelige hustrulegitimation som udtryk for

15 *Ernst Andersen*, Ægteskabsret, II, 185-186.
16 *Léon Lotthé*, Le Droit des Gens Mariés dans les Coutumes de Flandre, 51 ff.
17 *Reinald Gräfe*, Das Eherecht in den Coutumiers des 13. Jahrhunderts, 64-65.
18 *Inger Dübeck*, 53.
19 *Inger Dübeck*, 130 f.

en generel autorisation til at købe og sælge til familiens praktiske husbehov og til eget behov inden for et vist maksimum. I *nødstilfælde* kunne hustruen efter mange senmiddelalderlige partikularordninger disponere over fælles midler, især i tilfælde af mandens sygdom eller fravær af længere varighed. Denne legitimation indskrænkedes dog efterhånden til salg af enkelte formuegenstande, inkassering af mandens fordringer, overtagelse af gæld, som hvilede på fællesformuen, og optræden i retten vedrørende fællesforhold, altsammen for ikke at komme til at lide nød[20].

1.2. Rådighed *inter vivos* og hæftelse for købekoner

Både mænd og kvinder måtte arbejde for den fælles økonomi og husholdning, men arbejdet var ofte af forskellig art, og der var også forskelle med hensyn til hvem, der havde kontrol, og hvem, der kunne høste overskuddet. Kvinder deltog i markarbejdet ved siden af de huslige pligter og varetog også dyrkning af køkkenhave, pasning af fjerkræ, malkning og fremstilling af ost og smør samt forarbejdning af uld og hør. Med det 14. århundredes fremvækst af en markedsøkonomi vedrørende brød, øl og klæde antages kvinderne at bruge mindre tid på de klassiske opgaver til familiens selvforsyning og i stigende grad at gå ind i produktion „ud af huset" af disse varer. Fattigere folk, både husbond og hustru, kunne supplere den hjemlige økonomi ved at udleje deres arbejdskraft, selv om kvinder fik lavere løn end mænd. Derfor var det ofte mænd, som arbejdede ude for den bedre løn og kvinder, der arbejdede hjemme[21].

I de europæiske middelalderlandsbyer varetoges en del af fødevarehandlen af kvinder, f.eks. vedrørende fjerkræ, mælkeprodukter og grøntsager, mens klædesalg hørte under mænd. I *England* er det kildemæssigt belagt, at landsbyernes ølindustrier både var ret omfattende og underlagt en vis regulering. I tiden før *Den Sorte Død* findes reguleringerne i brød- og ølacciserne, der fastlagde nationale standarder for mål, kvalitet og pris. I visse „Manor Court Roles" kan man finde en mængde sager, hvor kvinder er blevet idømt bøder for overtrædelser af reglerne („breaking the assize"). Ølsalg var den aktivitet, som hyppigt bragte landsbykvinder for disse Manor Courts. Mange bryggede til mere end husbehov og solgte det overskydende til naboer. Bryggeriet antages ofte at have været organiseret som en fælles (familie)virksomhed under en eller flere kvinders kontrol. En ølbryggerske, Alice, gift med Richard Coleman, blev sagsøgt 70 gange

---

20 *Inger Dübeck*, 120-122.
21 *Judith M. Bennett*, Women in the Medieval English Countryside, 115-119.

10. Med byernes vækst, borgerskabets og erhvervslivets fremgang henlagdes dele af familielivet til det offentlige rum, hvor man kunne mødes med ligesindede i et muntert lag. Amsterdam havde i 1613 518 værtshuse.
Fest i en kro, Jan Steen, 17. århundrede, 117 × 160 cm, Louvre, © foto RMN - R.G. Ojeda.

11. Familieportræt af Jakob Ulfeldt og hustru Birgitte Brockenhus omgivet af ti sønner og to døtre samt en lille hund. Den yngste søn, nummer 11, var ikke født, da billedet blev malet i 1621. Nogle af de afbildede børn døde som ganske unge og kunne ikke have deltaget i den skitserede familiefest.
Det Ulfeldtske familiebillede, 1621, 94 × 133 cm, Det Nationalhistoriske Museum på Frederiksborg, Hillerød, foto: Frederiksborgmuseet/Jens Lindhe 1995.

14. Det kærlige forhold mellem mand og hustru ser ud til at have vundet ny interesse med Rembrandt, hvor den individuelle portrætlighed synes fremhævet ved siden af billedets symbolik.
Isak og Rebekka eller *Jødebruden*, Harmensz van Rijn Rembrandt, cirka 1666, 122 × 167 cm, © Rijksmuseum Amsterdam.

i Brigstock mellem 1299 og 1325. Normalt stod hun også for bøderne, men iblandt betalte manden dem (måske fordi hun var syg). Hun var ikke selvstændig, men havde opsynet med brygningen som en fælles husholdningsaktivitet for familie og tyende. I gennemsnit varede den enkelte bryggerskes karriere indbefattende ølhandel i ca. 20 år[22].

Ølkonen, som bragte kontanter til den fælles landsbyhusholdning, har sandsynligvis nydt en vis ligestilling med manden, hvis hun var dygtig. Men handelsaktiviteten havde ingen konsekvens i retning af at skaffe hende en offentligretlig status, og privatretligt blev fortjenesten øjeblikkeligt opslugt af den ægteskabelige fællesfond, som retligt var kontrolleret af ægtemanden. Selv om hustruen måtte have en god indtjening, hvoraf bøderne kunne betales som en fast driftsomkostning, kunne hun ikke uden mandens medvirken afslutte forpligtende kontrakter. Anderledes i byerne, hvor en borgerhustru kunne opnå status som „feme sole" og dermed ret til at handle selvstændigt. Landsbykvindens situation som værende under „coverture" gav hende kun adgang til det lokale „uspecificerede" marked med fødevarer[23].

Forholdene vedrørende landsbyhustruers arbejdsfortjeneste synes ikke så vel dokumenteret som hustruers handel og erhverv i købstæderne. I senmiddelalderen havde øludskænkning været en fri næring for borgerskabet, men det blev tidligt forbudt at sælge ud af huset til omløbende høkersker til videresalg. Efter en optælling af „alehouses and taverns" fra 1577 havde York 3941, mens Nottingham havde 1028 og Kent 702. Ølsalget blev ofte kombineret med anden næring, måske således at manden havde en borgerlig næring, og hustruen solgte øl[24]. Bryggernæringen havde i middelalderen et ret ringe omdømme og var næsten fuldstændig i hænderne på kvinder indtil slutningen af det 15. århundrede, hvor der indførtes licens. Det betød ikke umiddelbart en hindring for kvinders adgang til at blive alewives, tværtimod var der en tendens til, at man gav licenserne til fattige kvinder og enker, som ellers ville ligge fattigvæsenet til byrde[25].

Den almindelige håndværksmæssige faguddannelse stod ikke åben for engelske kvinder i alle fag. I Weavers Composition fra 1490 hed det, at ingen kvinde måtte arbejde i dette fag under trussel om bøder. Dog kendes et kvindelaug fra Southampton. To søstre fungerede som olderdamer i lauget, der sorterede

---

22 *Judith M. Bennett*, 120-125 med noter.
23 *Judith M. Bennett*, 119, 127.
24 *Inger Dübeck*, 307.
25 *Inger Dübeck*, 314.

og pakkede uld[26]. I 1455 sendte silkevæverskerne i London et bønskrift til Henry VI, hvori de beklagede, at skønt deres laug havde virket i London i umindelige tider som kvindelaug og altid havde importeret råsilke til forarbejdning, blev de nu forhindret af visse udlændinge i deres næring. Kongen støttede dem ved at gennemføre en statut, der forbød lombarder og andre fremmede at importere færdige silkevarer[27].

Ægtemandens almindelige borgerskab gav også hustruen ret til at sælge fra familiens eget hus, kælder eller værksted. Men for at handle fra faste stadepladser på torve eller stræder krævedes særlig licens. Fiskehøkerskerne, „the Birlsters", måtte udnytte deres handelsret som borgersker til frit at sælge fisk i Londons gader, men de måtte ikke oprette et fast stade. Der var i London færre restriktioner i adgangen til at handle som småhandlende, og gadehandlen med fjerkræ, grøntsager, frugt etc. var praksisk taget fri. De omløbende høkersker („huxters") måtte normalt ikke handle på torvet[28]. Brødsalget derimod var underlagt visse begrænsninger f.s.v. angik „female retailers", der gik om med brød fra hus til hus. De måtte ikke overskride London Bridge og måtte ikke selv foretage opkøb uden for City for at bringe det tilbage og sælge det der[29].

Man finder allerede i senmiddelalderen en sondring imellem de næringsdrivende kvinder, der optrådte selvstændigt, og de som blot var ægtemandens medhjælpere. Der har hersket en vis uklarhed omkring kriterierne for selvstændigheden. Hvis en gift kvinde faktisk og uden mandens indblanding („le baroun se melle rienz") drev selvstændig handel eller næring i London, skulle hun betragtes som „feme sole" i alle forhold, der hørte ind under hendes næring. Hun kunne således leje hus eller butik for egen regning. Hun måtte derfor også hæfte for sine egne forpligtelser og kunne blive dømt til gældsfængsel, fordi hun var „public dealer". Men var der tvivl om hendes status som sådan, kunne manden inddrages[30].

I *Frankrig* var adgangen til de uregulerede næringer fri. Detailhandel var en typisk frinæring, som tiltrak mange kvinder, der mod en ringe afgift kunne optræde som høkersker („regrattières"). Høkersker måtte ud over brød handle med frugt, grøntsager og fjerkræ m.v. Det blev tidligt fastslået, at kroejere og

---

26 *Inger Dübeck*, 339-340.
27 *Inger Dübeck*, 389.
28 *Inger Dübeck*, 483-484.
29 *Inger Dübeck*, 484-484.
30 *Inger Dübeck*, 178-180; *Judith M. Bennett*, 119.

bryggere skulle sælge deres øl hjemme, hvor det blev brygget, og ikke ved om-
løbersker eller hustruer[31].

På de faste torvedage, onsdage og lørdage, var høkerhandel enten helt for-
budt eller først tilladt efter et vist klokkeslæt. Høkere og høkersker måtte således
først vise sig, når borgerne havde handlet, og normalt først efter kl. 11 formid-
dag („l'heure des pauvres"), og først derefter måtte de påbegynde deres om-
løben og videresalg. Forkøb af fisk, æg og ost fra leverandørerne, før de nåede
frem til torvet om morgenen, var forbudt, men de mange regler herom synes
jævnt hen ikke at have haft særlig gennemslagskraft[32].

Fransk ret kendte på samme måde som tysk ret en regel om hustruens ret til
at foretage køberetshandler. Havde hun betalt, var handlen af hensyn til om-
sætningens sikkerhed gyldig. Havde hun ikke betalt, kunne hun næppe tilpligtes
at betale[33]. Siden det 13. århundrede har mange franske coutumeordninger an-
erkendt, at en hustru kunne kontrahere frit, hvis hun var „marchande publique"
(„si son seigneur lui a donné pouvoir de faire aucune marchandise"). Hendes
påtagne forpligtelser påhvilede dog formuefælliget, „communauté", der jo var
repræsenteret af manden, og som også profiterede af hendes forretningstalent og
økonomiske overskud. Efter parisisk coutumeret sondredes mellem de selvstæn-
digt næringsdrivende hustruer og de blot medhjælpende, der betragtedes som
en slags fuldmægtige. Selvstændigt næringsdrivende kvinder måtte som andre
debitorer i Paris vandre i gældsfængsel, hvis de ikke kunne skaffe betaling for
leverancer af f.eks. fisk eller brød inden en vis frist.

Ifølge ældre belgisk coutumeret krævedes ikke en udtrykkelig autorisation,
hvis hustruen handlede åbenlyst „au vu et au su" i forhold til ægtemanden.
Handlede hun sædvanligvis offentligt og selvstændigt uden at tage del i mandens
forretning, betragtedes hun som købekone. Ægtemanden antoges at have givet
en slags generalkonsensus, der gik ud på, at hun måtte handle selvstændigt til
begges gavn. En sådan kunne ægtemanden ikke pludselig og uformelt tilbage-
kalde af hensyn til omsætningens sikkerhed og kreditorernes retssikkerhed[34].

En gift kvinde måtte efter flandersk ret være egentlig købekone (*mercatrix*)
eller „marchande publique" for at kunne forpligte familieformuen. Var hun
mandens medhjælperske, kunne hun kun forpligte ham. Hvis en høkerske ikke

---

31 *Inger Dübeck*, 340-342.
32 *Inger Dübeck*, 579.
33 *Inger Dübeck*, 168 f.
34 *Inger Dübeck*, 180-184; *Reinald Gräfe*, 65-66.

optrådte som „mercatrix", men som „institrix" (agent eller mellemhandler) for andre end ægtemanden, forpligtede hun hverken manden eller familieformuen, men kun sig selv. Men handlede hun som selvstændig købekone, forpligtede hun både sig selv og ægtemanden. Hendes kreditorer måtte derfor først søge sig fyldestgjort i hendes midler eller mod hendes person og derefter de fælles midler, idet kontrakten betragtedes, som om den var indgået af begge ægtefæller[35].

Det blev i *Tyskland* efter det 14. århundrede mere almindeligt, at kvinder fik en faguddannelse og optoges i blandede laug. Enkelte større byer som Køln havde ligesom i Paris og London egentlige kvindelaug inden for silkeindustrien i det 14. og 15. århundrede, men efter det 16. århundrede synes kvindelig deltagelse, også i de blandede laug, at gå tilbage[36].

Hvis hustruer deltog i mandens næring eller handel, fik de ikke selvstændigt borgerskab, men blot et afledt borgerskab. Optrådte kvinder, ofte enker, derimod som selvstændigt næringsdrivende, måtte de aflægge borgered, betale borgerskabspenge og optages i borgerskabsprotokollen, selv om de ikke af den grund kunne få pålagt samme offentligretlige pligter, som påhvilede mandlige borgere, herunder politiske beføjelser. Helt uden nogen form for offentlig autorisation eller licens kunne borgerhustruer sælge hjemmeproducerede varer fra hjemmet eller på torvet. Da mange borgerprotokoller var unøjagtigt førte, kunne det volde vanskeligheder at bevise en handelskvindes retsstilling som medhjælpende eller selvstændig. Hvis hun var „Kauffrau" og kunne bevise det, havde hun selvstændig rådighed i sin næring og måtte hæfte med egne midler, men var hun blot medhjælpende, måtte manden hæfte[37].

Mange stadsretlige regler fastlagde de nærmere betingelser for handelsforhold. En regel, der gjaldt i Danzig fra 1385-1455, påbød høkersker („hockerinnen") kun at sælge deres varer fra egen kælder eller vindue, hvis ikke de havde erhvervet fast stadeplads. Høkerrullen fra Lübeck forbød de handlende med faste stadepladser på saltmarkedet at lade deres hustruer sælge af varerne, bortset fra tilfælde af sygdom, derimod måtte de som alle andre borgere lade deres hustruer eller tyende sælge fra eget hus, også på de særlige fiskedage[38].

Efter lübsk stadsretspraksis fra det 16. århundrede gjaldt, at alt, hvad en hustru havde forpligtet sig til eller lovet uden sin mands fuldmagt, var uden

---

35 *Léon Lotthé*, 43-50.
36 *Inger Dübeck*, 343.
37 *Inger Dübeck*, 308 f.
38 *Inger Dübeck*, 486-487, 494.

retsvirkning, var ugyldigt. Men havde hun *købt* noget, måtte hun betale. Forpligtelser i form af pant eller kaution var uden mandens fuldmagt ugyldige, men *køb* var gyldigt. Man talte her om en såkaldt *„Empfangshaftung"*, som gjorde enhver kvinde til „købekone for det enkelte tilfælde". Dette fuldbyrdelseskøb (udveksling af ydelser) var gyldigt, det gjaldt også, hvis hun blot havde modtaget ydelsen men endnu ikke betalt. Her hæftede hun for det modtagne gods og fik samtidig beføjelse til at videresælge samme, jf. Hamborg Stadsret, 1270, IX, 13 (hvad en kvinde køber uden sin værge, det må hun vel sælge uden ham, og det skal være gyldigt). Det køb, som hustruen foretog uden ægtemandens samtykke, kom slet ikke under hans herredømme, hvis han ikke på en eller anden måde bagefter indtrådte i købet og derved selv blev skyldner. Af samme grund kunne hustruen videresælge tingen uden hans samtykke. Hvis en hustru handlede jævnligt på denne måde ved indkøb og videresalg, og hun offentligt blev kendt som sådan, indtrådte de særlige regler om „Kauffrauen". Hvis hustruen havde købt løsøre uden mandens samtykke, synes også yngre teori at have koblet problemet sammen med spørgsmålet, om hun faktisk havde betalt[39].

En ny tysk undersøgelse om købekoners forhold i Leipzig fra det 15. og frem til forrige århundrede har fremdraget tidlige reguleringer vedrørende handelskvinders udvidede retshandelsevne. Ældst af disse er en konstitution fra 1572, der ligesom andre ældre tyske stadsretlige ordninger krævede en selvstændig næringsudøvelse. Retsgrundlaget var en egentlig regulering, der dog indholdsmæssigt ikke adskilte sig fra andre mere sædvaneretlige ordninger. Men til forskel fra disse, som efterhånden ændredes i praksis, fik denne konstitution en lang levetid. Den indeholdt en klar undtagelse fra den almindelige fordring om mandens værgemål for hustruen i procesforhold og hans rådighedsbeføjelser i formueretlig sammenhæng. Undersøgelsen synes at bekræfte et helt almindeligt træk ved det nordeuropæiske senmiddelalderlige og yngre erhvervsliv, at handel med alle former for levnedsmidler i vidt omfang var i hænderne på kvinder, selv om også mænd deltog i denne handel, og at dette afspejlede sig i de erhvervsretlige reguleringer, der nævnte mænd og kvinder, høkere og høkersker sideordnet[40].

---

39 *Inger Dübeck*, 168.
40 *Susanne Schötz*, Handelsfrauen im neuzeitlichen Leipzig: Gewerberecht und Lebenssituation (16. bis 19. Jahrhundert), i: Frauen in der Geschichte des Rechts, 1997, 153 ff.; *Inger Dübeck*, 178-190.

Et særligt høkerlaug fra 1504 synes allerede at være ophørt i 1513. De senere reguleringer omkring høkerhandel fra 1600- og 1700-tallet forudsatte opnåelse af borgerskab eller blot en særlig tilladelse eller koncession, hvilket synes at have lokket talrige fattige ufaglærte folk til Leipzig for at deltage i viktualiehandlen, der således blev et samlingspunkt for de socialt mest belastede og svage personer. Ligesom jeg selv har konkluderet for Danmarks vedkommende konkluderes også i denne undersøgelse fra 1997, at myndighederne har foretrukket at give kvinderne adgang til dette erhverv for at sikre dem et eksistensgrundlag og for at slippe for udgifter til fattigvæsenet[41].

Efter de ældre engelske ordninger måtte den hustru, der optrådte som enlig og selvstændig, i næringsforhold hæfte personligt for sin forpligtelser i næringen. Efter fransk ret forpligtede den selvstændige „marchande publique" ikke kun fælleseje og eget særeje, men også mandens særeje, og tvangsfuldbyrdelse kunne rettes imod begges person. I Tyskland afhang hæftelsesproblemet for „Kauffrauen" af den formueordning, hvorunder de levede. Gjaldt et almindeligt eller begrænset formuefællesskab gik hustruens selverhvervede midler ind i formuefællesskabet, som derfor måtte hæfte for hendes forpligtelser. Uden for formuefællesskabsordningen måtte hun forpligte sin egen formue, uanset om den var under mandens administration eller ej, ligesom de selverhvervede midler antoges at tilfalde hendes særeje, uanset om de indgik i familiens underhold eller kun i hustruens. Efter nogle ordninger dannede ægtefællerne trods hustruens selvstændighed et hæftelsesfællesskab med deres gensidige formuer, f.eks. i Lübeck, mens ægtemænd i andre områder med særeje, antoges at have givet afkald på forvaltningsbeføjelsen med den følge, at hustruens formue blev udskilt og dannede hæftelsesgrundlag for hendes retshandler. Hun havde således særråden og særhæften over sit udskilte særeje og sine selverhvervede midler. Efter yngre retsopfattelse hæftede selvstændige købekoner med hele formuen uanset dennes karakter, og uanset hvem der forvaltede den, fordi hun hæftede personligt og ikke med en enkelt del af formuen[42].

1.3. Rådighed *mortis causa*
Hvis hustruen i engelsk middelalderret ville testamentere, måtte hun ud fra et sømmelighedshensyn formelt have ægtemandens samtykke. Dog antages hun på Bractons tid at have kunnet disponere uden samtykke over det, som hørte til

---

41 *Susanne Schötz*, 159-160; *Inger Dübeck*, 372 f.
42 *Inger Dübeck*, 178-190.

hendes personlige ting, smykker m.v. (*sua propria* eller *paraphernalia*). Der synes at have hersket nogen uenighed mellem verdslige og gejstlige domstole i det 14. århundrede om gifte kvinders testamente, men et gejstligt provincialråd i London fastslog i 1342/1343 (i overensstemmelse med en kirkelig forordning fra 1261), at det ville betyde ekskommunikation for ægtemænd eller andre, der ville hindre den frie testationsret for kvinder, gifte som ugifte, herunder for fæstebønders hustruer. Parlamentets medlemmer protesterede i 1345 imod denne vedtagelse, som de fandt stridende imod fornuften, men de fik ikke medhold af kongen. Efterhånden måtte de gejstlige domstole dog acceptere kravet om ægtemandens samtykke, og endvidere at et samtykke kunne tilbagekaldes. Den kirkeretlige teori forsøgte dog via *paraphernalia*-begrebet at opstille en holdbar teori om hustruers testationsret[43].

William Lyndwood, som var doktor både i kanonisk og romersk ret (1375-1446), og som kort omtales hos Pollock & Maitland, gøres af Charles Donahue til genstand for en indgående analyse og tolkning netop omkring den engelske kirkes forsøg på i det 13. og 14. århundrede at udstrække den allerede gældende jurisdiktion vedrørende testamenter i almindelighed til at omfatte personer, som både Common Law og kutymeretten nægtede testationskompetence, især gifte kvinder. Lyndwood skrev omkring 1450 en „glosse" netop om hustruens ejendom, som blev publiceret ca. 1485[44]. Efter Lyndwood omfattede hustruens almindelige handleevne også testationer, men han havde svært ved at finde en hjemmel i de samtidige retssystemer: jus commune, Common Law og kanonisk ret. Han søgte støtte i teorien om kvinders adgang til at give gaver til fromme formål („almisser") under ægteskabet, selv om mandens samtykke hertil var påkrævet. Også i reglerne om bosondring eller skifte i tilfælde af separation, mandens insolvens eller død søgte han hjælp til en tolkning, idet hustruen i de to første situationer fik en vis øget rådighed, selv om ægteskabet fortsatte og ikke var opløst. Via den lærde *jus commune* og dekretaleretten nåede han frem til, at vel var ægtemanden „*dominus*" af *dos*, men hustruen var „*domina*" af *paraphernalia*, og frugterne af sidstnævnte tilhørte efter Accurcius hende.

Lyndwood blandede på sin egen måde *jus commune*, kanonisk ret og lokal sædvaneret for at dokumentere kvinders testationskompetence. Donahue mener,

---

43 *Pollock & Maitland*, The History of English Law II, 428-430.
44 *Charles Donahue Jr.*, Lyndwood's Gloss propriarum uxorum: Marital Property and the Jus Commune in Fifteenth-Century England, i: Europäisches Rechtsdenken in Geschichte und Gegenwart, 28-37.

at Lyndwood prøvede at fremstille de forskellige retssystemer, netop som han så dem praktiseret, ligesom Knud Mikkelsen, hans samtidige i Danmark. Denne forklaringsmodel havde han klart importeret fra den lærde glossatorverden i Italien. Man kan ikke bygge alene på de overleverede Common Law-regler, der meget vel kunne afvige fra praksis. Flere jurisdiktioner konkurrerede indbyrdes på området for ægtefællernes formue og udviklede både overlappende og modstridende regler, og kirken var med sit teknisk veludbyggede apparat i stand til både at reflektere lokale sædvaner og inspirere deres videreudvikling gennem sine administrative organer og sin undervisning af kirkens folk, jf. Anders Sunesens parafrase. Lyndwood benyttede sig af de norditalienske glossatorers fremgangsmåde til at fastslå, hvad der var gældende praksis. Rent faktisk viste praksis, at hustruer sommetider havde mandens samtykke, sommetider ikke. Oprindelig var testationer forbundet med gaver til fromme formål („almisser"), og først senere blev disse gaver begrebsmæssigt associeret med de romerretlige testamenter. Hustruens rådighed over jord var efter Common Law helt undergivet mandens kontrol, mens løsøre blev mandens ejendom, som han kunne råde over, også testamentarisk, dog med respekt af hustruens kvotadel. Kanonisk ret styrkede hustruers testationskompetence, og dermed deres ret til at give sjælegaver, ligesom den forsvarede enkers ret til en særlig kvotadel af mandens særeje[45].

Sheehan dokumenterer, at praksis i det 13.-15. århundrede, ikke mindst omkring Den Sorte Død, så helt anderledes ud end beskrevet af Glanville og Bracton, og at mange kvinder disponerede testamentarisk, både over løsøre og jord. Selv om Common Law nægtede gifte kvinders testamenter gyldighed, accepterede praksis fra de andre systemers domstole, at kvinder traf beslutninger om deres efterladenskaber. Der er næppe tvivl om, at kvinderne selv og sikkert mange mænd var modstandere af de snævre regler i Common Law, og at kirken via sine bisper og domstole støttede denne praksis ud fra det fromme formål, at alle burde kunne give sjælegaver. Efterhånden fik Common Law-juristerne dog større indflydelse. Denne vigtige udvikling blev standset, og retstilstanden skruet tilbage til et tidligt middelalderligt stadium[46].

Hvor romerretten endnu havde indflydelse i *Frankrig*, kom testamentsretten og reglerne om gaver ret tidligt i brug styrket af kirkelig indflydelse. Herefter kunne man gå i kloster med godt helbred og give livsgaver med øjeblikkelig virkning. Hvis man var alvorligt syg eller lå på dødslejet, skulle testamentsreg-

45 *Michael M. Sheehan*, Marriage, Family and Law in Medieval Europe, 24 ff.
46 *Michael M. Sheehan*, 28-30.

lerne følges (dødsgave – *donatio post obitum*)[47]. Velgørende gaver til kirker og klostre var almindelige, enten som livsgaver, der blev uigenkaldelige ved givelsen eller som dødsgaver, også kaldet „aumône" eller almisser, der ofte gaves på dødslejet, og som fuldbyrdedes via en testamentseksekutor[48].

Spørgsmålet om gifte kvinders testationskomptence måtte i det nordfranske kutymeområde besvares forskelligt efter, hvor man befandt sig. Ifølge Beaumanoirs Coutumes de Beauvaisis fra 1280 var der ingen almindelige regler, som udtrykkeligt tillod hustruers selvstændige testation, heller ikke omvendt regler, som indeholdt et forbud, men nok enkelte særregler om gave- og andre overdragelser med eller uden testamente. Ifølge Beaumanoir krævedes der ikke samtykke fra ægtemanden til hustruens testamente, men han kunne heller ikke tilsidesætte det. I Normandiet, Bretagne, Nivernais og Burgund krævedes samtykke, men disse sædvaneretlige ordninger var yngre end Beaumanoirs. I senmiddelalderen blev samtykkekravet en del af den udbredte ordning også i andre franske provinser[49].

Tysk-germansk ret havde siden det 7. og 8. århundrede kendt de særlige gaver, *donationes post obitum*, til gunst for kirken, der besegledes ved et gavebrev, *traditio cartae*, som tillod gavegiver for sin livstid at bruge den nu uoverdragelige ejendom. I yngre middelalderret blev sjælegaver almindeligt accepteret. Erklæringen kunne ske mundtligt eller skriftligt til en retsprotokol ved en gejstlig ret eller via et privat dokument, der opfyldte formforskrifterne. Dermed var det ensidige, genkaldelige testamente accepteret ved siden af de ovenfor nævnte tosidede og uigenkaldelige aftaler omkring „livsgaver". Først ved receptionen begyndte testamenter i romerretlig forstand at blive almindelige[50].

2. Dansk ret

2.1. Rådighed *inter vivos* over fællig og særeje

Helt frem til retsvirkningsloven af 1925 havde ægtemanden rådigheden over fællesboet og normalt også over hustruens særeje med ret til at behæfte disse midler. Men hustruen var ikke ganske afskåret fra selv at stifte gæld som følge af påtagne forpligtelser, der bandt enten fælliget eller hendes særejemidler. Der

47 *Fr. Olivier-Martin*, 59-60.
48 *Fr. Olivier-Martin*, 185.
49 *Reinald Gräfe*, 67-68.
50 *H. Brunner*, Deutsche Rechtsgeschichte, 239 ff.; *Richard Schröder*, Lehrbuch der deutschen Rechtsgeschichte, 701.

gjaldt dog visse begrænsninger i ægtemandens rådighed; således måtte han have hendes samtykke til afhændelse af jord. Efter SKL måtte manden ikke sælge hustruens arvejord, før han havde fået børn med hende og derved var blevet „barnmynding" eller værge for dem. Gjorde han det alligevel, kunne hustruen dog hverken få salget omstødt eller kræve erstatning under ægteskabet. Det måtte vente til skifte enten ved en separation eller ved mandens død. Erstatningen skulle bestå i anden jord eller i løsøre, hvis der ikke kunne tilbydes jord på skiftet. Hvis hustruen havde samtykket i hans råden over hendes jord, antoges hun at have frafaldet sit krav på senere erstatning[51].

Hvis en sjællænder ville sælge hustruens arvejord, skulle han ikke blot have barn med hende, men tillige have lige så meget jord at stille til sikkerhed af sit eget, som han solgte af hustruens jord. Denne jord, der stod til sikkerhed, måtte han ikke afhænde. Forsøgte han det alligevel, kunne hustruens slægt lyse på tinge, at han ikke med rette kunne sælge jorden. Men lysningen skulle gentages hvert andet eller tredie år, for at hindre at en køber kunne vinde lavhævd. Forbuddet var heller ikke præceptivt efter sjællandsk ret. Det vil sige, at hustruen gyldigt kunne give afkald på sine rettigheder. Det var i øvrigt almindeligt, at mand og hustru i sådanne tilfælde foretog dispositionen samtidig, jf. ESL III, 9, og I, 27. Reglerne i JL var næsten enslydende med de sjællandske. Men erstatningskrav i tilfælde af bortsalg skulle rettes imod den fælles købejord eller mandens arvejord. Var der tale om en nødssituation, hvor manden solgte både sin og hustruens arvejord, kunne hun ikke kræve erstatning. Både manden og hustruen kunne (med den andens samtykke) med hjemmel i JL III, 43, sikre den anden ægtefælle en bedre retsstilling på skifte, hvis arvingerne ikke protesterede. Hustruen måtte efter JL III, 44, ikke skøde bort eller på anden måde afhænde jord uden mandens råd og rette arvingers vilje. Forholdt manden sig passiv til hendes dispositioner, kunne arvingerne kræve, at salget gik tilbage, og i så fald kunne manden ifalde et ansvar for manglende hjemmel over for køberen. Iuul antog dog, at der var fri dispositionsret for hustruen, hvis arvinger efter nægtet samtykke og lovbydelse alligevel forholdt sig passive[52].

Hustruer var i 1500-tallet endnu beskyttet af landskabslovenes regler i forhold til deres ægtemænds dispositioner. Viborg landsting fandt den 29. januar 1547 salget af en hustrus ejendom ugyldigt. Ægtefællerne var barnløse, og der var ikke indhentet samtykke fra hustruens arvinger, ligesom der ikke forelå trang.

---

51 *Stig Iuul*, Fællig og Hovedlod, 201-204.
52 *Stig Iuul*, 200-201.

Manden ejede ikke jord af samme værdi. En ægtemand havde inden sin død i 1541 bortforpagtet hustruens mølle på forpagterens livstid. Rettertinget fastslog den 2. december 1547, at hustruens arvinger fra 1. ægteskab burde besidde møllen, da manden ikke med rette kunne hjemle forpagteren en besiddelse ud over ægtemandens egen levetid. Forpagteren måtte sagsøge ægtemandens arvinger. En barnløs adelsmand havde udstedt et pantebrev på sin hustrus jordegods. Rettertinget kendte det på sit møde i København den 27. maj 1592 ugyldigt, da en ægtemand ikke måtte afhænde sin hustrus jordegods, uden at han selv havde en lige så god jord at stille som sikkerhed. Landskabslovenes principper blev således fortsat håndhævet, jf. JL I, 35. I forbindelse med en skiftetvist mellem en enke og hendes svoger statuerede de tilforordnede råder den 26. juni 1593, at vitterlig gæld (jf. Reces af 13. december 1558 § 53) skulle betales af fællesboet og ikke påhvile enken alene, samt at enken havde krav på godtgørelse i sin afdøde mands købejord eller fædrene jord for, hvad han havde solgt af hustruens jord[53].

I praksis synes hustruer ofte at have afhændet jord uden mandens råd, ligesom ægtemænd – mere eller mindre frivilligt – synes at være gået ind på at opfylde eller ratihabere de af hustruerne således påtagne forpligtelser. Uden for Jylland og Fyn tillagde man et af hustruen meddelt samtykke til mandens dispositioner over hendes jord gyldighed. Ved skødning af hendes jord stod hun „hos" og lagde sin hånd på hans højre arm som udtryk for samtykket. Måske udtrykte denne ceremonielle handling, at der var tale om en fællesdisposition („med samlet hånd"), jf. i tysk ret udtrykket „zu gesamter Hand". I øvrigt kunne hustruen altid efter ESL III, 53, møde som fuldmægtig for manden på tinge[54].

Udgangspunktet vedrørende fælliget var, at rådigheden tilkom manden. Man kan dog i kilderne finde mange eksempler på, at gifte kvinder også efter dansk ret kunne råde ikke blot med mandens samtykke eller autorisation, men også helt uden, nemlig med hjemmel i en særlig legitimation eller legal autorisation til at foretage retshandler til gavn for familiens almindelige behov eller husførelsen. Denne legitimation kaldes i engelsk teori „implied agency", i fransk „mandat domestique" og i nyere tysk doktrin „Schlüsselgewalt". Disse begreber var udtryk for et pragmatisk hensyn (*æqvitas*) til familiens trivsel, men i byerne vel også et hensyn til omsætningen. Folk måtte kunne regne med, at hustruens almindelige dispositioner i form af indkøb eller salg til husbehov også bandt ægtemanden og familieformuen.

---

53 Danske Domme, 1375-1662, nr. 703.
54 *Stig Iuul*, 198 f.

Regler, som således tildelte hustruen en almindelig legitimation til at handle *uden mandens samtykke* over fælliget, findes i SKL 152 (AS 96) og ESL III, 35, samt i de ældre redaktioner af Slesvig § 39 og Flensborg stadsret § 82. De fastlagde normalt en beløbsramme, inden for hvilken hustruen kunne råde, i landskabslovene 5 penninge og i stadsretterne 12 øre eller ørtug. Ægtemanden kunne hindre denne trafik ved at nedlægge forbud på tinge. Det er i øvrigt påfaldende, at JL ikke havde en tilsvarende regel. Til gengæld støttede JL III, 44, muligvis den opfattelse, at hustruen, selv om manden forholdt sig passiv, kunne disponere over fælliggods og muligvis overskride en eventuel sædvanebestemt beløbsgrænse, hvis han var indforstået[55].

SKL 152 udtrykte, at hustruen ikke måtte „sælge" mere end fem penninge af bondens bo. Også ESL III, 35, og JL III, 44, bruger udtryk, der karakteriserer hustruens transaktioner som afhændelse eller salg. SKL 16 taler derimod om „køb", men vel at mærke børns købetransaktioner. AS 9 synes ikke at udelukke, at sådanne *erhvervende* transaktioner til fordel for fælliget også kunne foretages af hustruen, når der siges: Alt hvad der i fællig enten tabes ved de enkeltes skyld eller vindes ved deres flid, tilfalder dem alle. Dette burde gælde også vinding skabt af hustruens vellykkede købs- eller salgstransaktioner. Det, som kunne forvolde retlige problemer, var påtagelse af gældsforpligtelser udadtil, for hvilke fællesformuen skulle hæfte, jf. ESL I, 42. I AS 18 in fine udtalte Anders Sunesen, at ingen ægtehustru eller enke, der støtter sig til sin lovmæssige værges velovervejede råd, skal det være forbudt at afhænde, hvad hun vil af sit gods. Efter Stig Iuul gik ægtemænd ofte mere eller mindre frivilligt ind på at opfylde hustruens påtagne forpligtelser, også vedrørende afhændelse af jord uden hans forudgående „råd", hvorved han efterfølgende ratihaberede hendes dispositioner[56].

Retspraksis fra det 16. århundrede viser, at en hustru kunne „umyndiggøres" på tinge. Således blev der i Ribe ved en afgørelse af 27. april 1599 nedlagt forbud mod at købe eller sælge eller pante noget af en hustru, der uden mandens viden og vilje havde forødt hele formuen. Bytinget i Thisted ville i en anden sag ikke kende en pantsætning ugyldig, fordi manden ikke havde gjort sin hustru „umyndig", og fordi der kun var tale om en enkelt ting, et ølkar. Men dommen underkendtes af Viborg Landsting i 1574, fordi hustruen havde afhændet meget af hans bo under hans fravær mod hans vilje. Under henvisning til, at manden var boets værge, tilkendtes han ret til at vindicere sit gods. Måske var landsdomme-

---

55 *Inger Dübeck*, Købekoner og Konkurrence, 105-110, 126 f.
56 *Inger Dübeck*, 161-164.

ren i Viborg mere tilbøjelig til at følge det almindelige retsprincip om hustruens urådighed, mens byfogden, der stod nærmere ved de næringsdrivende, nok lagde mere vægt på omsætningsinteressen end på den (aristokratiske) ejer- og magtinteresse. Begge sager synes at lægge en vis vægt på værdiernes størrelse, men overinstansen fandt også spørgsmålet om ægtemandens manglende autorisation af dispositionerne væsentlig. Retspraksis må logisk have opfattet hustruen som principielt „myndig", eftersom hun kunne „umyndiggøres" på tinge. Dette underbygges også af, at retspraksis synes at anerkende hustruers gældsstiftelse. Skønt fru Elline Basse uden sin husbonds vidende havde udstedt et gældsbrev til en anden kvinde, for en guldkæde hun havde lånt, blev fru Basses arving ved en herredsdom af 28. juli 1595 dømt til at hæfte for gælden, fordi gældsbrevet fandtes „med fru Elline Basses egen hånd underskrevet"[57].

1500-tallets retspraksis afspejlede ikke en entydig opfattelse af, hvilke konsekvenser, der burde følge af hustruers uberettigede dispositioner, om de kunne blive opretholdt som gyldige i forhold til ægtemanden, eller om han kunne kræve, at dispositionen tilsidesattes som ugyldig med den følge, at handlen måtte gå tilbage, d.v.s. at han kunne vindicere. Landskabslove og stadsretter stod på et vindikationsprincip, hvis maksimum blev overskredet eller, selv om dette ikke var tilfældet, hvis hustruen blev umyndiggjort på tinge. Retspraksis synes at have været tilbøjelig til at nægte vindikation i visse låneforhold og til at kræve vindikation i visse tyveri- og familieforhold, dog iblandt modificeret ved en løsningsret, hvorefter trediemand fik krav på godtgørelse af købesummen eller erstatning.

Af særlig betydning er den bekendte sag mellem Lisbeth Sehested og pantelånerske Lisbeth Albrett Villumsen, der blev afgjort af Rettertinget i 1590. Rådsstueretten i København synes at have opfattet Lisbeth Sehested som rådighedsberettiget „ejer" af de pågældende værdigenstande, der formentlig var hendes særeje, og opfattet ægtemanden som blot procesværge for hende, mens Rettertinget synes at have opfattet manden som den rådighedsberettigede „ejer". Endvidere synes rådstueretten at have opfattet sagen som et forhold mellem udlåner og låntager, mens Rettertinget synes at have bygget på principperne i landskabslovene om hustruens begrænsede dispositionsret og mandens vindikationsret. Rettertinget synes i øvrigt også at have lagt vægt på romanistiske forestillinger om *justus titulus* (hjemmel) og *bona fides* (god tro), måske fordi landskabslovenes regler ikke eksakt dækkede tilfældet, og man derfor befandt sig på et ulovbestemt område, hvor andre retsprincipper kunne bringes i anvendelse.

---

57 *Inger Dübeck*, 112-114.

Mens rådstueretten havde opfattet hustruens lånetransaktion som retmæssig, havde rettertinget ikke blot opfattet den som uberettiget, men tillige lagt vægt på vanhjemmel hos pantelånersken og ond tro hos trediemand[58].

Ligesom man kunne gå til tingene for at få frataget hustruen den almindelige, men begrænsede rådighedsret, således kunne man modsat afhjælpe eller udvide denne rådighedsret, hvis ægtemanden var fraværende, bortebleven, syg eller sindssyg, drikfældig, ødsel o.lign. En mulighed var bosondring med eller uden separation, en anden var myndighedsbevilling eller værgebeskikkelse. Bosondring havde været kendt i Danmark allerede i den katolske kirkes tid (*seperatio quod bona*). Bosondringen medførte en enkeret for den endnu gifte hustru med fuld råderet over sin del af det skiftede bo. Tilfælde af bortrejse eller alvorlig sindssygdom var at ligne ved nødssituationer, som i det 16.-18. århundrede ofte blev afhjulpet ved at give hustruen en kgl. bevilling til at forestå hus og handel under tilsyn af lensmanden, jf. sagen om borgmester Ditmars hustru i Vejle fra 1594 og sagen om Magdalene Munk fra 1608. Der var her tale om at tildele hustruen fuld kompetence til at råde over hele boet, så længe mandens svaghed vedvarede, således at jorden kunne drives, og forretningerne føres videre, så hverken „kronen, kirken eller præsten" skulle lide skade! Der skimtes ofte et pragmatisk økonomisk eller fiskalt hensyn i baggrunden for dispensationer af denne art[59].

Reglerne om den særlige hustrulegitimation i f.eks. SKL 152 (AS 96) og ESL III, 35, tog kun hensyn til de daglige fornødenheder til opfyldelse af familiens behov, men ikke til særlige nødsituationer, således som det skete i bevillingspraksis. Men sandsynligvis har her som andre steder *nødretprincippet*, „nød bryder alle love", været bragt i anvendelse, således at hustruer eller ugifte kvinder måtte disponere over jord i strid med almindelige regler. Nødretsprincippet ses anvendt i SKL 48 (AS 18) (sulten kender ikke nogen lov), VSL I, 67, ESL III, 10 og 11 (hungersår, „hvad nytter jorden dem, hvis de selv dør fra den") og i JL I, 29 (om salg af trang) samt i JL I, 36 (en pige bliver så fattig, at hun må sælge jord for at opretholde livet). Problemet tages op til drøftelse i forbindelse med forarbejderne til DL og udmøntes i DL 5-1-13, som vil blive drøftet nærmere i Anden Del.

---

58 *Inger Dübeck*, 152-155.
59 *Inger Dübeck*, 224-226.

2.2. Rådighed *inter vivos* og hæftelse for købekoner

Selv om kildematerialet ikke er så omfattende vedrørende kvinders formueretlige stilling på dette område i dansk middelalder, er det dog muligt at skitsere en ordning, hvorefter kvinder kunne drive næring og dermed foretage sig de dertil nødvendige retshandler, ligesom kilderne viser, at professionelle handelskvinder rent faktisk har fungeret i danske byer ligesom i andre europæiske middelalderbyer. Efter Tønder stadsret fra 1243, cap. 34, måtte kun de kvinder, som havde tilladelse til at drive handel, handle over det almindelige maksimum af 12 penninge. Reglen var reciperet fra Lübeck Stadsret, hvorfor man ikke alene på grund af dens eksistens kan garantere, at købekoner har fungeret i middelalderens Tønder. Denne regel kommernær de tyske om „Kauffrauen" med krav om en eller anden offentlig autorisation i form af borgerskab, næringstilladelse eller betaling af næringsskat i forbindelse med stadeplads. Haderslev stadsret fra 1292 tillod ølkoner at tage pant for det øl, de solgte, hvis de ikke ville give kredit. Men stadsretterne havde kun få regler, der omhandlede købekoners formueretlige stilling.

De professionelle handelskvinders næringsretlige retsstilling og faktiske forekomst belyses især via reguleringsretlige bestemmelser, herunder afgiftsreglerne, men også ved hjælp af kendte handelskutymer og sædvaner. I det følgende skal især denne offentligretlige side belyses, mens den familie- eller ægteskabsretlige vil blive omtalt nedenfor. I Slesvigs ældste stadsret (1211-1241) omtaltes i § 36 en *tabernaria* som en fast institution (DGKL, I, 10). Efter Flensborg stadsret (tidligst 1388) skulle byens 8 „krogerschen" efter § 16 betale deres afgift på rådhuset 4 gange om sommeren og 4 gange om vinteren (DGKL, V, 121). Efter Erik Glippings stadsret (efter 1269) påhvilede der de kroersker, som solgte tysk øl, en særlig afgift for drikkevarerne (DGKL, V, 34). Ifølge Christoffer af Bayerns stadsret 1443 § 4 måtte både borgere og kroersker sælge dansk øl såvel inden huse som ud af huset (DGKL, V, 36).

Den lundensiske birkeret (15. århundrede) bestemte om „øllquinæ", at den kroerske, som ikke vil give ret mål, skulle straffes på kagen eller miste retten til at udskænke (DGKL, IV, 1599). Varer til dagligt forbrug, herunder drikkevarer, var underlagt offentlig kontrol på priser og mål. I Slesvig stadsret (1211-1241) skulle efter § 36 kroersker og vintappere, som holdt ulovligt mål, have dette brudt og betale bøde. Efter Flensborg stadsret fra 1284 skulle efter § 63 „*mulier tabernaria*" bøde, hvis hun solgte dyrere end tinglyst, jf. plattysk tekst fra ca. 1300 og 1431 (DGKL, I og V). Haderslev stadsret fra 1292 bestemte i § 37, at „bothekune" (høkerske), som sælger skaftefoder og hø, ikke måtte sælge øl

(DGKL, I, 275). Efter Erik af Pommerns privilegier for Helsingborg 1414 § 3 skulle borgmesteren (fast)sætte måde (mål) med ølkonerne (DGKL, IV, 159).

For Skånemarkederne fastsatte skanørloven detaillerede afgiftsbestemmelser for ølkoner og fiskekoner, samt ghellekoner og læggekoner. Afgifterne blev nærmere præciseret i toldregistrene fra 1494. Ifølge Dietrich Schäfer skulle der på denne tid være 81 kroer på Falsterbo, 32 på Skanør og 2 på Hob, som alle var danske og ejet af kvinder[60].

I Malmø, hvor bryggerne var organiseret i et bryggerlaug, synes lauget i det 16. århundrede at have fået øget indflydelse på ølsalget med den følge, at hidtil selvstændige ølkvinder fik sværere ved at klare sig. Det samme synes at have været tilfældet i København, hvor bryggernes skrå af 25. januar 1592 forbød kroerskerne at udtappe eller sælge dansk øl i pottetal, medmindre de havde købt det samme øl af bryggerne[61].

I Malmø var der i 1500-tallet i det hele taget tendens til laugsdannelser, også for kvinder, jf. en vedtægt fra 1534, hvor byens råd og borgmester sammen med kongens foged og repræsentanter for den menige almue for at komme den ulovlige handel til livs havde besluttet, at høkersker og fiskeblødersker skulle have et laug. Fiskeblødernes skrå fra 1540 åbnede mulighed for optagelse af kvinder. Det samme gjaldt badskærernes skrå fra 1544 og kræmmerskråen fra 1547-1548, som tillod sømmersker at handle med linnedklæder. Det er uvist, om beslutningen om et særligt kvindelaug blev til noget. Snarere må man antage, at rækken af nye laugsskråer netop løste problemet om kvindernes organisering[62].

Reglerne om hustruers adgang til, også uden samtykke fra manden, at disponere over *fælliget*, når dispositionerne faldt ind under almindeligt husholdningsbehov, synes som det vil fremgå af det følgende at have virket fremmende på det særlige opkøb med henblik på videresalg med ulovlig fortjeneste, der var i strid med reglerne om forprang eller forkøb, og som kom til at plage de stadsretlige myndigheder i århundreder. I en vedtægt for Malmø 1534 nedlagdes forbud mod at opkøbe „ædendes varer inden byes porte at sælge til forprang". Enhver skal købe så meget „som hand haffuer behof til sitt ægett huszes opholdelse" (altså netop til husbehov og ikke til videresalg). (Malmø Rådstueprotokol (stadsbok) 1503-1548, 114 f. og 236 ff.). Det skadelige forkøb, som

---

60 *Dietrich Schäfer*, Das Buch des Lübeckischen Vogts auf Schonen. Einleitung, LIX, LXXXII, jf. Beilag I, § 52, II § 19, 21, 35, 43, 48.
61 *Inger Dübeck*, 303-306.
62 Malmø Rådstueprotokol (stadsbok) 1503-1548, 11, 272; *Inger Dübeck*, 337-338.

især mange kvinder gjorde sig skyld i, bestod i 1) at trænge ind i en andens handel og f.eks. ved overbud at hindre den andens køb, 2) i opkøb med videresalg for øje og 3) som en særlig variant af 2) opkøb af torvevarer fra bøndernes vogne, når de var på vej ind til byen, enten uden for portene eller før de nåede frem til torvet.

Christian I's privilegium for Aalborg af 1449 påbød, at de, som sælger krydderier, brød, løg, æbler og nødder, skal stå på markedet i 3 dage og handle med almindelige borgere, mens „bodekarlle och qvinder, hogher og hogiskier" ikke måtte købe sådant til forprang (videresalg), før de tre dage var gået (DGKL, II, 277). Helsingør byråd vedtog 1551 et forbud imod høkerskehandel ved bøndernes vogne på torvet med trussel om straf i form af hensættelse i halsjern. Forbudet havde adresse til de kvinder, som plejede at bruge den slags ulovligt køb. Alle tilstedeværende på rådhuset var enige om at fritage dem for pligten til at betale næringsskat og dermed fratage dem retten til at handle på torvet. Især en af kvinderne, Dorothea Nippers, havde forsøgt at hindre en mandlig handlende i at gennemføre sin handel. Tyve år senere klagedes der igen til byrådet over, at folk gik uden for byen og gjorde ulovligt køb af varer, før de nåede ind på de rette torvesteder, og at det især var „hugisker og andet sådant folk, som byen haver ingen hjælp udaf i afgifter eller andre måder" (man havde jo „befriet" dem for afgifterne), fordi de videresolgte varerne meget dyrt. Man gentog derfor forbudet mod forprang eller forkøb (i betydning 2) og 3))[63].

Dansk ret savnede i det helt taget udtrykkelige regler om en mulig udvidet rådighed og hæftelse for købekoner i lighed med de regler om „femes soles" vi kender fra England og Frankrig eller de engelske, franske og tyske stadsretlige regler om „public dealers", „marchandes publiques" og „Kauffrauen", skønt købekoner relativt set har været lige så almindelige i danske byer som i de øvrige nordeuropæiske.

Ægtemænd kunne, til fordel for familiens økonomi, lade hustruer optræde enten som medhjælpere i deres næring eller autorisere dem til at optræde selvstændigt i eget navn, i egen næring. Men selv uden en udtrykkelig bemyndigelse kunne gifte kvinder som nævnt udnytte den almindelige hustrulegitimation til at købe eller sælge de varer, som normalt faldt inden for familiens husbehov, men i større mængder og med den skjulte hensigt at tjene penge ved videresalg til andre. En hustru med ret til en stadeplads, eller som handlede hjemme fra egne

---

63 Helsingør Stadsbog 1549-1556, 93, 97 f., 122 f.; *Inger Dübeck*, 564-575; *Grethe Jacobsen*, Kvinder, Køn og Købstadlovgivning 1400-1600, 203-207.

vinduer, handlede selvfølgelig med mandens viden. Hvad hun derimod foretog sig i sin egenskab af husmor i form af sådant opkøb med henblik på omgående videresalg, kunne han ikke altid vide eller vælge at lukke øjnene for, da det var klart i strid med næringsreglerne om forkøb m.v. og faldt uden for hans ægteskabsretlige hæftelse[64].

Hvis en gift kvinde var antaget som f.eks. omløberske for en bager eller som øltapper for en brygger for at sælge hans varer, kunne hun opfattes som værende ansat i et tjensteforhold og derfor som handlende i arbejdsgiverens navn. I visse handelsfag, for hvilke hurtig afsætning af varer var af væsentlig betydning, synes der netop at have været tradition for løs medhjælp i form af omløbende sælgersker, jf. bagernes laugsartikler fra den 23. juni 1683 § 13, der understregede, at denne trafik var forbudt „på det den ene mester i lauget ikke skal betage sin laugsbroder sin næring". Øltappersker optrådte imidlertid ofte som en slags mellemhandler (nærmest en slags kreditkonsignation), d.v.s. i eget navn. I bryggerskråen fra Malmø (1547-1548) skulle den „øltapperske som tapper for en mand" være *pligtig at betale* for øllet inden 14 dage efter, at tønden var tom (Malmø Rådstueprotokol (stadsbok 1503-1548, 257). Hvis en høkerske blev bedt om at sælge en ting for en anden, uden at køber fik kendskab til, hvem ejeren var, og hun solgte tingen i overensstemmelse med hvervgivelsen, d.v.s. som en slags salgskommissionær, måtte hun også optræde i eget navn. I Visby stadsret II, 4, § 3, findes regler om høkersker, som således handlede med tilskårne klæder og brugt husgeråd, d.v.s. en slags marskandiserhandel. En bestemmelse fra København fra 1587 forbød sælgekoner at gå ind i folks huse og henviste dem til i stedet at handle på bl.a. Pjaltemarkedet[65].

I fremmed ret fremhævedes sondringen mellem *selvstændige* og *blot medhjælpende* kvinder som retlig relevant for spørgsmålet om tilstedeværelse af en udvidet rådighed eller ej. Ved sit *samtykke* kunne ægtemanden lovliggøre hustruens rådighed over og hæftelse med fælligmidler som hans medhjælper. Han kunne også give hende tilladelse til at optræde som selvstændig, men for at dette skulle have retsvirkning i offentligretlige og processuelle forhold, krævedes formentlig yderligere en offentlig akt eller en kongelig bevilling. En tilsvarende sondring mellem medhjælpende eller selvstændige hustruer ses ikke brugt i dansk ret.

Derimod ser det ud, som om visse kontraktformer har været mere *kvindegunstige* end andre uden at bryde med de traditionelle regler om formuefor-

---

64 *Inger Dübeck*, 199.
65 *Inger Dübeck*, 201-208.

holdet mellem ægtefæller. Visse kontraktformer synes at have været blandt de foretrukne i danske købstæder, måske fordi de indebar mindst mulig risiko for ægtemanden og fællesformuen. Det drejer sig især om sådanne, som skabte ret for eller imod en trediemand, således at købekonen stod som formidler i en eller anden forstand. Gifte koner kunne formentlig påtage sig en slags „daglejer-tjans", f.eks. som sælger eller omløberske for en bager eller urtekræmmer („ren-dekællinger"). Men de kunne også optræde som mellemhandlere, f.eks. øltap-persker, pantelånersker eller marskandiser på pjaltemarkedet. Her synes de at kunne optræde i eget navn med en selvstændig hæftelse for de modtagne varer. I den juridiske doktrin brugtes det romerske „*institor*"-begreb i denne sammen-hæng. Institor var en høker eller agent for en grosserer enten i en bod, som omløber, eller som mellemhandler. Hustruen måtte, hvis hun var „*Institrix*" ved siden af de huslige gøremål, formodes at have mandens accept, og derfor, hvis hun påførte arbejdsgiver tab eller skade, også at kunne forpligte fællesformuen. Hvis hun optrådte uden mandens viden, måtte hun formentlig hæfte alene for sin gæld.

Hvis hun i eget navn handlede i en sådan mellemhandler- eller agentfunk-tion på den måde, at hun fik andres varer eller en (brugt) ting overdraget til salg, hæftede hun med den modtagne vare eller den aftalte pris, og handlen var gyl-dig. Men hvis hun overtrådte hvervgivelsen ved at pantsætte, hvor hun havde tingen i depositum, eller solgte i stedet for at pantsætte eller omvendt, eller solg-te på kredit, hvor hun var anmodet om at sælge kontant, måtte hun hæfte i forhold til hvervgiveren, der muligvis havde vindikationsret. Ansvaret for ølleve-rancer eller for den omkontraherede vare var begrænset til den aftalte pris. Risi-koen var til at overse, og ægtemanden må formodes at hæfte i hvert fald *subsidi-ært* med fællesboets midler, da hustruens fortjeneste jo bidrog til formuefælliget.

Ved det ulovlige forkøb inden for hustrulegitimationen som et kontant op-køb, før varen nåede torvet med henblik på videresalg med fortjeneste, var der netop ikke tale om en aftalt pris, for hvilken varerne skulle sælges, og manden formodedes ikke at have givet samtykke[66].

Man kan, ligesom tilfældet var efter Hamborg Stadsret, forsigtigt drage nogle paralleller mellem danske og europæiske købstadforhold. Hvis konen køb-te uden mandens samtykke, vedrørte købet ikke ham. Han kunne ikke komme til at hæfte. Det således købte kunne hun derfor videresælge uden hans samtykke, dette gjaldt, hvad enten hun holdt sig inden for eller overskred sin hustrulegi-

---

66 *Inger Dübeck*, 208-212, 218 f.

timation. Dansk ret havde kun reguleringsretlige regler om ulovligt forkøb m.v., der for så vidt var kønsneutrale, men ingen familie- eller ægteskabsretlige regler om netop disse situationer. Landskabslove og stadsretter talte kun om hustruens *afhændelse* af fælligværdier, netop ikke om køb og videresalg, der gik uden om fælligformuen. I tysk og fransk, ja selv engelsk ret, var det afgørende, om hustruen optrådte alene uden mandens indblanding. Gjorde hun det til stadighed og offentligt, blev hun både *de facto* og *de jure* købekone. Til forskel fra de nævnte fremmede, stadsretlige principper havde man ikke i dansk ret regler om, at det forhold, at hun blev offentligt kendt som køber eller sælger, gjorde hende til købekone, altså ved en slags erhvervshævd. Den retlige regulering var alle steder styret af nærings-, afgifts- og ordensretlige forskrifter, og ikke af privatretlige regler.

Man synes at kunne slutte, at hvad hustruen købte uden husbondens viden, kunne hun også sælge uden ham. Det købte kom slet ikke under hans herredømme, når det ikke blev brugt i husholdningen. Den danske opfattelse minder måske mere om den såkaldte „Empfangshaftung" i hanseatisk ret. Hvis hustruen ifølge denne havde påtaget sig forpligtelser via kaution eller pantsætning over et vist minimum, var retshandlen helt ugyldig. Det var derimod ikke tilfældet, hvis hun blot udvekslede ydelser, købte en ting og solgte den igen. Så blev hun for det enkelte tilfælde *de facto* købekone. *De jure*-købekone blev den danske hustru kun, såfremt hun blev afgiftsbelagt for en stadeplads eller blev pålagt andre næringsafgifter.

2.3. Rådighed *mortis causa*

Efter ESL I, 31, jf. VSL I, 48, måtte en mand og en hustru drage i kloster med en fuld lod, hvis de tog ordensdragt. Var de syge, når de gik i kloster (for at få hjælp og pleje), måtte de kun medtage den halve lod. En mand var syg, som ikke var i stand til at ride til tinget eller til andre stævner, og den kone var syg, som ikke kunne gå med sine nøgler og forestå husholdningen. Var kun den ene af dem syg, måtte de medtage deres fulde hovedlod. Men mand og hustru skulle begge gå i kloster. Efter ESL I, 32, måtte manden og hustruen i dødsgave kun bortgive den halve hovedlod. Samme sondring, med hensyn til om man var sund eller syg, var også fastslået i Skånske Kirkelov § 7 og Sjællandske Kirkelov § 8 fra 1171-74 samt i SKL 38, således at de i første fald kunne medtage en hel og i andet fald kun en halv lod, jf. AS 15, der nærmere forklarer og begrunder reglen: „Den, der omvender sig til munkelivet, er som *død for verden* og kan for fremtiden ikke gøre krav på nogen arv, uden hvad der gives ham for Guds skyld eller

for anden gunst". Disse regler kunne synes beslægtede med reglerne i Sydfran-
krig, hvor man ved godt helbred kunne give livsgaver til klostret, men kun døds-
gaver hvis man var alvorligt syg, se ovenfor under 1.3. JL har ingen tilsvarende
regler om klostergang, men bestemmer, at den hustru, som har barn med ægte-
manden, ikke må give hverken sin halve hovedlod eller anden stor gave til sjæle-
gave uden hans samtykke, JL III, 45, men har hun ingen børn med ham, må hun
give den halve hovedlod for sin sjæl, JL I, 39.

Stig Iuul sluttede fra retsbøgernes regler, at mandens samtykke til hustruens
dispositioner *mortis causa* i de skånske og sjællandske områder var unødvendigt
og mente, at det heller ikke blev krævet i praksis. Når Jyske Lov krævede sam-
tykke, antog han, at reglerne var udtryk for en nydannelse til styrkelse af man-
dens herredømme over hustruen og til fremme af mandens interesse i, at hans
arv efter hustruen ikke forringedes, hvorimod reglerne om hendes disposition
inter vivos over arvejord var givet i alle arvingers interesse[67]. I andre sammen-
hænge, f.eks. vedrørende kredsen af fælligdeltagere, mente han modsat, at JL
repræsenterede en ældre eller oprindelig ordning. Efter min mening afspejler
reglerne i JL om formueforholdet mellem ægtefæller en styrkelse af ægtemand-
ens stilling, ikke blot i forhold til hustruen men også i forhold til børnene, og
derfor en yngre opfattelse end de østdanske retsbøger repræsenterede; en opfat-
telse, der i nogen grad kolliderede med kirkens opfattelse om hustruens sjæle-
gaver, men var i overensstemmelse med kirkens syn på kvindens underordnelse
og med feudale ideologier om mandens magtstilling.

Forestillingen om at man bør give milde gaver, almisser til kirkelige eller
fromme formål til sjælens frelse i form af dødsgaver eller dødslejegaver skyldtes
indflydelse fra kirken, som ikke mindst ønskede at styrke hustruens testationsret.

Landskabslovene kendte en sondring mellem at skøde og at give i hænde
(især vedrørende børns kuldlysning). Risikoen for misbrug af muligheden for
skødning *mortis causae* kunne ligge i det forhold, at reglerne om begrænsningen
af gavernes størrelse ikke overholdtes[68]. Et andet misbrug til ulempe for arvin-
gerne kunne være at lade en dødsgave, hvortil der oprindelig ikke krævedes op-
fyldelse af særlige formkrav, fremstå, som om den var en livsgave. Der udvikledes
som følge heraf en grundsætning om, at ejendommen skulle følge erhververen,
hvis overdrageren selv havde brugsretten, idet eventuelle købere eller pantsæt-
tere ellers kunne tro, at brugeren havde ret til at afhænde jorden. Hvis det var

---

67 *Stig Iuul*, 199-201.
68 *Henning Matzen*, Privatret, II, Tingsret, 82-83.

enken, der for livstid var forlenet med ejendommen, var der ikke grundlag for misforståelser[69].

„Dødsgaver" (*donatio post obitum*) foregik derfor ofte som en overdragelse *inter vivos* ved skødning på tinge (altså ved en judiciel akt) eller ved gavebrev (*traditio cartae*), jf. ESL I, 30. Ofte tilføjedes nogle vilkår for givers livstid med hensyn til besiddelse og frugtnydelse, som kan dokumenteres ved forskellige klostres gavebøger. Hvis der var skødet og indhentet tingsvidner, var dispositionen gyldig og kunne søges gennemført over for modvillige arvinger. Omvendt kunne arvinger protestere mod en gave, hvor der manglede tingsvidne, medmindre der var tale om sjælegaver.

Ved dødsgaveoverdragelser forbeholdtes brugsretten til jorden ofte ikke blot for giverens, men også for enkens og børnenes levetid. Henning Matzen nævnte et eksempel, hvor „giverinden forbeholdt sig ... i trangstilfælde at sælge af godset til livets ophold, blot med forkøbsret for klostret".

Mange stadsretter indeholdt en generel begrænsning i testationsretten, idet faste byejendomme ikke måtte bortskænkes til gejstlige personer eller stiftelser eller til adelige godsejere, men de skulle sælges til borgere, således at alene salgssummen skulle komme gavemodtager til gode, jf. Københavns Stadsret af 1254 § 13 og af 1294 § 22 samt Ribe Stadsret § 7 m.fl.[70].

Specielt omkring dødslejegaver blev der i sidste halvdel af 1500-tallet afsagt flere domme i overinstanserne. Landsdommeren i Viborg og 5 kgl. tilforordnede medlemmer af rigsrådet fastslog i 1571, at den gave, som en adelig dame på sit yderste havde givet sin dattersøn i form af en hovedgård, mens en anden dattersøn fik en langt ringere gård, skulle omstødes, og at der skulle skiftes efter loven. I begrundelsen hed det, at hun havde givet denne hovedgård „på sit yderste, da hun agtede fra denne verden og timeligt gods at skilles", og at hun ikke havde givet den „udi hendes velmagt og straks udi hånden overdraget og ladet følge", jf. Christian II's landlov § 23, „Om nogen vil gøre sit testamente –, da skal han gøre det udi sin *velmagt* og den stund det er hans. Hvilken og noget bortgiver udi sin dødsstund, når han formerker, at han det ej selv bruge kan længere, da giver han ikke boet af sit, men hans arvingers, som må genkalde det". Når man på baggrund af denne bestemmelse vurderer retspraksis i slutningen af århundredet, kunne det synes, som om man trods lovens formelle skæbne efter Christian II's fald alligevel har fulgt § 23 dog uden at henvise dertil, eller

---

69 *Henning Matzen*, Privatret, II, Tingsret, 87.
70 *Henning Matzen*, Privatret, I, Arveret, 125.

det princip, som udtrykkes der. Det var ikke en gyldig livsgave, men en ugyldig dødslejegave, jf. Henning Matzen, Arveret, 121. Derfor skulle de almindelige arveregler, d.v.s. ligedeling mellem de to dattersønner, følges[71].

I 1576 blev en hustrus dødslejegave til en søsterdatter bestående af et sølv-bælte kendt ugyldig, da den var givet uden ægtemandens samtykke og ikke ind-ført i et testamente. Der var tale om en præcisering af JL I, 39 (DD, III, nr. 438 (Viborg Landsting den 28. januar 1576)). Det var også Viborg Landsting, som den 12. marts 1580 tilsidesatte et testamente givet på testators yderste, som udelukkede en datter fra sin retmæssige arv, selvom testamentet var gyldigt un-derskrevet. Det oplystes, at faderen som hendes værge havde givet en gave til datteren ved hendes bryllup, der ikke ville kunne opfyldes, hvis testamentet op-retholdtes som gyldigt. Ved sagens afgørelse lagdes vægt på, at testamentet var gjort på dødslejet, hvor han var meget syg, og hvor „det ikke vel skulle have været muligt for ham, da at have haft den ihukommelse, at han vidste at gøre rede for og klart opregne al den handel og vandel han havde brugt, alt hvad der tilkom ham eller hvad han var bortskyldig", derfor blev testamentet kendt ugyl-digt, fordi det ikke var så nøjagtig, som det burde.

Her var tale om en situation, hvor den døende nok forstod, hvad en testa-tionshandling var, men alligevel antoges at være ude af stand til at bedømme sine økonomiske forhold og dermed testationens følger, d.v.s. at han ikke var ved sin fornufts fulde brug. Det synes, som om denne betingelse for et gyldigt testamen-te, som i romerretten typisk vedrørte *furiosi* alene, nu har fundet vej til dansk ret i takt med testamentsrettens udvikling, men i en bredere betydning i retning af almindelig dømmekraft i økonomiske forhold.

Et interessant moment i sagen var, at Margrethe Reventlow, enke efter den retslærde rigsråd Erik Krabbe, og sønnen Thyge Eriksen Krabbe havde afgivet et beseglet og underskrevet brev, hvori de bl.a. meddelte, at de ofte havde fore-holdt testators hustru, at dersom hun ønskede at give datteren noget, burde det overdrages i levende live. Kunne denne erklæring tages som udtryk for en ikke bare generel, men måske for Erik Krabbe og hans nærstående, speciel viden om den retlige usikkerhed eller uklarhed, der endnu herskede omkring testaments-betingelserne?[72]

En dom fra Viborg Landsting af 5. juni 1591 synes også at føje enkelte brikker til testamentsretten. En mand havde på sit dødsleje ved et beseglet gave-

---

71 Danske Domme, 1375-1662, III, nr. 382 (12. juni 1571).
72 Danske Domme, 1375-1662, III, nr. 473.

brev givet sin fæstemø en række værdier, korn, sølv, penge, heste og andet. Brevet var bevidnet af hans fosterfar, hans svoger og broder, Niels. Testators andre arvinger, som ikke havde bekræftet brevet, mente, at det var udfærdiget på dødslejet, da han vidste, at han skulle dø. Hvis gaven skulle have været gyldig, skulle den være fuldbyrdet i levende live og dermed overgivet til hende. Afgørelsen blev, da der var tale om en dødslejegave omfattende værdier, der var i nogle af arvingernes besiddelse, at de arvinger, som ikke havde forpligtet sig og dermed samtykket, ikke skulle undgælde, men have deres arveandel; mens de, som havde forseglet eller underskrevet brevet, burde holde det, og deres anpart burde overgå til fæstemøen efter testators ønske[73]. Der synes således at ske en afklaring af testamentsreglerne, for så vidt der ikke var tale om, at testator ikke skulle have været sin fornuft fuldkommen mægtig, men derved at testamentet i form af gavebrevet betragtedes som gyldigt i forhold til underskriverne, jf. princippet i DL 5-1-3, der formentlig netop er udviklet i retspraksis.

Det ser ud, som om praksis efter Reformationen har afvist dødslejegaver til enkeltpersoner, såfremt der ikke forelå gyldigt testamente eller livsgave, jf. Danske Domme, III, nr. 382. Efter nr. 438 (Viborg Landsting den 28. januar 1576) synes en dødslejegave at kunne betragtes som gyldig, hvis den havde opfyldt kravene til en testamentarisk disposition. Efter nr. 473 (Viborg Landsting den 12. marts 1580) lagdes der vægt på den manglende evne til at handle fornuftsmæssigt, som begrundelse for dødslejetestamentets tilsidesættelse, mens dom afsagt i Viborg 5. juni 1591, nr. 663, delvis opretholdt et dødslejetestamente for de arvinger, som havde underskrevet og beseglet dokumentet og dermed samtykket i dispositionen, mens det f.s.v. angik de øvrige arvinger tilsidesattes. Man kunne fristes til at spørge, om der her var tale om en vis påvirkning fra romerretten[74] dels i retning af en udvidet brug af testamenter til enkeltpersoner, dels i retning af en øget interesse for betydningen af subjektive forhold? Måske var det heller ikke uden betydning, at både Galaterbrevet, 3. kap., og Hebræerbrevet indeholdt regler om testamenters gyldighed og dermed via oversættelsen af Biblen til dansk sikrede kendskabet til testamentsbetingelserne større udbredelse blandt bibelkyndige. Christen Osterssøn Weylle definerede i sit Glossarium Juridicum fra 1652 et *testamente* som „hvad et menneske på sit yderste forordner og tilkendegiver, som han vil have holdt og efterkommet efter sin død", men tilfø-

---

73 Danske Domme, 1375-1662, V, nr. 663.
74 *Karl Kroeschell*, Deutsche Rechtsgeschichte, 2, 44.

jede, at dette ikke var særlig omtalt i dansk lovgivning. Hans opfattelse af testamenter synes begrænset til dødslejedispositioner.

III. Sammenfatning

De tre hovedproblemer inden for rådighedsspørgsmålet skal sluttelig forsøges vurderet komparativt, således at hvert af dem ses både i det nordeuropæiske og det danske perspektiv.

Vedrørende *1. Rådighed over fællig og særeje* kan fremhæves, at ægtemanden overalt var den aktivt rådende, om end det er muligt at påvise lokale eller regionale begrænsninger i hans råden over hustruens særformue, især over den faste ejendom, som han ikke måtte reducere ved afhændelse uden samtykke fra hustruen eller hendes arvinger. Hovedreglen var dog overalt ægtemandens rådighed over alle dele af formuen. Hustruens konsekvente mangel på eller begrænsning af rådighed over samme var ikke ensbetydende med, at hun var at betragte som umyndig, men netop kun urådig eller inkompetent til at råde. Ægtemanden kunne *autorisere* hendes dispositioner og derved gyldiggøre dem. Lovgivningerne åbnede også mulighed for en råden helt uden mandens viden eller vilje („implied agency", „mandat domestique", „Schlüsselgewalt" eller råden til husbehov), det vil sige en legal *autorisation*. Hertil kom muligheden for som en slags „æqvitas" eller billighed via gejstlige domstole at udvirke en bosondring, der tillagde hustruen udvidet eller fuld rådighed over sit eget eller ved kongelig bevilling at gøre hustruen til egen værge og mere generelt af praktisk-nødvendige grunde (nødretsprincip) at tillade hustruen at disponere i nødssituationer eller som *negotiorum gestor* og endelig via båndlæggelse at hindre mandens rådighed.

Skønt retspraksis og (kongelig) bevillingspraksis i det 16. århundrede supplerede de middelalderlige love ved også i nogle retninger at lette betingelserne for hustruens rådighed[75], gik tendensen i lovgivning og retsteori i retning af en vis styrkelse af ægtemandens rådighed.

Specielt vedrørende *2. Rådighed inter vivos og hæftelse for købekoner m.v.* antages den senmiddelalderlige økonomiske vækst og fremgang i byernes erhvervsliv at have positiv betydning for udviklingen af regler om kvinders deltagelse i dette. Der er dog en påfaldende forskel mellem dansk ret på den ene side og

---

75 *Inger Dübeck*, Det tostrengede afgørelsessystem i familieretten, i: Rett og Historie, 65 ff.

henholdsvis engelsk og kontinental ret på den anden. I Danmark savnes helt regler om hustruers formueretlige stilling, hvis de optrådte som selvstændige erhvervsdrivende. I England udnyttedes reglerne i den anglo-normanniske ret til at give sådanne hustruer status som enlige, „femes soles", mens franske og tyske, især stadsretlige kilder, udviklede særregler om en udvidet rådighed for købekoner („marchande publique", „Kauffrauen"). Danske gifte kvinder kunne ikke opnå en formel frigjort økonomisk status i privatretlig henseende, d.v.s. i forhold til ægtemanden eller husbonden, men nok en offentligretlig status som selvstændig.

Undersøgelsen af disse forhold og komparationen har i øvrigt medført, at jeg må modificere enkelte af mine resultater fra disputatsen fra 1978, „Købekoner og Konkurrence". Mens jeg der mente at finde en sondring i dansk ret mellem kvinder som handlede i eget navn og kvinder som handlende i en andens navn, synes det mere korrekt at sondre mellem *egentlige* købekoner („*mercatrix*") og de købekoner eller sælgekoner, der var mellemhandlersker („*institrix*"), d.v.s. mellem de kvinder, som havde både ægtemandens („privatretlige") og samfundets („offentligretlige") autorisation, de som kun havde ægtemandens udtrykkelige eller stiltiende autorisation, og på den anden side de som typisk savnede begge dele, men som kunne dække sig under den almindelige hustrulegitimation til at købe til familiens husbehov.

Det var bl.a. den hamborgske regel, hvorefter, det som en kone *køber uden sin mands viden*, det må hun vel *sælge* uden ham, d.v.s. om mellemhandlersken og den såkaldte „Empfangshaftung" fra 1250, der bragte mig på sporet af en ny tolkning for dansk rets vedkommende. Hvis hustruen handlede som mellemhandler (*institrix*) uden mandens viden i eget navn, hæftede hun med tingen eller den aftalte pris. Denne handel var gyldig. Hvis hun gjorde det til stadighed, ville manden næppe kunne undslå sig for en vis subsidiær hæftelse, idet han ikke kunne blive ved med at påstå, at han ikke havde viden derom, selv om han fortsat ikke kendte den enkelte transaktion. Denne model kunne være brugt i marskandiserhandel på Pjaltemarkedet eller i lignende forhold.

Hustruen gjorde sig offentligretligt skyldig i ulovligt forkøb, hvis hun brugte sin hustrulegitimation til ud over det privatretlige maksimum at købe en bondes hele varesortiment med henblik på videresalg med fortjeneste. Hun krænkede ikke derved nødvendigvis ægtemanden (især ikke hvis hun fik fortjeneste), men kun de næringsretlige regler om torvekøb, hvorefter hun kunne straffes. Men ægtemanden kunne fralægge sig ansvaret, hvis hun led tab og kom i gæld under henvisning til, at hun havde overskredet maksimum.

3. Rådighed mortis causa. I de nordvesteuropæiske retsordninger synes der at være opstået et almindeligt krav om mandens samtykke, hvis hustruens testamenter skulle anses som gyldige. Visse sædvaneretsordninger (Beaumanoir, samt de sjællandske og skånske ordninger) krævede ikke mandens samtykke, andre accepterede kun hendes dispositioner over smykker eller personlige ejendele (*sua propria* eller *paraphernalia*) uden et sådant samtykke. Efter de skånske og sjællandske retsbøger og kirkeretter gjaldt den kanoniskretlige sondring mellem at være *rask* gavegiver (livs- eller dødsgave) og at være *alvorligt syg eller døende*, d.v.s. dødslejegavegiver. Herefter kunne dødslejegaven være gyldig som sjælegave, men var dog begrænset til ½ hovedlod.

Både i dansk og europæisk ret viser retspraksis sig at have haft en vis retsskabende virkning. Kanonisk ret synes overalt at have haft en gunstig indflydelse i retning af at tillade hustruers testamentariske dispositioner (med eller uden samtykke), ligesom sondringen mellem gaver givet af henholdsvis sunde eller syge mennesker skyldes den kirkeretlige indflydelse. Kombinationen af en uigenkaldelig livsgave med en eller anden form for leje- eller brugsret for giver i hans og hustruens livstid blev ret tidligt almindeligt, som allerede omtalt flere steder i de foregående kapitler. Reglerne om fortsat fællig samt det tavse fællig kunne medvirke til, at en bortskænket jords endelig overgang til kirken blev forsinket. Efter Reformationen strammede retspraksis betingelserne for sådanne testamentariske dispositioner, som havde form af dødslejegaver eller dødsgaver i forbindelse med at testamenter til private og enkeltpersoner var blevet muliggjort, og med den deraf følgende øgede risiko for, at arvelader skulle omgå arvereglerne. Man stillede nu også krav om testators dømmekraft (at han skulle være sin fornuft fuldkommen mægtig), det vil sige, at man tillagde subjektive forhold betydning, hvad ikke var tilfældet efter landskabslovene. Misbrug i forbindelse med brugen af dødsgaver, der fremstod som livsgaver, forsøgtes imødegået ved regler om, at fast ejendom skulle følge gavemodtageren, medmindre det var formelt bevist ved tingsvidner, at en besiddelsesret var forbeholdt.

Anden del

Fra Danske Lov 1683
til Ægteskabsloven 1925

· 6 ·
Frihed, lighed, familie og individ

I. Europæiske strømninger

1. Naturlig lighed eller naturlig ulighed i fransk og tysk ret?

Friheds- og lighedstankerne i oplysningstiden satte sine spor i den retlige diskurs. Man begyndte at stille krav om myndighed i betydningen selvbestemmelsesret for alle voksne personer. Til selvbestemmelsesretten hørte retten til at bestemme over egen krop og person, retten til at vælge bopæl, arbejde og erhverv, fri udnyttelsesret af egne evner, ret til at indgå aftaler og kontrakter, påtage sig forpligtelser og at optræde som fuldgyldig borger i forhold til det offentlige, herunder domstolene. Ikke at kunne råde over egen ejendom var et umiskendeligt tegn på umyndighed. Til gruppen umyndige regnedes ikke blot børn, mindreårige og åndssvage, men også lærlinge, tyende og medhjælpere samt – gifte kvinder – uanset stand.

For grundlæggerne af den „moderne" naturret Hugo Grotius (1583-1645), Thomas Hobbes (1588-1679), Samuel Pufendorf (1632-1694), Christian Thomasius (1655-1728) og Christian Wolff (1679-1754) var udforskningen af menneskets natur efter de da nye naturvidenskabelige metoder også grundlæggende for udforskningen af rettens natur og de retlige principper, begreber og institutter. Man byggede på et aksiom eller en læresætning om alle menneskers oprindelige eller medfødte *frihed og lighed*, og sluttede derfra til enkeltindividets adgang til at foretage alle nødvendige transaktioner i de forskellige samfundsforhold og dermed til at hævde sine rettigheder og forpligtelser. Også ægteskabet var en almindelig kontrakt. For naturretsfilosofien var kontraktsfriheden og dermed også kvinders selvstændighed som kontraktsperson utvivlsom: ud fra sin natur er ingen underlagt en andens herskab.

Dette var imidlertid i strid med den af reformationstidens kirker udviklede ægteskabsretlige ideologi. Den naturretlige forestilling om en naturlig lighed mellem mand og kvinde kolliderede med de bibelske forestillinger om mandlig overlegenhed og om Evas oprindelige skyld i Synden som begrundelse for mandens overherredømme. For den ældre del af naturretsskolen, Grotius og Pufendorf, var kvindens underordnelse under mandens overherredømme (underkastelseskontrakt) endnu uomstridelig. Man frygtede menneskenaturens vilde drifter, som truede samfundets orden og fred, hvad enten det førte til alles krig mod alle (Hobbes) eller til promiskuitet i seksuelle forhold (Pufendorf). Frygten for samfundsordenens sammenbrud begrundede mandens krav på retmæssige arvinger og dermed hans ret til hustruens *person*. Man forsøgte at konstruere det ægteskabelige herskabsforhold som en „frivillig" underkastelseskontrakt[1].

Den yngre naturretsskoles idéer fandt delvis plads i de store kontinentale lovkodifikationer: den preussiske Landret (ALR), Code Civil og den østrigske lovbog (ABGB), som alle karakteriserede ægteskabet som et selskab begrundet i en kontrakt, der afspejlede den individuelle viljesfrihed og ikke et religiøst sakramente. Begge ægtefæller betragtedes som lige i henseende til rets- og handleevne. Men så hørte ligheden også op, idet ægtemanden tillagdes en særlig magt eller myndighed til ledelse og kontrol samt repræsentationsret og underholdspligt, mens hustruen pålagdes samlivs- og lydighedspligt og tildeltes krav på beskyttelse og forsørgelse. I de tyskretlige områder harmoniseredes den personretlige herskabsmodel med formueforholdsmodellen, hvorefter manden havde al rådighed og udnyttelsesret til hustruens formue. Således kodificeredes hans overherredømme over både hendes *person* og *ejendom*. Man kunne tolke dette som en „personretlig" tolkning af tingsretten. Kodifikationerne fra slutningen af både 1700-tallet og begyndelsen af 1800-tallet medførte således en berøvelse af både kvindens ejendomsretlige og myndighedsretlige status[2]. Hvad man gav med den ene hånd i form af formel lighed tog man i rigt mål med den anden i form af en overordentlig ulighed. Ægtemandens overherredømme, hans *puissance maritale*, modsvaredes af hustruens manglende myndighed eller umyndighed, *incapacité de la femme*. Alle hendes handlinger krævede mandens autorisation efter Code Civil art. 213-217, som i denne henseende gjaldt frem til 1938.

---

1 *Ursula Vogel*, Gleichheit und Herrschaft in der ehelichen Vertragsgesellschaft – Wiedersprüche der Aufklärung, i: Frauen in der Geschichte des Rechts, 265-275.
2 *Ursula Vogel*, 275-277.

Hvordan kunne man i oplysningstidens hjemland, Frankrig, med de radikale politiske og samfundsmæssige forandringer legitimere denne forværring af hustruens retsstilling? I datidens debat indgik et naturbegreb, som ikke længere var i overensstemmelse med rationalismens eller fornuftsrettens begreb og heller ikke med de revolutionære menneskerettigheder. Det var snarere det Rousseauske naturbegreb, som omfattede forholdet mellem kønnene, og opfattede dette som udtryk for et forhold, der byggede på de indbyrdes forskelle og den gensidige komplettering af det mandlige og kvindelige. Denne „*naturlige*" komplementaritet blev det normative grundlag eller den retspolitiske forklaring og legitimering af forskelsbehandlingen mellem mænd og kvinder i ægteskabsretten. En påstand om, at denne diskrimination var uretfærdig, blev fejet af bordet under henvisning til kvindens „naturlige" kald og pligter over for samfundet.

Hvis hustruen ville have fuld rådighed i økonomisk henseende og dermed gøre krav på at ville være „chef" i ægteskabet, ville der ikke blot være tale om et angreb på *ægtemandens puissance maritale*, men på hele samfundet, på den offentlige orden, *ordre public*. Efter Code Civil art. 1388 måtte ægtefællerne ikke frasige sig de rettigheder, som hidrørte fra mandens magt over hustruens (og børnenes) *person*, eller som gjorde ham til „chef", familiens overhoved. Lighed mellem mennesker betød ikke lighed mellem ægtefæller. Lighedens vrængbillede var forestillingen om kvindens overherredømme, som det gyseligste en mand kunne forestille sig. Ægteskabet tolkedes ikke længere som de ældre naturretsfilosoffer havde gjort, som et „lige" selskab, men som et „naturligt", d.v.s. et ulige selskab, hvori også staten var partner[3].

Blandt de tre naturretligt påvirkede kodifikationer var Code Civil den videstgående i henseende til at udstyre manden med den dominerende rolle og tildele hustruen uselvstændighed i form af en „evigtvarende" umyndighed og en tilsvarende ugunstig arveretlig position. En del af disse ulemper for hustruen kan tilmed henføres til Napoleons personlige indflydelse, f.eks. den undtagelsesfri pligt for hustruen til at følge mandens bopæl. I øvrigt bragte lovbogen ikke mange nyheder til ægteskabsreglerne, som stort set afspejlede tilstanden fra før revolutionen. Frihed, lighed og broderskab gjaldt hverken i familieretten eller i ægteskabet. Endnu i det 20. århundredes begyndelse kaldtes Code Civil „Le Code de l'éternelle mineure"[4].

---

3 *Ursula Vogel*, 284-290.
4 *Barbara Dölemeyer*, Frau und Familie im Privatrecht des 19. Jahrhunderts, i: Frauen in der Geschichte des Rechts, 637-640.

Også på arverettens område afspejledes de ideologisk farvede opfattelser af forskellene mellem mandens og hustruens retsstilling. Selv om hustruen efter nogle naturretligt påvirkede ordninger som eksempelvis Danske Lov som enke tillagdes samme arveret efter manden, som han havde efter hustruen, forblev hendes testationsfrihed og ret til at hensidde i uskiftet bo begrænset. I naturrets- og anden retsfilosofi omkring 1800-tallet herskede der tvivl om, hvilke hensyn, hensynet til familien eller hensynet til individet, der var dominerende i forbindelse med udviklingen af ejendomsretsbegrebet. De repræsentanter for naturretten, som opfattede testationsfrihed og intestatarvefølge som naturretlige principper, har æren af at have udviklet en individualistisk, d.v.s. på individualejendom og individualvilje, udformet arveret, hvorfra den politiske tænkning i det 19. århundrede kunne finde argumenter til en udvidelse af testationsfriheden, hvorved individet og selvbestemmelsen styrkedes[5].

Klippel rejste i 1984 problemet, om ikke man kunne have forventet, at testationsfriheden ville optræde som en væsentlig bestanddel af ejendomsretten eller endog som selvstændig individualret i et af tidens talrige kataloger over naturrettens frihedsrettigheder, eftersom det liberale politiske liv i det 19. århundrede karakteriserede ejendomsretten som ukrænkelig og udtryk for det autonome individs udfoldelsesret. Man skulle have forventet, at testationsfriheden ville blive betragtet som højdepunktet af ejerens dispositionsfrihed. Men det blev ikke tilfældet.

Han søgte en del af forklaringen i personlighedsbegrebets udvikling, idet personlighedsbegrebet efterhånden indgik en snæver forbindelse med ejendomsbegrebet. Ejendomsretten var en frihedsret for mennesker omfattende retten til at disponere over goder i den virkelige verden, og denne ret udsprang umiddelbart af de af personligheden flydende rettigheder, som imidlertid ophørte med dennes død. Hvis personens eksistens ophørte, ophørte også personalejendommen[6].

I tysk og fransk (og dansk) ret finder man i denne periode en udvikling af regler om testationsfrihed (og tvangsarv) ved siden af udviklingen i retning af lighed i familiearven og imod arvebegunstigelser, førstefødselsret og fideikommisser. Den naturretlige lighedstanke fik her betydning som argument for ejendomsrettens privatisering sammen med en anden idé: idéen om lige arveret for

---

5 *Diethelm Klippel*, Familie versus Eigentum, i: ZRG, Germanistische Abteilung, Bd. 101, 1984, 136.
6 *Diethelm Klippel*, 141.

børn uden hensyn til alder og køn, der fandt støtte i politisk-økonomiske tanker om, at formue skulle deles for at blive mere produktiv, som det også fremhævedes under den franske revolution, hvor man havde vendt sig imod en arveordning, der hvilede på førstefødselsretten, fordi den forledte arvingen til lediggang og forhindrede en produktiv anvendelse af formuen. Også Hegel vendte sig imod den særlige ulighed i familiearveretten, som byggede på familiefideikommisser[7].

Ønsket om en styrket intestat- og ægtefællearv fik støtte i tidlige teorier om familiemedlemmers medejendomsret ud fra den naturretlige opfattelse, at familien ansås som et kontraktretligt funderet selskab mellem enkeltindivider. Men en ny familieteori distancerede denne individualistiske naturretsteori og indførte en teori om familien som en „social organisme". En nybegrundelse af arveretten på dette grundlag udformedes af Hegel i 1821, hvor han tog udgangspunkt i den opfattelse, at familiens bestemmelse er kærlighed, så at mennesket i familien ikke skal være „eine Person *für sich*", men medlem. Som følge heraf er familieformuen „fælles ejendom", således at intet medlem har en særlig ejendom, men hver har en ret til det fælles. Når manden dør, som (også set med Hegels øjne) havde haft dispositionsret og forvaltning over familieformuen, opløstes familien, og medlemmerne blev atter „selvstændige personer", der modtog underhold, formue, kost etc. som sådanne. Arvefaldet blev efter sit væsen en indtræden i den ejendomsretlige besiddelse af den *„an sich* gemeinsamen Vermögens ..."* Familieejendom blev opsplittet i individualejendom. Hegels forestillinger antages af Klippel at have været medvirkende til, at arveretten systematisk flyttedes væk fra ejendomsretten og efterhånden normalt behandledes i sammenhæng med familieretten. Familien blev grundlaget for privatformuens arvelighed.

En konsekvens heraf blev en styrkelse af ægtefællearveretten. En anden en styrkelse af kernefamilien og nedtrapning til nul af fjernere familiemedlemmers, udarvingers, tvangsarv til fordel for de nærmeste familiemedlemmer eller eventuelt til fordel for almenvellet via arvens hjemfald til statskassen eller via en forhøjelse af arveafgiften for fjernere slægtninge, tendenser som allerede Hegel billigede[8]. Man ser her, hvorledes en styrkelse af ægtemandens rådighedsret over den ideologisk begrundede „familieformue" på hustruens bekostning sammen med den voksende koncentration af arvereglerne til fordel for den nærmeste familie (forældre og børn) med udelukkelse af fjernere slægtninge fremmede en

---

7 *Diethelm Klippel*, 146-153.
8 *Diethelm Klippel*, 158-163.

retsudvikling, der beskyttede den „borgerlige" biedermeierfamilie, som vi ser fremstillet på det nydeligste af guldaldertidens malere og digtere.

Til sammenligning kan her indskydes et par bemærkninger om dansk ret. I motiverne til de tre love fra 1857, der sikrede ugifte kvinder lige ret i næringsforhold og fuldmyndighed med det fyldte 25. år samt sikrede lige arveret i den nedstigende linie uden hensyn til den kønsforskel, som altid tidligere var tilgodeset, senest ved DL 5-2-29 og arveforordningen af 21. maj 1845 § 2, siges det, at det tidspunkt nu må være indtrådt, „hvor det ikke kan have nogen betænkeligheder fuldstændig at gennemføre det princip, der i og for sig må anses for stemmende med retfærdighedens grundsætning og sikkert også vil findes stemmende med den nationale tænkemåde". Der var allerede i den gældende lov veje, ad hvilke „de hensyn til *familiens* tarv", som alene kan anføres til forsvar for den hidtidige ordning, bibeholdes, blandt hvilke nævnes forældrenes testationsret. Det fremhæves dog, at netop denne ret vil kunne virke „forstyrrende på forholdet i familien", idet sønnerne vil kunne føle sig forurettede. Derefter ønskes denne reform som en generel legal ordning, der fritager forældrene for kritik.

Når argumentationen er medtaget her, skyldes det, at den tydeligvis står i gæld til den naturretlige lighedsideologi og retsfilosofiske tænkning omkring familiebegrebet og individets selvbestemmelsesret[9].

Igennem ca. 1000 års romersk retsudvikling fra „De tolv tavlers love" til *Corpus Iuris Civilis* havde kvinder i privat- og procesretlig henseende en retsstilling, som var sammenlignelig med mænds. I de germanske retskilder fra det 5.-9. århundrede, d.v.s. i de forskellige sædvaneretskodifikationer fra folkevandringstiden dominerede en retsopfattelse vedrørende kvinders retsstilling, der byggede på patriarkalske husordensregler og forsvarsprincipper, hvorefter kvinder ikke kunne forsvare sig selv med våben i åben kamp og derfor heller ikke kunne forsvare sig på tinge i processer, der kunne føre til åben kamp. Den ugifte kvindes fader eller onkel var hendes værge, og hans værgemål „Munt" gik over til hendes ægtemand, og ved hans eventuelle død gik det tilbage til hendes fader, onkel eller bror. Dette system fortsatte i middelalderlovene, skønt kvinders manglende proceshabilitet næppe længere alene kunne begrunde denne praksis. Men her fik romerkirkens principper om kvindens underordnelse under manden og feudale ideologier om styrkelse af mændenes magtstilling på bekostning af

---

9 Rigsdagstidende 1857, Till. A, Lovforslag, 1093, Udkast til Lov om en forandring i arveretten i den nedstigende linie.

kvindernes status i såvel privatretlige som offentligretlige forhold øget indfly-
delse, som omtalt i Kapitel 1[10].

Den senmiddelalderlige reception af den lærde romerske *jus commune* førte
ikke til en styrkelse af kvindernes retsstilling. Snarere tværtimod. Den klassiske
romerret var i denne sammenhæng død. Skønt humanismen og renaissancen
styrkede individets stilling, betød de store kirkereformationer en fornyet svæk-
kelse af kvinders, især gifte kvinders, retsstilling, selv om samtidige regulerings-
retlige lovinitiativer baseret på etiske samfundsprincipper (den såkaldte politiret)
nok var mere kønsneutral end anden lovgivning om ægtefællernes retsforhold[11].

Procesretten var siden middelalderen under påvirkning af den teknisk set
overlegne kanoniske ret, der vel ikke var udpræget kvindegunstig, selv om den i
alle ægteskabsretlige forhold betragtede kvinden som et retssubjekt. Men kvin-
der var svagere som vidner, ligesom de ikke kunne møde selvstændigt for en
gejstlig domstol. Derimod støttede gejstlige domstole hustruers testationsret.

I den lærde romerret udvikledes i analogi med beskyttelsesregler for børn og
utilregnelige, *cura minorum* og *cura prodigi*, et særligt beskyttelsesprincip, *cura
sexus*, begrundet i kvinders biologi eller „kvindelig svaghed". Også gifte kvinder
var omfattet heraf. Normalt bestod beskyttelsen af en slags bistandsværgemål
eller *curatorium*, som tilkom faderen eller en mandlig slægtning for voksne en-
lige kvinder. Men for gifte kvinder blev det til et særskilt *cura maritalis*, som
udøvedes af ægtemanden. Enker og købekoner kunne dog efter visse retsord-
ninger hævde deres selvstændighed[12]. Påfaldende er, at forringelsen og tilbage-
faldet til forældede opfattelser vedrørende kvindernes retsstilling især kom til
orde i de tyske territorier, hvor den lutherske kirke voksede sig stærk, mens kvin-
derne i de katolske områder bevarede den handleevne, som de efterhånden hav-
de tilkæmpet sig i det 16. århundrede. Henimod slutningen af det 18. århund-
rede var i store dele af de tyske territorier voksne kvinder anerkendt som havende
handleevne (fuldt habile), således at princippet om *cura sexus* ikke i praksis kan
siges at have vundet blivende fodfæste der. Nogle steder anerkendte man *cura
maritalis*, mens andre territorier længe opretholdt en forestilling om et fuld-
stændigt *cura sexus* eller kønsværgemål for alle kvinder uanset civilstand[13]. Ernst

---

10 *Ernst Holthöfer*, Die Geschlechtsvormundschaft. Ein Überblick von der Antike bis ins 19.
   Jahrhundert, i: Frauen in der Geschichte des Rechts, 402-414.
11 *Inger Dübeck*, Købekoner og Konkurrence, 451-472.
12 *Ernst Holthöfer*, 414 ff.; se også *Inger Dübeck*, 128-132, om Tiraquellus.
13 *Ernst Holthöfer*, 419-426.

Holthöfer viser på et kort over de tyske territorier omkring 1815, i hvilket omfang det særlige „kønsværgemål" over kvinder var udbredt. I det førstnævnte område fra Østersøen til Alperne anerkendtes voksne kvinders myndighed og fulde handleevne. Et stort område i den sydøstlige (østrigske) del fastholdt denne accept, men opfattede dog hustruen som underlagt en begrænset *cura maritalis* i form af ægtemandens subsidiære stedfortræderkompetence. I de *franskpåvirkede* og i de *preussiske* områder ansås enlige kvinder for myndige, mens hustruer var under ubegrænset *cura maritalis*.

Endelig var der nogle „sorte pletter" på kortet, hvor alle kvinder ansås for umyndige, d.v.s. enten efter principperne om *cura sexus* eller *cura maritalis* eller efter lokal lovgivning. De sorte pletter omfattede områder nær Polen og andre østeuropæiske områder, nogle sydvestlige Rhinprovinser samt de til Danmark hørende hertugdømmer Slesvig og Holsten samt det netop erhvervede område Lauenborg. At det også så mørkt ud for kvinderne i Frankrig under Code Civil og for kvinderne i England efter Common Law nævnes blot i forbifarten[14]. Værgemål for kvinder begrænsedes i Tyskland i det 18.-19. århundrede til et hustruværgemål eller bistandsværgemål, der alene vedrørte hustruens dispositioner over egne formueværdier[15].

2. Det engelske samfund og kvinderne

Den forværring af den gifte kvindes position, som blev synlig på det nordvesteuropæiske kontinent fra det 17. århundrede, og som er søgt forklaret med økonomiske, ideologiske og normative forhold, sås også på de britiske øer, hvor teorien bl.a. har begrundet ændringerne med ophøret af den husholdningsbaserede økonomi og den deraf følgende proletarisering af kvinderne i form af større afhængighed af ægtemanden som følge af den tidligere industrialisering. Men denne ændring falder over lang tid og havde også sine positive effekter, der gjorde kvinder økonomisk mere selvstændige med hensyn til selverhvervede midler.

---

14 *Ernst Holthöfer*, 432-451.

15 *David Sabeans* undersøgelse af sammenhængen mellem reglerne om kvinders mulighed for at optræde selvstændigt i praksis og den juridiske systemtænkning, hvorefter kvindernes svaghed, biologisk og menneskeligt, principielt gjorde dem uegnede til at handle selvstændigt, behandles nedenfor i Kapitel 9. *David Sabean*, Allianzen und Listen: Die Geschlechtsvormundschaft im 18. und 19. Jahrhundert, i: Frauen in der Geschichte des Rechts, 460-461.

Nogle forskere har hæftet sig ved ændringerne af de emotionelle forhold i familien. Ægtefællernes voksende lighed i familien i det 18. århundrede skulle have styrket de indbyrdes følelser i modsætning til den strengt puritanske og patriarkalske familieform i det 17. århundrede. Kvindernes frigørelse fra de omfattende husholdningsaktiviteter og deraf følgende større engagement i børneopdragelse og vejledningen af tyende skulle have befordret denne større „lighed". Denne følelsesargumentation er blevet kraftigt kritiseret. Det er blevet påpeget, at netop adskillelsen af dagliglivet i en privat sfære for kvinderne og en offentlig sfære for mændene var medvirkende til at fastholde og endda styrke det mandlige overherredømme[16], hvor hustruen havde lydighedspligt og skulle være sin mand underdanig, uanset hvor fordrukken, hidsig, voldelig og urimelig han end måtte være.

„Wife-beating" var et dagligdags fænomen, og mænd havde en sædvaneretlig magt til at revse deres hustruer, men dog ikke udøve skadelig vold. Ægteskabssager fra det sene 17. århundrede viser, at mænd slog deres hustruer, fordi middagsmaden kom for sent på bordet, fordi der var kommet for meget smør i buddingen, eller fordi konerne klædte sig upassende. I det 18. århundrede kunne en hustru i London få bank for sin ekstravagance, for sit eget arbejde, for manglende seksuelle ydelser over for manden eller for ikke at optræde efter mandens rang eller stand. En hustru fra middelklassen kunne også få klø, hvis hun nægtede manden adgang til hendes særejeformue, eller hvis hun nægtede at støtte familien finansielt. Der var tydeligvis tale om vold som reaktion på mandlige frustrationer over ikke at kunne kontrollere hustruerne helt, eller sagt med andre ord: kvinder havde i realiteten mulighed for at bestemme selv, men måtte ofte betale i form af en dragt prygl.

Det er i øvrigt interessant, at man i 1600-tallets England diskuterede betimeligheden af „wife-beating" i pamfletter, der krævede større høflighed og ridderlighed fra ægtemandens side. En sådan pamflet fra 1609 blev netop genoptrykt i 1682, året før Danske Lov afskaffede den middelalderlige af kirken sanktionerede revselsesret over for hustruer[17]. En lov, „the Agravated Assault Act" fra 1853 forbød omsider denne form for revselse i England. I hvilket omfang disse ændringer blev respekteret af hidsige ægtemænd i de følgende århundreder er en anden sag.

---

16 *Robert B. Shoemaker*, Gender in English Society 1650-1850, 87-91.
17 *Robert B. Shoemaker*, 106.

Kvinderne kunne også være de stærkeste. Adam Eyre en håndværker fra Yorkshire har efterladt en dagbog, som viser, at han i 1640erne ofte var i konflikt med sin kone om pengesager og hans eget drikkeri. Hun nægtede at overlade ham sine penge. Han skrev i sin dagbog fra den 1. januar 1640, at han om morgenen havde „used some words of persuasion" over for sin hustru, hvorefter han bl.a. lovede at blive en god husbond i fremtiden, og hun lovede ham, at hun ville gøre alt, hvad han ønskede fra hende, bortset fra at tvinge hende til at skrive et brev, hvorved hun overdrog ham sin formue[18].

II. Dansk ret

1. Lighed eller ulighed: Selskabskonstruktionen

Med 1547-recessen § 28 (og DL 5-2-19) blev det middelalderlige familiefællig endegyldigt afløst af et ægteskabeligt formuefællesskab. Det kan dog ikke afvises, at det levede videre i den begrænsede skikkelse, at børnene og de nærmeste arvinger fortsat antoges at være medlemmer af en slags økonomisk fællesskab, der dog kun medførte ret til en arvelod. Men i det 17. og 18. århundredes lærde teorier, såvel romanistiske som naturretlige, fremkom en ny selskabsretlig model, hvorefter selve ægteskabet betragtedes som et kontraktsforhold, der havde karakter af et selskab med manden som beslutningstager, og som kom til at danne grundlag for den særprægede samejekonstruktion, som skulle dominere dansk ægteskabsret frem til 1925.

Danske jurister, som nedfældede deres tanker om hustruens retsstilling, brillerede ikke med hensyn til originalitet i argumentationen i deres iver efter at fastholde gifte kvinders ulighed og langt svagere retsstilling end ægtemændenes. Man fulgte antikke romerske tanker om kvinders fysiske mangler og svagheder og støttede med Biblen i hånden denne opfattelse på kirkens krav om hustruens respekt for ægtemanden. Nogle fandt også støtte i den lærde romanistiske teoris regler om mandens *potestas maritalis*, mens andre fremhævede de naturretlige regler om personernes ret og familieselskabet.

Grotii opfattelse af ægteskabet som et *societas inæqualis*, et „ulige selskab", med en kraftig hierarkisering til ulempe for hustruen havde visse tilhængere. Men i Danmark var Pufendorfs indflydelse stor, og Pufendorf mente principielt,

18 *Robert B. Shoemaker*, 111.

at alle mennesker var lige i ret. Selv om Pufendorf stod på linie med Grotius i opfattelsen af det „ulige selskab" med modifikationer, var den yngre naturretsskole af den opfattelse, at ægteskabet var et „lige selskab", jf. Thomasius. Mens Holberg og Hesselberg havde fulgt Grotius, fulgte de yngre, f.eks. Kongslev og Nørregaard, egalitetsprincippet hos Thomasius. Hvad enten man valgte den ene eller den anden model (det lige eller det ulige selskab), voldte det teoretikerne vanskeligheder at bruge modellerne til at forklare gældende dansk ret ifølge Danske Lov. Således udtalte Kongslev: „– som husherre beholder manden en myndighed over konen, som vore love stiltiende (men altså ikke udtrykkeligt! (min tilføjelse)) tilstår ham –. Men derfor bliver ægteskabet ikke desto mindre et lige selskab. Ikke som mand, men som husherre, har manden sin myndighed i huset"[19]. Flere af forfatterne havde svært ved at sluge den opfattelse, at hustruen skulle være umyndig på samme måde som umyndige børn. Umyndighedsopfattelsen voldte vanskeligheder, når man ville forklare, at hustruen, så snart hun blev enke ved mandens død, automatisk var myndig[20].

Engelbrecht Hesselberg (1728-1788) (der var byfoged og byskriver på St. Croix) søgte i Juridisk Collegium fra 1763 (s. 418) også begrundelsen for hustruens begrænsede rådighed i de gængse naturretlige tankebaner om, at det var bedst af hensyn til hustruens skrøbelighed og hendes ansvar for husførelsen at overlade de „udvortes handlinger" til manden. Og for at han ikke skulle møde hindringer i den forbindelse, „så er det at loven indskrænker en kone således, at hun ej kan foretage sig noget, hvorved mandens ret som boets værge kunne indskrænkes eller betages ham". Det var altså ikke, fordi konen savnede „forstand, erfarenhed og forsigtighed", at hun måtte regnes som umyndig, men for ikke at hæmme mandens udfoldelser.

C.D. Hedegaard (1700-1781), der udover en teologisk eksamen og akademiske læreår i Jena, ligesom Hesselberg havde en praktisk-juridisk baggrund for forfatterskabet, ville i sine bemærkninger til Danske Lov, 5. Bog fra 1778 (s. 80), ikke tage udgangspunkt i klichéen om kvindekønnets svaghed. Hvis den havde gyldighed, måtte den også omfatte enkerne, som jo ikke normalt ansås for „klogere og forsigtigere end de andre". Han vendte sig også imod den påstand, at hustruen var underlagt mandens herredømme, for at hun ikke skulle gøre noget, der kunne skade ham, som Hesselberg havde givet udtryk for. Hvis man alene

19 *Inger Dübeck*, Købekoner og Konkurrence, 50-52.
20 *Inger Dübeck*, 45-52.

havde mandens interesser for øje, måtte konen efter hans død, hvor han ingen interesser havde mere, kunne dømmes for alle de kontrakter, hun måtte have indgået ham uafvidende, mens han levede. Denne opfattelse var stærkt omtvistet og kunne ikke kaldes praksis, blandt andet fordi det ville skade børnene. Han kunne derfor kun begrunde hustruens særstilling med „den respekt og ærbødighed, som en kone er pligtig at have for sin mand". Han var dog ikke i tvivl om, at kontrakter, hun havde indgået med hans viden, måtte hun hæfte for efter sin død. I sine „Juridisk-Practiske Anmærkninger til Danske og Norske Lov" nr. 77 påpegede han helt uden retshistorisk belæg (s. 150), at hendes værgemål skulle have sin oprindelse i det formuefællesskab, som eksisterede mellem ægtefæller („af communione bonorum inter conjuges") for at undgå strid og splid[21].

I „Naturrettens første Grunde" definerede Lauritz Nørregaard (1745-1804) „Familie, Familie-Selskab eller den egentlig saakaldede *Husstand* som *domus s. societas oeconomica proprie*", d.v.s. et sammensat selskab, hvis formål var ved hjælp af den i ægteskabet tilvejebragte og grundede kontrakt at befordre en større fuldkommenhed for de enkelte selskaber, hvoraf dette sammensatte selskab består[22]. På baggrund af den naturretlige lære om de tre familieretlige selskaber – det ægteskabelige, det faderlige og det husherrelige selskab – overtog yngre teori den forestilling, at individerne gennem familiebåndet blev sammenfattet til en „moralsk person". I ethvert selskab måtte efter Nørregaard være en tvingende magt eller regering, hvilket også gælder familien. Denne „Familie- eller Husregering", *potestas domestica*, kunne ikke tilkomme andre end husfaderen eller husmoderen. Ægteskabet var et *lige selskab*, og denne magt tilkom derfor husmoderen såvel som husfaderen, medmindre han ved aftale har givet afkald[23].

Men hvor lovene ikke gjorde forskel på mænds og kvinders rettigheder, „der er rettighederne for begge køn lige; thi i tvivlsomme tilfælde bør formodningen altid være for lighed som det almindelige". Dog sætter loven også grænser for mandens magt. Disse grænsers overtrædelse „skiller den tyranniske, den ødsle og slette mand ved et regimente, til hvilket at føre han kendes uværdig"[24].

Naturen gav mand og kone en lige magt, men *de borgerlige love* fandt det nødvendigt at tildele manden en særlig magt over konen. Dette var nødvendigt

---

21 *C.D. Hedegaard*, Juridisk-Practiske Anmærkninger, I-IV, 1764-1767.
22 *L. Nørregaard*, Naturrettens første Grunde, 298 f.
23 *L. Nørregaard*, 301 f.
24 *L. Nørregaard*, 390, 397.

for at undgå den urimelighed, som ville flyde af, at to personer havde lige meget at sige, thi derved hindredes al beslutning, når parterne var uenige. Derfor havde mandkønnet tillige et arveretligt fortrin frem for kvindekønnet: „thi derved vedligeholdes ikke alene familien, men mandkønnet sættes og derved bedre i stand til at stifte ny familie" til fordel for almenvellet. Disse rettigheder skulle ikke begrundes derved, at mændene skulle være mere ypperlige end kvinder, men i „naturlige, økonomiske og politiske årsager". Nørregaards fremstilling synes at styrke den opfattelse, at man tillagde de samfundsmæssige (økonomiske og politiske) hensyn bag mandens enerådighed over formuen under ægteskabet som administrator eller fondsdirektør større vægt, men at jurister og retsfilosoffer slørede disse hensyn under betegnelsen „naturlige årsager" for at dulme samvittigheden over en fortolkning af loven, som var mere diskriminerede end loven selv.

2. Frihed eller afhængighed: Umyndighedskonstruktionen

Frihed opfattes her som selvbestemmelsesretten over egen person og egen formue. Den var kraftigt beskåret for den gifte kvinde i de første 200 år efter Danske Lov, idet manden efter Danske Lov havde husbondmyndighed over hustru, børn og tyende, og denne magt omfattede såvel hustruens formue som hendes person, ære og fred og derved hendes selvbestemmelsesret.

Manden antoges at kunne gøre sin myndighed over hendes person gældende ved privat magt, selv om Danske Lov ikke havde medtaget reglen i JL II, 81, om mandens revselsesret. Men reglen om ansvar for den hustru, som slog sin mand og derved gjorde ham skade, opretholdtes. Udeladelse af reglen om mandens revselsret overfor hustruen skulle efter A.W. Scheel ikke forstås som en forudsætning om, at manden straffrit kunne slå hustruen. Heller ikke som en forudsætning om, at almindelige „tørre hug mellem ægtefolk", altså sådanne som ellers kunne være indbefattede under revselsesretten, aldrig af den pågældende ville blive påtalt. Hvis manden slog hustruen på tyrannisk måde, kunne det påtales efter 6-5-7, som nævnte både tyrannisk og ukristelig behandling af konen, jf. 5-6-8 om konens ukristelige behandling af manden. Efter denne fortolkning, som havde støtte i det 19. århundredes omfattende retspraksis herom, blev manden straffet hårdere for tyrannisk behandling af konen, end omvendt når hun gjorde ham skade. Efter Scheel kunne grunden hertil være, at konen var mere udsat for en sådan behandling af manden end omvendt. Reglerne i Danske Lovs 6. Bog suppleredes med forordningen af 4. oktober 1833 § 22 om vold imod personer, som man skylder „kærlig omhu"[25]. Flere af lovbogens „nye" regler, d.v.s. regler, som ikke blot var overtaget fra landskabslovene eller andre ældre love, supplerede således opfattelsen af hustruens retsstilling i forhold til ægtemanden.

Stig Iuul har i „Kodifikation eller kompilation?" fremhævet, at det ikke gik ganske uden sværdslag i 3. revisionskommission, da man drøftede, om revselses-retten skulle opretholdes i forhold til hustruen. Han påpegede, at de to svogre, Peder Scavenius og Rasmus Vinding, stærkt modsatte sig reglens ophævelse, men at de blev overstemt af de 3 øvrige medlemmer af kommissionen (Vind, Juel og Vibe)[26]. Han overlader det til den enkeltes fantasi at finde en forklaring på de to svogres ihærdige kamp og den mulige sammenhæng med søstrenes særlige gemyt.

Kontraktfrihedens princip blev nedfældet i Danske Lov 5-1-2, hvorefter „alle kontrakter, som frivilligen gøres af dem, der er myndige og komne til deres lavalder, være sig køb, salg, gave, mageskifte, pant, lån, leje, forpligter og for-løfter og andet ved hvad navn det nævnes kan, som ikke er imod loven eller ærbarhed, skulle holdes i alle deres ord og punkter, såsom de er indgået". Dette romerretligt og naturretligt inspirerede princip gjorde ingen undtagelser m.h.t. voksne kvinder. Hverken „loven" altså Danske Lov eller „ærbarheden", d.v.s. almindelige moralprincipper som sådanne, gjorde gifte kvinder umyndige. Der kan dog næppe være tvivl om, at kravet om „myndighed" i 5-1-2 var medvir-kende årsag til, at 1800-tallets jurister havde voldsomt travlt med at understrege, at hustruer i praksis var umyndige, jf. J.H. Deuntzer (1845-1918), der i 1899 udtalte, at man altid havde anset hustruen for umyndig, fordi hun var urådig: „Sagen er imidlertid sikkert den, at lovgiveren har betragtet det som en selv-følge, at hustruen ligesom efter den ældre ret er umyndig, idet myndighed for hendes vedkommende i almindelighed taget ville *savne et fornuftigt øjemed* eller endog være til hendes skade, når hun dog mangler rådighed over sin formue. *Man har derfor altid været enig om*, at hustruen *er umyndig* i formueretlig hense-ende" (mine fremhævelser)[27]. Juristerne havde skabt et umyndighedsdogme. Pro-blemet for ældre teori var, at ingen udtrykkelige lovbestemmelser udtalte sig om hustruens umyndighed. Tværtimod måtte teorien nærmest bortforklare de reg-ler i lovbogen, som tillod hustruen kontraheringsret i forskellig sammenhæng.

25 *A.W. Scheel*, Familieretten, 141 ff.
26 *Stig Iuul*, Kodifikation eller kompilation?, 69.
27 *Inger Dübeck*, 43-44.

Der herskede i ældre teori usikkerhed og uenighed om *umyndighedsdogmets* oprindelse og begrundelse, selv om der ikke var tvivl om indholdet, nemlig hustruens urådighed. C.D. Hedegaard mente som nævnt, at oprindelsen til værgemålet over hustruen skulle søges i formuefællesskabet mellem ægtefæller, „af *communione bonorum inter conjuges*", mens L. Nørregaard betragtede hustruen som en mindreårig snarere end en umyndig, d.v.s. som en person, der havde behov for beskyttelse. Chr. B. Brorson (1762-1835) var også af den mening, at hustruens umyndighed var af en anden beskaffenhed end andre umyndige personers, og at den bedst kunne bestemmes som en i hensynet til mandens enerådighed begrundet urådighed. Men han ville ikke opfatte manden som en kurator (hvilket ville have begrænset mandens muligheder)[28].

Engelbrecht Hesselberg forsøgte i „Juridisk Collegium" at forene forestillingen om hustruens umyndighed med gældende ret efter Danske Lov: „Man kan vel ej med rette sige, at koner aldeles ej kan indgå kontrakter, thi vel er manden boets og sin hustrus værge, DL 3-17-38", men hvis parterne ikke lever i formuefællesskab ifølge en (antenuptial) ægtepagt eller ifølge særlig specifikation, mente han, at hustruen måtte kunne kontrahere netop under henvisning til 5-1-2, „som ikke betager hustruen denne ret mere, end myndig søn, som kontraherer om sit eget ..." DL 5-1-13 siger kun, at ægtemanden ikke forpligtes ved en slig ubekendt kontrakt.

Men netop DL 5-1-13, hvorefter „Husbond ei er pligtig at svare til den gæld eller kontrakt, som hans hustru eller barn gør, mens de er i fællig med ham (i husfællesskab), medmindre det skelligen bevises, at sådant er sket med husbondens vilje og viden", udviser en skærpet holdning til hustruens frihed til at handle selvstændigt. Efter landskabslovene var der en almindelig frihed til at handle inden for en vis beløbsgrænse. I forarbejderne, det såkaldte „Første Projekt" (1669-1672) udarbejdet af Rasmus Vinding, var reglen (4-1-9) udformet uden hensyn til nytte og nødvendighed som en almindelig regel om hustruens principielle inkompetence med hensyn til fælliget, modsat SKL 152 og ESL III, 35. Til 4-1-9 var føjet en regel i 4-1-10, der i overensstemmelse med ældre praksis medførte, at husbondens viden om hustruens transaktioner, uden at han nedlagde forbud på tinge, måtte medføre hans hæftelse, d.v.s. passivitet kunne medføre hæftelse. Forslaget i 4-1-9 indeholdt en almindelig ugyldighedsregel med hensyn til hustruens transaktioner, medmindre det kunne bevises, at hun havde handlet med hans vilje og viden, mens 4-1-10 gjorde hustruens transak-

---

28 *Inger Dübeck*, 48 ff.

tioner gyldige, indtil ægtemanden aktivt måtte nedlægge forbud på tinge. 4-1-10 handlede om at „tage, borge og låne" og kunne være tænkt som eller være blevet en regel om købekoner til supplement af 4-1-9, der kan opfattes som en regel om almindelige („hjemmegående") hustruer. Dette bestyrkes af, at ordet „tage" i 4-1-10 ændredes til „sælge" i „Sidste Projekt" af forarbejderne, som imidlertid indeholdt den marginalnote, at art. 10 helt burde slettes, hvilket også skete i lovbogens endelige udgave. 4-1-9 (5-1-13) blev stående og fik i 1. revisionskommission tilføjelsen "eller også til fælles uomgængelig nytte og fornødenhed". Hvorfor denne „nødrets-negotiorum gestio-regel" blev tilføjet, fremgår ikke af forarbejderne. 5-1-13 blev herefter en regel, der fremhævede hustruens generelle urådighed over midlerne i fællesboet og manglende beføjelse til at forpligte manden uden hans viden og vilje. Der skal foreligge en særlig nødvendighedssituation for at handle uden denne autorisation[29].

Teorien fortolkede 5-1-13 på forskellig måde, men Chr. Bagger Brorson mente, at hvis manden forholdt sig passiv, skulle han anses for at have givet *stiltiende samtykke*, hvilket næppe var i overensstemmelse med forarbejderne, men måske med hidtidig praksis. Endvidere mente han, at kravet om fælles nytte og uomgængelig nødvendighed burde hvile på et (objektivt) billighedshensyn og ikke kunne tilsidesættes vilkårligt af ægtemanden. Brorson synes i det hele at have haft omsætningshensynet og praktiske dagligdags hensyn i tankerne frem for at ville hæge om ideologien om hustruens generelle umyndighed[30].

I tysk teori og visse enkeltordninger fandtes eksempler på, at hustruen kunne disponere i nødstilfælde over fælles midler, især i tilfælde af mandens sygdom eller fravær af længere varighed. I vigtigere sager udkrævedes dog efterhånden rettens beskikkelse af en værge eller familiens tilslutning[31]. Eksempler herpå findes tillige i ældre dansk bevillingspraksis.

A.S. Ørsted (1778-1860) synes dog at måtte tildeles „æren" for en fortolkning af 5-1-13, der cementerede umyndighedsdogmet for resten af 1800-tallet. Han fremhævede især fuldmagtselementet, herunder det karakteristiske ved negotiorum gestio (fælles nytte og uomgængelig fornødenhed). Med støtte i 5-1-13 afviste han ældre teoris opfattelse, hvorefter hustruens „umyndighed" i almindelighed skulle forstås som „urådighed", og henviste til, at hverken fuldmægtig eller negotiorum gestor behøvede at være myndig. Yngre teori fulgte

---

29 *Inger Dübeck*, 110-112.
30 *Inger Dübeck*, 115 ff.
31 *Inger Dübeck*, 123.

Ørsted og brugte 5-1-13 som beviset på eksistensen af et almindeligt princip i Danske Lov om hustruens umyndighed. Ørsted kan således siges teoretisk at fratage hustruen den myndighed, som 1700-tallets forfattere, herunder F.Th. Hurtigkarl (1763-1829), havde forsvaret. Hurtigkarl sluttede ud fra sætningen i 5-1-2 om, at alle kontrakter som frivilligt gøres af dem, som er myndige og komne til deres lavalder skulle holdes, til at „de personer som indgår kontrakter ... skal have fornuftens og frihedens brug, samt rådighed over deres gods". Han anførte, at de, som var indskrænket i rådigheden over deres formue, var mindre-årige mænd og ugifte kvinder med kgl. bevilling samt ødsle personer og hu-struer. Hurtigkarl henførte således hustruen blandt de delvist inkompetente, men dog myndige[32]. Ørsted imødegik i sin Haandbog Algreen-Ussings be-mærkninger om „Personretten", hvori denne havde „anset det for tvivlsomt, om manden var at anse som konens værge, når fællesskab i midler ej finder sted, hvilket han endog mente at være stridende mod analogien af DL 3-17-11 ...", hvorefter fæstemand ej må være fæstemø's værge, men nok være til stede, ved et skifte, som angår hende[33]. Ørsted kunne ikke acceptere denne opfattelse. Tværti-mod mente han, at mandens værgemål vedvarede, selv om fælliget var aldeles hævet ved kgl. bevilling, medmindre det af ægtepagten eller den konkrete gave-aftale eller af testamentet fremgik, at ægtemanden netop ikke skulle have værge-beføjelsen. Hvis det var tilfældet, kunne hustruen „antages *i den henseende* at være myndig". I realiteten var han enig med Algreen-Ussing, men følte sig for-pligtet til en række modifikationer omkring særlige forhold. Myndighed var her klart noget særdeles relativt, som afgjordes af ægtemandens retsstilling. Det havde nok forenklet teoriens problemer, hvis den havde valgt at følge tysk teori om ægtemandens særlige hustruværgemål, *cura maritalis.* Både Hesselberg, Brorson, Algreen-Ussing (1797-1872) og Ørsted erkendte jo, at hustruværge-målet var af en anden beskaffenhed end værgemålet for umyndige. Jeg har som overskrift til dette underafsnit brugt betegnelsen: „Umyndighedskonstruktio-nen", fordi teorien *konstruerede* en umyndighed for hustruen, som ikke havde hjemmel i Danske Lov.

Det er også muligt at påpege en anden konstruktion, som udspringer af formueforholdet mellem ægtefæller: *samejekonstruktionen.* En debat om fælles-skabets nærmere retlige karakter med A.S. Ørsted som den ene part var frem-provokeret af den norske jurist Winther Hjelm, der afviste, at lovbogens formue-

---

32 *Inger Dübeck*, 115-119.
33 *A.S. Ørsted*, Haandbog over den danske og norske Lovkyndighed, II, 191 f.

fællesskab i DL 5-2-19 skulle være et fuldstændigt *sameje*. Hidtidig teori havde
ikke, heller ikke Ørsted, interesseret sig videre for fællesskabets nærmere retlige
karakter, før Hjelms stærkt polemiske artikel tvang Ørsted til at klargøre sig den
opfattelse, at lovbogen måtte hvile på en *utvivlsom* samejekonstruktion. Pole-
mikken mellem Ørsted og Hjelm vil blive yderligere omtalt i Kapitel 7. Men på
nærværende sted skal kort ridses op nogle få af de synspunkter, som Ørsted frem-
førte.

Fr. Th. Hurtigkarl definerede sameje eller medejendom som „den ejen-
domsret, som flere personer enten til lige eller ulige dele har over een eller flere
ting". Dette kunne igen forekomme som et almindeligt alt omfattende (*commu-
nio universorum bonorum*) og et særligt vedrørende enkelte ting. Det alminde-
lige kunne stiftes ved lov eller ved medejernes samtykke, ligesom det, som an-
toges stiftet ved lov, kunne være „grundet i den almindelige lov", „hvilket er
tilfældet med det sameje eller fællesskab, som efter Kong Kristian den V's Lov
ordentligvis (= normalt) finder sted mellem ægtefæller", men det kunne også
være grundet i en „særdeles lov", d.v.s. en kgl. bevilling, f.eks. en bevilling for
enken til at sidde i uskiftet bo med fælles umyndige børn[34].

Ørsted havde ikke kommentarer til denne begrebsudvikling, som han da må
formodes at tilslutte sig. Hurtigkarl fremstillede formueforholdet mellem ægte-
fæller (s. 326) som et fælles bo, hvoraf hver ejede halvdelen, og som omfattede
alle midler, således at fællesboet må anses for fuldkomment. Udlæggelsen af
halvdelen på skifte er derfor ikke arv, men blot en tilegnelse af egen ejendom.
Når Ørsted hertil bemærker, at Hurtigkarl giver udtryk for „en ganske utvivlsom
Sandhed" og gængs mening, om at der stiftes et „fuldstændigt sameje" mellem
ægtefæller, fornemmes det, som om han bruger ordet sameje som ligeværdigt
med fællesskabet, hvorimod Hurtigkarl brugte begrebet „sameje" som et over-
begreb, der blandt flere andre forhold, kunne omfatte det lovbestemte alminde-
lige formuefællesskab mellem ægtefæller. Indtrykket af, at Ørsteds ordvalg var
velovervejet, forstærkes yderligere ved den efterfølgende polemik med Hjelm[35].

Således hævdede Ørsted, at Hjelm „vil ikke lade det gælde som noget bevis
for hint sameje, at loven kalder mandens og konens samtlige ejendele fælles bo".
Han opponerede kraftigt imod påstanden om, at ordet „fællig ofte bruges i lov-
sproget, hvor intet fællesskab i hensyn til proprieteten finder sted", og at „ordet
„fælles" bruges ved mange lejligheder, hvor der ikke kan være mindste tanke om

---

34 *Fr. Th. Hurtigkarl*, Den danske og norske Private Rets første Grunde II, 1, 110-111.
35 *A.S. Ørsted*, Haandbog, IV, 216-217, 533 ff.

sameje" (s. 535). Ørsted måtte medgive, at ligedelingen ikke i sig selv beviste, at formueforholdet var et sameje under ægteskabet.

Et ikke uvigtigt led i Ørsteds modargumentation eller „gendrivelse" af Hjelms kætteri, er, „at loven *stedse* omtaler manden som enerådig over det hele bo, uden at konen med hensyn til boet træder frem som nogen særskilt juridisk person". Han citerer dog kun 5-1-13, skønt ordet „stedse" lader formode, at der skulle være flere artikler. Konens gæld er kun *gyldig*, hvis den forpligter manden (s. 539-540). Men det siger 5-1-13 ikke. Den siger kun, hvad husbond har pligt til at betale, men ikke at hustruens gældsstiftelse skulle være *ugyldig*. Her mærker man tydeligt Ørsteds hensigt i retning af at ville cementere hustruens umyndighed og mandens enerådighed.

Ved således at *konstruere* den gifte kvindes *umyndighed* og deraf følgende mangel på handleevne, blev det muligt for ham at *konstruere* et *sameje* uden hensyntagen til de almindelige regler om økonomisk sameje, hvorefter der ellers kræves enighed mellem parterne om alle dispositioner og beslutninger[36].

På denne baggrund kunne han tolke reglen i 5-1-13 som udtryk for, at konen var fuldmægtig eller dog negotiorum gestor, mens ægtemanden var „ene-ejer" af det altomfattende fællig, skønt almindelige samejeprincipper opfattede den som handlede på fællesskabets vegne, forretningsføreren eller bestyreren, som befuldmægtiget af interessenterne (s. 108).

Ørsted inddrog også retshistoriske synspunkter, hvorefter det i de ældre danske lovbøger hjemlede fællesskab var *„udviklet"* ved stadsretter og recesser og bekræftet ved Chr. IV's 1643-reces II-7-1. Det var imidlertid ikke hans hensigt at drive retshistorisk forskning, men at begrunde sin samejekonstruktion retspolitisk for at forklare, at den ikke var trukket ned over ørerne på folket, „at den nu herskende tingenes orden ikke er pånødt folket ved en lov, hvorunder det mod sin vilje måtte bøje sig, men at derimod folkets tænkemåde og tilbøjeligheder har virket med loven til at frembringe den nærværene tilstand"[37]. At den ene halvdel af folket, mændene, ikke ville protestere mod denne udlægning, er indlysende, og at den anden halvdel, der måske gerne ville protestere, ikke gaves lejlighed eller adgang dertil, nemlig kvinderne, især de gifte, er lige så indlysende, ligesom de måske kunne føle, at denne form for sameje netop var dem „pånødt".

---

36 *P.G. Bang*, Udvikling af Læren om Interessentskab og de samme nærmest vedkommende Retsforhold, i: Juridisk Tidsskrift, 16. B, 1. Hft., 1829, 63, 86, 103.
37 *A.S. Ørsted*, Juridisk Tidsskrift, 16 B., 1. Hft., 1829, 230.

3. Store og små socialgrupper

Den mindste sociale gruppe var den samboende familie eller „husstanden", som den benævnes i naturretlige fremstillinger, omfattende tyende og eventuelle logerende, beslægtede eller ubeslægtede. Økonomiske eller religiøse fællesinteresser kunne knytte disse grupper sammen i en større gruppe, f.eks. i et godssystem eller et laug, eller tilhængere af en bestemt trosbekendelse. Et gods fastlagde de økonomiske, administrative og retlige grænser for den enkeltes dagligliv. Et sådant decentralt lokalstyre var mere nærværende for individet end det centrale statslige styre. Inden for det enkelte gods rangerede godsejeren selvsagt højest. Han havde hals- og håndsret, d.v.s. ret til at anholde godsets beboere, tiltale dem ved domstolene og eksekvere dommene, herunder oppebære bøder. I Stavnsbåndsperioden kunne han bestemme flyttemuligheder for mandlige beboere. Desuden havde han militærudskrivning, skatteopkrævning og skifteforvaltning, således at godsets beboere kun havde begrænset kontakt med andre myndigheder. Fæstebønderne måtte underskrive fæstekontrakter i forhold til godsejerne. Det normale var, at gårdfæsteren sad på gården til sin død eller til en frivillig afståelse af fæstet. Et mindre gods kunne omfatte 70 husstandsoverhoveder, men i alt henved 300 personer, som havde forskellig tilknytning dertil. De bedst aflagte økonomisk var gårdfæsterne, mens husmændene, der kun fæstede et hus, havde en mere usikker stilling som daglejere. Var godsejeren samtidig lensgreve, og havde han store tilliggender under grevskabet, kunne antallet af undergivne være væsentligt større, ligesom han var udstyret med flere offentligretlige beføjelser end de almindelige godsejere, f.eks. birkeret med doms- og politimyndighed samt amtmandskompetence og direkte kontakt med de centrale myndigheder i København uden om den statslige lokalforvaltning[38]. I 1700-tallet begyndte godssystemet og dermed de større socialgrupper på landet at gå i opløsning. Blandt årsagerne var Stavnsbåndets ophævelse i 1788 og indførelsen af regler om livsfæste på den ene side og bortsalg af fæstegods til selveje på den anden. Godserne blev til almindelige store landbrug uden offentligretlig myndighed.

Den anden store gruppedannelse, som typisk var opstået inden for godssystemet, var landsbyfællesskabet, der især omfattede dyrkningsfællesskab. Den enkelte landsbys gårdmænd udgjorde bylauget, der skabte reglerne for alle væsentlige interesseforhold i landsbyen og for det eksterne forhold til nabolands-

---

38 *Hans Chr. Johansen,* Dansk Socialhistorie, 4, 112 ff.

byer. Ægteskaber blev ofte indgået med personer fra andre landsbyer, men trods dette var der nok altid en del bymænd, der var beslægtede eller besvogrede[39].

Fra 1740erne steg priserne på landbrugsprodukter og var omkring 1800 fordoblet. Tjenestefolk, husmænd og bybefolkning fik derved øgede omkostninger. Fæstebønderne lukrerede på denne situation og fik råd til udskiftninger mand og mand imellem, hvorved dyrkningsfællesskabet ophørte, og jorden opdeltes i samlede lodder til hver enkelt bonde, jf. forordningen af 23. april 1781, der nærmest regulerede disse forhold. Med udskiftningen af fæstejorden fulgtes ofte en opløsning af landsbyerne og det sociale fællesskab, idet mange bønder flyttede deres gårde ud på markerne for at være nærmere på dyrkningsstederne. Med selvejets vækst ophørte den tætte tilknytning til godset og landsbyen. Samtidig voksede bøndernes behov for disponibel kapital, således at ægtefællens formueforhold blev af meget stor betydning for mandens dispositioner netop i forbindelse med overgangen til selveeje.

Kernegruppen, den mindste socialgruppe, var som nævnt husstanden eller den husholdning eller familie, som den enkelte levede i. En repræsentativ undersøgelse baseret på 26 landsogne viser husstandsstørrelsen for 1787, som typisk var på 3-4 personer, men der var også mange på 2, 5 eller 6 personer. Især i gårdmandsgruppen kunne husstanden overstige 10 personer. Det typiske for gårdmandshusstanden var 6-7 personer. Som hovedregel fandtes kun eet gift par i hver husstand, men både unge nygifte og gamle gifte kunne høre til husstanden uden at være overhoved[40].

Flergenerationsfamilien synes på retur. Dog forekom det ofte, at forældrene til husstandsoverhovedet eller dog en af dem hørte til husstanden. Hans Chr. Johansen nævner, at der i 1700- og 1800-tallet kun i ca. 10% af husstandene var 3 generationer tilstede samtidig. Den dominerende andel af ældre mandlige husstandsoverhoveder boede enten på deres oprindelige ejendom eller i et (aftægts)-hus. Enkerne sikrede sig ofte forsørgelse ved at tage ophold hos et gift barn. Forsørgelsen af ældre kunne også ske ved, at godsejeren stillede et hus med en stump jord og lidt brænde til rådighed for at få en yngre fæster ind på gården[41]. I byerne omfattede husstanden eller familien også tjenestefolk og hos håndværkere ofte tillige lærlinge og svende.

Selv om fæstebønderne fik øget arbejdstid, styrkedes deres sociale stilling

---

39 *Hans Chr. Johansen*, 120 ff.
40 *Hans Chr. Johansen*, 161 ff.
41 *Hans Chr. Johansen*, 169 ff.

som hørende til gårdmandsklassen. Allerede forud for denne udskiftning var gået en udvikling, hvor familiefæstet var styrket væsentligt via en praksis, hvorefter gårdfæstet gik fra den afgående fæster til hans søn eller svigersøn. Familiefæstet skabte stabilitet i gruppen af fæstebønder og gav dem øget indflydelse på, hvem der skulle overtage fæstet i forhold til godsejerne. Omkring 1740 var 30% af alle nytiltrådte gårdfæstere nært beslægtet med den afgående. I 1770 var procenten øget til 45, og i 1800 var tallet oppe omkring 65%. Fæstegårdene blev således i løbet af 1700-tallet til slægtsgårde, hvad der vel også styrkede interessen for overgang til selveje[42].

Fæstegårdssystemet havde siden 1300-tallet virket bevarende. Fæstegårde måtte ikke nedlægges og kun i begrænset omfang opsplittes. I de 225 år mellem 1525 og 1774 forsvandt 5% af de danske gårdmandsbrug, 1/3 alene i årene mellem 1650 og 1700. Forbudet mod nedlæggelse af bøndergårde forhindrede også opsplitning ved arvedeling. Arveproblemet voksede i 1800-tallet. Enkelte børn blev begunstiget, andre forvist til husmandsgruppen eller andre erhverv eller også medførte en lighedsbehandling en opsplitning af de nye selvejergårde i mindre dele. Udskiftning og overgang til selveje havde også ulemper[43].

Den lovgivning, som skulle bringe en ny tids selvejerbonde frem i første række, var båret af politiske og naturretlige idéer: „At ejendomsret må være et af de kraftigste og bekvemmeste midler til opmuntring for bonden, og til at give ham mod og lyst til at stræbe, det synes endog at flyde af et menneskes tænkemåde i almindelighed – en selvejerbonde (indser) helt vel, endog uden at være meget oplyst, at de penge såvelsom den tid, flid og arbejde, han anvender på hans gårds og jords forbedring, det er en kapital, han udsætter mod sikker pant, og hvoraf han og hans børn med tiden kunne vente dobbelt rente“. Således begrundede generalprokurør Henrik Stampe sin indstilling om forordningen om selvejerbønder i Danmark, som udstedtes den 13. maj 1769[44]. Utvivlsomt ville også bondens kone kunne se fordelen, idet selvejet jo blev en del af formuefællesskabet, som derved sikrede hendes enkestand. Forordningens § 6 er i øvrigt interessant derved, at den åbnede mulighed for, at en selvejerbonde kunne udparcellere sin grund, hvis han fandt, at flere familier kunne ernære sig på den, således at den opdeltes blandt „2 eller flere parter blandt flere af hans børn eller

---

42 *Thorkild Kjærgaard*, Den danske Revolution 1500-1800. En økohistorisk tolkning, 146-152.

43 *Thorkild Kjærgaard*, 159 f.

44 *Henrik Stampe*, Erklæringer, VI, 109 ff.

arvinger", ligesom han selv kunne bestemme, om det skulle ske i hans levende live eller efter hans død. Dette var nye toner set i et historisk perspektiv.

III. Sammenfatning

I nordeuropæisk kontinentalret blev det de 3 store privatretskodifikationer, som kom til at dominere opfattelsen omkring gifte kvinders retsstilling, mens det i England og Danmark blev en yngre spredt enkeltlovgivning, som bragte fornyelsen. Dog fik også retspraksis begge steder indflydelse på udviklingen og via teoretiske fremstillinger udbredtes nogle af de i de store kodifikationer udtalte retsprincipper også hos os.

Skønt de natur- og menneskeretlige principper om *frihed* og *lighed* fik stigende betydning, også for lovgivningen, var dette kun i begrænset omfang tilfældet, når det drejede sig om hustruers retsstilling, og måske især ikke i retssystemer, hvor formuefællesskab var den basale formueordning i ægteskabet som i Code Civil og Danske Lov.

Ejendomsretten som en af menneskerettighederne tilsikredes også hustruen, men i form af et sameje, hvorover hun var nærmest totalt urådig under ægteskabet. Den *personlige frihed*, som påberåbtes så ihærdigt i forordningen af 20. juni 1788 om Stavnsbåndets løsning, gjaldt ikke for de gifte kvinder. Forordningen indledtes med de betagende ord: „Da bondestanden indbefatter den talrigste del af landets indbyggere, og statens styrke, såvel i hensigt til forsvarsvæsenet, som den almindelige velstand fornemmeligen beror på denne betydelige næringsstands vindskibelighed, mod og fædrelandskærlighed, så kan Kongen ikke gøre et for ham selv kærere og for det Almindelige gavnligere brug af hans kgl. myndighed end at anvende samme til at opmuntre disse borgerlige dyder; ved omhyggeligt at bestemme og med kraft håndhæve undersåtterne af bondestanden i deres rettigheder, især den *personlige frihed* ..." Denne frihed loves tilmed at skulle være „uigenkaldelig og på ingen måde (at) kunne svækkes eller indskrænkes".

Personlig frihed til at bestemme bopæl og opholdssted var ikke forundt gifte kvinder, skønt de udgjorde en meget stor del af landets indbyggere, og skønt den almindelige velstand i høj grad beroede på deres flid, mod og fædrelandskærlighed. Det understregedes derimod overalt i den juridiske teori, at husbondmagten, som tilkom ægtemanden, bl.a. bestod i at bestemme om familiens bopæl og over hustruens og børnenes person.

For den gifte kvinde var *ejendomsretten ikke ukrænkelig.* Ægtemanden kunne krænke den så meget han ville. *Personlig frihed* havde hun heller ikke, og den *lighed*, som der skulle herske mellem ægtefællerne og i det ægteskabelige selskab, var snarere en ulighed. For at nå til en teoretisk begrundelse af denne ulighed måtte juristerne udforme nogle retlige konstruktioner, som indfortolkedes i den lovgivning, der faktisk var mere kønsneutral, end man på forhånd skulle have troet. De to konstruktioner var *umyndighedsdogmet* og *samejedogmet.* Det ægteskabelige sameje var ikke et sameje i almindelig formueretlig forstand, men netop et særligt konstrueret, der skulle sikre, at ægtemænds eneråden var udtryk for en ejerråden.

Udformningen af familiemodellen i 1800-tallets begyndelse, hvorefter familien var en social organisme, hvori den enkelte ikke var en person „für sich", men et medlem, der var berettiget til arv af den „an sich" fælles familieformue, medvirkede til, at arveretten blev en del af familieretten og til udviklingen af regler om hustruens arveret efter ægtemanden, om lige arveret for døtre og om testationsfrihed, som var medvirkende til at sætte *kernefamilien* i centrum på bekostning af fjernere slægtninge, de såkaldte udarvinger. Også reglerne om udskiftning og udflytning fra landsbyerne understregede denne tendens.

Men fremhævelse af ideologien om familien som „kernegruppe" i samfundet skete på bekostning af hustruens personretlige selvstændighed i forhold til ægtemanden. Hustruen fik svært ved at bryde ud af det borgerlige „dukkehus". Endnu i forarbejderne til lov om ægteskabets retsvirkninger[45], hedder det om baggrunden for reglerne om begge ægtefællers særråden og særhæften over egen bodel, at der ikke længere er brug for den tidligere beskyttelse af kvinden. „Tværtimod, det kvinden nu skal beskyttes mod, er, at ægteskabet i et sådant omfang forringer hendes frihed og selvstændighed, at hun fristes til at overveje, om ikke den ugifte stand byder hende større goder, således at hun efter omstændighederne kunne foretrække et konkubinat for et ægteskab". Man fremhæver endog som skrækbillede, hvilke fordele, også med hensyn til hendes personlige forhold, som et konkubinat ville yde hende. Man er tydeligvis bange for, at samfundets grundpille, ægteskabet, skal bringes i fare, en trussel som i nogen grad blev til virkelighed fra 1970erne, uden at hverken samfundet eller dets grundstruktur, kernefamilien, har lidt skade.

---

45 Udkast til Lov om Ægteskabets Retsvirkninger, 32.

· 7 ·

Formueforholdene under og efter ægteskabet

I. Formueordninger i europæisk ret

1. Økonomi og kredit

Valget af formueordninger i ægteskabet har sammenhæng med både den individuelle økonomi, mikroøkonomien, og de store økonomiske træk i samfundet, makroøkonomien, og for det enkelte par med deres sociale kontekst. Hvis priserne på korn stiger, bliver nogen rigere og andre mere forarmede, og hvis renterne eller fæsteafgifterne til jorddrotten samtidig stagnerer, får fæstebønderne det bedre.

At binde sin kapital i jord, dyr og driftsredskaber sikrer kontinuitet i et agrarsamfund, mens illikvid kapital i et handelssamfund hæmmer foretagsomheden. En lovgivning, der fremmer en hurtig omsætning ved at udvikle regler om negotiablitet, men også beskytter kreditorernes krav, er vigtig for erhvervslivets opretholdelse, mens regler om beskyttelse af ejere og fæstere i form af vindikation, langfristede aftaler etc. er vigtige for landbrugslivet.

Karakteristisk for europæisk økonomi er integration af bønder i markedsrelationer. Med handelsudvikling, befolkningsvækst og urbanisering samt kornprisernes stigen i det 16. århundrede skete der dels en vækst i byernes størrelse, dels en påvirkning af landbøkonomien, blandt andet fordi de voksende byer (i antal og størrelser) fik behov for stigende fødevareleverancer. Det 16. århundrede medførte en forbedring for de mellemstore landbrugsfamilier og en forværring for de mange småbrug, hvor formueretlige regler mistede en del af deres betydning, eftersom et stort flertal ikke havde nogen formue af betydning, og de små fæstegårde kunne ikke brødføde mere end få personer[1].

I det 17. og 18. århundrede udgjorde den enkelte husholdning produktionsstedet og velfærdsgrundlaget for familien. Mange børn og unge kom i tjeneste hos andre familier i byen eller på landet. Man giftede sig i Nordvesteuropa ret sent, og husholdningerne var gennemgående små. Byerne var utroligt forurenede og gav grobund for udvikling af allehånde sygdomme og epidemier. Blot det basale behov for frisk vand kunne volde vanskeligheder at få opfyldt. Men de fleste mennesker boede på landet i sundere omgivelser.

Trods dette var byerne årsag til økonomiske forandringer bl.a. derved, at pengeøkonomien styrkedes på naturaløkonomiens bekostning. Enhver mønt bestående af værdifuldt metal kunne bruges som betaling overalt i Europa. Man tillagde det ingen betydning, om en mønt var dansk, hollandsk, tysk, engelsk eller fransk. Penge var en slags „Euro"-penge. Men også banker og papirpenge fik voksende betydning fra det 17. århundrede. Omsætningspapirer med negotiabilitet fik pengeværdi til fremme af erhvervslivet, og regler om realkredit og lånetransaktioner blev almindelige. Mange enker kunne leve flot på udlån af penge[2].

Dagliglivets arbejdsmønster både for jordbrugere på landet og for borgerne i byerne med håndværk og handel engagerede hele familien såvel som et antal tyende. Man arbejdede i nogen grad sammen, selv om der også var en arbejdsdeling. Fra det sene 18. århundrede ændredes dette skema. Børnene sendtes i skole indtil 12-14 års alderen. Lærlingeuddannelsen blev mindre almindelig. For mange blev arbejde et ensformigt job på en fabrik, dette gjaldt ikke mindst for kvinderne fra de svagere lag i det 19. århundredes begyndende industrisamfund. Formuebegrebet blev mere eller mindre utopisk for store dele af den europæiske bybefolkning. Det, som talte, var arbejdslønnen, indkomsten. Fordeling af befolkningen mellem by og land var stadig i det tidlige 19. århundredes Europa således, at langt de fleste boede og arbejdede på landet. Men de svage grupper på landet havde en mere anstrengt økonomi end de svage i byerne, som ofte havde flere strenge at spille på i kampen for overlevelsen. Under perioden sås alligevel en generel økonomisk vækst i landbruget som følge af udskiftning og omlægning af landbrugsdriften, forbedrede metoder, brug af gødning og udvidelse af

1 *Alison Rowland*, The Conditions of Life for the Masses, i: Early Modern Europe, 31 ff.
2 *R.A. Houston*, Colonies, Enterprises and Wealth: the Economics of Europe and the Wider World, i: Early Modern Europe, 137 ff.

landbrugsarealet. På det personlige og formueretlige plan begyndte man at investere sine midler i større forbrugsgoder, som blev industrielt produceret. Disse goder var mindre udsat for tyveri end en pose penge gemt på kistebunden[3]. Pengehandlen tog til, ligeså mæglere og andre involveret i handel og transport. Forsikringsvirksomhed dukkede op til støtte for fjernhandel og søfart, og en lovgivning til fremme af handelslivet så dagens lys, f.eks. „Ordonnance de Commerce" fra 1673, som blandt andet fastsatte regler om konkurs og omsætningsgældsbreve, ligesom der oprettedes en række konsulære tribunaler. Industri og handel fremkaldte en række selskabsformer, interessentselskaber, kommanditselskaber og aktieselskaber. „Det anonyme selskab" fungerede ofte således, at en enkelt person præsenterede den planlagte forretning som sin, men bagefter deltes profit og tab med de øvrige deltagere, hvis navne ikke fremtrådte udadtil. Dette brugtes ofte til fremme af spekulationsforretninger på Børsen. Særlige kreditinstitutioner var fåtallige i det 17. århundredes Frankrig set i forhold til Italien. Man fastholdt i Frankrig længe den katolske uvilje mod rentetagning, og det kunne være vanskeligt ved domstolenes hjælp at gennemtvinge krav på skyldige renter over for debitorer. Men efterhånden voksede bankerne frem til lettelse af omsætningen[4].

De nye friheder omkring personer og ejendom fremkaldte også privatretlige friheder på juraens område. Kontraktsfrihed afløste de bundne agrarreguleringer, som havde omfattet administrativ godspolitik og en patrimonialjurisdiktion, der indtil midten af det 19. århundrede havde hindret, at bønderne blev almindelige statsborgere og direkte statsundersåtter i stedet for som hidtil at være underlagt et godsejerstyre. Det er måske symptomatisk, at det første lovgivningstiltag i det 19. århundrede, der handlede om den personlige frihed, nemlig om livegenskabens afskaffelse, vedrørte Slesvig-Holsten og udgik fra det danske styre i København den 19. december 1804 og ikke fra de tyske enkeltstater[5].

2. Engelsk ret

De ægteskabsretlige formueordninger kan generelt opdeles i ordninger, hvorefter familiens formue bestod af to separate særejeformuer, og ordninger, hvor

---

3 *James C. Riley*, A Widening Market in Consumer Goods, i: Early Modern Europe, 233 ff.
4 *Jacques Ellul*, Historie des Institutions, 4, 119-139.
5 *Stephan Buchholz*, Agrarverfassungsgesetzgebung, i: Handbuch III/2, Einzelgesetzgebung, Deutschland, 1721-1727.

formuefællesskab herskede, uanset om der var tale om sameje eller andre former for fællesskab, og uanset om fællesskabet viste sig allerede under ægteskabet eller først ved dettes ophør.

Den i engelsk ret fremherskende fundamentale afvisning af formuefælles-skabet og af selvstændige formuerettigheder for den gifte kvinde af hensyn til ægtemanden, som havde domineret middelalderens „Common Law", kunne ikke opretholdes i længden og blev udkonkurreret ved konkrete aftaler, der accepteredes af den særlige „Equity Law", som udgik fra „Court of Chancery", f.eks. via aftaler om „joint ventures", som omtalt i Kapitel 3. Også de kirkeretlige regler i „Ecclesiastical Law" åbnede muligheder for at sikre den gifte kvindes retsstilling.

De kirkeretlige regler om formueforholdet mellem ægtefæller vedrørte alene skifteretlige forhold efter ægteskabets ophør, mens Common Law omhandlede formueforholdet under ægteskabet. Ved skifte efter mandens død var hustruen berettiget til en trediedel af hans personlige ejendom, uanset om der var testamente eller ej. Var der testamente, gjorde manden ofte hustruen til eksekutor af hans del af boet. Var der ingen børn, havde hun som enke ret til at administrere hans ejendom[6].

Efter Common Law ansås hustruens kontrakter kun som gyldige, fordi de betragtedes som mandens kontrakter, for hvilke han alene hæftede. Han hæftede også for hendes antenuptiale gæld, uanset om han modtog nogen form for formuemidler fra hende ved ægteskabets indgåelse eller ej, ligesom han hæftede for hendes skadegørende handlinger både før og efter ægteskabet. Hendes „juridiske personlighed" var således fusioneret med hans. Hun kunne heller ikke skrive testamente uden hans samtykke.

Det tidligste brud på Common Law-doktrinen om hustruens manglende juridiske personlighed kan efter Edward Jenks henføres til en sag fra 1639, om en kvinde, der blev separeret fra sin ægtemand og fik status som selvstændig person. I tiden derefter begyndte „Chancery" at beskytte gaver, som var givet til gifte kvinder til eget separate brug, „sole and seperate use", og for at virkeliggøre donors intention at beskytte sådanne gaver mod husbondens gæld, kontrol eller engagementer. I den tidlige fase herskede der nogen tvivl, om sådanne gaver kunne gives før ægteskabet, og om det kunne ske uden intervention fra en

---

6 *Amy Louise Erickson*, Common Law versus Common Practice: Marriage Settlements in Early Modern England, i: Economic History Review, 2nd ser., XLIII, 1 (1990), 21-39, og i: History of Law: Histories of Law and Society, Vol. II, ed. David Sugarman (1990?), 409 ff.

„trustee". Praksis accepterede efterhånden begge dele[7]. „Equity Law" udviklede både regler til beskyttelse af gifte kvinders formue og om brugen af ægtepagter til dette formål.

Den logiske konsekvens af husbondens Common Law-rettighed over hustruens person var hans forpligtelse til at forsørge hende. Havde han åbenlyst vist sig ude af stand til at sikre denne forsørgelse eller gjort sig skyldig i mishandling eller forsømmelse, tillod „Equity" hverken ham selv eller hans kreditorer at forlange udleveret, hvad der måtte komme af formuegoder til hustruen uden at godskrive hende en vis andel. Denne udvikling kan føres tilbage til en sag fra 1715, hvor en mand i hemmelighed havde giftet sig med en sindssyg kvinde. Skønt den gejstlige domstol fastholdt ægteskabets gyldighed, nægtede Chancery, at hustruens lykkeligvis bevarede formue blev udbetalt til manden, før han havde oprettet en passende ægtepagt („settlement") til fordel for hustruen. Det blev grundlaget for en doktrin om „equity to a settlement", som kunne rettes ikke blot mod husbonden selv, men også imod hans kreditorer via ham.

Amy Louise Erickson har foretaget en indgående analyse af „settlement"-praksis i retsprotokollerne fra Chancery i perioden fra 1558 og frem til 1714. Hun påviser, at selv om de rene „settlement"-sager kun udgjorde 2% af alle klagesagerne, var kvinder involveret som part i alle slags sager og tilmed i stigende grad i perioden fra 1558-1603 og 1613-1700. Hun påpegede også, at ikke alle havde råd til at gå via „Court of Chancery", men havde en mulighed for at få en „marriage settlement" registreret i en gejstlig rets skifteafdeling, d.v.s. uden at der var tale om en retskonflikt. Blandt de fra forskellige retter fundne dokumenter har hun fremdraget 36 ægteskabsaftaler til fordel for hustruen. Med meget få undtagelser omhandlede de alle middelklassefolk med mindre formuer, håndværkere, arbejdere m.v., alle folk, som ikke ville have råd til at føre sager for „Chancery Court".

Hun har også påvist, at der i det 17. århundredes England var mange tilbud om råd og økonomisk vejledning for den kvinde, som overvejede ægteskab. „The Ladies Dictionary" fra 1694 og „The Lady's Law" fra 1732 informerede bl.a. om, hvorledes kvinder kunne beholde deres jord, løsøre og mest værdifulde ting. *Præcedenssamlinger* viste, at ægtepagter havde haft stor betydning helt tilbage i det 16. århundrede, f.eks. Gilbert Horsmans trebindsværk „Precedents in Conveyancing" fra 1744 og John Rastells „Newe boke of presidents" fra 1543[8].

---

7 *Edward Jenks*, A Short History of English Law, 225-227.
8 *Amy Louise Erickson*, 414-415.

Der var tale om tre slags ægtepagter: 1) pligt for ægtemanden til ved sin død at sikre hustruen et beløb af den del af formuen, som hun havde bragt ind i ægteskabet, 2) pligt til at betale hendes børns andel fra et tidligere ægteskab, hvis han havde fordelen af den tidligere mands formue, og 3) pligt til til trediemand at betale et beløb som særeje til hustruens brug under ægteskabet. Alle tre forpligtelser kunne have været gennemtrumfet ved Common Law-domstole. Af hustruen selv dog først efter mandens død. En del aftaler gik ud på, at de pågældende beløb skulle betales direkte ved mandens død som en udtagelsesret, således at enkens krav skulle betales før anden gæld[9].

Det var tidligere uklart, om hustruen havde rådighed over den særlige „settlement"-formue. Hendes ret til at råde over denne form for særeje stod dog fast fra midten af det 18. århundrede, både ved *inter vivos-* og ved *mortis causa*-dispositioner, medmindre der var tale om jord, hvor tvivlen fortsatte. Efterhånden slog den opfattelse igennem, at hustruen var forpligtet til selv at betale den gæld, som hvilede på denne form for formue, også vedrørende særejejord.

Men derved skabtes en modtendens. Hustruens nyvundne frihed fremkaldte krav om, at hun skulle beskyttes, ikke blot mod ægtemanden, men også mod sig selv! Der var ingen idé i at sikre hustruen ret til at råde selvstændigt, hvis hun blot sløsede hele sit særeje bort ved ufornuftige retshandler. Sådanne tanker fremkaldte en ny doktrin, klausulen om „restraint on anticipation", d.v.s. en slags båndlæggelse i en „settlement", som gjorde en gift kvindes særeje (kapital eller indkomst eller begge dele) uoverdragelig, så længe ægteskabet varede. På samme tid formulerede „Court of Chancery" reglen mod „perpetuites" (uafhændelig ejendom), som netop var tænkt at skulle forhindre, at formuen blev bundet eller båndlagt. Det var en dichotomi eller selvmodsigelse af dimensioner, og domstolene fortsatte med at opretholde hustruens dispositioner en tid lang, men omkring 1817 var denne båndlæggelsesform anerkendt og opretholdtes meget længe[10].

Først lovgivningen om gifte kvinders formue tillod tilsidesættelse af klausulen i visse forhold. I 1857 åbnedes en almindelig adgang for kvinder, hvis mænd havde forladt dem, til at søge offentlig bevilling til at besidde alt, hvad de efterfølgende måtte erhverve som særeje. Ved Married Women's Property Act fra 9. august 1870 blev hustruens selverhvervede midler hendes legale særeje, „separate property":

9 *Amy Louise Erickson,* 416-423.
10 *Edward Jenks,* 227-229.

„The wages and earnings of any married woman acquired or gained by her – in any employment, occupation or trade in which she is engaged or which she carries on separately from her husband, and also any money or property so acquired by her through the exercise of any literary, artistic or scientific skill, and all investments of such wages, earnings, money or property shall be deemed and taken to be property held and settled to her separate use, independent of any husband to whom she may be married and her receipts done shall be a good discharge for such wages, earnings, money and property".

Under parlamentsdebatten udtalte jarlen of Shaftesbury den 18. juli 1870 til House of Lords, at han troede, at denne lov ville blive en af de største sociale velsignelser, som nogensinde var bragt ved en lov. Han påpegede, at der vel var 800.000 kvinder ansat i lønarbejde i England. Hvis man omregnede deres indkomst til £ 20, ville deres totale indtægt være £ 16.000.000 om året – et beløb, som burde beskyttes imod ægtemænds voldsomhed og griskhed. Ved Married Women's Property Act fra 18. august 1882 indførtes fuldstændig særeje for den gifte kvinde, hvorefter alt, hvad hun erhvervede ved arbejde, arv, gave m.v., var særeje, hvorover hun kunne disponere både *inter vivos* og *mortis causa* på samme måde, som hvis hun havde været ugift (feme sole), og uden at være afhængig af en „trustee", §§ 1-5[11].

Efter 1870-loven måtte hustruen hæfte for antenuptiale forpligtelser, som tidligere kun ægtemanden hæftede for, og som han i begrænset omfang igen måtte hæfte for efter ændringerne ved 1874-loven. Men efter 1882-loven måtte alle hustruer hæfte for dispositioner over deres særeje og selverhvervede midler i samme omfang som enlige[12].

Med sin indgående analyse af et omfattende Chancery Court-materiale dokumenterer Amy Louise Erickson overbevisende sine påstande om, at kvinder trods det retlige systems indbyggede vanskeligheder alligevel kunne sikre sig en bedre retsstilling, end den som Common Law havde at byde på. Kilderne tyder på, at kvinder fra alle andre samfundslag end aristokratiet (hvor der gjorde sig særlige forhold gældende) som en selvfølge ønskede at sikre sig et rimeligt udkomme, når de blev enker. På grund af de upraktiske ejendomsretlige principper i Common Law var ægtepagter og andre aftaler med „almindelige" kvinder i

---

11 *Inger Dübeck*, Købekoner og konkurrence, 64.
12 *Inger Dübeck*, 81-82.

hele perioden fra det 12. til det 19. århundrede langt hyppigere end hidtil anta-get[13].

Udviklingen af særejerettigheder for hustruer byggede således især på „Equity Law". Men spørgsmålet om hustruen havde ret til at sikre sig særeje havde også sammenhæng med spørgsmålet om, hvem der hæftede over for ægtemandens kreditorer og med hvad, samt med spørgsmålet om forsørgelsen af hustruen. Det er påpeget af Lawrence Friedman, der om udviklingen i de tidli-gere engelske kolonier i U.S.A. hævder, at de hyppigste retssager om hustruens økonomiske retsstilling i 1800-tallet var sager om kreditorernes rettigheder. Derfor signalerede fremkomsten af lovene om gifte kvinders formuerettigheder ikke, at der var ved at ske en revolution omkring kvinders status, men snarere en „ratificering" og tilpasning af en tavs revolution. Skønt disse love medførte en radikal forandring i samfundets mest grundlæggende institution, familien, blev disse love næppe debateret eller diskuteret i samtidens offentlighed. Aviserne omtalte dem knapt. De blev fulgt af tavshed. „It was the silence of a *fait accom-pli*"[14].

3. Fransk ret

Regler om overdragelse af gældsbreve, om negotiabilitet til sikring af omsætnin-gen og om kreditorbeskyttelsen i låne-, pantsætnings- og kautionsforhold udvik-ledes i den tidlige merkantilisme. Interessen for beskyttelse af trediemand, om-sætning og marked voksede på bekostning af hensynet til hustruen og arvin-gerne. Den internationale handelsret videreudbyggede mange af kanonisk rets regler om obligationsretlige forhold. Kanonisk ret krævede, at en ting burde sælges for en retfærdig pris, *justum pretium*[15]. Fra det 14.-15. århundrede ind-stiftedes via kgl. bevillingspraksis, de såkaldte „*lettres de justice*", der byggede på „*æquitas*"-principper, og man gjorde også brug af romerske retsprincipper om nullitet, overdragelse af goder og *beneficium inventarium*[16].

Det 16. århundredes dynamik viste sig på alle områder: i diskussioner om ægteskabet og om karakteren af kvindernes umyndighed, i økonomien, prisstig-ninger, fallitter og kongemagtens vanskeligheder ved at betale sine gældsposter.

---

13 *Amy Louise Erickson*, 423-425.
14 *Lawrence Friedman*, A History of American Law, 186.
15 *Fr. Olivier-Martin*, Précis d'Histoire du Droit Français, 189 f.
16 *Fr. Olivier-Martin*, 325 f.

Humanismen havde vænnet juristerne til at være mindre trofaste over for traditioner og til at løse nye problemer ved hjælp af romerretlige begreber og fornuftsmæssige eksperimenter ikke mindst vedrørende anvendelsen af formuefællesskabet.

Ud over den teoretiske interesse i systematik ville man også praktisk sikre ægtefæller imod risici for deres arvegods og udforskede derfor formuefællesskabets natur, som man lignede ved et selskab, og man interesserede sig for hustruens retsstilling. Reglerne om formuefællesskabet blev en juridisk ramme, inden for hvilken de meget forskellige sociale realiteter kunne håndteres. Det ægteskabelige formuefællesskab tillod enhver husholdning i byerne at opretholde sin økonomiske autonomi, hvorimod det „ægteskabelige selskab i bondemiljøer var som absorberet af den familiale celle". Uden om formuefællesskabet mellem ægtefæller eksisterede et familieselskab, som også omfattede forældre og endda fremmede. Omkring Paris var familiefællesskabet, skønt under afvikling siden middelalderen (bortset fra det fortsatte fællig), det, som harmonerede med den klassiske ægteskabsform, som også optoges i Code Civil[17].

Den sædvaneretlige opfattelse af ægteskabsretten i Nordfrankrig suppleredes i 1606 med en ordonnance, der åbnede mulighed for også der at anvende det romerretlige institut, *Senatus Consultum Velleianum*, der principielt forbød kvinder at påtage sig formueretlige forpligtelser for andre, især for ægtemanden. Den gifte kvinde, som levede i formuefællesskab, kunne dog altid forpligte sin personlige formue eller særeje ved at give manden sit samtykke, hvilket ikke var tilladt for gifte kvinder i Sydfrankrig under „pays de droit écrit"[18].

Med de napoleonske lovbøger fra det tidlige 19. århundrede fik Frankrig retsenhed, også på ægteskabsrettens område. Code Civil fra 1804 gav mulighed for at vælge mellem flere sideordnede ægteskabsretlige formuesystemer: fællesskab om løsøre og *erhvervelser*, fuldstændigt formuefællesskab, særeje, forvaltningsfællesskab og dotalretten. Hvis ingen særlig aftale om formueforholdet var truffet, gjaldt som legal ordning formuefællesskab med hensyn til løsøre og erhvervelser, det såkaldte „régime de communauté". Dette fællesskab indtrådte, hvad enten det beroede på loven eller på aftale, på dagen for ægteskabets indgåelse (art. 1399). Indbragte værdier var særeje. Tilsvarende gjaldt med hensyn til de sig dertil sluttende passiver (art. 1401-1420). Ægtemanden havde rådigheden efter art. 1421 og 1428.

---

17 *Paul Ourliac et J. de Malafosse*, Histoire du Droit Privé, III, 260-261.
18 *Fr. Olivier-Martin*, 375 f.

De andre former for fællesskab eller særeje kunne aftales ved ægtepagt, CC art. 1497, herunder det universelle eller fuldstændige formuefællesskab, art. 1526. Hvis parterne vedtog fuldstændigt særeje, fremgik det af art. 1530, at hustruen ikke af denne grund fik retten til at administrere sin formue. Det tilkom fortsat ægtemanden. Det tilkom også fortsat manden at administrere dotalaktiver og båndlagte dotalværdier, jf. art 1549 ff., samt „des biens paraphernaux", jf. art. 1574 ff., dog kun såfremt hustruen selv afstod fra at råde.

Code Civil afspejler med sin ordning af formueforholdet mellem ægtefæller i høj grad tænkningen i det 18. århundrede og de lange linier tilbage til middelalderen. Den fastholder den hierarkiske familieopbygning med husfaderen øverst i forhold til hustru og børn. Ægtemanden var ikke blot hustruens mand, men også „son chef, son seigneur et son maître", som Molière lod Arnolphe sige i „Fruentimerskolen" (3. akt, 2. scene). Ægtemanden var ikke blot herre og mester, men også den stærke, men generøse mand over for den svage kvinde[19].

CC art. 1421 fastholdt, at manden alene forvaltede alle til fællesskabet hørende goder, herunder også midler, som hustruen havde erhvervet via sit eget arbejde, og at han uden hustruens medvirken kunne afhænde eller pantsætte disse. Han var som hendes „seigneur" beføjet til at handle, som om han var eneejer af formuefællesskabet.

Bag denne reaktionære holdning kan man ane Rousseau's kritik af oplysningstidens rationalisme og hans fremhæven af forskellene mellem det mandlige og det kvindelige, og af at kvinder efter deres „natur" og af hensyn til samfundet måtte være undertrykt, og at der som følge heraf ingen grund var til nogen klage over en uretfærdig behandling. Den privatretlige frihed for kvinden begrænsedes med hjemmel i et offentligretligt sømmelighedsprincip, *ordre public*. Før ægteskabet havde parterne efter art. 1387 fuld kontraktsautonomi til at aftale en anden formueordning end den legale, d.v.s. i stedet for formuefællesskab at vælge en dotal- eller en særejeordning. Efter ægteskabets indgåelse stod det ikke i ægtefællernes magt ved aftale at ændre ved de forhold, som hørte under ægtemandens husbondmyndighed, „puissance maritale" over hustruens eller børnenes *person*, jf. art. 1388[20].

---

19 *Fr. Olivier-Martin*, 396 f.
20 *Ursula Vogel*, 287-289.

4. Tysk ret

Selv om den økonomiske udvikling fra det 17. til det 19. århundrede krævede større rationalitet, mere offentlighed og større lighed i formuesystemerne, vedblev en konservativ fastholden ved de territorielle og lokale særordninger at præge systemet langt ind i det 19. århundrede. Regulering af det ægteskabelige formueforhold forekom dog næsten kun i de store kodifikationer, som netop på dette felt savnede visioner og fremdrift. Der var traditionelt forskelle mellem reglerne for by og land. Ændringer skete især på det arveretlige område samt ved familiefideikommisser. Allerede ifølge de ældste stadsretlige regler i Lübeck hæftede hustruen for den af manden påtagne gæld, hvis hun havde forpligtet sig sammen med ham. Denne ordning opretholdtes i retspraksis, indtil man i slutningen af det 16. århundrede under indflydelse af det romerretlige *Senatus Consultum Velleianum* gav hende en anfægtelsesret. På det konkurs- og panteretlige område indførtes enkelte begunstigelsesregler for hustruen.

Den middelalderlige særejeordning med „spelepenige" eller „spillegelder" blev med tiden en torn i øjet på pengeforlegne ægtemænd, der krævede, at hele hustruens medbragte formue, også særejet, skulle hæfte for mandens gæld. Dette gjaldt ikke mindst i Lübeck[21].

Formuefællesskab mellem ægtefæller forekom både som fuldstændigt eller delvist omfattende visse formuedele. Fællesskabet betød, at ægtefællerne havde værdierne i et sameje, der kunne være begrænset til erhvervelser ved arv eller gave, eller til indbragte og fremtidige løsøregenstande. Det særlige forvaltningsfællesskab hvilede på fuldstændigt særeje imellem ægtefællerne med en speciel råde- og nydelsesret for manden over hustruens særeje. Det i begrænset omfang reciperede romerretlige dotalsystem blev nærmere reguleret i den østrigske ABGB, hvorefter der herskede særeje med overgivelse fra hustruen til mandens rådighed og nydelse under ægteskabet af en særformue, som vendte tilbage til hende som enke efter mandens død med henblik på hendes forsørgelse.

Hvor der herskede fuldstændigt særeje var ægtefællernes retsstilling principielt som ugifte personers. Dog måtte begge bidrage til familiens forsørgelse. Efter ABGB indtrådte fuldstændigt særeje som legal ordning i hele det 19. århundrede, hvis intet andet var aftalt, dog med formodning om mandens rådighedsret.

Hvor Code Civil kom til at gælde, gjaldt som legal ordning et løsøre- og

---

21 *Inger Dübeck*, 82.

erhvervelsesformuefællesskab, mens den preussiske ALR fastlagde forvaltnings-
fællesskabet som legal ordning med den deraf følgende rådigheds- og nydelses-
ret over hustruformuen for ægtemanden. Dog kunne han kun råde frit over
løsøre, ikke over hendes faste ejendom. Hustruen rådede over sit særeje, men
lovbogen var uklar med hensyn til hendes selverhvervede midler fra erhvervsar-
bejde. Den østrigske lovbog, ABGB, lod dette særeje indtræde, såfremt ingen
anden formueordning var aftalt, men også her gjaldt som ellers i det 19. århund-
rede en formodning for ægtemandens forvaltning. Efter de fleste retsordninger,
hvorefter hustruen var tillagt en vis selvstændighed i forvaltningen af sin sær-
formue, kunne hun også vedtage en ægtepagt[22]. ABGB opretholdt systemet
med forvaltningsfællesskab som legal ordning, men åbnede mulighed for aftale
om almindeligt formuefællesskab m.v. ved ægtepagt[23].

II. Formueordninger i dansk ret

1. Økonomi og kredit

Landbrugslandet Danmark var i tiden fra 1600-tallets slutning også opmærksom
på fordelene ved øget handel med udlandet til fremme af en hjemlig industri,
hvoraf sidstnævnte dog længe havde ringe økonomisk betydning for landets vel-
stand. Men bjergværksdriften i Norge gav et ikke uvæsentligt tilskud. Fra 1735
lagde regeringsmyndighederne i det enevældige dobbeltmonarki stigende vægt
på disse erhvervsgrene, samtidig med at man arbejdede for en reformering af
landbruget. Den første bank fra 1736, Kurantbanken i København, blev midt-
punkt for transithandlen mellem oversøiske og baltiske lande, og en række han-
delsselskaber med en vis succes blev grundlagt. På kontraktsrettens område do-
minerede kontraktsfrihedens princip[24].

Ønsket om at ophæve godsejernes privilegier og udbrede selvejet fremkaldte
en række reformlove, således forordningerne af 23. april 1781 om ophævelse af
jordfællesskabet i landsbyerne, af 8. juni 1787 om fæstebønders overtagelse af

---

22 *Barbara Dölemeyer,* Frau und Familie im Privatrecht des 19. Jahrhunderts, i: Frauen in der
    Geschichte des Rechts, 647-649.
23 *Barbara Dölemeyer,* 646-649; *Stephan Buchholz,* Ehegüterrecht, i: Handbuch III/1,
    Einzelgesetzgebung, Deutschland, 1663-1668.
24 *Inger Dübeck,* Allgemeine Einleitung, Dänemark, Handbuch III/4, 27 ff.

deres fæstegårde, som tillige afskaffede godsejernes straffemyndighed, samt af
20. juni 1788 om stavnsbåndets ophævelse og af 6. december 1799 om ophæ-
velse og afløsning af hoveriforpligtelser. Muligheden for at oprette stamhuse
afskaffedes i 1848, mens nye regler om udstykning kom til[25].

De ældre regler om overdragelse af løsøre byggede på ønsket om at beskytte
den oprindelige ejer mod, at hans ting uretmæssigt kom ud i omsætningen og
gav derfor ejeren en ret til at kræve tingen tilbage, uanset om erhververen var i
god tro, jf. vindikationsreglen i DL 6-17-5 og 5-7-4 og 5-8-12. I løbet af 1700-
tallet begyndte man at tillægge erhvervelser i god tro gyldighed af hensyn til
omsætningens sikkerhed, d.v.s. at erhververe af visse goder kunne tilsidesætte
eller eksstingvere visse indsigelser, f.eks. om betaling af afdrag. Teori og praksis
fra 1800-tallets begyndelse accepterede således eksstinktion såvel af indsigelser
som af rettigheder vedrørende penge og omsætningspapirer, som lød på indeha-
veren, og statspapirer, selv om de ikke lød på navn. Den såkaldte gældsbrevs-
forordning fra 1798 blev startskuddet til en afklaring af eksstinktionsproble-
merne[26].

Allerede i det 17. og 18. århundrede var man efter hollandsk mønster be-
gyndt at oprette tontiner eller livrenteselskaber. Det første livrenteinteressent-
skab blev oprettet ved en forordning af 1747, mens den første pensionsanstalt
blev oprettet i 1760, og i 1848 overgik livsforsikringsvirksomhed til den offent-
lige forvaltning med statsgaranti.

Konkursprivilegiet tilkom oprindeligt kun adelen, jf. forordningen af 1. juli
1623, som hjemlede en ret til *cessio bonorum*, d.v.s. til at tilbyde kreditorerne at
overtage formuen. Også Danske Lovs regler 5-14-40 til 46 hjemlede en opbuds-
mulighed for den troværdige skyldner. Efterhånden ophørte den særlige op-
budsform. Praksis omkring falliterklæringer fastslog, at også kreditorerne kunne
erklære en fallent konkurs. Skifteretterne fik jurisdiktion i alle konkurs- og
dødsboskiftesager. Først i 1872 fik man en egentlig og omfattende konkurslov,
lov nr. 51 af 25. marts 1872, som skulle bevare sin gyldighed i ca. 100 år, og i
1874 en tilsvarende lov om skifte af dødsbo og fællesbo m.v. nr. 155 af 30.
november, som fik væsentlig betydning for ægtefælleskifter[27].

---

25 *Inger Dübeck*, Sachenrecht, Gesetzgebung, Handbuch III/4, 78 f.
26 *Inger Dübeck*, 88 f.
27 *Inger Dübeck*, Verfahrensrecht, Handbuch III/4, 165-172.

2. Legal ordning

2.1. Formuefællesskab

Danske Lov hjemlede et lovbestemt formuefællesskab, jf. 5-2-14, 19, 20 og 23 samt 5-3-33, hvis indhold og retsvirkninger nærmere fastlagdes i de følgende 200 års teori og praksis. Fællesskabet ansås som en umiddelbar følge af selve ægteskabet, således at manden ikke behøvede at godtgøre sin ret til at råde over en ejendom, som hustruen havde skøde på. Formuefællesskabet opfattedes som almindeligt og omfattede derfor enhver formuegenstand, medmindre der forelå en ægtepagt om særeje eller anden særejehjemmel, f.eks. trediemands arv eller gave.

Fællesskabet medførte, at ægtefællerne også havde fælles ret til nytte og brug af formuen. Det var ejendomsretligt set et sameje, hvor gevinst og tab forøgede eller formindskede den fælles formuemasse lige meget for begge, og uanset på hvilken måde fordelen eller tab bevirkedes. Ægtefællernes formue udgjorde således en fælles fond, der ikke tilhørte den ene mere end den anden[28].

DL 5-2-19 nævnte udtrykkelig jordegods, købe- og arvejord ved siden af løsøre. Af forarbejderne til lovens 5. Bog fremgår, at der på mødet i den 3. revisionskommission den 27. januar 1681 havde hersket så stor tvivl mellem medlemmerne om, hvorvidt arvejord også skulle indgå i ligedelingen eller kun løsøre og købejord, at problemet var blevet forelagt kongen selv. Hvad, han måtte have sagt, vides ikke, men den 28. januar fik bestemmelsen en ordlyd, som næsten svarede til den endelige. I en note til 4-2-14 i „Første Projekt", der gengav den hidtidige regel i 1558-recessens § 52, udtaltes: „Herudi gøres stor Forandring". Noget tyder på, at det var en strid mellem „traditionalisten" Ove Juel og „reformisterne" (f.eks. Vibe, Redtz og Rasmus Vinding), som ønskede nye regler. Ove Juel havde lige til det sidste erklæret, at man ikke burde fravige den almindelige praksis, og at arvejord burde følge den, der havde indbragt den, og hans arvinger[29]. Han synes at repræsentere den gamle adels jorddrotlige holdninger, mens de øvrige synes at repræsentere en mere „kapitalistisk" interesse for likvide midler.

DL 5-2-19 dækkede efter sin ordlyd kun situationen ved skifte efter en ægtefælles død. Stig Iuul mente, at den opfattelse, hvorefter ægtefællerne allerede under ægteskabet normalt ejede hver sin halvdel af boet, der dog helt var under-

---

28 *A.W. Scheel*, Familieretten, 163 ff.
29 Forarbejderne til Kong Kristian V's Danske Lov, II, 104, 499 f.

kastet mandens fulde rådighed, var accepteret omkring 1752-1753, hvor dette blev rapporteret til den da iværksatte, men aldrig fuldførte, revision af Danske Lov. Han mente ikke, at man ud fra den berømte Cecilia de Sohren-sag og den deraf følgende kgl. resolution af 30. juli 1735, der bestemte, at hun skulle være uden lod og del i mandens bo, men have en livslang årlig pension af ham til sit underhold, kan drage en almindelig slutning også om skilsmissesituationen, idet det ikke er klart, om afgørelsen skal tolkes som en slags straf for hustruens hor (bortrømning med en skuespiller), eller om den i overensstemmelse med nogle dommeres vota byggede på den opfattelse, at 5-2-19 alene omfattede skifte ved en ægtefælles død[30]. Sagen er bl.a. interessant derved, at romerretlige synspunkter fremførtes som tolkningsbidrag til 5-2-19. Således fremførte ægtemandens advokat, højesteretsprokurator Lowson, at hustruen på samme måde som børn i deres forældres levetid kun havde *jus ad rem*, ikke *jus in re*, således at hun først ved hans død kunne arve halvdelen af de efterladte midler (jf. den gamle opfattelse i 1547-recessen § 28). Kancelliråd von Aspern havde i forbindelse med kommissionsdommen ud fra tysk-romerske principper om *ususfructus* konstrueret formuefællesskabet som alene refererende sig hertil, således at 5-2-19 alene var en skiftenorm. Begge synspunkter gav imidlertid udtryk for, at reglen alene vedrørte dødsfaldssituationen, hvilket jo styrkes af, at 5. Bog, 2. Kapitel, dels omhandler arv og skifte, dels i andre artikler byggede på en delvis særejeordning. Problemet om Cecilia de Sohren-sagens betydning som mulig principiel afgørelse imod indførelse af ligedeling ved skilsmisse blev genstand for en skarp polemik mellem Ernst Andersen og Stig Iuul i 1956-1957. Ernst Andersen mente, at især A.S. Ørsted havde ansvar for denne misforståede udvidelse af 5-2-19. Stig Iuul påviste, at A.S. Ørsted blot fulgte ældre teori. Han henviste i øvrigt til, at Henrik Stampe i et utrykt skrift havde noteret, at „ægteskabet og værgemålet ophæves ved hor, følgelig og *jura administrationis*". Dette stemmer med praksis, „efter hvilken hustruens hovedlod strax udtages af mandens boe". Videre nævnte Iuul, at den fremtrædende professor fra Sorø Akademi, John Erichsen, havde udtrykt, at „den *communio bonorum* som ægteskabets natur havde indført, ophæves (ved skilsmisse)", og at der ingen tvivl var om, at den skyldige skulle have „sin halve bo ud", men han vinder ikke noget derved, fordi han straffes på samme hovedlod for sin skyld. Iuul finder derfor, at Cecilia de Sohren-sagen ikke fik indflydelse på praksis omkring 5-2-19. Yderligere doku-

---

30 *Stig Iuul*, Fællig og Hovedlod, 318-322.

menterede han, at Cecilia de Sohren efter afgørelsen fik udbetalt sin boslod via Stiftamtmanden i Bergen.

Konklusionen var herefter, at ligedeling på skifte blev den legale ordning også ved skilsmisse, således som ældre teori og yngre praksis slog fast[31].

Teorien fingerede, at ægtefællernes stilling under ægteskabet som ejere af den fælles formuemasse var „lige", men så snart det kom til realiteterne, nemlig rådigheden over den, var „ægtefællernes stilling meget ulige". Manden havde uindskrænket rådighed over formuen, som om den tilhørte ham alene, hvorfor ægteskabet da også opregnedes blandt de måder, hvorpå ejendom og formue-rettigheder kunne erhverves *for ægtemænd*. Ikke så mærkeligt, at mændene, også politisk, længe modarbejdede de gifte kvinders ønske om emancipation[32].

Der var kun få undtagelser fra dette princip. I praksis synes tilfælde af ødsel-hed og misbrug fra mandens side at have begrundet adgang for hustruen til selvstændig råden, i hvert fald i det første århundrede efter Danske Lovs til-komst, jf. afgørelse af 31. oktober 1696, om „at hæftelse og pantsætning på jordegodset samt den gæld som Johan Adolf de Clerque derefter gør, skal være ugyldig" uden hustruens eller kurators samtykke[33]. Der kan også henvises til en afgørelse fra den 13. april 1742, der tillod en hustru at være fuldkommen rådig over alle midler, fordi manden ved sit udsvævende liv og sin drukkenskab forødte deres ejendom[34]. Ved dødsfald kunne efterlevende af det beholdne bo forlods udtage et beløb svarende til det, som af afdødes boslod var udtaget til hans begravelse. Dette var en følge af formuefællesskabet. Derudover kunne konen som længstlevende udtage sin fæstensgave forlods, 5-2-24 til 26[35].

Efter skilsmisse antoges hustruen at være myndig, og derfor kunne parterne selv vedtage, hvorledes boet efterfølgende skulle deles. Hvis dette ikke skete, opstod spørgsmålet, om der kunne siges at gælde en legal ordning. Ligesom i ældre teori antoges det også i yngre praksis at være en følge af det almindelige formuefællesskab, at boet i så fald skulle ligedeles[36]. Den fraskilte kone kunne

---

31 *Stig Iuul*, Nogle retshistoriske bemærkninger i anledning af professor Ernst Andersens Ægteskabsret, II, U 1956 B, 255-260; *Ernst Andersen*, Fællesejets opløsning ved skilsmisse og separation i tiden før Ørsted, U 1957 B, 61-66; *Stig Iuul*, Duplik, U 1957 B, 66-69.

32 *A.W. Scheel*, 166 f.

33 Fogtmans Reskripter, Register: gæld.

34 Fogtmans Reskripter, (Ægteskab B).

35 *A.W. Scheel*, 179 f.

36 Dette forudsattes i skrivelse af 26. november 1837 om den deling af 2 ejendomme mellem et fraseparareret par, som de selv havde vedtaget ved en separationsoverenskomst, at kunne ske

dog ikke udtage sin fæstensgave, i hvert fald ikke før mandens efterfølgende død, ligesom manden ikke kunne få kompensation for sine indskud i den almindelige enkekasse, medmindre hun senere døde.

2.2. Særeje ved aftale, gave eller testamente

Indtil 1683 indeholdt den ægteskabsretlige formueordning i Danmark et legalt særeje med hensyn til arvejord og et legalt formuefællesskab med hensyn til andre værdier som købejord, løsøre m.v. Skønt det legale særeje bortfaldt ved lovbogens ikrafttræden, ophørte muligheden for konkrete særejeordninger dog ikke med at eksistere. Først og fremmest kunne særeje vedtages ved ægtepagter, men også ved trediemands arv eller gave. De almindeligste ægtepagter blev indgået i forbindelse med og forud for ægteskabets indgåelse, idet formuefællesskabet indtrådte automatisk ved ægteskabets stiftelse.

Under forarbejderne til Danske Lov drøftedes forskellige punkter i den 3. Revisionskommission 1680-1681, herunder spørgsmål om testamenter og ægtepagter „pactis dotalibus", som skulle forelægges til kgl. resolution. Et udkast, der kunne være udarbejdet af gehejmeråd Vibe samtidig med udkastet til testamentsregler skulle forelægges Storkansleren (Frederik Ahlefeldt) til hans „bedre revision". Udkastet bestemte i punkt 1, at „de som vil indtræde i ægteskab må tilforn oprette ægteskabspagter mellem sig indbyrdes og derudi forordne, hvorledes det skal forholdes, når en af dem ved døden afgår". Efter punkt 2 skulle „ægteskabspagter holdes fast og urykkeligt", og den ene måtte ikke alene til den andens skade oprette noget testamente eller træffe anden sådan beslutning. Men hvis ægtefællerne var enige, kunne de med fælles samtykke forandre eller ophæve en tidligere indgået ægtepagt. Efter punkt 3 skulle ægtepagter underskrives af parterne og af to vitterlighedsvidner, medmindre de var oprettede af privilegerede personer, og derefter skulle de konfirmeres af kongen. Ægtepagter skulle kunne tilsidesættes ved *desertio malitiosa, adulterium, inimicitia capitales* etc., altså de alvorlige skilsmisseårsager, såfremt de kunne bevises[37].

Dette udkast blev ikke indføjet i DL 5-4 om gaver og bebrevelser, hvor det kunne have „været naturligt, ej heller i 5-1 om kontrakter og forpligtelser", hvor det også kunne være indføjet i forbindelse med reglerne om fledføring eller 5-1-

uden stempelpapir, se også skrivelse af 31. januar 1837 om transport af pantebreve til hustruen ved separationen.

37 Forarbejderne til Kong Kristian V's Danske Lov, II, 527, 530 f. (nr. 78).

13 om hustruens kontrakter. Det var måske netop den skærpede 5-1-13, der ville blive afsvækket ved en regel om ægtepagter, som hindrede indsættelsen. Efter 5-1-13 begrænsedes hustruens mulighed for at indgå gyldige aftaler, der forpligtede manden, mens hun var i fællig med ham, bortset fra nødstilfælde og hvor han ønskede det. Det lå således klart i 5-1-13, at ægtepagter var udtryk for et fravalg af 5-2-19, og at formålet til dels kunne opnås ved at følge 5-2-20 om den efterlevendes overtagelse af 1/4 af afdødes indbragte gods ifølge en specifikation udarbejdet og underskrevet af ægtefællerne i deres velmagtsdage og ved samfrænders bevidnelse af hvad der senere var indkommet ved arv, gave eller på anden måde. Frederik Ahlefeldt (1623-1686), der havde studeret jura og statsvidenskab, må formodes at have været den, der afviste forslaget om indførelse af reglerne om ægtepagter, som var udarbejdet af hans vicekansler Vibe.

I praksis synes man efterhånden især at have benyttet sig af kgl. konfirmerede ægtepagter, mens specifikationsmuligheden efter 5-2-20 mere eller mindre ophørte ved desvetudo[38].

Hvis den ugifte kvinde var umyndig, blev ægtepagten indgået af værgen, men hun antoges selv at måtte være enig i ordningen, især hvis den gik ud over, hvad der var til hendes fordel. Efter 1857 antoges værgens samtykke at være tilstrækkeligt for mindreårige kvinder og mænd mellem 18 og 25 år, idet alle ægtepagter skulle have kgl. konfirmation. I denne stadfæstelse indeholdtes tillige et krav om, at ægtepagten ydermere skulle tinglyses for at få gyldighed over for kreditorerne, hvad enten der var tale om fuldstændigt særeje mellem parterne eller en begrænsning af formuefællesskabet. Hvis ægtefællerne havde oprettet en ægtepagt om fuldstændigt særeje, uden at den havde fået kgl. konfirmation, antog retspraksis, at den desuagtet havde gyldighed *inter partes*, jf. Juridisk Ugeskrift 1856 (HRD 29. april 1856). Dette gjaldt dog ikke, hvis bruden ved aftalens indgåelse havde været umyndig. Men tinglysning alene uden kgl. konfirmation kunne heller ikke gøre ægtepagten bindende over for trediemand.

I sin behandling af temaet ægtepagter i Familieretten fra 1860 fremhævede A.W. Scheel netop den retlige forskel mellem stadfæstelsen eller godkendelsen og tinglysningen med hensyn til problemet om disse akters betydning for en ægtepagts gyldighed. Tinglysningen var nødvendig af hensyn til beskyttelsen mod trediemands krav, mens stadfæstelsen ved kgl. konfirmation var nødvendig af hensyn til gyldigheden i alle relationer. Hvis denne godkendelse ikke var indhentet, kunne en aftale mellem ægtefællerne om en indskrænkning eller udeluk-

---

38 *A.S. Ørsted*, Juridisk Tidsskrift, XVI, 1. hæfte, 220 (i polemikken med C. Winter Hjelm).

kelse af formuefællesskabet nok være gyldig mellem ægtefællerne, men ikke i forhold til arvinger, hvis ikke de samtykkede deri.

Arveforordningen af 21. maj 1845 § 16 tilsigtede ikke med reglerne om ægtefællers gensidige arveret at gøre nogen forandring i den gældende adgang til at opnå konfirmation på ægtepagter om ændringer i formuefællesskabet. Herfra sluttedes derfor, at konfirmation normalt var nødvendig, hvis den skulle have gyldighed *også* over for trediemand.

Den kgl. konfirmation skulle efter Scheel også have betydning, hvis hustruen var umyndig ved indgåelse af en antenuptial ægtepagt. Af logiske grunde tilføjedes, at også ved ægtepagter indgået efter ægteskabets indgåelse måtte hustruens af teorien antagne „umyndighed" afhjælpes ved en sådan godkendelse. Over for trediemand antoges tinglysningen ikke at have nogen gyldighedsbetydning. Det var stadfæstelsen, som var bærer af denne retsvirkning[39].

I løbet af 1800-tallet blev det mere almindeligt at oprette ægtepagter om særeje for hustruens formue for at hindre mandens rådighed. Det blev samtidig ofte bestemt, at hustruen enten alene eller sammen med en værge kunne råde over dette særeje[40].

Foældre kunne ved testamente bestemme, at børns og især døtres arvemidler efter deres død skulle bindes i overformynderiet, hvilket hindrede den fremtidige ægtemand i at råde over kapitalen, selv om de forblev en del af formuefællesskabet. Forældre kunne også ved private dispositioner bevirke indskrænkning af formuefællesskabet, når det ved overdragelsen til en datter eller søn, som senere blev gift, gjordes til betingelse, at det skulle være særeje. Ved testamente eller gavebrev kunne det på samme måde bestemmes, at f.eks. datteren alene kunne råde over renteafkastet fra en båndlagt kapital[41].

Med 1899-loven skete der enkelte ændringer i ægtepagtsreglerne. Ægtepagt indgået efter ægteskabets indgåelse skulle stadig forsynes med kgl. konfirmation, men ikke de antenuptiale. Mens konfirmation tidligere var nødvendig i forhold til trediemand, fik den efter 1899 kun til formål at beskytte den svage ægtefælle mod tryk eller overtalelse fra den stærkeres side. Ægtepagtens *gyldighed over for trediemand* var fra nu af betinget af tinglysning[42].

1899-loven forudsatte også, at hver af ægtefællerne rådede over sit særeje,

---

39 *A.W. Scheel*, Familieretten, 181-186.

40 *A.W. Scheel*, 181-197, se nærmere nedenfor i Kapitel 9.

41 *A.W. Scheel*, 187-193.

42 *J.H. Deuntzer*, Den danske Familieret, 1899, 155-156.

men at hustruens rådighed over sit særeje via ægtepagt kunne begrænses til en medrådighed, hvorefter hun måtte have mandens eller en tilsynsværges samtykke til sine dispositioner, skønt hun jo med 1899-loven netop ansås som fuldmyndig. Hendes stilling blev derved ligesom en mindreårig mands mellem 18 og 25 år. Det var en særlig hustrubeskyttelse. Det omvendte, at hustruens samtykke udkrævedes til en ved ægtepagt besluttet begrænsning af mandens råden over sit særeje, kunne ikke vedtages, medmindre andre forhold bevirkede, at mandens rådighed helt skulle fratages ham. Det var den almindelige opfattelse, at man fortsat kunne træffe konkrete aftaler om begrænsning af hustruens rådighed over enkelte goder[43].

3. Hæftelsesproblemet

Det særprægede ved formuefælliget i klassisk forstand var, at der ikke for *forpligtelserne*, gælden, var fællesskab på samme måde som for *rettighederne* eller aktiverne, således at ægtefællerne *sammen* skulle være skyldnere for enhver form for gæld, uanset hvem der havde stiftet den. Fællesskabsmomentet lå *alene* deri, at enhver gæld i det fælles bo skulle betales af den fælles formuemasse. Forskellen mellem pligter og rettigheder skyldes netop, at ægteskabsformuen betragtedes som en *samlet* formuemasse under ægtemandens rådighed og eneforvaltning.

Man kunne ikke „ude fra" se, hvorvidt den ene ægtefælle hæftede som „egentlig" skyldner for den andens gæld, d.v.s. var *personligt* ansvarlig for denne. Ved personlig hæftelse forstås, at den ansvarlige ikke kunne nøjes med at henvise kreditorerne til fællesboets masse, men at han hæftede, med alt hvad han ejede eller fremtidigt måtte erhverve, også af særeje- og også efter formuefællesskabets ophør. Kun den personligt ansvarlig kunne undergives arrest på sin person for gældens inddrivelse.

Lige fra middelalderen udgjorde fællesmidler hæftelsesgrundlag for mandens eller familiens gyldigt påtagne forpligtelser. I 1547-recessen § 29 fastsloges princippet om, at al vitterlig gæld skulle betales af det fælles bo før skifte. Problemet, om hvilke midler der var fælles, og hvilke der var hustruens særeje, måtte afklares i sammenhæng med spørgsmålet om, i hvilket omfang hendes midler kunne komme til at hæfte ikke blot for egen gæld eller fælles gæld, men også for mandens gæld, eller om hustruen kunne friholdes for gældshæftelse og kreditorforfølgning.

---

43 *J.H. Deuntzer*, 1899, 165-167.

I løbet af 1600-årene blev landsting og retterting mere tilbøjelige til at anerkende hustruens gældsstiftelser. En herredagsdom fra den 7. juli 1630 pålagde hustruen at hæfte personligt for den gæld, der var stiftet, mens hun levede i ægteskab med manden, hvis hun vedgik den efter hans død og gjorde den til sin egen rette gæld. Også efter Danske Lov måtte fællesboet hæfte som exekutionsobjekt for hustruens gyldigt foretagne dispositioner, 5-1-13.

Fra retspraksis i tiden omkring 1683 kendes eksempler på, at enker kunne komme til at hæfte for forpligtelser påtagne under ægteskabet. I en sag fra 1683 fandt Højesteret en pantsætning gyldig, skønt den havde været ulovlig, mens manden levede, fordi hustruen havde manglet hans samtykke. Da manden var død, var der intet hensyn længere til hans særstilling, og enken måtte hæfte. I en anden sag fra 1683 havde en hustru sammen med manden underskrevet en obligation. Efter hans død fragik hun arv og gæld, og mente, at hun heller ikke var bundet til at indfri forpligtelsen, fordi hun ikke havde handlet selvstændigt. Højesteret pålagde hende imidlertid at hæfte for sin underskrift. En tilsvarende sag fra 1684 endte efter nogen uenighed på samme måde.

I en senere sag fra 1684 havde to ægtefæller underskrevet et gældsbrev. Da gælden blev opsagt, modtog hun kun mandens forkyndelse herom, selv om den gjaldt begge parter. Manden blev sat i gældsfængsel. Da kreditor opdagede forglemmelsen, ville han også sætte hustruen i fængsel. Men det nægtede Højesteret at gå med til, bl.a. fordi man ingensinde havde dømt to ægtefæller til fængsel for samme gæld. Hun tilkendtes frihed for gælden, så længe manden levede. Disse linier fulgtes i det 18. århundredes praksis omkring formuefællesskabet. At hustruer måtte kunne påtage sig almindelige gældsforpligtelser, der hvilede på særejeformuen, var utvivlsomt. Man diskuterede endog, om hun skulle kunne kautionere med sit særeje[44].

Når ægteskabet opløstes ved død, skulle ægtefællernes gæld betales af det fælles bo, 5-2-14 og 19. Kunne boet ikke dække, kunne længstlevende ved at overlade boet til skifteretten frigøre sig fra al anden gæld end sin egen personlige gæld, hvilket ansås for en fordel for hustruen, som jo i almindelighed var uden en sådan gæld. Konen kunne pådrage sig personlige formueforpligtelser ved retsstridige handlinger, der medførte straf eller erstatning, men også (undtagelsesvis) ved retshandler som påvist.

Ægtemanden vedblev at være personligt ansvarlig for egen gæld fra før ægteskabets indgåelse, mens hustruen ikke kunne pådrage sig et sådant ansvar for

---

44 *Inger Dübeck*, Købekoner og Konkurrence, 73-77.

hans gæld. Manden blev også automatisk ved ægteskabets stiftelse personligt ansvarlig for hustruens gæld fra tiden forud for ægteskabet, fordi han fik rådigheden over hendes hele formue, jf. også 1899-lovens § 12. Derimod var det omtvistet, om hun selv fortsat var ansvarlig for sin gamle gæld, indtil 1899-loven lovfæstede denne hendes fortsatte hæftelse.

Allerede JL II, 64, fritog kvinder for at gå i borgen for mænd, der skulle miste liv og lemmer, men ikke enker for at gå i borgen for penge, fordi enkerne havde egne midler. Men ugifte kvinder, børn og gifte kvinder samt klosterfolk kunne ikke kautionere for penge eller andet, „for ingen, der ikke har eget gods, kan afhænde noget".

Selv om en gift kvinde efter kanonisk ret kunne kontrahere og afslutte alle retsakter uden mandens samtykke, måtte hun ikke kautionere, fordi man havde annekteret det romerske retsinstitut *Senatus Consultum Velleianum*. Biskop Knud Mikkelsen mente, at JL II, 64, var udtryk for en anvendelse af dette *beneficium* for kvinder og gejstlige[45]. Den romerretlige regel, som er gengivet i D. 16. 1. 2 og C. 4. 29, omhandlede kvinders „*intercession*" for andres gæld og åbnede mulighed for en befrielse for en sådan hæftelse. I den middelalderlige europæiske købstadretlige tradition kunne købekoner give afkald på beneficiet, som i praksis havde udviklet sig til et forbud mod „intercession" til fordel for ægtemanden, hvis ikke den opnåede kredit netop anvendtes til fordel for hustruen.

Kautionsforbudet blev gentaget i DL 1-23-9 og 10, mens enker gerne måtte kautionere for penge og gods, 1-23-11. Også doktrinen i det 18. århundrede ville se 1-23-9 og 10 som udtryk for det „vellejanske beneficium", og med en vis ret kan man sige, at lov om formueforholdet mellem ægtefæller nr. 75 af 7. april 1899 § 15 blev det sidste udslag af denne romerretlige beskyttelse. § 15 bestemte, at „retshandler, hvorved hustruen gør sig ansvarlig eller medansvarlig for gæld eller forpligtelser, stiftede af manden – er uforbindende for hustruen, medmindre der for den haves eller erhverves godkendelse af overøvrigheden på det sted, hvor hustruen har fast bopæl"[46].

Mandens forpligtelser påtaget under ægteskabet har aldrig vedrørt hustruen. Hvis hustruen pådrog sig kontraktsmæssige forpligtelser i strid med 5-1-13, kunne manden ikke bindes, ligesom de ikke kunne søges fyldestgjort af fælles-

---

45 *Inger Dübeck*, 79-81.
46 *Inger Dübeck*, 78-81; *Inger Dübeck*, Kvinders retlige status i det 19. århundredes privatret, i: Årbog for Kvinderet, 71-73.

boets midler. Andre af hustruens forpligtelser, ved f.eks. skadegørende handlinger uden for kontraktforhold eller i strafbare forhold, hvilede på fællesboet, selv om manden ikke, men kun hustruen, derved fik personlig hæftelse[47].

Hustruens forpligtelser pådragne i strid med 5-1-13 kunne ikke kræves opfyldt under ægteskabet før 1880-lovens regler om selverhvervede midler eller af særeje. Hvis hustruens erstatnings- eller strafansvar medførte fyldestgørelse af fællesboets midler, kunne den anden ægtefælle kræve godtgørelse af den skyldiges særeje eller selverhverv, hvis det var hustruen, eller af dennes udskiftede lod i fællesboet[48].

Forordningen af 11. september 1839 § 7 om borteblevne ægtemænd gav hustruen ret til at bestyre boet med en dertil beskikket værges samtykke. Efter ældre retsopfattelse var værgen i denne situation ikke værge for den forsvundne, men for hustruen, således at hun forpligtedes personligt ved siden af fællesboet af de med værgens samtykke indgåede retshandler. Efter 1839 § 13 forpligtedes manden personligt for værgens og hustruens retshandler, idet værgen nu ansås for beskikket til at varetage mandens formueanliggender som en slags kurator. Man sluttede analogt fra lov om borteblevne § 7 til tilfælde af mandens sygdom og lignende tilfælde, hvor han var forhindret[49]. Denne ændring kunne være et resultat af en ændret holdning i kancelliet[50], der medførte en forringelse af hustruens retsstilling og et udtryk for den „umyndiggørelse" af hustruen i forhold til ordlyden af Danske Lovs regler, som teorien underbyggede.

Da den på fællesboet hvilende gæld under ægteskabet påhvilede manden personligt, men ikke konen, måtte manden efter separation eller skilsmisse fortsat svare til hele den gæld, som ikke var betalt før delingen, dog mod regres til hustruen i hendes halvdel af boet, hvis hans andel ikke strakte til gældens betaling, d.v.s. for den overskydende gæld. Vedtog ægtefællerne indbyrdes en speciel deling af gældsposterne, antoges den at være gyldig efter 5-1-1 og 2, da den fraskilte hustru var myndig, men fordelingen forpligtede ikke kreditorerne i det eksterne forhold, 5-1-3[51].

Med 1899-loven fik tidligere praksis, hvorefter arv og gave kunne gives som særeje af trediemand uden ægtepagt, hjemmel i § 19, der dog forudsatte, at

---

47 *J.H. Deuntzer*, Den danske Familieret, 1892, 129-131.
48 *J.H. Deuntzer*, 1892, 131 ff.
49 *J.H. Deuntzer*, 1899, 154.
50 *Inger Dübeck*, Købekoner og Konkurrence, 120.
51 *A.W. Scheel*, 280-288.

beslutningen herom skulle fremgå af et gavebrev eller testamente. På samme måde legaliseredes de særlige personlige rettigheders karakter af særeje i 1899-lovens § 18, der opregner følgende to grupper: „personlige rettigheder", uanset om de kunne medføre indtægter, såsom forfatterrettigheder, samt sådanne „formuerettigheder, som er uadskillelig knyttede til den berettigede person", såsom pensioner, livrenter, overlevelsesrenter, uoverdragelige brugsrettigheder, herunder fæsterettigheder, næringsrettigheder, personlige privilegier o.lign. Men indtægterne af disse rettigheder var fælleseje, medmindre andet havde hjemmel i lov, ægtepagt eller anden gyldig viljesbestemmelse. Hvis nogle af de nævnte formuerettigheder ikke kunne anses som uoverdragelige, måtte de betragtes som hørende til fællesboet. Mens indtægt af særeje efter ægtepagt ifølge 1899-lovens § 22 var særeje, blev indtægter efter § 18-rettigheder fælleseje[52].

Det fremhævedes i forarbejderne[53], at det om sådanne „virkelige formuerettigheder", som ifølge deres natur eller på grund af positive lovbestemmelser er uadskillelig knyttede til den berettigedes person, ofte i selve loven eller bevillingen var bestemt, at „de ikke kunne være genstand for kreditorers forfølgning". Om en række rettigheder som fideikommissariske, uoverdragelige brugsrettigheder (f.eks. livsfæste) samt næringsrettigheder og personlige privilegier gjaldt, at de efter gældende praksis altid havde stået uden for formuefællesskabet. Den anden ægtefælle kunne ikke ved skifte i levende live eller ved død kræve vederlag for sådanne § 18-rettigheder, fordi indtægterne i fremtiden alene tilkom den berettigede.

Disse rettigheders retlige karakter er interessant derved, at de oprindelig betragtedes som hjemlet ved *leges speciales*, og at de såvel på privilegier m.v. hvilende som de ved almindelige retsgrundsætninger hjemlede personlighedsrettigheder systematisk blev flyttet fra den offentlige rets lære om tildeling af enerettigheder til den almindelige *privatrets* lære om private rettigheder. Ved denne overførsel blev det nødvendigt at understrege betydningen af det *personlige* moment som grundlag for beskyttelse mod, at de enkelte rettighedstyper skulle kunne overdrages, overføres ved arv eller udsættes for kreditorforfølgning, en beskyttelse som tidligere normalt var hjemlet i selve privilegiebrevet. Begrebet „personlige rettigheder" kan definitorisk afgrænses som rettigheder, der normalt er knyttet til en *person*, uanset om de er overdragelige eller ej, delelige eller ej, og

---

52 *J.H. Deuntzer*, 1899, 124-129.
53 Rigsdagstidende 1898-1899, Till. A, sp. 2654-2656.

som er hjemlet ved lov, aftale eller almindelige retsprincipper (f.eks. „droit moral" eller respektret), jf. Retsvirkningsloven af 1925 § 15, stk. 2[54].

4. Mellemspil og reform[55]

I sin artikel „Om Ægtefolks Formuefællesskab" fra 1829 redegjorde C. Winter Hjelm rimeligt loyalt for Ørsteds opfattelse af hovedreglen om formuefællesskabet og de forskellige undtagelser i lovbøgerne[56]. Men han påpegede indledningsvis[57], at skønt lovgivningens regler om ægteskab i mange henseender havde været genstand for tvivl og tvist, havde den herskende mening aldrig næret tvivl om, at Christian V's Danske og Norske Lovs regler om formueforholdet mellem ægtefæller medførte „sameie til lige Dele i Alt, hvad der tilhører Ægtefællerne eller som det af Nogle kaldes: fuldkomment Fællesskab", skønt de relevante bestemmelser, bl.a. DL 5-2-19, ikke udtrykkeligt omtaler stiftelse af et sådant sameje (s. 381). Det anses som en stiltiende forudsætning, uden hvilken det ellers ikke lader sig forklare, at al skyldig gæld af det fælles bo først skal betales efter DL 5-2-14, og at derefter alle efterladte midler skal deles i to lige dele imellem afdødes arvinger og længstlevende efter DL 5-2-19 og 20 og kun undtagelsesvis skiftes på anden måde.

Hjelm drøftede imidlertid også samejekonstruktionen og fælligbegrebet ud fra andre regler i lovbøgerne og anden lovgivning. Han anlagde endvidere en retshistorisk fortolkning og fremhævede mulige reale grunde for de herskende fælligbegreber, i hvilken sammenhæng han inddrog problemet om kvinders retsstilling, en for periodens retsteoretikere sjælden interesse. Han fremhævede skilsmisseinstituttets fremvækst i de seneste årtiers bevillingspraksis som begrundelse for at kræve en fornyet overvejelse af spørgsmålet om opretholdelse af ligedeling ved skifte. Han advarede dog mod en ensidig historisk fortolkning. Det var bedst at anvende de øvrige fortolkningsmidler, inden man søgte tilbage til de formueretlige kilder. Ørsted ville gøre sig skyldig i en selvmodsigelse ved at stå fast på den historiske fortolkning. Thi „denne Retslærde, hvis sjeldne Aand og for-

---

54 *Inger Dübeck*, Personers Rettigheder, 35-36.
55 *Inger Dübeck*, Polemikken mellem A.S. Ørsted og C. Winter Hjelm om Ægtefolks Formuefællesskab, i: „Ånd og Rett", 279-288.
56 *A.S. Ørsted*, Haandbog over den danske og norske Lovkyndighed, 1. Bind, 27; se også Nyt Juridisk Arkiv, 13. Bind, 215-218.
57 Juridiske Samlinger, 2. årgang, 3. hæfte, 1827, 381-455.

domsfrie Granskning har bragt ham til, i utallige Tilfælde at afvige fra vrange, men gjennem flere Slægter forplantede og almeenherskende Begreber, har nemlig, uagtet den sparsomste Brug af historisk Fortolkning, gjort sine Meninger indlysende og almeengjældende, ved at gjøre Fortolkningens grammatikalske og logiske Rigtighed begribelig, og ved at vise dens Overensstemmelse med Retsphilosophien samt Grundsætningerne for det Gavnlige og Hensigtsmæssige" (s. 412-415).

I sine overvejelser omkring den objektive og subjektive fortolkningsmetode gjorde Hjelm selv brug af sidstnævnte i forbindelse med en undersøgelse af fælligbegrebet i Danske og Norske Lov på grundlag af ældre norske og danske kilder og samtidens retshistoriske forskning, nemlig Kofod Anker og Kolderup-Rosenvinge. Han mente at kunne konkludere, at „Sameje lige saalidet er en Følge af Ægteskab i særdeleshed som af Fællig i Almindelighed" (s. 415-423). Han opfattede således ikke fællig som synonymt med sameje.

Efter en række overvejelser af mere praktisk og etisk karakter om ægteskaber i almindelighed fremhævedes, at det „fuldkomne Formuefællesskab" mellem ægtefæller „fra enhver Side (synes) at anbefale sig". Men at der også turde være overvejende grunde imod, f.eks. hvis det er udsigten til dette formuefællesskab, som bliver årsagen til den ægteskabelige forbindelse. Men selv om det ikke er udsigten til sameje i de indbragte midler, der har medvirket til ægteskabets indgåelse, så har det store ulemper ved skilsmisse, hvor sameje ofte medfører, at den skyldige høster fordel på den uskyldiges og familiens vegne (s. 423-433).

På trods af „den herskende Mening om Sameje til lige Dele og om Mandens uindskrænkede Herredømme over hele Boet" styrer konen ofte det hele og nyder fordelen af formueforvaltningen. Hjelm ville foretrække, at begge parter deltog i bestyrelsen af fælles anliggender og havde rådigheden over egne midler, på samme måde som tilfældet var for begge køn med hensyn til rådigheden over sin person. Hjelm er her inde på den særråden, som først i slutningen af 1800-tallet skulle få fodfæste i nordisk ret. Han fremhævede stærkt kvinders dygtighed og evner til at varetage egne, også økonomiske anliggender. Alligevel mente han, at kvinder burde stå under en kurator eller lavværge, hvilket hverv kunne varetages af hendes frænder, medens ægteskabet varede, således at de på hendes vegne kunne påtale hendes rettigheder (s. 435-442).

Ørsted bragte i Juridisk Tidsskrift 15. og 16. Bind en Recension over Juridiske Samlingers 1. og 2. årg., hvorunder han også behandlede Hjelms artikel. Han indledte med en vis faderlig nedladenhed, at det er den skarpsindige forfatters hensigt at nedbryde en mening, som de retslærde hidtil har henregnet til de

„mest afgjorte Sandheder". Men det turde næppe blive vanskeligt, fortsætter han, „at retfærdiggjøre den herskende Mening"[58]. Han brugte dog mere end 50 sider på at gendrive de kætterske meninger og måtte yderligere bruge 20 sider i Haandbogens 4. Bind.

Efter Ørsted hvilede den herskende mening, selv ved deling i skilsmissetilfælde, „paa saa klare og bestemte Lovgrunde, at den ikke vil kunne rokkes", hvilket han anså som en heldig omstændighed, idet det ville være sørgeligt, om en retssætning, som både de retslærde og folket har troet på, lige fra loven blev givet, nu skulle omstødes. Men Hjelm kunne ikke opfatte ligedelingen efter 5-2-19 som bevis på et *ejendomsfællesskab under ægteskabet*. Om 5-2-21 måtte Ørsted erkende, at den ikke var i „den fuldkomneste Harmonie med Fælledsskabet", idet lovgiverne havde ladet en specifikation over, hvad hver især havde indført, være afgørende for delingen mellem førstafdødes og længstlevendes arvinger, og kun hvor en sådan specifikation manglede, havde han hjemlet ligedeling. Han måtte indrømme, at denne regel passede „bedre til et System, hvori Sameie til lige Dele *kun* i Mangel af Beviis for hvers sære Lod havde Formodning for sig". Men han mente ikke, at denne „enkelte mindre conseqvente Bestemmelse" kunne rokke ved selve grundsætningen, og at det var en „uomstødelig Sandhed", at 1) begge ægtefællers midler „under Ægteskabet udgjøre en fælleds Masse under Mandens Administration", at 2) boet, når der er fælles børn, efter den enes dødsfald bliver at dele i to „aldeles lige Dele", og 3) at den længstlevende, hvis der ingen fælles børn er, også kan benytte sig af fællesskabets fordele og kan befri sig for de mulige ulemper (s. 214 f.). Hertil er at bemærke, at det eneste punkt, som havde klar hjemmel i DL 5-2-19, var Ørsteds punkt 2, mens punkt 1 og 3 hvilede på gængs opfattelse i teorien.

Ørsted måtte også erkende den tvivl og usikkerhed, som 5-2-21 frembød med hensyn til delingen i skilsmissesituationer. En analogisk slutning måtte, også efter Ørsted, føre til en deling med hensyn til, hvad enhver havde indført i ægteskabet. Men når Hjelm hævdede, at denne delingsmåde ved skilsmisser måtte kunne begrunde „det samme Retsforhold mellem Ægtefællerne, inden Skilsmisse eller Dødsfald fandt Sted", da måtte Ørsted protestere (s. 215-216). Han indså ikke, hvorledes den „Særeiendom, som under Ægteskabet skulde finde Sted mellem Ægtefolk", kunne ytre sig, eftersom ægtemanden havde den „fuldkomneste Eiendomsraadighed" over alt hvad begge parter havde indført. Han reagerede voldsomt på Hjelms tanker om, at en ægtemand som boets værge

---

58 *A.S. Ørsted*, Juridisk Tidsskrift, 16. Bind, 203 ff.

skulle underlægges nogensomhelst kontrol af formyndere, kuratorer eller frænder. Det ville være at „gjøre enhver Huusfader umyndig" (s. 216-217). I øvrigt var DL 5-2-20 og 21 og den omtalte specifikation efter Ørsted gået af brug. Det var en „juridisk Antiqvitet" uden indflydelse i det virkelige liv, som kun kendte ligedelinger, medmindre der forelå en konfirmeret ægtepagt eller en testamentarisk disposition (s. 220-221).

Især synes Hjelms opfattelse, hvorefter konen bør „have Stemme i de Boet og hendes egne Midler vedkommende Anliggender", om end via en kurator eller lavværge, at ramme et ømt sted hos Ørsted, der forlader det lidt faderligt nedladende tonefald og bliver højstemt, ja næsten skinger. Hjelms system vil „indlysende" „aldeles imodsige" det forhold, „hvori en elskende Hustrue ønsker at leve til den, hun med ubegrændset Kjærlighed og Tillid hengiver sin Person". Han opregner, i hvilken pinlig situation en sådan trediemand ville bringe sig, ligesom en meget forsigtig kurator ved at sige nej af hensyn til konens sikkerhed kunne bevirke, at ægtemanden måtte „gaae til Grunde" (s. 234-235).

Hjelm svarede[59], at Ørsted ikke, hverken via lovfortolkning eller sagens natur, havde rokket ved hans opfattelse, der ikke alene havde „Ordene for sig", men også var den eneste, der gav rimelig sammenhæng og mening. Ørsted havde heller ikke anført tilstrækkelige reale grunde for påstanden om, at ægteskabet burde medføre sameje til lige dele i alt, hvad ægtefællerne indfører i boet med særlig adkomst (s. 156-157). Hjelm synes at ironisere, når han (s. 168) taler om „De vakre Følelser, som have forledet Rec. til at fatte et saa høit Begreb om Ægteskab i det virkelige Liv". Det finder nok mest genklang hos de „dannede Stænder, efter hvis Tarv alene man så let fristes til at lempe sine Retsbegreber". Ørsted tænker meget lidt på almindelige menneskers forhold og mere på overklassen i København, skal man tro Hjelm. Og selv hos disse sidste var „Mandens Diplom og Konens Medgift" ofte bestemmende for valget af ægtefælle frem for de „skjønne Drivefjedre", som Ørsted støtter sig på. Vi præsenteres her lidt overraskende for en romantisk Ørsted. Disse ædle følelser passer sig endnu mindre på „Landalmuen, hvilken udgjør det Meste af Folket (hos os henved ni Tiendedele)". Herefter følger nogle betragtninger (s. 169) over de mulige mere praktiske drivkræfter for landalmuens valg af livsledsager.

Ørsted har set med uvilje på den del af Hjelms fremstilling, hvor han gik ind på en undersøgelse af det mere almindelige spørgsmål, „om Fruentimmerets Dygtighed til at bestyre Formueanliggender". Efter Hjelm burde konen have

59 Juridiske Samlinger, 4. årgang, 1. hæfte, 1829 og 1830, 156-189.

andel i boets bestyrelse, ligesom manden som hendes ansvarlige kurator, lav-
værge, eller hvad han skulle kaldes, „burde kunne kaldes til Regnskab af
Frænderne, i Lighed med andre Curatorer". Ørsted synes næsten bevidst at have
misforstået Hjelms forslag. Hjelm erkendte vel, at han måske ikke havde forklaret
sig tilstrækkelig tydeligt, men afviste, at han som antydet af Ørsted skulle have
krævet en udenforstående trediemand indført som konens kurator (s. 181-183).

Kravet om hustruens samtykke ville ikke blive en tom form. Når Ørsted
troede dette, havde han atter ladet sig forlede af sine „egne bedre Følelser". Igen
tænkte Ørsted mere på det ægteskabelige liv blandt mere „forædlede Menne-
sker", der selv i det værste fald gerne søgte at undgå lovenes indblanding i deres
forhold, end på den store hob, på hvem hans forudsætninger passede dårligt.
Hos almuen havde hustruens kald mere tilfælles med mandens i formueanlig-
gender, da hun ikke alene holdt hus med, hvad der vindes, men også tog virk-
somt del i den egentlige erhvervelse (s. 183-184). Det synes at være kommet bag
på A.S. Ørsted, således at blive kritiseret for sine „borgerlige" holdninger og
mangel på forståelse for almuens, især den norske almues, vilkår.

I Haandbogens Bind 4 fra 1831[60] genoptog Ørsted i 13. Capitel § 29 om
„Arv i Almindelighed og Arv uden Testamente i Særdeleshed" debatten med C.
Winter Hjelm. Det erindres, at alle 6 bind af Haandbogen har form af en kom-
mentar til Professor Fr. Th. Hurtigkarls officielle lærebog. Gang på gang bliver
Hurtigkarls opfattelser genstand for Ørsteds skarpe kritik, men i netop denne
sammenhæng bliver Hurtigkarl taget til indtægt for teorien om et fuldstændigt
sameje vendt mod Hjelms opfattelse.

Ørsted redegjorde indledningsvis (s. 533-534) loyalt for Hjelms opfattelse,
hvorefter alt hvad ægtefællerne ejede før ægteskabet eller siden erhvervede ved
arv eller gave burde vedblive at være særeje, og kun, såfremt den i DL 1-24-27
(NL 1-22-29) foreskrevne tinglysning var forsømt, burde betragtes som fælles i
forhold til kreditorerne. Derimod burde det under ægteskabet ved begges flid
og vindskibelighed erhvervede eller som frugt af de indbragte midler være gen-
stand for sameje. Særejet skulle kun være fælles i henseende til nytte og brug,
mens ejendomsretten skulle forblive hos den, der havde indbragt det. Manden
skulle ikke være beføjet til at råde alene over boet, men konen skulle have
stemme i de boet og hendes egne midler vedkommende anliggender. Manden
skulle kun anses som hendes kurator, der måtte kaldes til ansvar for slet bestyrelse
over for konens frænder eller ved skifte i tilfælde af dødsfald eller skilsmisse.

---

60 *A.S. Ørsted*, Haandbog over den danske og norske Lovkyndighed, 4. Bind, 533-553.

Ørsted fastholdt imidlertid ordet „Boe" i betydningen indbegrebet af ens gods som tilstrækkeligt bevis på, at der mentes „sameje", når loven talte om „Mandens og Konens samtlige Eiendele" (s. 536). Han fastholdt endvidere, at 5-2-14 og 19 skulle forstås således, at al den bortskyldige gæld skulle betales af hele boet, herunder af jordegodset, og afviste, at tinglysningen eller dens forsømmelse skulle have nogen betydning (s. 536-538). Ørsteds stærkeste argument imod Hjelm var, at man umuligt kunne forklare den længstlevendes adgang til det halve bo efter 5-2-19 ud fra en eller anden arveret, eftersom både den, der havde indbragt mindst, og den, der havde indbragt mest, erholdt ret til det halve bo, og at det ville være urimeligt, at livsarvingerne efter førstafdøde skulle arve noget af den endnu levende ægtefælles egen formue. Ørsted mente endvidere, at Hjelms lære også blev gendrevet derved, at „Loven stedse omtaler Manden som eneraadig over det hele Boe, uden at Konen med Hensyn til Boet træder frem som nogen særskilt juridisk Person" (s. 539-540).

Men Ørsted havde ikke påvist samejekonstruktionens lovhjemmel. Hverken gældens betaling af hele boet eller ligedelingen af resten i skiftesituationen forudsætter naturnødvendigt, som fremtiden skulle vise, et lige sameje under ægteskabet. Hjelms kritik gjaldt *ikke* primært skiftesituationen *efter ægteskabets ophør*, men derimod det ejendomsretlige forhold (nemlig sameje til lige andele under mandens enerådighed) *under ægteskabet* og inden dødsfald eller skilsmisse.

Haandbogens ellers nøgterne stil brydes flere steder af Ørsteds „ædlere følelser" eller pathos. Det er et lærestykke i fortolkningens kunst. Hvis først princippet om fuldkomment formuefællesskab ved fortolkning af alle antages at have hjemmel i lovens klare bestemmelser, må man fortolke lovbogens enkeltstående undtagelser begrænsende (s. 544). At bortforklare „Noget af enkelte dunkle Artikler, hvorom der maaske ikke i et heelt Seculum har været Spørgsmaal" giver anledning til en ubetydelig betænkelighed i sammenligning med den, som ville følge af at „bortforklare et af de i hele Folkelivet meest indgribende Principper, der indeholdes i klare og utvetydige Lovsteder, og stedse har været almindeligen erkjendte af alle Lovkyndige som af hele Folket". Om ejendomsretten udtalte han, at „det vilde være den selsomste Lovfortolkning af Verden, om Man vilde bortforklare det saa bestemt udtalte Eiendomsfælledsskab mellem Ægtefolk, fordi det i et Tilfælde, der maaske ikke kommer under Spørgsmaal i et heelt Menneskeliv, kan føre til en liden Anomali?" (s. 544-545).

Ørsted var virkelig rystet i sin mandlige borgerlige grundvold. Han oplevede Hjelms tanker og kritik som et sådant angreb på ægtemandens ejendomsret og rådighedsret, at samfundet ville styrte i grus, hvis de kætterske tanker blev gennemført. Han påkaldte sig „hele folket", ja „hele folkelivet", uden skygge af dokumentation i form af statistik, sociologiske undersøgelser, domsmateriale eller lignende[61].

C. Winter Hjelm forsøgte at *omfortolke* reglerne, fordi han ud fra rimeligheds- og retfærdighedssynspunkter måtte tvivle på den hidtidige fortolkning. Ørsted på sin side troede, at Hjelm ville *omstøde* grundlaget for ægtemænds velerhvervede rettigheder. Ørsted beskrev retsbegreber og retsregler i deres aktuelle funktion. Han brugte alene lovhistorien som legitimation for den aktuelle fortolkning, som i alt væsentligt skyldtes hans egen indsats. Hjelm synes langt forud for sin tid. Han havde fremsat en række tanker og omtolkninger af lovbøgerne, som med eet ville have frataget ægtemænd deres overmagt over hustruerne i økonomisk henseende og have sikret disse sidste en vis særråden længe før, det blev accepteret i lovgivningen.

Ordningen med et fuldstændigt formuefællesskab mellem ægtefæller indførtes af 3. revisionskommission i forbindelse med forarbejderne til Danske Lov, men adskillige bestemmelser forudsatte samtidig, at hustruen havde et vist særeje[62]. Stig Iuul, der nok er den forfatter, der mest dybtgående har forsøgt at udrede de retshistoriske forudsætninger for det fuldkomne formuefællesskab på grundlag af de oprindelige forarbejder, fremlægger i „Fællig og Hovedlod" nogle højesteretsdomme fra 1700-tallet, der styrker opfattelsen hos den senere herskende teori. Ikke mindst en afgørelse på grundlag af Norske Lov kan siges at statuere, at i hvert fald f.s.v. angik skifte ved dødsfald måtte der stærke beviser på modstående ægtepagt eller kontrakt for at undgå ligedelingsnormen. Iuul omtaler forskellige erklæringer, som var afgivet til lovrevisionen i 1752-1753, og en udtalelse fra supplikprotokollen fra 1738, hvori der tales om „den i Danmark ved Loven introducerede skik, at mellem Ægtefolk, hvor ingen særdeles Stipulation og Ægtepagt er, er en fuldkommen Fællesskab af Midler og Formue"[63].

Danske Lov havde kun få regler om hustruens myndighed, således 5-1-13, hvorefter manden normalt ikke forpligtedes ved hustruens kontrakter, 1-23-10, der forbød hustruer at kautionere, og 5-3-9, der forbød hustruer at bortskøde og afhænde eget gods. Nævnes kan også DL 3-17-38 om udskiftning af voksne børn, som i sidste punktum siger: „Men datter må ingenlunde sige sig af fade-

---

61 Se også *Ditlev Tamm*, Fra „Lovkyndighed" til „Retsvidenskab", 384.
62 *Stig Iuul*, Kodifikation eller kompilation?, 81; *Stig Iuul*, Fællig og Hovedlod, 316-326; Forarbejderne til Kong Kristian V's Danske Lov, II, 1893-1894, 527, 530 f., 535.
63 *Stig Iuul*, 322 med note 33.

rens værgemål, før end han giver hende een ret værge eller husbond". Teorien efter Ørsted læste disse regler som et udslag af et *almindeligt princip om hustruens umyndighed*[64]. Den konsekvente teori om gifte kvinders umyndighed, umyndighedsdogmet, blev som allerede nævnt skabt i 1800-tallet af A.S. Ørsted. En væsentlig begrundelse for Ørsted var hensynet til trediemand, omsætningens sikkerhed og kreditorer, som ville lide skade ved en opdeling af rådighedsretten og dermed af forpligtelsen. Fr. Th. Hurtigkarl synes i øvrigt at være en af de sidste ældre forfattere, der havde opfattet hustruens retssubjektivitet som inkompetence eller urådighed i forhold til fælliget, og ikke som umyndighed, mens Ørsted var den første i en række af teoretikere, der opfattede hustruen som umyndig. Derfor måtte han reagere så voldsomt over for den norske teoretiker, der ud fra retsfilosofiske overvejelser nåede frem til ligeretten mellem mand og hustru[65]. Efter Ørsted hindredes denne ligeret med følgende begrundelse: „Værgemaalet over hende staar nemlig i nøieste Forbindelse med Godsets Fælledsskab og Mandens Eneraadighed over Boet" (s. 87) eller sagt med andre ord: mandens enerådighed over boet må medføre, at hustruens manglende råderet skal fortolkes som umyndighed.

Efter Hjelm havde Ørsted argumenteret ud fra overklassens situation, ikke ud fra almuens, og slet ikke ud fra den norske almues standpunkt, for hvilken såvel mandens som hustruens økonomiske erhvervelser og dispositioner var lige afgørende for familiens velfærd, mens problemet om rådighed over formueværdier for mange var et ikke-eksisterende problem. Nyeste norske social- og kvindehistoriske forskning bestyrker både statistisk og retshistorisk C.W. Hjelms opfattelse af forholdene for norsk almue[66]. For politi, magistrat og andre næringsregulerende myndigheder, administrative som judicielle, var det vigtigere, om en kvinde havde næringsadkomst, end om hun kunne have tilsidesat lovbogens privatretlige regler om rådighed over fællesformuen. Hvis den gifte kvindes næringsudøvelse sikrede familiens opretholdelse, formodedes hun at have ægtemandens samtykke. Hjelm var den første, der vovede at tale Ørsted „midt imod", men det skulle koste ham dyrt i prestige og eftermæle blandt norske kolleger.

---

64 *Stig Iuul*, 330.
65 *A.S. Ørsted*, 5. Bind, 85 f.
66 *Hilde Sandvik*, Umyndige Kvinner i Handel og Håndværk; *Hilde Sandvik*, Kjønnsperspektiv på tidlig moderne tids økonomi – med vekt på arbeid og økonomisk rådighet i familieøkonomien, i: Rapport III fra Det 22. nordiske historikermøtet 1994, 102-106.

Kort tid efter polemikkens afslutning dukkede en ny retsteoretiker op med tilsvarende kontroversielle meninger. De blev dog først offentliggjort i 1863 og fik derfor ingen umiddelbar indflydelse uden for universitetets rammer i København. Det var F.C. Bornemann (1810-1861), der var blevet lic.jur. i 1839 og samme år lektor ved det juridiske fakultet. I 1840 blev han extraordinær professor og i 1844 ordinær professor i retsvidenskab. Hans mål var at gennemføre en filosofisk behandling af retsvidenskaben. Han betragtede Ørsted som en praktiker, der havde tjent videnskabens og det borgerlige livs nærmeste behov, men uden talent for abstrakt tænkning[67].

I det posthumt ved C. Goos og Fr. Krieger i 1863 udgivne værk „Foredrag over den almindelige Rets- og Statslære" af F.C. Bornemann udviklede han sin særlige opdeling af retsordenen i *menneskeretten*, der byggede på personligheds-princippet, *familieretten* omfattende ægteskabet, og *statsretten* om forfatningen, forvaltningen og forholdet mellem stat og kommuner[68]. Menneskerettens princip vedrørte anordningen af retsforholdet mellem mennesker som individer. Det er derfor lig med „*personlighedsprincippet*", hvorefter ethvert menneske skal anerkendes som en person. Derfor må man med dette princips anerkendelse acceptere den „individuelle Tilværelses Uforkrænkelighed" og selvbestemmelsesret og i forbindelse hermed hænger også „den Mennesket som moralsk Væsen tilkommende udvortes Værdighed"[69].

Specielt vedrørende retsforholdet mellem ægtefæller i formueretlig relation udtalte han, at „Af den begge Kjøn tilkommende lige Værdighed følger først og fornemmelig, at Ægtefællerne maae erkjendes for *ligeberettigede* ..." Selv om ægtefællerne har forskellige rettigheder, er „Konen ikke at sammenligne med en Datter i Huset, hun staaer ikke under Mandens Værgemaal. Manden er ikke hendes Herre og Husbond". Han har heller ikke „Regjeringen" i almindelighed[70]. Han fandt spørgsmålet om formueforholdet mellem ægtefæller meget vanskeligt. Hans eget standpunkt måtte logisk føre til en „fuldkommen formue-enhed, saaledes at Mand og Kone begge eie det Hele, altsaa ikke et Fælledsskab til lige Dele, men et *condominium in solidum*". Dette stred imod den almindelige opfattelse. Han mente dog, at der ikke i lovgivningen var noget til hinder

---

67 *Frantz Dahl*, Hovedpunkter af den danske Retsvidenskabs Historie, i: Festskrift i Anledning af Tohundrede Aars Dagen for Indførelsen af Juridisk Eksamen ved Københavns Universitet, 198-200; *Ditlev Tamm*, Retsvidenskaben i Danmark – en historisk oversigt, 134-136.

68 *Ditlev Tamm*, 134 f.

69 *F.C. Bornemann*, Foredrag over den almindelige Rets- og Statslære, København, 74-75.

70 *F.C. Bornemann*, 252.

for, at ægtefællerne indgik en „særegen contractmæssig Anordning", der stillede mand og kone på lige fod med hensyn til pengetransaktioner, „saaledes at ingen Bestemmelse kunde tages uden begges Samtykke"[71].

Forfatteren af det skriftlige oplæg om formueforholdet mellem ægtefæller på det første nordiske Juristmøde, T.H. Aschehoug[72], fastholdt, at ægteskabet i Norge og Danmark medførte fuldstændigt formuefællesskab i et fællesbo, hvorover manden havde udelukkende rådighed. Dette formuefællesskab betragtedes på „eet Udviklingstrin af vor Ret" som en i en vis forstand „uundgaaelig Retsnødvendighed", der dog ikke var konsekvent gennemført (s. 87).

Det var ikke aldeles klart, hvilken indflydelse det havde på hustruens handledygtighed, hvis der ikke fandt formuefællesskab sted mellem ægtefællerne, og en dansk Overret havde faktisk betragtet hende som myndig (s. 89). Retspolitisk foreslog han blandt andet, at hustruen skulle have særråden over selverhverv, selv om ægtefællerne levede i formuefællesskab, og at hendes adgang til at forlange fællesboet delt sikredes i tilfælde af mandens ophævelse af samlivet eller urimelige økonomiske transaktioner (s. 95).

Under debatten gjorde Goos opmærksom på, at spørgsmålet om formuefællesskabets ensidige gennemførelse tidligere havde været drøftet i dansk ret. Han sigtede netop til F.C. Bornemann, der havde opstillet følgende tre grundsætninger: der bør være frihed til at skabe en anden ordning end den almindelige lovhjemlede, ægtefællerne bør være ligeberettigede med hensyn til rådigheden over boet under formuefællesskabet, og konen bør ikke sammenlignes med en datter i huset. Hun står ikke under mandens værgemål, og hun er ikke umyndig som sådan[73]. Aschehoug fandt, at Goos var gået for vidt, når han ønskede at udstrække de gifte kvinders myndighed så langt som muligt. Kvinder kan ikke „fornuftigvis" gøres myndige, hvor der hersker formuefællesskab.

Som et fjernere resultat af disse drøftelser og som et brud på vanetænkningen siden Ørsted fremkom under en vis inspiration fra den engelske Married Women's Property Act fra 1870 i 1880 en lov[74], der gav hustruen adgang til særråden over selverhverv, selv om det hørte under fællesboet, jf. den tilsvarende norske lov af 1888 og de svenske love af 1874 og 1898 samt den danske lov om formueforholdet mellem ægtefæller af 1899, der tillagde gifte kvinder fuld myn-

---

71 *F.C. Bornemann*, 253-254.
72 Forhandlingerne paa det første Nordiske Juristmøde, 1872, Tillæg, 78-107.
73 Forhandlingerne, 156-157.
74 Se nærmere om loven og dens forarbejder i Kapitel 9.

dighed, men paradoksalt nok fastholdt mandens enerådighed over de dele af fællesboet, der ikke var underlagt hustruens særråden.

De to paradoksale bestemmelser i 1899-loven, § 10, der tildeler hustruer formueretlig myndighed, og § 11, der forbeholder rådigheden over fællesboet for „manden alene", viser hvilket dilemma man var kommet i med 1880-loven om hustruers rådighed over selverhvervede midler, skønt de fortsat betragtedes som umyndige. Man fastholdt mandens enerådighed i „eget navn og på egne vegne, om end for fælles regning". Denne mandens enerådighed gjaldt såvel i forhold til trediemand og i det indbyrdes forhold[75]. Manden var i det indbyrdes forhold beføjet til at bestemme over fællesboet uden noget tilsyn fra overøvrigheden og uden pligt til at aflægge regnskab over for hustruen ved boets deling. Efter ældre ret havde man kunnet fratage en ægtemand, der misbrugte sin position, rådighed over boet til fordel for hustruen eller tillægge hende ret til at deltage i dets bestyrelse. Efterhånden udløste sådanne situationer adgang til opnåelse af separation og med 1899-lovens § 28 indførtes en adgang til bosondring eller ophævelse af formuefællesskabet under ægteskabets beståen[76].

Det fremgår af Udkast til lov om ægteskabets retsvirkninger, at man var klar over svagheden ved 1899-ordningen. Ved at give hustruen formueretlig myndighed gav man hende mulighed for at påtage sig forpligtelser, samtidig med at disse forpligtelser ikke kunne søges fyldestgjort i fællesboet, som var underlagt mandens rådighed, „skønt hun kaldes ejer af det halve bo". Den formueretlige myndighed, som hun udstyredes med af 1899-loven, medførte kun ulemper, „idet hun fik evne til at forpligte sig, men ikke samtidig noget at fyldestgøre sine forpligtelser med, eftersom hun ikke samtidig fik rådigheden over sin del af fællesboet – bortset fra det stærkt begrænsede selverhverv, som langt fra kommer alle hustruer til gode". Når udkastet nu vil tillægge hende rådighed over alt, hvad hun i øvrigt ejer og erhverver, „er dette blot det naturlige komplement til hendes formueretlige myndighed. Denne får herved først sin fulde værdi, idet de forpligtelser, hun gyldigt påtager sig, også kan søges fyldestgjorte i hendes formue"[77].

I Udkast til Lov om Ægteskabets Retsvirkninger udtaltes i de indledende bemærkninger til kapitel III om Formuen[78], at når man skal lovgive om ægte-

75 *J.H. Deuntzer*, 1899, 140-141.
76 *J.H. Deuntzer*, 1899, 141-142.
77 Udkast til Lov om Ægteskabets Retsvirkninger, 152-153.
78 Udkast til Lov om Ægteskabets Retsvirkninger, 115-121.

fælles formueforhold i Norden, kan man ikke finde væsentlig vejledning i frem-
med lovgivning, „thi man har her vedblivende forfordelt Hustruen stærkt". Man
tør omsider sige tingene lige ud: den hidtidige anstødssten mod „en retfærdig
Nutidsordning" var „det principielle krav om Ligestillethed mellem Mand og
Hustru", som måtte lægges til grund for formueordningen.

Man foreslog derfor den ordning med særråden og særhæften, som vi fortsat
har i dag. Man måtte afskaffe den hidtidige grundregel, hvortil man „i Mangel af
Bevis for noget andet" faldt tilbage, nemlig at „Manden raader over Fællesfor-
muen" eller fællesboet. Der er ikke længere et fællesbo, og derfor vil man heller
ikke kunne tale om „Fællesboets Midler", idet disse midler er enten mandens
eller hustruens rådighedsmidler. Når en sådan deling må anses for formålstjenlig
og retfærdig, „kan Hensynet til Tredjemand ikke føre til at opgive den", således
som Ørsted havde ment.

5. Sammenfatning

Reglerne om formueforholdet mellem ægtefæller havde i århundreder (årtusin-
der?) bygget på kønsforskellen, at parterne var mand og hustru i et særligt socialt
og religiøst (rolle)spil. Det afgørende nye i retsvirkningsloven fra 1925 blev, at
de opfattedes som „ægtefæller", altså som to mennesker med samme rettigheder
og pligter bortset fra meget få forhold, som f.eks. RVL § 11. Det er ikke uvæ-
sentligt for forståelsen af det retshistoriske forløb, at kirke, stat og samfund ikke
blot fandt den tidligere forskelsbehandling rimelig og naturlig, men opfattede
den som den eneste mulige løsning.

5.1. Økonomi og kredit
Sigtet med de beskrevne historiske formueordninger var dels at regulere forhol-
det under ægteskabet, dels at sikre enkeretten og generationsskiftet ved ægteska-
bets ophør, ved død og efterhånden også ved separation eller skilsmisse. Ud-
formningen af formueordninger og valget af konkret ordning har sammenhæng
med både samfunds- og privatøkonomien. Styrkelse af pengeøkonomi og drifts-
midlernes teknologiske forbedringer gjorde løsøreværdierne mere attraktive, og
styrkede tendensen til at foretrække formuefællesskab, mens samfund, hvor vær-
dierne udelukkende repræsenteredes af arvejord, fremmede interessen for sær-
ejeordninger. Formuebegrebet mistede betydning i forhold til indkomstbegre-
bet. Pengehandel tog til, og erhvervslivet fik gennemført en række erhvervs-
fremmende foranstaltninger og en erhvervsvenlig lovgivning.

Liberalismen i både økonomisk og personlig henseende fejede hen over Europa i 1800-tallet og gjorde alle undersåtter til borgere med lige frihedsrettigheder og pligter. Livegne eller stavnsbundne bønder, negerslaver, kvinder og tyende blev en del af denne bevægelse og blev i større eller mindre grad og med større eller mindre hast i løbet af dette århundrede „emanciperet".

Danmark gennemløb en tilsvarende ekspansion, ikke mindst på landbrugsområdet, som jo altid havde været den vigtigste erhvervsgren. Den nye demokratiske lovgivningsmagt gav sit eget markante udtryk for liberalismen ved at fremme en række love til lettelse af handel og industri. Forsikrings- og pensionsinstitutioner blev indført til afløsning af gamle, ofte mangelfulde hjælpeordninger; hensynet til enkeforsørgelse spillede en voksende rolle, og skiftevæsenet til afvikling af konkurs- og dødsboer fik hver sin omfattende kodifikation, der begge tillige medvirkede til afklaring af de formueretlige forhold mellem ægtefæller.

5.2. Fællig og særeje i Europa og Danmark

Formueordninger om særeje, sameje eller andre fællesformer med retsvirkning under eller efter ægteskabet er afhængige af de i øvrigt rådende ejendoms- og besiddelsesforhold i samfundet. Et markant træk ved engelsk ret var som beskrevet forskellene mellem de retlige løsninger, der byggede på „Common Law", og de, som udvikledes via ægtepagter og „Equity Law"eller via „Ecclesiastical Law". Den lovgivning, som i slutningen af 1800-tallet gav gifte kvinder større rådighed og evne til at hæfte over for kreditorer, var muligvis mere at betragte som en „ratificering" og „justering" af en allerede indtruffet tavs revolution. Lovene vakte ikke megen opsigt og var måske „the silence of a „fait accompli"", som Lawrence Friedman udtrykte det. Måske gjaldt det også udviklingen i Danmark imellem 1899 og 1925, der jo burde have fremkaldt højlydte protester eller bifald.

Formueordningerne efter „Code Civil" afspejler resultatet af de lange udviklingslinier i både Syd- og Nordfrankrig. De bygger på et legalt „régime de communauté" med hensyn til løsøre og erhvervelser, mens indbragte værdier blev særeje. De åbner imidlertid for aftaler om både fuldstændigt formuefællesskab og fuldstændigt særeje samt dotalordninger.

I tysk ret dominerede de mange partikularordninger, indtil de store civilretskodifikationer gav de formueretlige forhold mellem ægtefæller mere ensartede formuleringer. Også herefter opretholdtes flere muligheder mellem særeje vedrørende „indbragte" værdier og formuefællesskab, der havde karakter af sameje, typisk vedrørende „erhvervelser". Hvor der herskede fuldstændigt særeje, var forvaltningsfællesskabet fremherskende.

I dansk ret kodificeredes et almindeligt formuefællesskab med Danske Lov som den almindelige hjemmel. Det opfattedes som et lige sameje, der dog ganske savnede samejets karakteristika som en partnerskabs- eller selskabsretlig foreteelse, idet den samlede formuemasse tilhørte ægtemanden under ægteskabets beståen og først ligedeltes ved dettes ophør. Ægteskabet betragtedes som en af de måder, hvorpå en mand kunne erhverve ejendomsret på.

5.3. Hustruens hæftelse for gæld

„*Senatus Consultum Velleianum*", hvorefter hustruen ikke måtte påtage sig gældsforpligtelse for andre, især ikke for ægtemanden, ophævedes i det romerretligt påvirkede Sydfrankrig i 1606, hvorimod kvinder i det sædvaneretlige Nord, som levede i formuefællesskab, altid kunne samtykke i transaktioner til fordel for den fælles husholdning ud fra den grundlæggende partnerskabs- eller samejetankegang. Selv om praksis i Sydfrankrig forkastede det vellejanske beneficium, vedblev juristerne at argumentere for dets opretholdelse på grund af kvindernes „svaghed og letsindighed, der fulgte af deres køn" med støtte fra teologer og kanonister, som så bort fra kristendommens ligestilling af mand og kvinde[79]. Ældre tyske regler om hustruers hæftelse for gæld modificeredes, da man reciperede det romerretlige beneficium *Senatus Consultum Velleianum*, der gav hustruen ret til at anfægte gældsforpligtelser. Det vellejanske beneficium for gifte kvinder ligger formentlig bag udformningen af JL II, 64, og dermed de regler i Danske Lov, som videreførte Jyske Lovs regel. Det optræder i en afsvækket form sidste gang i loven fra 1899 om formueforholdet mellem ægtefæller. Praksis anerkendte efterhånden hustruens gældsforpligtelser vedrørende fælliget, såfremt hun på forskellig måde aktivt havde medvirket til deres stiftelse, ligesom det stod fast, at hun måtte hæfte med særejemidler, hvis gælden hvilede på disse. Fællesskabsmomentet ved gæld lå i, at den fælles formuemasse, fællesboet, indtil 1925, hæftede for denne. Ude fra kunne man ikke „se", hvem der var den egentlige skyldner for gæld opstået under ægteskabet, men ægtemanden blev personligt ansvarlig såvel for denne som for hustruens gæld fra før ægteskabet, skønt hun var den oprindelige skyldner.

Visse personlige og uoverdragelige rettigheder kunne ikke være genstand for kreditorforfølgning, uanset om de var særeje eller fælleseje. De gjordes i

---

79 *Fr. Olivier-Martin*, 395-397.

1899 til en slags særejerettigheder på grund af det *personlige* moment, som kan siges at substituere den tidligere offentligretlig beskyttelse.

5.4. Reform

1899-loven, der tillagde hustruen myndighed eller evne til at forpligte sig, men ikke samtidig ret til at opfylde forpligtelsen, idet hun ikke fik rådighed over fællesboet, men kun over sit selverhverv, var udtryk for en helt uholdbar retlig position. Den var en konsekvens af en udvikling i 1800-tallet, der havde reduceret den gifte kvinde til en „umyndiggjort" eller urådig person for at beskytte ægtemanden mod hendes eventuelle indblanding i hans dispositioner. Situationen var næsten grotesk efter 1899 og måtte nødvendigvis fordre en radikal omlægning, som da også skete med 1925-loven, der ophævede den i fællesbobegrebet liggende forudsætning om sameje mellem ægtefællerne og den deraf følgende ejerrådighed for manden. Efter 1925 var der intet fællesbo, men to bodele, hvorover mand og hustru havde hver sin råden og hæften. Formuefællesskabet viste sig nu især i forbindelse med ægteskabets opløsning eller ved separation ved kravet om ligedeling i boslodder.

6. Konklusion

Hvis en model svarende til den i Kapitel 3 skulle forsøges opstillet til beskrivelse af udviklingen fra 1683 til 1925 med hensyn til ægteskabet og de faktorer, der havde indflydelse på udviklingen af formueforholdet mellem ægtefællerne og af

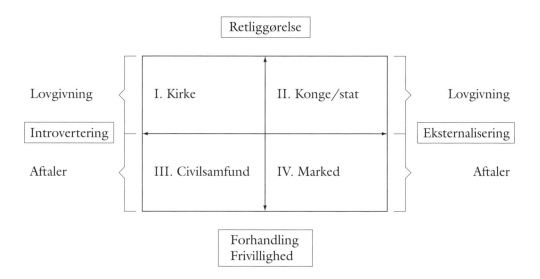

hustruens retsstilling, kunne den have følgende lidt ændrede udformning, selv om den indeholder de samme 4 kategorier: „Konge/Stat", „Kirke", „Marked" og „Civilsamfund".

Bevægelsen „opad" af kategorierne I. Kirke og II. Konge/Stat afspejler øget retliggørelse, mens omvendt bevægelsen „nedad" af kategorierne III. Civilsamfund og IV. Marked afspejler voksende tendens til forhandling, overenskomst, forenings- eller selskabsdannelse, frivillighed, idet de to kategorier i den „opadgående" bevægelse baseres på lovgivning, mens den „nedadgående" bevægelse bygger på aftalen.

Bevægelsen mod højre af kategorierne II. Konge/Stat og IV. Marked er udtryk for det dynamiske vækst- og udviklingssamfund, industrialisering, mens bevægelsen mod venstre af kategorierne I. Kirke og III. Civilsamfund er udtryk for en inderliggørelse, en introvertering med fremhævelse af hin enkelte, individet, personligheden, autonomien og selvforvaltningen.

Højrebevægelsen, eksternaliseringen af „Stat" og „Marked", som tog fart fra midten af det 18. århundrede, medførte en tilsvarende udvikling i det ægteskabelige formueforhold. Hensynet til omsætningen og til kreditorerne tilsidesatte hensynet til familien som et solidarisk minisamfund og til hustruens selvbestemmelsesret. Efter Danske Lov kom der kun begrænset lovgivning (bevægelsen opad af I + II) i forhold til ægtefællerne, hvorimod frivillige aftaler med eller uden kongelig stadfæstelse kom til at dominere udviklingen af ægtefællernes økonomiske arrangementer.

Selv om det 18. og tidlige 19. århundrede også kendte en venstrebevægelse af kategorierne I. Kirke og III. Civilsamfund kendetegnet ved pietistiske gudelige forsamlinger, „Stærke jyder" o.lign., så var det først for alvor i løbet af det 19. århundrede, at denne bevægelse henimod sikring af friheds- og menneskerettigheder for kvinder, slaver og tyende, som satte gang i de undertrykte individers emancipation og dermed også i bevægelsen mod formueretlig ligestilling mellem ægtefæller.

· 8 ·
Arv og generationsskifte

I. Europæisk ret

Denne fra Kapitel 4 fortsatte generationsskifteanalyse vil også bygge på samspillet mellem familie- og arveretlige regler om 1) arv, fortsat fællig eller uskiftet bo og brødrefællig, 2) om fledføring, aftægtsordninger o.lign. og 3) begunstigelse af enkeltarving eller ægtefælle via aftaler, testamenter el.lign.

Her skal også kort erindres om de socio-økonomiske forholds betydning for rettens udvikling. Landsbyorganisering i fællesskaber kunne forekomme både ved bebyggelser bestående af selvejergårde, og hvor store godsejerdominerede områder dyrkedes af fæstebønder. Familiefællesskaber begunstigede typisk hjemmeblevne børn, som arbejdede for fælligets fremme, mens de, som rejste bort, blev udskiftet og eventuelt pålagt en tilbagebetalingspligt, hvis de til sin tid ville deltage i arvedelingen eller det fortsatte fællig. Det ser ud, som om man i nogle sædvaneretsdominerede områder ved dødsfald længe opretholdt en tredeling af fælliget, således at hjemmeboende børn, enken og den døde endnu i det 15.-16. århundrede tillagdes hver en tredjedel. Fra det 16. århundrede synes i Frankrig ønsket om en ret til at begunstige enkeltarvinger netop at udbredes blandt godsejere af aristokratiet[1]. Mange mænd og kvinder blev aldrig gift, nogle blev gift, men blev tidligt enke eller enkemand, og de blev normalt boende i familiens fælles husholdning, sidstnævnte først som dennes overhoved, senere på aftægt, mens de ugifte blev medhjælpere. Dette var mest typisk for kvinderne, hvorimod ugifte mænd søgte at skabe en tilværelse på anden måde.

---

1 *Jack Goody*, Inheritance, Property and Women, i: Family and Inheritance, 33 f., 44 ff.; *Emmanuel Le Roy Ladurie*, Family Structures and Inheritance Customs in sixteenth Century France, i: Family and Inheritance, 66.

1. Engelsk ret

I det sene 17. århundrede antages der efter skattelisterne at have været knapt 90.000 enkemænd og knapt 274.000 enker i England[2]. Mange enker havde god grund til ikke at gifte sig igen. Nogle af veneration for den afdøde mand, andre fordi de nød den nyvundne personlige og formueretlige frihed og status som familieoverhoved i egen husholdning. Det kunne også være nyttigt at fastholde den retlige handleevne til brug for børnenes beskyttelse. Nogle kvinder havde økonomiske fordele af at forblive ugifte, idet ægtemænds testamenter kunne indeholde bestemmelser om, at de ville miste retten til at blive boende i huset og leve af jorden, hvis de giftede sig igen. Det antages, at op imod 10% af ægtemænds testamenter indeholdt sådanne klausuler[3]. Takket være ægtepagter og testamenter, som sikrede deres særeje, var middel- og overklasseenker ofte rimeligt forsørget, og mange forøgede deres midler via forskellige investeringer. Mange enker ejede udlejningshuse og pensionater samt fungerede som pengeudlånere, mens andre enker fortsatte mandens virksomhed, håndværk eller landbrug[4].

Men det var ikke uden problemer at forsøge at videreføre mandens virksomhed. Mange havde ikke en tilstrækkelig stærk økonomi, idet enker efter Common Law kun havde krav på 1/3 af mandens formue og ikke måtte sælge den jord, de varetog for arvingerne for at skaffe kapital, hvortil kom, at mandens død kaldte alle hans kreditorer på banen, hvorved hans særformue reduceredes delvist eller måske helt, så der ikke blev noget tilbage til enken. Selv om en enke havde en rimelig økonomi, savnede hun måske evnerne til at drive virksomheden selv og solgte den for at drive en mindre indbringende syssel, hvortil hendes evner rakte. Mange enker var ikke optaget på skattelisterne i det 18. århundrede, men figurerede derimod på listerne over modtagere af fattighjælp[5].

Det særlige engelske retsinstitut „Equitable Jointure" defineredes af Sir Edward Coke som et „competent livelihood of freehold for the wife of lands or tenements", en slags enkeforsørgelse baseret på jord og fæsteværdier, som straks efter ægtemandens død overgik i hendes besiddelse og til hendes nytte for hendes livstid. Det var almindeligt at træffe sådanne aftaler i førægteskabelige ægte-

---

2 *Robert B. Shoemaker*, Gender in English Society 1650-1850, 135 f.
3 *Robert B. Shoemaker*, 137-138.
4 *Robert B. Shoemaker*, 138.
5 *Robert B. Shoemaker*, 138-139.

pagter, især i det 18. århundrede. De kunne i bedste fald sikre enken stor økonomisk frihed og selvstændighed som supplement til eller i stedet for den klassiske dower på 1/3 af mandens formue[6] (se også Kapitel 3).

Praksis havde i 1560 og 1572 accepteret, at klausulen, om at hustruen ikke som enke måtte gifte sig igen (*durante viduitate sua*), hvis hun skulle bibeholde „jointure", var gyldig. En sådan klausul ville have været ugyldig vedrørende „dower". Denne praksis kan have været medvirkende til, at antallet af enker i nyt ægteskab fra det 16. århundrede reduceredes. Udviklingen gik klart i retning af, at „jointure" ikke kun omfattede jord eller fast ejendom, men (i strid med 1535-ordningen) også obligationer og andre pengefordringer som aktier (ovenikøbet i det usikre South-Sea Company, der gik konkurs) men også i Bank of England og East-India Company (s. 102). Ved postnuptiale ægtepagter fik enken valgfrihed mellem „dower" og „jointure", og det samme gjaldt ved de testamenter, som kunne sidestilles med „jointures". Hvis dette ikke var tilfældet, havde enken krav på „dower" og det testerede.

Den samtidige teori repræsenteret dels ved Coke, der mente, at „jointure" var „more sure and safe for the wife" og dels ved Blackstone, der mente, at den var mere moderne og burde foretrækkes frem for andre, var således positiv over for denne løsning. Efter Statute of Uses fra 1535 blev kvinder med ældre ægtepagter, der var berettiget til både „dower" og „jointure", udelukket fra samtidig at kræve „dower", medmindre der var tale om ægtepagter indgået i ægteskabet, som kunne sikre enken en valgfrihed. En antenuptial „jointure" ville således hindre enken i at kræve „dower" ikke blot af jord, som manden havde ved ægteskabets begyndelse, men også af senere erhvervelser ved gave, arv eller køb. Man kunne ad denne vej give hustruen både meget mere, men også meget mindre, end den i Common Law sikrede „dower". Teorien i det 18. og i det tidlige 19. århundrede lykønskede systemet for dets fleksibilitet og fremtidssikring i forhold til det gammeldags „dower"-system, eftersom mange mennesker levede i byerne og af et erhvervsliv, hvor de gamle jordinteresser var afløst af pengeinteresser.

Susan Staves har foretaget en systematisk analyse af et større antal „jointures" fra det 18. århundrede og er på dette grundlag blevet overbevist om, at de ikke kun kunne være til enkens fordel, men så sandelig også kunne have særdeles negative følger. Susan Staves mener, at ligesom Common Law-„dower" blev undergravet af „Equity"-praksis omkring „jointures", blev sidstnævnte praksis selv undermineret af teorien omkring „equity jointure", hvorefter hustruens for-

---

6 *Susan Staves*, Married Women's Separate Property in England 1660-1833, 25-130.

dringsret på et livsvarigt ophold på eller forsørgelse på grund af afkastet fra en fast ejendom blev transformeret til en fordringsret på løsøreværdier eller penge i en kortere periode.

Det blev den almindelige opfattelse i både teori og i retspraksis (dommerne var jo ofte selv ægtemænd) henimod 1800-tallets begyndelse, at ægtemænd bedre end samfundet kunne vurdere, hvad der var en rimelig forsørgelse af hustruen under ægteskabet og som enke. Den nye „Dower Act" fra 1833 medførte, at hustruen sikredes en særlig forsørgelse allerede i en førægteskabelig ægtepagt i form af en „jointure", eller i en kontrakt om, at husbonden ikke ville udelukke hende fra „dower". Var hun passiv, kunne ægtemanden udelukke hendes krav på „dower" via testamente så vel i fast ejendom som i løsøre (s. 113).

De engelske arveregler om begunstigelse af den ældste eller yngste søn er af et særegent feudalt præg, som adskiller sig både fra den normanniske og den langobardiske feudalret, og vil derfor ikke blive omtalt nærmere i denne sammenhæng. Det engelske arvesystem var delvist et parentelsystem og delvist et gradssystem omfattende „paterna paternis, materna maternis"-princippet[7]. Selv om kvinder ikke var udelukket fra arv, blev mænd i samme arveklasse foretrukket for kvinder. Det var den almindelige antagelse, at familiejord overgik til mandlig descendens ligesom familienavnet, og at hvis kvinder ejede jord, ville de overføre rettighederne til mænd via ægteskab eller moderskab. Men kvinders arveret sikredes ved parentelsystemet, hvor der ikke var mandlige arvinger indenfor samme grad[8].

2. Fransk ret

Fransk teori opfattede formuefællesskabet mellem ægtefæller som et „société", hvori de to ægtefællers interesser og rettigheder søgtes bragt i ligevægt ved at udvikle en række retsprincipper til beskyttelse af hustruen, såsom bosondring, mulighed for kompensation og flere andre økonomiske fordele, herunder selvfølgelig også selve ligedelingen. Bosondring blev først almindeligt fra det 16. århundrede i verdslig ret, som var mere påvirket af romerretten end af den kanoniskretlige praksis (Du Moulin). Hustruen kunne kræve bosondring, hvis hendes særejerettigheder kom i fare på grund af ægtemandens forvaltning af disse. I slutningen af „l'Ancien Régime" blev det almindelig praksis, at hun også kunne

---

7 *Pollock & Maitland*, The History of English Law II, 273-301.
8 *J.H. Baker*, An Introduction to English Legal History, 305-307.

kræve sin halvdel af formuefællesskabet udskiftet[9]. Hvis hustruen forventede, at hendes håb om en økonomisk gevinst som følge af formuefællesskabet ikke kunne indfries, havde hun ifølge praksis mulighed for at give afkald på formue-fællesskabet mod inden tre måneder at opstille et sådant inventarium, der som tidligere nævnt var hjemlet i en ordonnance fra 1667. Dette *beneficium inventa-rium* var udviklet i det kgl. kancellis bevillingspraksis.

Formuefælliget betragtedes af købstadborgere som en mulighed for at op-retholde en selvstændig og uafhængig økonomi, hvorimod bønder opfattede det ægteskabelige selskab som en del af familien, idet der rundt om fælliget eksiste-rede et selskab af interessenter, et *familieselskab*, som også kunne omfatte frem-mede. I pariserområdet synes familiefællesskaber fra slutningen af middelalderen at svinde ind med undtagelse af det fortsatte fællig ("communauté continué")[10].

Selv om hun ikke gjorde brug af disse hustrurettigheder, men blot de almin-delige regler om skifte af fællesformuen, kunne det dog i en ægtepagt være aftalt, at visse værdier kunne udtages af hustruen forlods uden om skiftet, især hvis der ikke var børn i ægteskabet[11]. Allerede ældre fransk ret havde udviklet muligheden for et fortsat fællig eller en slags uskiftet bo, hvis længstlevende ønskede at blive boende sammen med børnene. Dette retsinstitut forekom allerede hos Beauma-noir. Det fortsatte fællig opfattedes af nogle teoretikere som et "communauté taisible", et tavst fællig, der praktisk blev optaget i en række ordninger fra det 16. århundrede, også med et lidt ændret indhold, idet også andre arvinger end børn kunne optages deri. Efter pariserssædvaneret opfattedes fælliget som fortsat der-ved, at børnene overtog faderens plads. Hensigten var at undgå en opsplitning af værdierne, især af fast ejendom, og derudover et hensyn til mindreårige børn. Hvis ægtefællen giftede sig igen, skabtes et nyt, tredelt fællig, hvor hver af ægte-fællerne stod for sin trediedel, og børnene for den sidste trediedel[12]. Også dotalordninger fik tidligt sædvaneretlig hjemmel på grundlag af notarpraksis. Man betragtede ikke "dot" som en gave, men som en fordringsret, enhver enke havde i mandens bo. På revolutionens tid havde denne "douaire" typisk karakter af en ususfruktuarisk ret hjemlet i enkens ægtepagt.

Hovedprincipperne fra de middelalderlige formueordninger med en gen-nemgående sondring mellem særeje og fælleseje opretholdtes i perioden frem til

---

9 *Ourliac et Malafosse*, Histoire du Droit Privée, III, 266 f.
10 *Ourliac et Malafosse*, III, 260 f.
11 *Ourliac et Malafosse* , III, 267-270.
12 *Ourliac et Malafosse*, III, 269-271.

de nye napoleonske lovbøger[13]. Den arveretlige udvikling kan derfor fremvise områder, der var behersket af lige arveret mellem descendensen efter hoveder (*in capita*) og andre områder, hvor der gjaldt regler om begunstigelse af en mandlig arving på andre arvingers bekostning. Idéer om særbegunstigelser spredtes efter det 16. århundrede især i områder, hvor der ellers havde hersket en egalitær ordning, modsat fælligområderne. Også „ravestissement"-ordninger i form af aftaler om gensidige begunstigelser mellem ægtefæller, hvis blot ægteskabet havde været fuldbyrdet og et barn var født, med det formål at længstlevende skulle overtage hele det fælles patrimonium, blev almindelig blandt ikke-adelige vallo- ner[14].

Nogle franske ordninger fulgte et parentelsystem, suppleret med et gradu- alsystem i ascendensleddene. Og Novella 118 fik via teorien betydning både i kutymeområder og især i „droit écrit"-områderne i syd, selv om testationer her var langt hyppigere end intestatarv. Repræsentationsprincippet dominerede i descendensen, mens i ascendensen den nærmere i grad udelukkede den fjernere, og der fandt ikke repræsentation sted. Mellem nevøer antoges i pariserområdet at gælde en deling efter hoveder[15].

Redaktørerne af Code Civil ville skabe retsenhed vedrørende formueforhol- det mellem ægtefæller og derfor afskaffe dotalregimet. Men det vakte stor mod- stand i Sydfrankrig og Normandiet, hvor formuefælliget betragtedes som skabt af en barbarisk germansk retsopfattelse. Derfor blev formuefælliget vel den legale ordning, men dotalordningen blev opretholdt som en valgmulighed, og Code Civil endte således med i vidt omfang at opretholde reglerne fra „l'Ancien Ré- gime"[16].

Også spørgsmålet om arveretten bragte mange problemer i forbindelse med forarbejderne til Code Civil. Man ville af med de feudale særbegunstigelser, men ikke afskaffe arveretten. Lovbogens successionsregler har været stærkt kritiseret i det 19. århundrede. Man måtte finde en vej imellem den romerretlige og den sædvaneretlige ordning. Man foretrak opdelingen i en fædrene og en mødrene gren i ascendenslinien, og repræsentationsprincippet blev mere udvidet end i romerretten. Børn født uden for ægteskab fik kun begrænset arveret.

Efter CC art. 765 arvede den længstlevende ægtefælle hele afdødes formue,

13 *Fr. Olivier-Martin*, Précis d'Histoire du Droit Français, 396.
14 *Emmanuel Le Roy Ladurie*, 66 f.
15 *Ourliac et Malafosse*, III, 444-453.
16 *Ourliac et Malafosse*, III, 271-277.

hvis han ikke efterlod forældre og kun udarvinger, mens længstlevende efter art. 766 i tilfælde, hvor førstafdøde både efterlod forældre og udarvinger, fik ret til halvdelen. I øvrigt havde den længstlevende ægtefælle, hvor der var arvinger i den nedstigende linie, ret til en fjerdedel og til halvdelen, hvis han kun efterlod søskende, art. 767.

Forældrene har efter CC art. 205 forsørgelsespligt for deres børn, en pligt der opfattes som udtryk for „ordre public". Hvis længstlevende ægtefælle har behov for forsørgelse, skal krav herom gå forud for arvekrav, og skal betales af arvinger og legatarer, hvis kravet fremsættes inden en vis frist, CC art. 207, 408 f., 411, 434-435. Man følger i øvrigt parentelsystemet og repræsentationsprincippet, CC art. 731-744. Hensidden i uskiftet bo kan ske i en begrænset periode af hensyn til et allerede eksisterende familiefællesskab og typisk for en eller flere 5 årsperioder, eller indtil den yngste bliver myndig. Men aftaler herom kan altid tilsidesættes ved at kræve skifte, CC art. 815.

Gaver mellem ægtefæller skal ske ved ægtepagt, CC art. 1091-1100. Ægtepagter til fordel for længstlevende er reguleret i art. 1387-1399. Formuefællesskabet kan fortsættes efter art. 1442. Bosondring kan bl.a. finde sted for at hindre, at hustruens „dot" bliver bragt i fare, art. 1443.

Hvis en hustru vil forbeholde sig muligheden for senere at give afkald på fællesskabet, bør hun i overensstemmelse med ældre praksis inden 3 måneder efter mandens død oprette et inventarium over alle fællesskabsværdier af hensyn til mandens arvinger, CC art. 1456, se også art. 1457-1461. Ved skifte skal både aktiver og passiver deles, CC art. 1467-1491. Hvis hustruen gav afkald på formuefællesskabet, mistede hun retten til alt, hvad manden ejede eller erhvervede, bortset fra linned og lignende til hendes behov, men befriedes samtidig for ansvar for gælden, CC art. 1492-1514. Hvor parterne havde vedtaget at leve under et dotalregime med fuldstændigt særeje, CC art. 1540-1548, havde ægtemanden under ægteskabet rådighedsretten, som dog ikke omfattede salg eller pantsætning af fast ejendom heller ikke, selv om ægtefællerne optrådte i fællesskab, art. 1554, med visse undtagelser art. 1555-1559.

Efter CC art. 490 kunne en person, hvis mentale evner var forandret på grund af sygdom, svaghed eller alderdomssvækkelse („affaiblissement dû à l'âge") sættes under værgemål, såfremt den pågældende selv ønskede det, fordi han blev ude af stand til at udtrykke sin vilje. Der var også mulighed for, at den pågældende kunne befuldmægtige en anden til at varetage sine anliggender, CC art. 491-493.

3. Tysk ret

Slægtsarven var dominerende i ældre tysk ret, men efterhånden udvikledes også en ægtefællearv, ligesom testamentsarven kom til. Ægtefællearv udvikledes efter forskellige principper, men enkens andel blev en halvdelsret, hvor der ikke var børn, hvad enten det var til erhvervelser under ægteskabet eller til samtlige værdier, herunder mandens særeje, eller til løsøre alene, mens der var tale om en livslang nytte- og brugsret, hvor der var børn i ægteskabet.

Med receptionen af romerretten kom den romerske dotalordning ind som et nyt supplement til de talrige formueordninger, som havde udviklet sig i Tyskland. Hermed introduceredes et system med fuldstændigt særeje, hvorefter hustruen som tilskud til fælles udgifter omkring familiens forsørgelse bragte manden en dos, der indgik i mandens særeje, men som ved ægteskabets ophør vendte tilbage til hustruen.

Såvel *jus commune* som de enkelte partikularretlige ordninger sikrede den længstlevende ægtefælle en arveandel. Det samme gjorde senere bl.a. den preussiske Allgemeine Landrecht fra 1794 (ALR). Udregningen af andelene var afhængig af antallet af børn og af andre arvinger, men kunne i et vist omfang også fastsættes via aftaler. I de områder, hvor Code Civil gjaldt, måtte ægtefællen delvist vige for arveberettigede slægtninge. Det samme gjaldt efter den østrigske ABGB, som kun sikrede den efterlevende et krav på underhold fra arvingerne. De moderne ordninger, BGB eller Bürgerliches Gesetzbuch fra 1900 fra Tyskland og ZGB, den schweiziske Zivilgesetzbuch fra 1907, tilsikrede derimod ægtefællen en tvangsandel[17].

Det lykkedes ikke den naturretlige kodifikation, ALR, at skabe større retsenhed omkring formueordningen. BGB havde mere held. Man afviste det romerretlige dotalsystem og regulerede de øvrige ordninger mere ensartet. Forvaltningsfællesskabet fik forrang, derefter fulgte det almene formuefællesskab med brugs- og nytteret samt et løsørefælli inspireret af Code Civil og Jyske Lov og et erhvervelsesfælli. Sluttelig gaves også regler om et fuldstændigt særeje[18]. Selv om romerretten ved receptionen fik en vis indflydelse, kom BGB til at hvile på traditionel tysk opfattelse. Det romerretlige slog dog igennem vedrørende hæftelse for arvelaters gæld, som påhvilede arvingerne, hvis ikke de udfærdige-

---

17 *Barbara Dölemeyer*, Frau und Familie im Privatrecht des 19. Jahrhunderts, i: Frauen in der Geschichte des Rechts, 649 f.

18 *Günther Beitzke*, Familienrecht, 72-73.

de et inventarium. ALR byggede på en opfattelse om en mere begrænset hæftelse[19].

De ældre tyske arveordninger havde været afhængige af gyldighedsområde og tradition, om der var tale om land- eller stadsretter, men opnåede via den reciperede romerret, Novelle 118, et vist fælles præg, ligesom parentelsystemet efterhånden blev dominerende, først i den østrigske Allgemeine Bürgerliche Gesetz Buch fra 1811 (ABGB) og senere i BGB (art. 1924-1930), mens ALR var mere romerretligt orienteret[20].

En særbegunstigelse af sønner i forhold til døtre efter lensretlige principper ved succession i fast ejendom forekom tidligt ved siden af et sædvaneretligt lighedsprincip, hvorefter arvingerne ejede arven i sameje. Andre særordninger indgik i successionsreglerne om fideikommis- og stamgodser, hvor mandlig primogenitur var hovedreglen.

Særligt omkring bondejord udvikledes i løbet af middelalderen en enkeltarv, som afveg fra de gamle sædvaneretsordningers regler, især ved nedersaksiske fæste- eller brydegårde (Meiergütern). Den begunstigede var typisk enken og en søn, den ældste eller yngste. På grundlag af ægtepagt eller særlig kontrakt kunne enken være berettiget til at overtage gården efter fæsteprincippet: „længst liv, længst gods" eller „den sidste lukker døren i". De øvrige arvinger måtte da nøjes med en godtgørelse svarende til, hvad de kunne kræve som medgift eller ved udskiftning i levende live, eller de kunne få en slags fordringsret i gården, som svarede til arveandelens værdi. Ikke sjældent skete overladelsen af gården til den begunstigede arving i forbindelse med en aftægtsordning. Efterhånden blev denne særlige „Anerbenrecht" almindeligt accepteret og optaget i BGB (EG 64)[21].

Karl Kroeschell har kritiseret både Bundesverfassungsgericht og de nazistiske retshistorikere for at have misforstået de ældre regler om begunstigelse af mænd i forbindelse med arveretten til jord. Han påpeger, at der vel ved siden af reglerne om ligedeling mellem sønner og døtre fandtes eksempler på begunstigelse af en søn, og nævner her lex Salica 59, der tilsikrede sønnerne alene retten til at dele jorden mellem sig. Reglerne om den særligt begunstigede (ældste eller yngste) søn var derimod slet ikke udviklet i den tidlige frankiske ret. Det skete først i højmiddelalderen, og denne udvikling havde sammenhæng med, at gods-

---

19 *Claudius von Schwerin*, Deutsche Rechtsgeschichte, 141-144.
20 *Claudius von Schwerin*, 144-147.
21 *Claudius von Schwerin*, 147-148.

ejerne eller jorddrotterne ikke ønskede, at deres fæsteafgifter skulle formindskes via opsplitning af fæstegårdene. Nogle steder i Tyskland fastholdt man denne såkaldt lukkede gårdoverdragelse, og andre steder fortsattes arvedelingerne.

Efter Kroeschell skal man ikke opfatte denne praksis som en tilsidesættelse af døtrene. Det var ikke ualmindeligt, at godsejeren overlod det til de efterladte søskende selv at vælge faderens efterfølger. Først i slutningen af det 19. århundrede med fremkomsten af „Anerben"-loven fik sønner en lovmæssig forrang for døtre. Den oprindelige praksis havde været båret af ønsker om et fornuftigt generationsskifte, der sikrede gårdens fortsatte drift. Når nazisterne ved en lov fra den 29. september 1933 yderligere forringede døtrenes retsstilling, havde det ikke en urgammel legitimation i gammelgermanske slægtsarvsformer. Påstanden herom var ren og skær politisk ideologi[22].

Selv om testamenter blev almindelige i middelalderen, krævedes ofte arvingernes samtykke, især hvis det drejede sig om dispositioner over jord. Mellem ægtefæller benyttedes fælles testamenter, enten som to samtidige (*testamentum simultaneum*) eller i form af gensidige indsættelser (*testamentum reciprocum*), eller således at de to dispositioner skulle være indbyrdes afhængige (*testamentum correspectivum*). Efter receptionen fik romerretlige regler en vis indflydelse, men de måtte efterhånden vige for regler om tvangsarv for descendensen, visse grader af ascendensen og for ægtefællen, jf. BGB 2303. BGB anerkender kun fælles testamenter mellem ægtefæller (BGB 2263)[23].

En undersøgelse af forholdet mellem arv, jordbesiddelse og familiestrukturer i Tyskland er fremlagt af Lutz K. Berkner. Han har begrænset sit sigte og udvalgt to nedersaksiske områder, Calenberg og Göttingen, og på grund af kildematerialet koncentrerer han sig om det 17. og 18. århundrede. I Calenberg-området, hvor der var forholdsvis mange store gårde, antoges bondejord at være *udelelig*, mens dette ikke var tilfældet i Göttingen. Begge territorier har åbne marker og landsbybosættelser, og begge blev styret efter visse jorddrotlige principper. I begge territorier forekom tre typiske adkomstformer: 1) „Meierland", som var ejet af jorddrotterne, men var under sikker arveretlig *besiddelse* af bønderne, dog under jorddrottens kontrol; 2) „Erbzinsland" var områder med en slags fæsteforhold med kun få forpligtelser over for godsherren og større rådighedsrettigheder; 3) „Eigenland" var områder med selveje uden nogen kontrol fra en overordnet jorddrot.

---

22 *Karl Kroeschell*, Deutsche Rechtsgeschichte, 2, 147-148.
23 *Claudius von Schwerin*, 149-151.

I Calenberg havde bønderne typisk jorden i arvefæste baseret på en kontrakt med jorddrotten. Arvereglen gik ud på, at den udelelige jord gik til en enkelt arving, mens løsøre, bygninger, dyr, personlig ejendom etc. samt købejord eller anden fri jord efter gældens udredning blev delt mellem de øvrige arvinger. Jordarvingen måtte udrede medgift og arvelodder til de andre arvinger. Retlig overdragelse af selvejergårde skete ofte in vivos til den foretrukne arving via en *aftægts- og forsørgelsesaftale*, „Leibzucht". Kontrakter af denne art indeholdt jævnligt en detailleret aftale om en vis mængde føde og klæder samt om boligforhold og en vis indtægt fra gårdens drift, hvilket var en stor fordel for enken[24].

I Göttingen-området udgjorde gårdene ikke udelelige enheder. Det havde sammenhæng med fæstebetingelserne, som tillod deling, og med arveretten, som byggede på ligedelingsprincippet mellem alle børn.

I Calenberg var „Meierland" eller et bryde/forpagtersystem udbredt, mens jord i Göttingen-området var under friere besiddelsesformer. I 1600-tallet var mange bønder en slags husmænd, der kun skyldte visse arbejdsydelser, men ikke jordrente. Calenberg havde relativt mange flergenerationsfamilier i samme husholdning med aftægtsægtepar eller en enke med voksne gifte børn. Men både i Calenberg og i Göttingen-området var det typisk mere almindeligt med flergenerationsfamilier i de store „forpagtergårde" end på de små „husmandsbrug", hvor man typisk fandt kernefamilien. I den del af det undersøgte materiale, der stammer fra 1689, var der næsten ikke vidnesbyrd om flergenerationshusholdninger i området omkring Göttingen. Det antages, at selv de største gårde da var uden arverettighed og baseret på rent lejeforhold, som tillige forhindrede aftægtsordninger. Det antydes ydermere, at der kunne ligge en forklaring i arkitekturen, idet Calenberg havde gårde af den gamle sachsiske slags med store langhuse med beboelse og stalde m.v. lokaliseret rundt om en lukket gård og alt under eet tag, mens gårde i Göttingen-området bestod af mange enkelthuse, et mindre bondehus og en række små udhuse, hvoraf eet dog ofte var et aftægtshus. Men det kan vel også hævdes, at arkitekturen modsat kunne være et udtryk for familiens traditionelle behov i forhold til økonomi, samfundsstruktur og retsforhold.

Det er Lutz K. Berkners konklusion, at muligheden for åbne valg med hensyn til arv og bolig måtte hænge sammen med en økonomi, der støttede kerne-

---

24 *Lutz K. Berkner*, Inheritance, Land Tenure and Peasant Family Structure: A German regional Comparison, i: Family and Inheritance, 71-95.

familiens behov, mens modsat flergenerationsfamilien forekom, hvor de økonomiske forhold begrænsede familiens valgmulighed[25].

Ved overgangen mellem det 18. og 19. århundrede opstod der blandt de naturretlige og retsfilosofiske teoretikere i Tyskland en del debat om arverettens og testationsrettens begrundelse og betydning, hvoraf de mest ekstreme som Saint Simon og andre socialister ønskede arveretten helt afskaffet. Teoretisk behandledes arveretten som en del af ejendomsretten. I det følgende vil de retshistoriske problemer omkring arverettens begrundelse blive omtalt under henvisning til den tidligere omtalte artikel af Diethelm Klippel i Zeitschrift der Savigny-Stiftung für Rechtsgeschichte fra 1984[26].

Allerede i det 17. og 18. århundredes naturret var der modstridende opfattelser mellem de fremtrædende teoretikere om arverettens (d.v.s. intestatarvens) begrundelse som en naturretligt beskyttet rettighed og om muligheden for at begrunde testationsretten naturretligt. Udviklingen gik fra en afvisning af muligheden for en „naturlig arveret" over en naturretlig begrundelse af arveretten til en opfattelse, hvorefter den samlede arveret karakteriseredes som naturretligt forankret.

Blandt de naturretsfilosoffer, som stod afvisende over for arveretten som hørende til naturretten, var Thomasius og Montesquieu, der begrundede dette med, at den hørte til den positive ret. Blandt dem, som accepterede både arveret og testationsfrihed som naturretlige, f.eks. Pufendorf, fremførtes også merkantilistiske synspunkter. Modstanderne af „naturretlige" testamenter var at finde bl.a. mellem germanister, der byggede på Tacitus og hans opfattelse, hvorefter en arveordning for descendens var en germansk opfattelse, mens testationsretten var en romerretlig opfindelse. Skønt man kunne have forventet, at testationsfriheden enten som en bestanddel af ejendomsretten eller som udtryk for en individualrettighed ville være optaget i et af de talrige kataloger over naturretlige frihedsrettigheder, skete det ikke. Flertallet af naturretstænkerne afviste, at testamenters gyldighed skulle være en konsekvens af ejendomsbegrebet og henviste dem til den positive ret, der netop ved sine regler om tvangsarverettigheder og tvangspligter begrænsede testationsfriheden.

Revolutionen i Frankrig fik også betydning for udviklingen af arve- og

---

25 *Lutz K. Berkner,* 78-95.

26 *Diethelm Klippel,* Familie versus Eigentum. Die naturrechtlich-rechtsphilosophischen Begründungen von Testierfreiheit und Familienerbrecht im 18. und 19. Jahrhundert, ZRG, Germ. Abt., Bd. 101, 1984, 117-167.

testationsretsbegreberne, idet den ældre sydfranske „droit écrit" kendte testationsfrihed , mens den nordfranske „coutume"-ret, ligesom den feudale arveret på de adelige godser, fastholdt familiearveret. Revolutionslovgivningens ligheds-ideologi fik betydning for de regler, der opretholdt familiearveretten, mens testationsfriheden af samme grund begrænsedes til en „quotité disponiblé", en friarv og regler om tvangsarv. Selv om naturretten havde overladt den arveretlige regulering til den positive ret, havde den dog åbnet vejen for en udformning af arveretten efter andre i naturretten formulerede principper (s. 150), nemlig lig-hedstanken.

Vedrørende testationsfriheden var det især „privatiseringen" af ejendom (til fri rådighed), der blev af interesse, mens det vedrørende familiearveretten var det gamle ulighedsproblem som fremhævedes, når det blev overladt til den positive ret at udforme nye regler og principper. Kravet om ligebehandling af de arvende børn uanset køn og alder lå gemt i overvejelserne om, at formuen skulle deles, således at den blev mere produktiv, mens førstefødselsret antoges at forlede til lediggang og forhindre en produktiv brug af ejendommen (s. 152).

De nye begrundelser for arveretten hentedes bl.a. fra en mindre gruppe naturretstænkere, som konstruerede en (ny) medejendomsret inden for familien. Man sondrede mellem de „medfødte" og de „erhvervede" rettigheder, og børn blev via medarbejde medejere af familieformuen. Selv om denne tanke ikke vandt generel accept, kan den have haft betydning som et skridt på vejen i rening af en ny begrundelse af intestatarveretten. De fleste ældre naturretstænkere opfattede familien som et selskab baseret på et kontraktforhold, hvilket harmonerede med de nyere familieteorier, der opfattede familien som en social organisme, således Hegel, der opfattede mennesket i familien, ikke som en person „für sich", men som et medlem. Følgelig måtte familieformuen være fælles ejendom, således at intet medlem af familien havde særejendom, men enhver havde en ret til fælliget. Ved således at begrunde arveretten med den fælles familieformue lykkedes det Hegel teoretisk at forbinde familien og dens ejendom. Det fik til følge, at yngre teori ophørte med at henføre arveretten til ejendomsretten og til i stedet at be-handle den i sammenhæng med familieretten (s. 161).

Den nye begrundelse af arveretten ved hjælp af familieprincippet fik flere konsekvenser. Dels udvikledes en ægtefællearveret, hvor forestillingen om et fa-miliefællesskab umiddelbart førte til hensyntagen til den længstlevende ægtefæl-le. En anden konsekvens var, at fjernere slægtninge, der ikke havde andel i fami-liefællesskabet, lettere kunne udskydes, når arven skulle fordeles.

En nybegrundelse af testationsfriheden blev også afledt af familiearveretten.

På den ene side betød det særlige „familiebånd", forestillingen om den borgerlige familie med familiefaderen som autoriteten og familiens repræsentant udadtil, at det ansås for rimeligt at sikre ham en vis testationsfrihed (s. 165). På den anden side medførte opfattelsen af den liberalistiske testationsfrihed som en slags frihedsret et modstående krav om tvangsarveret for netop den nære borgerlige kernefamilie (s. 166). Et resultat af denne udvikling blev, at et tredie selvstændigt arveretsprincip udvikledes ved siden af familiearv og testamentsarv, nemlig princippet om tvangsarveret, hvorved de to overordnede kategorier „Familie" og „Ejendom" blev forenet, og hvorved det blev muligt at afvise de socialistiske angreb på begge dele.

II. Dansk ret

1. Arv og testamente

1.1. Dansk teori

I Nørregaards „Naturrettens første Grunde" fra 1784 behandles arv og testamente ligesom i tysk naturret i afsnittet „om den naturlige ejendomsret" under den afdeling, som omhandler „måderne på hvilke ejendom erhverves". Blandt disse nævnes bemægtigelse, tilvækst og hævd som oprindelige erhvervelsesmåder. Derefter følger erhvervelser ved overdragelse, ved død eller i levende live.

Om overdragelse ved testamente anføres, at en ejer efter naturens lov har ret til på alle mulige måder at råde over sine ting, følgelig også ret til at overdrage dem til andre med eller uden vilkår, og et testamente er ikke andet end en vilkårlig overdragelse. Derfor anses „testamentet som en med naturens ret overensstemmende handling, og det så meget mere, som denne handling foretages i ejerens levende live".

Men naturretten sætter også grænser for den frihed. Hvis testator har mindreårige, uforsørgede børn, ville det stride mod naturens lov, hvis de skulle komme til at lide nød og ikke få nødvendigt underhold og pleje. Børnene må derfor kunne tilsidesætte et testamente for så vidt angår den del af formuen, som kræves til deres nødvendige forsørgelse[27].

Vedrørende arv uden testamente rejses det spørgsmål, „om samme er grundet i Naturens Ret eller ikke?". Det anføres, at den fuldkomne arveret for afdø-

---

27 *L. Nørregaard*, Naturrettens første Grunde, 214-128.

des nærmeste slægtninge normalt begrundes med afdødes kærlighed til disse. Nørregaard er noget skeptisk over for denne begrundelse og mener, at efter naturretten vil man næppe anerkende nogen arv uden den testamentariske, bortset fra kærligheden til de uforsørgede børn, idet man ikke kan gå ud fra, at mennesker altid elsker deres slægtninge mere end andre. Naturretten siger heller ikke noget om hvem, der må anses som de nærmeste slægtninge. Han drister sig derfor ikke til at „antage i naturens ret en arv, der *alene* på grund af et *formodet samtykke* skulle medføre en fuldkommen ret". En anden sag er det, når man spørger: om denne arveret er overensstemmende med naturlig billighed?[28].

Under „Den naturlige selskabsret" vender Nørregaard under afsnittet „om tingenes ret" tilbage til arveproblemet, hvor han resumerer, at efter naturretten kan ingen med fuldkommen ret arve uden testamente, bortset fra de uforsørgede børns krav på, hvad der behøves til deres opvækst. Men det fremhæves, at efter de borgerlige love er det anderledes, idet man har givet både uforsørgede og forsørgede børn og andre ret til arv uden testamente for at sikre *ejendomsretten* og opmuntre borgerne til flid. Disse andre er: ægtefælle, slægtninge og staten. Han fremhæver, at de nationale lovgivninger om ægtefolks indbyrdes arveret er meget forskellige. „De af dem synes allermest at komme overens med den naturlige billighed, som på grund af et mellem ægtefolk fastsat fuldkomment *fællesskab*, under den længstlevende ægtefælle arveret til det halve bo, når det andet halve bo går til den afdødes slægtninge"[29].

Nørregaard opfattede således retten for længstlevende som en arveret efter førstafdøde og ikke som en ligedeling af en samejeret, en skifteret. Måske har dette arvesynspunkt været forudsat allerede i 1547-recessen, som i § 28 talte om, at hustruen skulle nyde halvt bo „efter hindis hossbonde", og i § 29, at boet efter betaling af vitterlig gæld skulle skiftes mellem længstlevende og afdødes arvinger. Hustruen sidestilles med arvingerne, og skiftet foregår mellem dem og hustruen. Hustruens ret synes opfattet som en ret til at arve halvdelen af husbondens bo, d.v.s. at man tog hans besiddelses- og rådighedsret som lig med en ejendomsret.

Skønt DL 5-2-19 taler om at *skifte* de efterladte midler i to dele så tilføjes dog, at „efterlevende" foruden sin egen hovedlod *arver* en broderlod. I polemikken med Winther Hjelm drøftede Ørsted dette sted i 5-2-19 og fremlagde den klare opfattelse, at man umuligt kunne forklare længstlevendes adgang til at

---

28 *L. Nørregaard*, 218-219.
29 *L. Nørregaard*, 412-413.

„tage halvt bo af nogen den længstlevende tillagt *arveret*". Han opfattede lovens udtryk om „længstlevendes egen hovedlod" som „aldeles afgørende". Han flyttede således vægten til ordet „hovedlod" og væk fra ordet „arve". Også J.E. Larsen fremhævede i sine forelæsninger over den danske arveret, at „den sammenhæng, hvori ordet „arver" er brugt i 5-2-19 ... uagtet dog ... hovedlodden ingenlunde ... kan henføres til arv, viser, at dette ord her er brugt på en mindre correct måde ..."[30].

Bortset fra at ligedelingen således efterhånden opfattedes som en deling af værdier i et sameje, et skifteproblem, og ikke som udtryk for arv, er det interessante i denne sammenhæng, at Nørregaard, ligesom det ses i tysk retsfilosofi og naturret, er tilbøjelig til at begrunde en ligedeling mellem ægtefæller med den „naturlige billighed", som skyldes fællesskabet mellem ægtefællerne. Han er således (teoretisk) i færd med at flytte arveretten fra ejendomsretten til familieretten ved hjælp af familiefællesskabsidéer. På samme måde lader han familierelationen få betydning for den naturretligt begrundede testationsfrihed, som må begrænses af den ligeledes naturretligt begrundede kærlighed til og forsørgelsespligt over for umyndige børn.

I sin fremstilling af „Den danske og norske Private Rets første Grunde" fra 1814 fremhævede Hurtigkarl netop grundene til reglerne om familiearv, eller det forhold at loven havde tillagt arveladers børn og andre livsarvinger en „fuldkommen ret til den afdødes efterladte gods" ud fra en formodning om hans kærlighed til dem og af hensyn til „Familiernes Conservation", hvilket også, og især, viste sig ved de særlige regler om jordegodser. Endelig nævnte han, at nogle teoretikere tillagde „Fællesskab" mellem ægtefæller betydning. Men da loven havde indført et fuldkomment formuefællesskab og tilladt længstlevende derudover at arve en del af førstafdødes halvdel af boet, ville han også her foretrække at henvise til kærligheden mellem parterne som årsag[31].

Til dette anførte A.S. Ørsted i sin Haandbog fra 1831, at Hurtigkarl blandede „Grund og Følge", og at lovgiver ikke havde bygget på forestillingen om en „naturlig arveret", som mange naturretslærere har udviklet. Loven tillagde andre end børn arveret, den gjorde forskel på sønners og døtres arveret og hjemlede i visse tilfælde en begunstigelse af den førstefødte. Ydermere gjorde den forskel på ægte og uægte børns arveret. Men han ville dog indrømme, at loven

---

30 *A.S. Ørsted*, Haandbog over den danske og norske Lovkyndighed, IV. Bind, 537-538; *J.E. Larsen*, Privatretlige Foredrag, III, 224.
31 *Fr. Th. Hurtigkarl*, Den danske og norske Rets første Grunde II, 1. Bind, 257 f.

var gået ud fra „en ved sæderne samt *familiernes* og samfundets vel begrundet arverettighed, der vel kan henføres til den naturlige ret". I øvrigt synes Ørsted enig i både synspunktet om kærligheden mellem familiemedlemmer og om „familiernes vedligeholdelse", som han nok finder vigtigst for lovbogen. Fællesskabsprincippet mente Ørsted var det oprindeligt vigtigste. „I ældre tider blev familierne mere ansete som for sig bestående moralske personer, der, under bestyrelse af familiens hoved, erhvervede i fællig. Den vigtigste formue bestod da i faste ejendomme, der gik fra slægt til slægt". I denne retshistoriske henvisning antydede Ørsted, at familien ansås som en „moralsk" eller juridisk person, d.v.s. som et selskabsretligt fænomen.

Selv om den tidligere „strenge familieforbindelse" slappedes efterhånden, ophørte den ikke helt, og de på den gamle tingenes orden skabte retssætninger havde efter Ørsted ikke tabt deres „kraft og anseelse", blandt andet fordi der var meget både af hensyn til „billighed og det almene vel", der talte for de sætninger, som altså var udviklet under fællesskabssystemet.

Men når dette var sagt, fremhævede han betydningen af individets voksende selvstændighed i ejendomsforholdene, og at det var blevet mere og mere klart, „hvormeget det forøger nydelsen af ejendomsretten og derved ansporer til virksomhed, når enhver beholder de frieste hænder til at råde over det, han erhverver, og hvorlidet der udrettes ved de bånd, som lægges på en ejer til bedste for hans arvinger"[32].

Ørsted kunne i dette synspunkt have været påvirket af Hegels nybegrundelse af arveretten („Grundlinien der Philosophi des Rechts" fra 1821), hvor Hegel tog udgangspunkt i familiens bestemmelse som værende kærlighed, således at mennesket i familien ikke skulle anses som en „Person für sich", men som medlem, og således at familieformuen var fælles ejendom, hvortil ingen havde en særlig ejendomsret, men alle en ret til det fælles. Men opløstes familien ved især ægtemandens død, blev alle familiemedlemmerne igen „selvstændige personer", der havde ret til arv, forsørgelse m.v. Det kom herefter til en arv, hvis væsen var en indtræden i den ejendomsbesiddelse til den „an sich" fælles formue, som nu blev adskilt som individualejendom; ved denne konstruktion lykkedes det Hegel at forbinde begge sine teorier, om familien og om ejendom[33].

---

32 *A.S. Ørsted*, 430-434.
33 *Diethelm Klippel*, Familie versus Eigentum, 160-161.

1.2. Dansk arveret

Efter Danske Lovs 5. Bog, 2. kapitel, var slægtsarven eller *intestatarven* opdelt i 8 arveklasser, jf. DL 5-2-28 til 51. 1. klasse omfattede afdødes descendenter uden hensyn til grad, men efter linealprincippet fik et afdød barns descendenter den afdødes lod. Hvis der ikke var descendenter af den afdøde, trådte som 2. klasse faderen (alene) til. Efterhånden opfattedes også moderen som en del af 2. klasse. Var faderen død, arvede moderen og afdødes fuld- eller halvsøskende som 3. klasse. Hvis nogen af disse børn var døde, indtrådte deres børn i deres sted og arvede afdødes lod.

Hvis der heller ikke var en mor eller søskende, som overlevede afdøde, arvede hans bedsteforældre, som udgjorde 4. arveklasse og så fremdeles, hvis de var døde, arvede hans oldeforældre som 5. klasse. Var ingen af disse ascendenter levende, arvede forældrenes søskende (onkler og tanter) og deres descendens som 6. klasse, hvis ingen af dem var levende, kom bedsteforældrenes søskende og deres descendens til arv som 7. klasse og sluttelig udgjorde oldeforældrenes søskende og deres descendenter 8. arveklasse. Se vedføjede oversigt over arveklasserne.

Arvegangsordenen var en blanding af *gradualprincippet*, hvorefter de arveladeren fjernere stående personer udelukkes af de nærmere, og *linealprincippet*, hvorefter den arv, der ville være tilfaldet de arveladeren nærmest stående personer, efter enhver af disse personers død, går over til disses descendenter. Det var lige siden middelalderen opretholdt som et hovedprincip, at mænd tog dobbelt arvelod i forhold til kvinder, 5-2-29[34].

Vedrørende ægtefællers arveret sondrede lovbogen mellem, om de havde børn sammen eller ej. I første fald arvede den længstlevende en broderlod (5-2-19), og i sidste fald var ægtefællen berettiget til at tilbageholde en del af det, som den førstafdøde havde indført i boet (5-2-20 og 21). Om enkens retsstilling fremhævede Hurtigkarl, at hun almindeligvis antoges ikke at kunne udtage både broderlod og fæstens- eller morgengave, men at hun måtte vælge, hvilket kunne være vanskeligt, da broderlodden ofte var større, men skulle tilbageleveres ved nyt ægteskab, mens fæstens- eller morgengaven var en uigenkaldelig ejendomsret. Hurtigkarl mente imidlertid, at enken burde kunne få begge dele, men til gengæld måtte lade gaven blive udtaget af hele boets masse med den følge, at

---

34 *T. Algreen-Ussing*, Haandbog i den danske Arveret, 7-11.

Danske Lov 1683: Arveklasserne

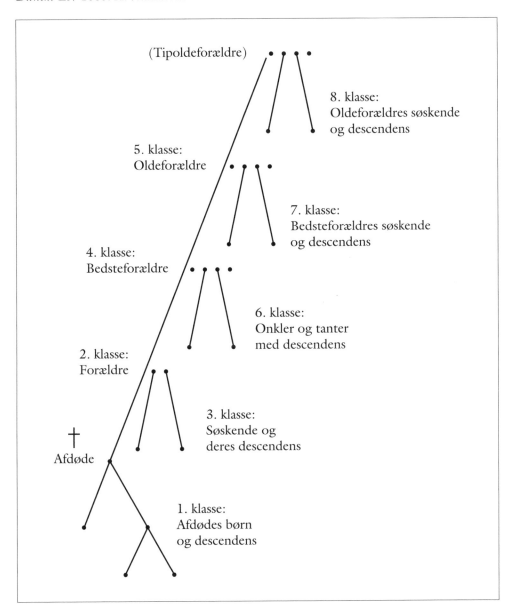

(Tipoldeforældre)

8. klasse:
Oldeforældres søskende
og descendens

5. klasse:
Oldeforældre

7. klasse:
Bedsteforældres søskende
og descendens

4. klasse:
Bedsteforældre

6. klasse:
Onkler og tanter
med descendens

2. klasse:
Forældre

3. klasse:
Søskende og
deres descendens

Afdøde

1. klasse:
Afdødes børn
og descendens

hun i realiteten måtte nøjes med den halve gave på grund af ligedelingen, hvilket Ørsted tilsluttede sig[35].

Længstlevende kunne få arv, både når der var fællesbørn, og når dette ikke var tilfældet. Det første var hjemlet i 5-2-19, mens det andet forudsatte en særlig specifikation efter 5-2-20 over de værdier, som ægtefællen indbragte eller siden erhvervede. Hurtigkarl påpegede, at løsningen med specifikationer var forbundet med „adskillige ulejligheder", og at den i praksis ikke brugtes ret meget, men at mange i stedet foretrak løsningen med konfirmerede testamenter, der kunne give den længstlevende endnu større rettigheder. Hertil bemærkede Ørsted, at „Det, der er hensigten med den i 5-2-20 og 21 omtalte specifikation, ingenlunde i alle tilfælde kan opnås ved confirmerede testamenter", idet en specifikation kunne finde sted, også selv om en eller begge ægtefæller havde særbørn, ligesom en ægtefælle kunne kræve specifikation uden den andens vilje, hvortil kom, at hvis man antog, at reciprokke testamenter kunne tilbagekaldes ensidigt, ville testamentsformen ikke give samme sikkerhed som specifikationen[36].

Danske Lovs regler om *testamenter* er fåtallige og bygger på ældre ret, skønt det af forarbejderne fremgår, at man har drøftet dem på et kompetent grundlag, nemlig nogle udkast udarbejdet af Peder Lassen og Mikael Vibe. Stig Iuul opfattede Peder Lassens ældre udkast til 2. Bog om arv og testamente som mere vidtgående end de senere projekters udformning af testationskompetencen. Efter Lassen skulle forældrene have haft fri adgang til at fordele deres ejendele mellem deres børn, dog således at der forbeholdtes hver af disse halvdelen af den legale arv (som tvangsarv) og en ubegrænset testationskompetence, hvis der kun var udarvinger. Lassen havde henvist til, at landets indbyggere havde et almindeligt ønske om at måtte oprette testamenter, hvilket fremgik af de talrige supplikker, som indkom til Kancelliet fra alle lag af befolkningen. Han påberåbte sig i øvrigt her også Galaterbrevet 3, 15, Hebræerbrevet 9, 17 og 2. Korinterbrev 12, 14 samt Codex 1. 2. 1.[37]

Under det sene revisionsarbejde opstod igen spørgsmålet, om lovbogen burde omfatte et særligt kapitel om testamenter. Det overlodes Mikael Vibe på et møde den 16. marts 1681 at udarbejde et koncept, der synes at foreligge allerede

---

35 *Fr. Th. Hurtigkarl*, 330-331; *A.S. Ørsted*, 554.
36 *Fr. Th. Hurtigkarl*, 332-340; *A.S. Ørsted*, 570.
37 *Stig Iuul*, Fællig og Hovedlod, 308 f.; Forarbejderne til Kong Kristian V's Danske Lov, I, 171, 174-248, og om testamentsarv især 229-230.

den 23. marts 1681, hvor det oplæstes. En bevaret afskrift, der synes at udgøre (dele af) et sådant koncept, kunne netop være Vibes udkast[38].

Dette udkast synes at bygge på Lassens udkast og de kommentarer dette havde fået. Når Iuul kaldte Lassens udkast for mere vidtgående, forekommer det mig især at gælde i henseende til, hvilke forhold han inddrog under kapitlet. Vibes udkast er langt strammere i formen og mere logisk opbygget og opstiller i sin indledning betingelserne for at kunne testere gyldigt i henseende til form, habilitet og kompetence.

DL 5-4 om gaver og bebrevelser bærer kun få, om nogen, spor af de lærde herrers, Lassens og Vibes, anstrengelser. Bortset fra 5-4-17, der indeholder nogle formforskrifter, rummer kapitlet nærmest kun kasuistiske regler.

Efter testamentsreglerne i DL 5-4-14 til 16 kunne en husbond uden livsarvinger bortgive, til hvem han ville, også hustruen, sin halve hovedlod, og til fromme formål så meget han ville. Havde han livsarvinger, måtte han kun give til fromme formål af sin halve hovedlod. Enker havde samme ret som ægtemænd til at gøre testamenter efter 5-4-14 til 16. Hustruen derimod var mere begrænset i sin adgang til at testamentere efter 5-4-18 og 19. Ørsted mente, at den ægtemand eller enke, som ingen livsarvinger havde, uden kgl. konfirmation kunne bortgive sit halve bo til private personer og den anden halvdel til fromme formål. Om hustruen mente han, at hun altid kunne erhverve konfirmation på et lovligt testamente, selv om manden nægtede at give sit samtykke. Det var endvidere Ørsteds opfattelse, at hustruen ikke var bundet til dispositioner til fromme formål, og at hun skulle kunne testere manden noget med støtte i 5-4-3 om at „give eller skøde", når der er livsarvinger, som måtte tolkes på den måde, at hvis der ingen livsarvinger var, måtte hustruen være berettiget til at „skøde og give" ægtemanden noget til ejendom, jf. 5-2-22 om bebrevelser, der netop henviste til 5-4[39].

Hurtigkarl behandlede reglen i 5-4-20 om bebrevelse mellem ægtefæller under samme punkt som hensidden i uskiftet bo, skønt de adskiller sig fra hinanden på flere punkter. Således var det en betingelse for *bebrevelser*, at ægtefællerne var uden livsarvinger, mens *uskiftet bo* kun kunne tillades, hvis der var fælles umyndige børn. Ved *bebrevelse* skulle den længstlevende lade foretage en registrering af boet, betale al skyldig gæld og påtage sig ansvaret for ejendommens vedligeholdelse, mens bevilling til hensidden i *uskiftet bo* opnåedes efter ansøg-

---

38 Forarbejderne II, 506, 508, 542-548.
39 *Fr. Th. Hurtigkarl*, 354-358; *A.S. Ørsted*, 597-602.

ning enten fra begge parter under ægteskabet eller fra længstlevende alene. Det *uskiftede bo* ophørte ikke blot ved nyt ægteskab, eller når længstlevende døde, som ved *bebrevelse*, men også når børnene blev myndige og forlangte skifte. For at en enke kunne opnå bevilling til uskiftet bo, skulle hun endvidere præstere en vandelsattest[40].

Bebrevelser efter 5-4-20 brugtes ikke så meget, hævdede Hurtigkarl, på grund af det større besvær og de særlige begrænsninger, de medførte i forhold til afdødes arvinger, derfor foretrak mange at oprette *gensidige testamenter*, hvorefter længstlevende skulle „nyde, bruge og beholde" afdødes boslod „uregistreret, uvurderet, uden den afdødes arvingers tiltale", og således at et nyt ægteskab ikke medførte skifte, men blot erlæggelse af en mindre sum til arvingerne, som for bestandig måtte nøjes dermed. Døde længstlevende ugift, måtte boet derefter deles mellem arvingerne på begge sider.

En konsekvens af, at testationsretten endte med at blive så begrænset efter DL 5-4-15 til 19, var, at der efterfølgende udvikledes en konfirmationspraksis. Der blev dog aldrig nægtet konfirmation på testamenter fra personer, som var uden livsarvinger, når blot det ingen formmangler havde, og uanset om der var disponeret over hele formuen til fordel for private personer. De, som havde livsarvinger, kunne kun undtagelsesvis vente konfirmation til dispositioner til fordel for private, nemlig når det drejede sig om en ubetydelig del af formuen. Plakat af 8. januar 1823 rådede bod på Danske Lovs mangler ved at opstille en række nærmere bestemmelser om testamentsforhold. Således indførtes her notartestamentet til bekræftelse af testators fornuft, ved siden af muligheden for vidnetestamente ved tingsvidne. Som så ofte i dansk retshistorie betød den vending til en konservativ forbliven ved retstilstanden under Jyske Lov eller andre ældre retskilder under de sene forarbejder til Danske Lov, at det voksende behov for langt mere smidige og komplekse løsninger på retlige problemer senere måtte løses ved kgl. bevillinger eller konfirmationer på aftaler, kontrakter, gaver eller testamenter. Dansk ret blev også her forsinket i forhold til omverdenen.

Et særligt problem var forbundet med spørgsmålet om førstafdødes arvinger havde krav på boet, som det var ved dennes død eller ved længstlevendes død. For det første alternativ anførtes blandt andet, at man ikke kunne arve personer, som man ikke var i slægt med, og at disse førstafdødes arvinger heller ikke kunne bygge på, at fællesskabet mellem ægtefællerne skulle være fortsat efter den førstes død. De blev ikke medejere. For den anden løsning anførtes bl.a., at arven først

---

40 *Fr. Th. Hurtigkarl*, 358-362.

kunne anses som faldet ved længstlevendes død. Hertil bemærkede Ørsted, at testatorerne snarere må formodes at gå ud fra det synspunkt, at „dens slægtninge, som først afgår ved døden, ikke arver denne, men først, ifølge testamentets vilkår og som *testamentariske* arvinger efter den længstlevende, tager arv efter denne sidste". Længstlevende har altså erhvervet hele boet som ejer, imod at førstafdødes intestatarvinger skulle være længstlevendes testamentariske arvinger for det halve bo, og der er ikke tale om som af ældre teori antaget, at deres ret skulle hidrøre fra et „continuert fællesskab", som ville være i „åbenbar modsigelse med den længstlevendes ejendomsret over hele boet"[41].

Den af A.S. Ørsted udarbejdede arveforordning af 21. maj 1845 medførte på flere punkter afgørende ændringer i forhold til ældre ret. Skønt den ikke gav ligedeling mellem sønner og døtre som descendens, men kun i sidelinien, gav § 2 forældre adgang til ved testamente at tillægge datter lige lod med søn, dog ikke til at forhøje hendes lod ud over broderlodden. Først ved lov af 29. december 1857 om forandring i arveforordningens § 2 og DL 5-2-29 bestemtes, at mænd og kvinder skulle gå lige i arv, også i nedstigende linie. Efter Danske Lov havde hustruen fået arveret efter manden, hvis de havde fællesbørn. Var der ingen fællesbørn, var der heller ingen arveret for længstlevende. Arveforordningens §§ 15 og 17 gav derimod i alle tilfælde, uanset nyt ægteskab og uanset om der var børn eller ej, den efterlevende ægtefælle arveret ved siden af afdødes slægtninge. Var der afkom i ægteskabet, arvede længstlevende en broderlod, dog ikke over 1/4 af, hvad der faldt i arv til børnene. Var der kun udarvinger, fik ægtefællen 1/3 og var der ingen arveberettiget slægt, arvede længstlevende det hele.

Arveforordningen af 1845 indførte det parenteliske system, nye regler om gensidig arv mellem ægtefæller og større testationsfrihed. Den opererede fortsat med descendens og ascendens set i forhold til afdøde, men den opererede kun med 5 arveklasser, og ingen sidelinier udgjorde nu selvstændige arveklasser. Søskende blev en del af ascendenslinierne, som fulgte „lineal" og „stirpal"-principperne. Efter parentelsystemet udgjorde afdødes egen descendens 1. klasse som hidtil, mens ascendens udgjorde 2. til 5. klasse: forældre (illustration (se næste side): BB) (2. klasse), bedsteforældre (illustration: CC) (3. klasse), oldeforældre (illustration: DD) (4. klasse), tipoldeforældre (illustration: EE) (5. arveklasse), hvortil under hver af klasserne hørte descendenslinierne[42].

41 *Fr. Th. Hurtigkarl*, 373-376; *A.S. Ørsted*, 624-628.
42 *T. Algreen-Ussing*, 55-72, 120 ff.; *Ditlev Tamm*, Fra „Lovkyndighed" til „Retsvidenskab", 82-105.

Arveforordningen: 1845. Fra T. Algreen-Ussing, Haandbog i den danske Arveret, 61.

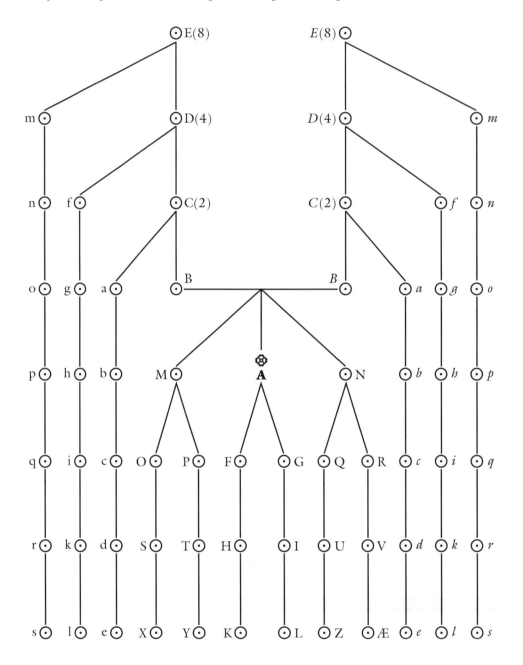

Princippet om lige arveret for sønner og døtre blev indført i 1845 men kun for sidelinierne, ikke for afdødes descendens. Det skete først ved en lov af 29. december 1857.

Tendensen til at begunstige ægtefællen fortsatte ved lov nr. 120 af 20. april 1926 om ægtefællers arveret og uskiftet bo, som byggede på et fælles nordisk kommissionsarbejde. Herefter arvede ægtefællen altid 1/4, hvor den afdøde efterlod sig livsarvinger, § 1. Efter § 14 fortrængte ægtefællen helt 3., 4. og 5. arveklasse, og kun 2. arveklasse havde arveret sammen med ægtefællen, som her arvede 1/2[43].

2. Aftægtsordninger

DL 5-1-9 til 12 havde optaget flere af fledføringsreglerne fra JL I, 32, således 5-1-11, hvor det bestemtes, at en sådan kontrakt kunne ophæves, hvis det bevistes, at den anden ikke kunne skaffe den pågældende et rimeligt underhold. Om fledføringskontrakter sagde Hurtigkarl, at det „fornemmelig" var „gamle og skrøbelige mennesker, som kan fledføre sig". Han henviste til en norsk forordning af 22. december 1761, som pålagde fledføringer, der var under 60 år gamle og uden fornødenhed, at opgive deres gårde for fremmede. Havde man børn, måtte man ikke fledføre sig efter lovgivningens principper, som krævede, at man bevarede forældrenes efterladenskaber for børnene.

Når Hurtigkarl i øvrigt mente, at fledføringskontrakter var beslægtet med aftægtskontrakter, måtte A.S. Ørsted protestere, idet aftægtskontrakten efter ham mere var en købekontrakt, idet den „indgås i anledning af en ejendomsgårds afståelse". Hvis aftægt aftaltes ved en fæstegårds afståelse, hørte aftægtskontrakten hjemme under fæstespørgsmål. „Den første slags aftægt er egentlig en livrente bestående for det meste i naturalier, der enten alene eller dog tildels udgør købesummen for ejendommen". Til sikkerhed herfor gives der normalt pant i ejendommen, som må tinglyses, og dersom ejendommen senere sælges, bliver køberen pligtig at „overtage aftægtsforpligtelsen"[44].

I yngre ret synes fledføring ikke meget brugt, mens aftægtskontrakter blev den foretrukne form, når ældre mennesker ønskede at lade gården overgå til en arving. *Aftægt* var typisk det forhold, at den, der erhvervede en landejendom til

---

43 *Inger Dübeck*, Kvinders retlige status i det 19. århundredes privatret, i: Årbog for kvinderet, 1978, 60 f. Se også s. 75-84 om indførelse af den lige arveret.

44 *Fr. Th. Hurtigkarl*, II, 2. Bd., 117-120; *A.S. Ørsted*, Haandbog, V, 222-230.

eje eller til fæste, påtog sig som en del af vederlaget eller som hele betalingen at yde en vis forsørgelse af den tidligere ejer eller fæster samt i reglen af dennes hustru. Forudsætningen var ofte økonomisk, forældrene skulle blive på gården og hjælpe sønnen eller datteren med at drive den til fælles gavn, således at begge generationer kunne få til føden. Forholdet var normalt klart reguleret i aftægtskontrakten, der blev læst som en grundbyrde på ejendommen, og som derfor forpligtede den til enhver tid værende ejendomsbesidder samt hans kreditorer og senere panthavere[45].

Arveforskudskontrakter „har i vort retsliv en ret stor betydning" bl.a. i tilfælde, hvor en gårdejer ønsker at gå på aftægt og samtidig vil gøre endelig op med de arvinger, som ikke skal have gården. Arveforskudskontrakter har i almindelighed den „værdi, at forholdet mellem arvingerne for så vidt er slået fast i en arveladeren berettigende og vedkommende arving forbindende aftale, hvis gyldighed er uafhængig af, om virkelig en sådan ydelse er sket"[46].

Selvejerbonden havde den fordel, at han i skødet kunne foreskrive de vilkår, på hvilke han overdrog sin gård. Fæstebonden derimod var afhængig af jord drotten, om han ville tillade en veltjent gammel fæster et livsophold, når han ikke længere selv kunne forestå gården. Nogle tillod fæsteren at forhandle sig til en ordning, men uden at ville indestå for dennes opfyldelse, hvorfor den gamle fæster var afhængig af den nyes venlighed. DL 3-13-1 og 4 sikrer ikke andet, end at fæsteren og hustruen kunne besidde gården for deres livstid, såfremt de opfyldte deres forpligtelser; men hvis alderdom og skrøbelighed trådte til, var der kun fattigforsorgen at ty til.

I en dom afsagt af Højesteret i 1781 om en aftægtskontrakt indgået i forbindelse med en ejendomsoverdragelse, havde erhververen af fæstegården mistet fæstet, fordi gården blev nedlagt, og jorden udlagt til hovedgårdsmarker. Fæsteren var herefter afskåret fra at overholde aftægtskontrakten, og aftægtsmanden anlagde retssag for at få erstatning for det lidte tab. Højesteret afviste kravet, fordi fæsteren havde mistet gården *uden egen skyld og brøde*, og fordi han ikke kunne være ansvarlig for denne hændelse, uanset at aftægtsmanden var hårdt ramt[47].

---

45 *Julius Lassen*, Haandbog i Obligationsretten, Spec. Del, § 127; *F. Vinding Kruse*, Ejendomsretten, III, 1466.

46 *Viggo Bentzon*, Den danske Arveret, 1931, 295.

47 Højesterets protokol 1781 A, 122 Rigsarkivet, se *Thøger Nielsen*, Studier over ældre dansk formueretspraksis, 303.

En konsekvens af de store landboreformer og frihedstanker med stavns-
båndets ophævelse og udskiftninger blev for fæstebønderne, at der gennemfør-
tes en virkelig fæstetvang for godsejerne, der herefter forpligtedes til at bortfæste
fæstegården på fæsters og hustrus livstid eller til at give den i arvefæste, og det
indskærpedes, at fæstekontrakter på kortere tid var ugyldige, jf. forordningerne
af 16. januar 1789, 19. marts 1790, 15. juni 1792 og pl. af 7. juni 1806. Lige-
som fæstegårdene skulle opretholdes som selvstændige brug, således indskærpe-
des i 5-10-48 reglen om, at ingen bøndergårde måtte nedlægges, og at bonde-
jord ikke måtte drives under hovedgårdsjord[48].

Det var ikke ualmindeligt i ældre ret at foretage en skødning, der fik karakter
af en dødsgave, idet besiddelsesretten forbeholdtes i giverens og hustruens, må-
ske endda børnenes levetid, skønt en sådan gavetransaktion skulle ske enten ved
en gyldig livsgave eller ved et gyldigt testamente, jf. DL 5-3-32. Giveren skulle
således fravige besiddelsen, ellers var skødet uden retsvirkning over for arvin-
gerne. Men det hindrede ikke, at giveren ved aftale kunne forbeholde sig en
livsvarig ret til indtægten af ejendommen[49]. Afgrænsningen mellem dødsgaver,
livsgaver og gensidigt bebyrdende kontrakter var længe lige så uklar som græn-
sen mellem testamenter og dødsgaver. Da testationsretten ved arveforordningen
af 1845 blev begrænset af tvangsarvereglerne og af kravene til form, habilitet og
kompetence, kunne arvelader foretrække at disponere *inter vivos* for at opnå et
resultat, som arvereglerne hindrede. Hertil krævedes, at arveladers egen brug og
nytte begrænsedes i hans levende live, især via en gensidigt bebyrdende retshan-
del[50].

Det var vigtigt at skabe sikkerhed imod proforma og omgåelse. Derfor blev
det et afgørende kriterium, om der var sket både *retlig* og *faktisk* opfyldelse eller
kun retlig eller tillige delvis faktisk? Proforma blev antaget i en dom fra 1859 (JU
1859.764), hvor brevet lød på øjeblikkelig livsgave af hele boet, hvor der forelå
faktisk ikke-opfyldelse før døden og et misforhold mellem den store gave og de
manglende motiver dertil (s. 231). Praksis i 1800-tallet har talrige gange an-
vendt arveforordningens § 30, hvor ejeren vel ved skøde havde afskåret sig fra at
sælge eller pantsætte, men forbeholdt sig fuld besiddelse og brug for sin livstid.
Bentzon mente, at „efter de da sociale forhold på landet, hvor ejendomme gerne
bliver i slægten, vil det kunne ligge nær at formode et proformaforhold ...“

---

48 *Fr. Vinding Kruse*, I, 273.
49 *Viggo Bentzon*, 86-90; *Ernst Andersen*, Arv og legat, 212.
50 *Viggo Bentzon*, 226-229.

Ved visse dispositioner kunne der rejses tvivl, om der forelå en fri ejerråden i levende live, eller om der var tale om en fordeling af den efterladte formue. Mens livsgave normalt kræver „*faktisk*" opfyldelse for at være gyldig, forudsætter døds-gave normalt en „*retlig*" opfyldelse. Gaver, som er faktisk fuldbyrdede, eller som tilsigtes opfyldt i levende live, er livsgaver og betyder en byrde eller et offer for gavegiver. Havde gavegiver ikke pålagt sig selv en byrde eller et offer, krævedes § 30 anvendt. Det var mellemtilfældene, som fremkaldte problemer, hvor der vel indtrådte visse begrænsninger i giverens levende live, men hvor modtageren alli-gevel først efter giverens død opnåede en fuld ejerråden. Efter Torp og med tilslutning fra Deuntzer og Bentzon har dansk teori siden 1886 bygget på son-dringen mellem *retlig* og *faktisk* opfyldelse, således at *retlig* opfyldelse alene al-drig er nok. Der kræves en *faktisk* opfyldelse, der kan erstatte mangler ved den retlige. Ved fast ejendom medførte det efter 1927 forbedrede tinglysnings-system, at Højesteret fastslog, at den faktiske overtagelse ikke var påkrævet[51].

Hvis der vel var tale om en gensidigt bebyrdende kontrakt, men vederlaget ikke var passende, ville der foreligge en *delvis gave, negotium mixtum cum dona-tione,* typisk hvor en gård solgtes til en slægtning, en søn eller datter, under handelsværdien, mod at køber overtog eventuel gæld deri eller mod at sikre sælgeren en aftægtsordning. Det antoges, at hvor modydelsen bl.a. bestod i for-sørgelse og pleje på sælgerens gamle dage, kunne det være vigtigt, at køberen syntes, han havde gjort en god handel, der gjorde det umagen værd at påtage sig aftægtsordningen. Her ville gavemomentet spille en underordnet rolle, idet „gi-veren", den gamle ejer, selv mente at have fået fuldt vederlag via aftægtsydel-sen[52].

3. Om enker og personlige rettigheder

Efter Danske Lov fra 1683 fik hustruen som nævnt som længstlevende arveret efter manden. Efter 5-2-19 betød formuefællesskabet, at enken havde ret til halvdelen af det beholdne bo, efter at gælden var betalt, medmindre en konfir-meret ægtepagt havde bestemt en anden form for opgørelse. *Personlige fornø-denheder* til påklædning, pynt, smykker af rimelig værdi kunne hustruen udtage forlods. Ved overretdom af 9. juli 1832[53] antoges den længstlevende i forbin-

---

51 *O.A. Borum*, Arveret, 244-247, 250 f.
52 *O.A. Borum*, 267 f.
53 Juridisk Tidsskrift, XXVIII, 272 ff.

delse med skifte med afdødes arvinger ikke at kunne være forpligtet til at lade de ting, som var anskaffet til dens personlige brug, navnlig linned, gangklæder, pynt, pretiosa og deslige inddrage under skiftet, når der ikke var anvendt en større del af det fælles bos midler til deres anskaffelse, end hvad der var passende efter familiens sociale standard, som grundet i forholdets natur, jf. skiftelovens § 62a[54]. Også udgifter til egen begravelse som vederlag for omkostningerne ved førstafdødes begravelse kunne udtages, jf. 5-2-24.

Hustruens ret til *morgen- og fæstensgave* var som omtalt hos Hurtigkarl og Ørsted ikke ganske klar. Det var teoretisk uklart, hvor stor en fæstensgave måtte være, 5-4-1. I praksis lod man det afhænge af parternes formue og stand. I øvrigt var fæstensgaven en livsgave, mens morgengaven var en *donatio mortis causa*, der, hvis den ikke bestod i smykker og lignende, som straks blev overdraget til hustruen, måtte ske i testamentsform. Morgengaver var især brugt blandt adelige, jf. 5-4-2, der satte et maksimum for størrelsen uden arvingernes samtykke. Retten hertil ophørte som følge af 1849-grundlovens § 97. Efter 5-2-25 kunne enken beholde disse gaver, når kreditorerne var betalt. Men der var længe tvivl, om hun samtidig kunne kræve sin arvelod (broderlod), og om gaven skulle udtages af fællesboet og dermed for den halve værdi udredes af hendes egen andel. Arveforordningen af 21. maj 1845 fastslog, at gaverne skulle udtages forlods af det fælles bo inden delingen[55].

DL 5-2-19 tillagde den længstlevende ægtefælle ret til, hvis hun ville beholde hovedgården med tilliggender, at udløse arvingerne deraf efter billighed og samfrænders gode befindende. Hvis der var fælles børn, kunne kun den hovedgård, som den længstlevende selv havde indført i boet, kræves udløst i forhold til børnene, hvorimod udløsningsretten efter 5-2-20 gjaldt enhver sædegård, en ret som blev opretholdt ved arveforordningen[56].

Efter arveforordningen af 1845 var enkens stilling i øvrigt afhængig af, om afdøde efterlod sig arveberettiget afkom, andre arvinger eller slet ingen legale arvinger. Efter Danske Lov gik hele afdødes formue til kongen, hvis han ingen slægtninge havde. Nu skulle enken arve hele førstafdødes bo, medmindre førstafdøde havde testamenteret noget til andre. Men længstlevende var nu tvangsarving til 1/3, således at førstafdøde kun kunne testere over 2/3[57].

---

54 *Fr. Chr. Bornemann*, Foredrag over den danske Arveret, 129.
55 *T. Algreen-Ussing*, 120-125.
56 *T. Algreen-Ussing*, 129-130.
57 *T. Algreen-Ussing*, 131-136.

Specielt vedrørende *enkepension* bemærkes, at den første enkekasse under statens garanti oprettedes i 1707 for landmilitæretaten. Den udvidedes i 1740 til alle stænder, og i 1775 oprettedes den almindelige enkekasse. Også enkekasser for professorer oprettedes i 1700-tallet. Hver enkekasse havde sin kgl. konfirmerede fundats med nærmere regler om opsparing og indskud. Korporationer og laug havde forlængst oprettet enkeforsørgelseskasser. I en mere urbaniseret verden med embedsmænd og folk i bymæssige erhverv, som ikke nødvendigvis ejede store gamle jordbesiddelser, måtte enker sikres ad anden vej end via jorden og dens indtægter.

Fundatsen til den almindelige enkekasse for kongens riger af 30. august 1775 krævede en række optagelsesbetingelser bl.a. oplysning om hustruens alder og helbredstilstand. Pensionsudbetalinger skulle påbegyndes fra mandens dødsdag efter sket anmeldelse. Hvis enken giftede sig igen, ophørte udbetalingen på ny fra bryllupsdagen. Hvis ægteskabet opløstes ved skilsmisse, „forbliver det ikke destomindre ved det eengang gjorte og til kassen forfaldne indskud, og hvad tvistighed, der i denne henseende kunne rejse sig imellem bemeldte ægtefolk, bliver ved lands lov og ret at afgøre", jf. § 13. Den fraskilte hustru erhvervede derfor ret til den lovede pension, så snart manden afgik ved døden.

Efter § 16 sikredes enkens retsstilling meget tydeligt: „På det enhver enke, til hvis beste noget indskud sker, kan være forvisset om selv at nyde den hende tilfaldende pension, for efter eget godtbefindende at anvende den til sin nødtørft ..." forbydes alle kreditorer at foretage nogen forfølgelse for gæld, som den pågældende pensionsnyder selv kunne skylde, eller som den afdøde mand havde skyldt. Ja, selv om den pensionsnydende „selv skulle forskrive sig til, nogen gæld af sin pension at ville betale, eller og ved en formelig obligation pantsætte sin endda ikke forfaldne eller endnu ikke udbetalte pension, da bør dog alt sligt som ugyldigt anses og aldeles dødt og magtesløst at være, og bør pensionen ikke til nogen anden, end den, som efter det gjorte indskud dertil er berettiget, udbetales".

I § 17 bestyrkede monarken den forventning ægtemænd havde til, at deres hustruer som enker ville komme til at nyde pensionen med følgende ord: „så forsikrer og garanterer kongen hermed for sig og sine arvesuccessores i regeringen, at de indskydende enker stedse rigtig og til rette tid – skal nyde de dem tilkommende pensioner". Større garanti kunne man ikke få i det enevældige Danmark. Det havde næsten grundlovskarakter og må virkelig opfattes som en tilsikret rettighed, der både var *personlig* og *uoverdragelig*.

Forordningen af 7. november 1795 sikrede de ægtemænd, der havde indbetalt en kapital i den almindelige enkekasse, såfremt hustruen døde først uden at efterlade fælles livsarvinger, mulighed for, hvis ægtefællernes midler havde været fælles, at han i forhold til hustruens udarvinger forlods måtte nyde den indbetalte kapital uden renter. Hvis beløbet var betalt af hans særejemidler, „såfremt sådant fællesskab imellem dem ikke har haft sted", da måtte han holde sig til hustruens efterladte særeje („særskilte bo"), og af dette kræve den indskudte kapital, således at han ikke skulle miste det foretagne indskud. Mange ægtemænd var begyndt at afholde sig fra at gøre indskud i enkekassen af frygt for at miste alt, hvad der var indbetalt. Det fremgik af 1775-fundatsen, at den ægtemand, der havde mistet sin hustru og giftet sig på ny, måtte begynde helt forfra med nye indskud.

Ørsted diskuterede i sin Haandbog en række særproblemer omkring enkepension og om enkens rettigheder i konkurrence med mandens arvinger, herunder om man kunne anvende de for enkekasser gældende regler analogt på de pensioner eller livrenter, som var blevet tilsikret enken ved boets midler, d.v.s. om manden i konkurrence med en afdød hustrus arvinger havde krav på en godtgørelse. Endvidere drøftedes, om hustruen som længstlevende kunne gøre „påskud på udelukkende at beholde fordelen af deslige foretagender". Ørsted mente, at hvis manden ikke efterlod sig arvinger, kunne et ønske fra hans side om, at hun uden godtgørelse måtte beholde de således erhvervede fordele, opretholdes[58].

Den i året 1842 oprettede livrente- og forsørgelsesanstalt trådte i stedet for Den almindelige Enkekasse, hvor forsikringen kun kunne ske i form af en kapitalindbetaling. Nu blev det også muligt at indbetale ved årlige præmier, som antoges at være afholdt af de årlige indtægter, uden at fællesboets eller mandens særlige formue derved blev angrebet i sin substans, hvorved manden mistede sin ret til at fordre nogen refusion ved at ville sammenlægge disse præmieindbetalinger, hvis konen døde først, ligesom han mistede kravet på det indskudsbeløb, der tidligere udkrævedes for at skaffe konen maksimumpension[59].

Men var konen længstlevende, så beholdt hun i overensstemmelse med forsørgelsesformålet sin pension eller livrente ubeskåret uden at skulle aflevere noget til arvingerne. Dette gjaldt også, selv om manden havde sikret hustruen en overlevelsesrente, som oversteg det beløb, som lovgivningen krævede. Mandens arvinger kunne ikke gøre fordring på godtgørelse eller andre krav på andel i den

---

58 *A.S. Ørsted*, Haandbog, 4. Bog, 533-553; *Fr. Th. Hurtigkarl*, II, 1, 325-332.
59 *T. Algreen-Ussing*, 125-127.

derved sikrede årlige indtægt. Dette antoges at gælde, uanset om der var fælles børn eller ej, om livrenten var erhvervet ved et kapitalindskud eller ved præmie-indbetalinger, og uanset hvor midlerne til kapitalindbetalingen kom fra. Dog hvis manden havde disponeret til skade for sine kreditorer, kunne de rejse krav efter DL 5-14-46, der omhandlede gaver m.v. mellem ægtefolk, forældre og børn eller arvinger, som var sket, efter at debitor var blevet så hårdt belastet med gæld, at han ikke kunne opfylde sine forpligtelser[60].

Enkepension var som hidtil fritaget for kreditorforfølgning for gæld, som ægtemanden måtte have efterladt sig. Dette gjaldt, uanset om der var tale om den tvungne embedsmands- eller den frivillige pension. Man sluttede herfra til, at heller ikke arvinger kunne gøre indgreb i pensionen. Det var dog genstand for drøftelse, om der i visse tilfælde skulle kunne tilfalde arvingerne efter ægteman-den en erstatning for de af ham gjorte indskud, vilket Ørsted havde ment, så-fremt der var tale om meget store midler. Hvor der var tale om lovbefalet enke-forsørgelse, herskede der ingen tvivl om, at pensionen var beskyttet både mod mandens kreditorer og arvinger. A.W. Scheel mente heller ikke, at der rimeligvis kunne være adgang for mandens kreditorer eller arvinger til at gøre en ret gæl-dende, selv om der var tale om frivilligt indbetalt enkeforsørgelse. Den enken tilsikrede overlevelsesrente hørte ikke til det fælles bo, da den først skulle give indtægt efter mandens død, „altså efter at ægteskabet var opløst"[61].

Med de nye regler om livsforsikringer var tilsvarende beskyttelsessynspunk-ter i forhold til førstafdødes kreditorer eller arvinger ikke almindelige, medmin-dre livsforsikringen var tegnet således, at den skulle opfylde betingelserne for en lovbefalet enkeforsørgelse, jf. bekg. nr. 28 af 25. februar 1871 § 8, hvorefter forsikringssummen ved embedsmandens død udbetales til Finansministeriet som policens ihændehaver, „den vedkommer ikke hans bo, men tilhører særskilt en-ken ..."[62]

Særejeægtepagter eller trediemandsbeslutninger om særeje kunne udelukke eller begrænse betydningen af ligedelingen i forbindelse med skifte af fælles-midler mellem længstlevende og førstafdødes arvinger. Den samme virkning kunne fremkaldes på grund af særlige *personlige rettigheder*. Men der herskede uklarhed om, hvad der med hensyn til de personlige rettigheder gjaldt ved sepa-ration og skilsmisse.

---

60 T. Algreen-Ussing, 127-129.
61 A.W. Scheel, Familieretten, 1877, 228-239.
62 A.W. Scheel, 243.

Der er en påfaldende forskel i grundigheden af den behandling spørgsmålet om uoverdragelige og personlige rettigheder fik i A.W. Scheels 1. udgave af Familieretten fra 1860 og 2. udgaven fra 1877. I forordet påpegedes, at de væsentligste forandringer i fremstillingen i forhold til den tidligere netop bestod i en fornyet undersøgelse af opgørelsen af formueforholdet ved ægteskabs opløsning, specielt i tilfælde, hvor der forelå enkepension, overlevelsesrente eller livsforsikring. Efter en redegørelse for reglerne om forlods udtagelse af midler til begravelsen, af fæstensgaven og enkepension, fulgte en omtale af *personlige rettigheder* i form af overlevelsesrenter, livrenter m.v., livsforsikringer, forlagsret, forfatterret eller ophavsret efter reglerne om eftergørelse af kunstværker. Yderligere omtales udlægsret med hensyn til visse effekter som fast ejendom, om udtagelse af personlige effekter baseret på overvejelser om sagens natur og almindelig sømmelighed.

Man kan ikke undlade at spørge sig selv, hvad der mon er sket i Danmark i de mellemliggende 17 år, fra en næsten påfaldende mangel på teoretisk interesse for de personlige rettigheder til denne omfattende behandling. Der tales nu om „aldeles personlige rettigheder" som en klar kategori. Lov om eftertryk af 29. december 1857 har måske haft en vis betydning, der er blevet styrket ved lovene om eftergørelse af kunstværker og fotografier fra henholdsvis den 31. marts 1864 og 24. marts 1865. De fastslog alle ophavsmandens eneret til offentliggørelse eller gengivelse for offentligheden. Det ansås som aldeles utvivlsomt, at intet vederlag skulle gives den førstafdøde ægtefælles arvinger for en forlagsret, der måtte tilkomme længstlevende for sine skrifter eller for den eneret, som den efterlevende måtte have erhvervet til at foranstalte visse efterligninger af sine kunstværker eller for et den længstlevende tilstået patent[63].

Efter Scheel medførte „... reglerne om formuefællesskabet mellem ægtefolk og om boets lige deling, når den ene dør, ingen indskrænkning, når alt det, der har tilhørt det fælles bo og er i behold ved mandens død, eller som dette bo måtte have nogen fordring på, kommer til deling". Men når det drejede sig om det beløb, der var betalt for enkeforsørgelsen, var det jo „forbrugt i mandens levende live". „At beløbet er udgivet til hustruens fordel, og at denne fordel er tilstede eller netop indtræder ved mandens død, kan – ikke komme i betragtning, når boet hverken kan indfordre vederlaget eller understøttelsen, og det ikke er befalet, at hustruen skal give godtgørelse for samme".

Efter hans opfattelse kunne man heller ikke opfatte forsørgelsesaftalen som

---

63 *A.W. Scheel*, 226-228, hvor også fæsterettighederne nævnes.

en rådighedshandling i anledning af døden ved en sidste vilje *(mortis causa)*. Selv om der var taget hensyn til mandens død, var der ikke tale om en testamentarisk disposition. „Det, som har tilhørt det fælles bo og som manden har rådet over, er fuldstændigt gået ud af boet, mens manden levede. Hans disposition er en disposition mellem levende" *(inter vivos)*. Det er ikke denne disposition, men trediemands forpligtelse, som er betinget af, at manden dør før hustruen. Der lægges således vægt på, at der var tale om en retmæssig råden over fælleseje *inter vivos* fra ægtemandens side, og at hustruens adkomst forudsatte, at manden var død, og at ægteskabet var opløst som følge deraf[64].

Hverken før eller ifølge lov nr. 75 af 7. april 1899 om formueforholdet mellem ægtefæller, der indførte en særregel om „*personlige* rettigheder og sådanne *formuerettigheder, som er uadskillelig knyttede til den berettigede person*", krævedes udtrykkeligt, at disse personlige rettigheder også skulle være *uoverdragelige rettigheder*. I bemærkningerne til lovudkastet anførtes, at de nævnte forhold nærmest indførtes „for fuldstændighedens skyld og ikke fordi man tror at indføre noget nyt", hvilket jo bestyrkes af A.W. Scheel's fremstilling. Det bemærkes yderligere, at der dels tænktes på „*i deres væsen personlige rettigheder*", selv om de kunne medføre indtægt, dels „virkelige formuerettigheder, som enten i følge deres natur eller på grund af positive lovbestemmelser er *uadskilleligt knyttede til den berettigede person*". Selve rettigheden kunne *ikke* overdrages, men nok den enkelte præstation. Det ville ofte være lovbestemt eller bestemt ved bevilling, at den ikke kunne være genstand for kreditorforfølgning, f.eks. en uoverdragelig brugsrettighed, en næringsret eller et personligt privilegium som en apotekerbevilling. Det anførtes endvidere som allerede gældende ret, at „selve rettigheden står udenfor formuefællesskabet, hvilket bl.a. viser sig deri, at man formentlig ingen sinde har antaget, at den førstafdøde ægtefælles arvinger ved skifte med længstlevende – kunne forlange rettigheden evalueret, for at få deres andel i dens værdi"[65].

Linda Nielsen fremhævede i sin disputats betydningen af en rettigheds indhold som begrundelse for forlods udtagelse eller manglende ligedeling på skifte f.s.v. angik de særlige formuerettigheder, som var uadskilleligt knyttede til den berettigedes person. Hun hævdede, at Deuntzer i løbet af 1800-tallet „opløftede" *uoverdrageligheden til en selvstændig begrundelse* for forlods udtagelse på ægtefælleskifte, og at dette hang uløseligt sammen med formuefællesskabets ka-

---

64 *A.W. Scheel*, 238-239.
65 Rigsdagstidende 1898-1899, Till. A, sp. 2654-2655.

rakter af sameje. Når en rettighed var „uoverdragelig", var den logiske konse-
kvens, at den ikke kunne være omfattet af et sameje „og dermed ikke af det
ægteskabelige formuefællesskab"[66].

Som begrundelse for denne „opløftelse" henviser hun til Deuntzers be-
mærkninger i Familieretten fra 1892 (s. 126), hvor han udtalte, at også andre
rettigheder end fæste- og brugsret kunne være „således knyttet til en bestemt
person, at de som rent individuelle ikke kunne blive fælles, men det er ingen-
lunde nødvendigt, at de har den karakter". Endvidere henvises til 1899-udgaven
s. 126-127, hvor han udtalte, at også sådanne „formuerettigheder som er uad-
skilleligt knyttede til den berettigedes person og som altså efter deres indhold
ikke tillader hel eller delvis overgang til andre ..." falder uden for formuefælles-
skabet eller samejet. Men han tilføjede, at det „ikke ligger i loven, at alle disse
rettigheder altid er uoverdragelige – og have de ikke denne karakter, hører de til
fællesboet".

Det er således korrekt, at Deuntzer fremhævede uoverdragelighed i forbin-
delse med drøftelsen af særlige formuerettigheder, der var uadskilleligt knyttede
til den berettigede person. Det synes dog nok så meget at have været motiv-
udtalelsen i bemærkningerne til 1899-udkastet, der må bære ansvaret for „ophø-
jelsen". Det siges her, at det er „hensynet til disse rettigheders særlige natur,
væsentligt deres *uoverdragelighed*, der bevirker, at de må holdes udenfor formue-
fællesskabet". De efterfølgende bemærkninger er ikke medtaget i Linda Nielsens
fremstilling, skønt de både belyser og uddyber udsagnet om uoverdragelighed:
„Da det, der karakteriserer disse rettigheder, er deres tilknytning til den beretti-
gede person, særlig deres uoverdragelighed, har man fundet det rettest at be-
tegne dem som „rettigheder, som er uoverdragelige eller *iøvrigt* (udhævet her)
af personlig art"". Det er følgelig *ikke uoverdrageligheden*, som er det væsentlige,
men den *personlige tilknytning*[67].

Når Linda Nielsen konkluderer, at betydningen af uoverdragelighed ændre-
des med formuefællesskabets overgang fra et sameje til et delingsprincip på
skifte, bør det bemærkes, at teorien lige fra Ørsted klart har hævdet, at formue-
fællesskabet netop var ensbetydende med ligedeling på skifte, jf. DL 5-2-19 og
20, uanset om der var fællesbørn eller ej i ægteskabet. Det var ikke *ligedelings-
princippet*, men *rådighedsprincippet*, der ændredes ved retsvirkningsloven. For-
skellen ligger snarest i opfattelsen af *rådighedsforholdet* i modsætning til *ejer-*

---

66 *Linda Nielsen*, Familieformueretten. Skilsmisse og skifte, 138.
67 *Linda Nielsen*, 143; *1918-udkastet*, 129-130.

forholdet under ægteskabets beståen, idet man før 1925 opfattede formuefæl-
lesskabet som et sameje af fællesboet under ægtemandens *rådighed*, fordi hu-
struen ansås som urådig, så længe ægteskabet varede, jf. DL 1-23-10, 5-1-13 og
arveforordningen 1845 § 12. Hustruens urådighed begrundede mandens for-
sørgerpligt over for hustruen. Hustruen måtte påtage sig en tilsvarende forsør-
gerpligt som forudsætning for en reel rådighedsret[68].

Selv om formuefællesskabet opfattedes som et sameje, udelukkede det ikke
logisk eksistensen af personlige særrettigheder, der som oftest først fik retsvirk-
ning efter mandens død (pension, livrente, fæste- eller brugsret). Transaktioner
mellem ægtefæller kunne formentlig finde sted med hensyn til personlige rettig-
heder af formueretlig karakter, som var *overdragelige*, hvis de havde sammen-
hæng med hustruens selverhverv efter 1880.

4. Hensidden i uskiftet bo

Det fortsatte fællig, som var hjemlet i nogle af landskabslovene, blev med 1547-
recessen og senere lovgivning og retspraksis afskaffet, selv om en mulighed for
hensidden i uskiftet bo opretholdtes i et vist omfang.

Et åbent brev af 6. september 1604 afskaffede enkens hidtidige ret til at
hensidde i uskiftet bo. Begrundelsen anførtes at være, at kongen var blevet klar
over, at enker af både borgerlig og adelig stand var kommet ind på den praksis at
tage børnenes gods og løsøre under deres værgemål, før der var skiftet med
samfrænder til fastslåelse af egne og børnenes arvelodder efter betaling af udestå-
ende gæld, hvilket havde medført konflikter og retssager. Derfor besluttede kon-
gen og rigsrådet, at enker ikke måtte tage vare på børnenes arvegods, før der var
sket registrering af værdierne og gælden. Først derefter måtte enkerne tage vare
på børnenes arv.

Forordningen om gæld af 1. juli 1623 fastlagde nærmere fremgangsmåden i
forbindelse med arv og skifte. Her fastsattes detaillerede regler om registrering,
forkyndelse og sikring af kreditorernes retsstilling. Endelig fastlagde forordnin-
gen af 23. april 1632 nærmere reglerne om arvefølgen. En del af Jyske Lovs
regler blev hermed kodificeret og gjort til almen ret også uden for Jylland og
Fyn. Stig Iuul gør i øvrigt opmærksom på, at sene tekster af SKL havde erstattet

---

68 *Linda Nielsen*, 147; *J.H. Deuntzer*, 1892, 110 ff., 117 ff. og 123 ff.; *A.S. Ørsted*, Jur. Tids-
skrift, 16, 3, 203-254, især 214-215.

betegnelsen fortsat fællig med uskiftet bo, og at begrebet hovedlod ikke længere synes at betegne en ideel anpart i boet[69].

Efter lovbogen havde længstlevende ægtefælle, hvis der ingen fællesbørn var i ægteskabet, efter 5-2-20 fri adgang til at vælge skifte med førstafdødes arvinger eller udfærdige en specifikation til afvikling af arven efter førstafdøde. Men ægtefællerne havde også muligheden for at stifte gensidige eller reciprokke testamenter. DL 5-4-20, som var en af de fåtallige artikler i lovbogen, der var baseret på retspraksis og retssædvane, handler som tidligere omtalt om den særlige „bebrevelse" mellem ægtefæller uden livsarvinger eller retten til at bebreve hinanden, således at den længstlevende skulle beholde hele fællesboet og formuen uskiftet, så længe den pågældende forblev ugift. Dog skulle der foretages en registrering af boets midler og gæld, ligesom den skyldige gæld skulle betales. Den pågældende havde pligt til at passe boets ejendomme og jordegods omhyggeligt og forsikre arvingerne om, at intet jordegods skulle pantsættes, sælges eller afhændes. Længstlevende ejede selv den ene halvdel af boet, mens afdødes andel skulle gå tilbage til førstafdødes arvinger, når længstlevende døde. Længstlevendes garanti over for førstafdødes arvinger var ingen kautionsforpligtelse, men kun en erklæring om ikke at ville afhænde eller pantsætte godset (*cautio nude promissoria*), som arvingen kunne tinglyse. Det var kun arvejorden, ikke f.eks. købstadejendomme, som var omfattet af erklæringen[70].

Den særlige bebrevelse gik efterhånden af brug til fordel for *gensidige testamenter* oprettet umiddelbart efter ægteskabets indgåelse. Disse testamenter forudsatte dog, at der ikke kom fælles livsarvinger. Hvis den ene ægtefælle herefter døde, skulle længstlevende uden registrering og vurdering bruge og beholde boet og i tilfælde af nyt ægteskab erlægge et mindre beløb til førstafdødes arvinger. Døde længstlevende ugift, skulle hele boet deles mellem begges arvinger efter loven. Sådanne reciprokke testamenter krævede kgl. konfirmation, jf. pl. af 20. februar 1717 om supplikker og memorialer. Men efter arveforordningen blev det unødvendigt med konfirmation, idet personer, som ikke efterlod sig livsarvinger, frit kunne disponere over deres formue, hvorfor ægtefællerne frit kunne bestemme, om længstlevende skulle være uindskrænket ejer[71].

Ægtepagter (*pacta conjugum*) kunne indskrænke sig til bestemmelser om fællesboets behandling efter den ene ægtefælles død og derved få karakter af en

---

69 *Stig Iuul*, Fællig og Hovedlod, 254-256.
70 *T. Algreen-Ussing*, 196-198.
71 Se i det hele *T. Algreen-Ussing*, 198-206.

arvepagt, som typisk var gensidig og lignede det reciprokke testamente. Hvis bestemmelserne ikke overskred ægtefællens testationsret, var kgl. konfirmation ikke nødvendig[72].

Danske Lov havde ingen regler om adgang til uskiftet bo, men det viste sig i praksis ofte hårdt for den længstlevende enke og til skade for børnene, at der skulle skrides til skifte straks efter mandens død, jf. DL 5-2-1. Man var allerede før 1683 kommet ind på via bevillingssystemet at råde bod herpå. En ansøgning kunne indsendes af begge parter med henblik på den længstlevende eller efter den enes død af den længstlevende. Bevilling til hensidden i uskiftet bo gaves normalt på betingelse af, og så længe den pågældende forblev ugift, og med ret til, når et ægteskab ønskedes indgået eller af andre grunde, at det påfølgende skifte kunne ske ved samfrænder som privat skifte og ikke som et offentligt skifte. Stig Iuul omtalte en bevilling fra 1684 til Poul Nielsen Rosenpalm, hvorefter hans hustru efter hans død måtte hensidde i uregistreret og uskiftet bo med fællesbørnene. Han nævnte også eksempler på, at tilladelsen til hensidden i uskiftet bo gjordes betinget af, at boet registreredes og vurderedes, eller at bortskyldig gæld straks blev betalt, jf. bevillingen af 18. maj 1685, 31. august 1686, 6. november 1686, 26. november 1698[73]. Ligesom tidligere undlod man i praksis jævnligt at skifte, når der var børn i ægteskabet. Iuul mente, at det skyldtes den manglende sanktionsmulighed for overtrædelse af art. 5-2-1 og 2, som han betragtede som en *lex imperfecta*. De krævede omgående meddelelse til øvrigheden samt forsegling og forvaring af afdødes gods, medmindre det var en ægtefælle i et ægteskab med fællesbørn, der var død, da skulle længstlevende sidde frit uden forsegling og registrering i 30 dage. En anden forklaring kunne være, at man betragtede det fortsatte fællig mellem den længstlevende og børnene som en gammel sædvanerettighed, fordi det i praksis var nyttigt. Dette synspunkt understreges af den hektiske kamp, som førtes af borgerne i København mod den kgl. forordning om dødsboer efter husbond eller hustru af 10. august 1697, der under trussel om en bødestraf pålagde efterlevende ægtefælle at oplyse skifteforvalteren om dødsfaldet, og pålagde denne straks at foretage skiftet også under trussel om straf.

De 32 mænd ansøgte om at måtte blive fritaget for denne pligt for enhver mand eller hustru på hvis økonomiske forvaltning, der intet var at udsætte, fordi sådanne skifter ofte medførte ruin for de næringsdrivende. Efter flere forgæves

---

72 *T. Algreen-Ussing*, 219-221.
73 *Stig Iuul*, 327 med note 51.

forsøg over for et uvilligt Kancelli udgik et reskript af 26. februar 1698 om, at Magistraten måtte se igennem fingre med, at fædre hensad i uskiftet bo, for så vidt deres forhold tillod det, men at det på ingen måde kunne tillades, at enker indrømmedes nogen lempelse.

Alligevel opretholdtes bevillingspraksis, således at kancelliordningen af 24. november 1705 opfattede sådanne bevillinger, hvor intet var at kritisere, som kurante. Ved plakaten af 20. februar 1717, B, nr. 6, fik Kancelliet bemyndigelse til at afgøre den slags sager *ad mandatum*, hvis der forelå gode attester for forhold og vandel, uanset hvem af parterne der blev længstlevende[74]. Bevillingen meddeltes via Danske Kancelli, senere overlodes det til overøvrigheden at give tilladelsen.

Om dødsboer efter husmænd og inderster af landalmuen gjaldt ifølge forordningen af 21. juni 1799 at længstlevende ægtefælle uden bevilling havde ret til at sidde i uskiftet bo med fælles umyndige børn, så længe den pågældende forblev ugift. Ved arveforordningen af 1845 § 18 blev adgangen til uskiftet bo for enkemænd en lovbestemt ret, som ikke længere krævede bevilling fra vedkommende øvrighed, hvorfor de nævnte særlige regler om landalmuen blev ophævet. § 18 opretholdt forskelsbehandlingen af hustruen som længstlevende og gjorde hendes adgang til at sidde i uskiftet bo afhængig af, om ægtemanden havde truffet testamentarisk bestemmelse herom, idet han ved en sådan testamentarisk bestemmelse kunne give enken samme ret til at beholde det hele bo udelt, som han selv havde ifølge arveforordningen, uanset om de fælles børn var myndige eller umyndige. Hvis ingen sådan testamentarisk bestemmelse forelå, måtte enken have magistratens eller amtmandens tilladelse til at hensidde i uskiftet bo med sine umyndige børn, som blev givet på grundlag af en attest om, at hun var en huslig og forstandig kvinde. Havde manden ingen testamentarisk bestemmelse gjort, var øvrigheden afskåret fra at give enken ret til at hensidde i uskiftet bo med myndige fællesbørn. Men disse børn kunne ved deres skriftlige tilladelse på stemplet papir selv give tilladelsen[75].

Hensidden i uskiftet bo betyder, som navnet siger, at der ikke finder nogen deling med arvingerne sted, og at længstlevende ægtefælle overtager hele boet til fri rådighed i eget navn. Hvis derimod søskende, der arver sammen, måtte blive enige om at beholde boet uskiftet i fællesskab med en enkelt arving som fælles administrator, handlede denne alene efter de andres bemyndigelse og måtte stå

---

74 *Stig Iuul*, 327-329.
75 Se nærmere *T. Algreen-Ussing*, 274-282, 282-285.

til regnskab for sine dispositioner. Arven var faldet, og arvingerne måtte hæfte for egen gæld med egen andel i arven, hvorimod børnenes andelsret ved almindeligt uskiftet bo for så vidt var suspenderet i forhold til den længstlevende af forældrene, indtil skifte senere indtrådte, selv om arven også var faldet i henseende til arvingerne i det uskiftede bo.

Skønt den længstlevende ellers ikke hæftede for en gæld påtaget under ægteskabet af førstafdøde, påtog denne sig et ubegrænset personligt ansvar ved at sidde i uskiftet bo, mens arvingerne efter førstafdøde var fri for denne hæftelse, medmindre boet allerede var overtaget til privat skifte, eller det var et vedgåelsesbo. Ægtefællen i det uskiftede bo kunne oprette en livrente eller lignende til fordel for sig selv og begunstige enkelte arvinger, medmindre der derved skete en væsentlig forringelse af boet, som medførte et betydeligt tab[76].

Ved lov af 20. april 1926 om ægtefællers arveret og uskiftet bo fik den efterlevende ægtefælle ifølge § 2 ret til uden skifte at overtage hele fællesboet, uanset om det var mand eller hustru, som var efterlevende, og uden forskelsbehandling hvis den pågældende ellers opfyldte de almindelige betingelser i øvrigt. Den ene ægtefælle kunne herefter ikke ensidigt udelukke den anden fra adgangen til at hensidde i uskiftet bo, jf. § 15 e.c. Der var i teorien tvivl om, hvorvidt ægtefællerne kunne give bindende gensidigt afkald på den lovhjemlede ret.

Alligevel kunne ægtemanden efter § 2, stk. 3, ved testamente bestemme, at hustruen under hensidden i uskiftet bo kun kunne råde over fællesboet med samtykke af en tilsynsværge samt fastsætte, hvem der skulle udføre dette hverv. Ældre praksis og gammel vanetænkning om beskyttelse af den svage og uerfarne kvinde spillede stadig en rolle. Enken kunne dog begære et sådant tilsynsværgemål ophævet, når det ikke fandtes tilstrækkeligt begrundet i hensynet til hustruens eller livsarvingernes tarv. Manden kunne således påtvinge hende at skulle bevise dette eller tvinge hende til over for skifteretten at begære en anden tilsynsværge.

Tilsynsværgemålet vedrørte kun fællesboet. Sit særeje, selverhverv og hvad hun ved testamentarisk arv eller gave fik til fri rådighed, kunne hun selv administrere, uanset om de indgik i det uskiftede bo. Begrebet „fælles bo" fremkaldte diskussion, idet det fandtes urimeligt, at manden skulle kunne hindre enken i at råde over sin bodel, således som hun under ægteskabet havde rådet efter RVL § 16, stk. 1. Man mente, at begrebet måtte fortolkes indskrænkende som refererende alene til mandens bodel[77].

76 Se i øvrigt *J.H. Deuntzer*, Den danske Arveret, 219-226.
77 *O.A. Borum*, Arveretten, 27-31.

Borum opridsede retsstillingen med hensyn til den arv, der henstår i uskiftet bo: Arven er faldet, når den ene af ægtefællerne dør, men arvingerne kan ikke kræve deres lod udbetalt. Lodderne er ikke fikseret til noget bestemt beløb, en lod kan ikke overdrages eller gøres til genstand for fyldestgørelse fra kreditorer. Menanpartsforholdet mellem arvingerne indbyrdes og i forholdet til den længstlevende var endeligt fikseret, hvorved ægtefællens testationsret blev begrænset. Hun kunne hverken ved testamente eller ved misbrug af rådigheden *inter vivos* forrykke anpartsforholdet. Anpartsretten var en del af arvingens formue, og arvingen blev arveoverførende mellemled, d.v.s. hvis arvingen døde, overgik anpartsretten til hans kreditorer og arvinger[78].

5. Særbegunstigelser

Arveretten byggede lige fra middelalderen på lighedsprincippet. Men i begyndelsen af det 16. århundrede fastslog domspraksis, at bondejord ikke måtte opsplittes efter forældrenes død. En af arvingerne skulle besidde og administrere gården og svare de offentlige afgifter og andre forpligtelser. Denne ordning blev nedfældet i den københavnske reces af 1547 § 32 (jf. den Koldingske reces af 1558 § 40), hvorefter den arving, der sad på gården som „selvejerbonde", ikke måtte tillade de andre arvinger at bruge gårdens tilliggender, men at de måtte nøjes med at blive fyldestgjort af besidderen, så vidt midlerne strakte. Denne regel kan også opfattes som et udtryk for godsejerinteresser over for deres fæstebønder, idet godsejerne havde samme ønske som *fiscus*, at afgifter fra fæsterne ikke skulle formindskes som følge af bondejordenes opsplitning. Disse regler blev optaget i Danske Lov, jf. 3-12-1 til 4. De ophørte med at have betydning i det 18. århundrede på grund af nye regler om arvefæste og selvejergårde, der forudsatte gårdens salg på offentlig auktion med fordeling af provenuet, hvis der ikke forelå testamente.

Specielt vedrørende selvejergårde på Bornholm hvilede reglerne på en flerhed af kilder i gammel sædvaneret, vedtægter og skik og brug, som bornholmeren og retshistorikeren Kofod Ancher fik lejlighed til at samarbejde i forbindelse med udarbejdelse af forarbejderne til forordningen af 14. oktober 1773 om selvejergårdes arv på Bornholm. Den hidtil rådende, ubestemte og uklare retstilstand havde forårsaget mange processer på øen. Hovedprincippet i forordningen var, at selvejergården udelt skulle tilfalde een person mod et vederlag til de

---

78 *O.A. Borum*, 49-50.

øvrige arvinger. Ingen måtte arve mere end een gård. Omfattede afdødes formue flere gårde, måtte yngste søn vælge forud for de andre brødre eller søstre. Arvefølgen var lineal-cognatisk, idet yngste søns såvel kvindelige som mandlige descendenter kaldtes til arv før ældre søns afkom. Af sønnerne havde den yngste fortrin, af døtrene den ældste efter ældgammel skik på øen.

Ved sådanne særlige arvegårde sattes fire arveklasser, hvoraf ægtefællen udgjorde 3. arveklasse, som når der ingen fædrenearvinger til fædrenegården eller mødrenearvinger til mødrenegården var, fik ejendommen til fuldkommen ejendom, således at den efter ægtefællens død gik over til dennes slægtninge og dermed ud af den oprindelige familie. Var gården en købegård, købt før ægteskabet, kunne arvelader selv bestemme, hvem gården skulle tilfalde, ellers gik den til den pågældende ægtefælles egen slægt på fædrene og mødrene side. Var den købt under ægteskabet, faldt gården først i arv efter længstlevendes død, uanset om der var børn i ægteskabet, og forudsat at længstlevende beholdt den i sin levetid[79].

Ud over Bornholm fik også en anden ø, nemlig Amager, sin særordning. Christian II indkaldte i 1516 omkring 180 hollandske bondefamilier, som i et privilegiebrev udstedt i 1521 fik en række særrettigheder; rettigheder, som ikke blev dem frataget efter hans fald. Brevet blev fornyet i 1547. Af 1521-privilegiet fremgik, at det var udstedt af kongen og rigsrådet på grundlag af en overenskomst med de hollandske bønder. Det fastsloges, at de skulle „leve og dømme sig selv efter hollandsk ret, som de nu har dem, og ikke efter danske love", og at de måtte fordele jorden ligeligt efter hollandsk skik. „De skal fremdeles nyde og beholde det førnævnte land, den ene arving efter den anden, til evig tid, undtagen Vort og Kronens fiskerleje, Dragør med dets frihed og tilliggende. ... Ligeledes skal de samme bønder have beføjelse til, den ene arving efter den anden, at sælge og pantsætte deres gårde, som de nu bor i, med deres tilbehør, således som det behager dem. Og hvis det skulle ske, at arvingerne uddøde helt, skal de førnævnte gårde med deres jord og tilbehør atter tilfalde Os og Kronen"[80].

Disse særrettigheder havde indflydelse også på de hollandske efterkommeres privatretlige, herunder arveretlige stilling. Da Danske Lov opretholdt den klassiske arveretlige skævhed mellem mænd og kvinder, broderlodsordningen fra landskabslovene, blev det nødvendigt for hollænderne på Amager at få bekræftet deres særlige retsstilling, hvilket skete ved åbent brev af 8. juni 1686 for Tårnby

79 *T. Algreen-Ussing*, 111-120.
80 „AmagerBladet", 25. juni 1999.

Sogn, hvorefter „søster tager lige arv med broder". Begrundelsen var, „At det fremdeles må forblive ved deres gamle vedtagne skik og brug", som det hos ansøgerne og deres forfædre hidtil har været i forbindelse med „søskende-skifte og deling, så at en søster lige lod og del med en broder må og skal nydes".

Et tilsvarende åbent brev udstedtes 28. juni 1690 til St. Magleby Sogn efter særlig ansøgning fra skultus Jan Isbrant og Geert Jansen. Derfor befalede Kongen, „at det i så måde ved den ældgamle og sædvanlige skik og brug herefter, som tilforn uforanderlig skal forblive, samt (at han) til den ende samtlige indbyggere på Amager såvidt fra Loven allernådigst have dispositionsret". Senere fornyelser fulgte. Den sidste under enevælden gaves af Christian VIII i 1844, og den allersidste konfirmation gaves af Justitsministeriet den 25. juli 1851. Med arveloven fra 1857 kan dansk ret siges at have reciperet den på Amager siden 1500-tallet gældende hollandske lige arveret. Frederik III's privilegier af 1667 tillod også hensidden i uskiftet bo med umyndige fællesbørn for hollænderne på Amager, mens Danske Lov fra 1683 krævede skifte umiddelbart efter dødsfaldet, dog med adgang til bevilling[81].

Modsat bondejord gjaldt om adelsjord efter 1547-recessen § 24, at brødrene havde pligt til at danne et brødrefælligt med sameje til adelige sædegårde og afviste særbegunstigelse af en mandlig arving på de andres bekostning (jf. 1558-recessen § 39).

Danske Lov opretholdt vedrørende adelige sædegårde det princip, at gården kunne blive i *fællesskab* imellem arvingerne eller nogle af disse, jf. DL 5-2-63 og 64. Reglen i 5-2-63 omfattede både komplette sædegårde med *jus patronatus* og birkerettighed, men også andre sædegårde fik ret til hjælp til gårdens drift fra omboende bønder med hoveripligt. Sædegårdene kunne falde i arv mellem søskende eller mellem andre arvinger. Efter 5-2-63 skulle de komplette sædegårde blive hos brødrene, og søstrene skulle tage arv i det andet fraliggende gods, strøgods eller købstadgods og løsøre. Hvis ikke der var tilstrækkeligt, skulle brødrene tage søstrene *i fællig med sig* i *sædegården*. Den ældste bror havde ingen fortrinsret for de yngre. Han kunne ikke udløse de andre af fællesskabet. Hvis brødrene overtog flere sædegårde i arv, måtte de alle blive i brødrenes fællig, hvis de ikke kunne blive enige om at dele dem imellem sig. Reglen om den særlige slægtskabsarv vedrørende adelige sædegårde stammer som nævnt fra 1547-recessen § 24, jf. 1558 § 39, mens Christian III's håndfæstning af 30. oktober 1536, § 37, talte om hovedgård (*curiæ principales*), som adelige selv bor udi, eller

---

81 *Axel H. Pedersen*, Birketing i Gl. Københavns Amt 1521-1965, 12-20.

hvor de holder deres foged og bruger deres avl. Hvis sædegården faldt i arv til andre end brødre og søstre samt livsarvinger, havde 5-2-64 en særlig regulering af, hvorledes det faktiske fællig kunne opløses, for at gården med bønder og herligheder skulle kunne blive sammen. Der var tale om, at højestbydende af medarvingerne skulle være berettiget til gård og gods. Det vil sige, at en arving kunne udløse de andre[82].

Omkring Danske Lovs regler om arveretten til privilegerede sædegårde i 5-2-63 og 64 udtalte Hurtigkarl blandt andet, at nogle teoretikere havde ment, at hvis der kun var een gård, så skulle den ældste søn være berettiget til at træde til gårdens besiddelse, som sin ejendom, men tilføjede „uagtet den ugunst, lovgiveren sædvanligvis viser mod fællesskab", så antager han dog, at gården måtte komme „i fællig mellem brødrene", men at man ikke ville kunne „efter lovgivningens ånd" nægte dem ret til at „udløse hinanden", hvilket også måtte gælde, hvis søstrene i mangel af anden fyldestgørelse blev optaget af brødrene i fællig. Ørsted afviste på det skarpeste eksistensen af en sådan udløsningsret i almindelig forstand, men hvis Hurtigkarl havde tænkt på en forkøbsret, når en af brødrene ville sælge, var Ørsted helt enig[83].

Vedrørende visse jordejendomme udvikledes med tiden regler om en form for ekstraordinær arv. Det gjaldt ejendomme, som skulle forblive i en bestemt familie i forbindelse med len, stamhuse og majorater, sædegårde og selvejergårde for bønder og visse selvejergårde på Bornholm. Den særlige lensarv fik i Danmark en relativt kortvarig historie sammenlignet med store dele af Europa i øvrigt. Der var tale om en særegen form for individualsuccession eller lensfølge (*successio feudalis*), hvorved lenet udelt gik over til den nærmeste lensberettigede slægtning. Arvegangen fremgik normalt af erektionspatentet eller lensbrevet for grevskabet eller baroniet. Hvor dette ikke måtte være tilfældet, var der kun lidt hjælp at hente i den særlige lovgivning, som indførte lenssuccessionen i Danmark, jf. Grevernes og friherrernes privilegier af 25. maj 1671[84].

Det stod dog klart, at lenet udelt skulle gå til een person, d.v.s. til ældste søn eller datter, hvis ingen sønner fandtes. De øvrige søskende skulle *sammen med* den lensberettigede arve, hvad der i øvrigt fandtes i boet af (allodial)arvejord, købejord og løsøre. Lenssuccessionen var lineal, idet lenet skulle gå helt og ubeskåret til den første erhververs livsarvinger og ægte mandlige eller kvindelige

---

82 *T. Algreen-Ussing*, 108-111.
83 *Fr. Th. Hurtigkarl*, 303; *A.S. Ørsted*, IV, 517.
84 *Henning Matzen*, Privatret, II, Obligationsret, 191 ff.

descendenter, fra ældste til ældste, med sluttelig hjemfaldsret til kongen. Med-mindre andet fremgik af lensbrevet antoges lensarvefølgen at have været agna-tisk-cognatisk[85]. Den særlige lensarvefølge, som i realiteten var en *livsvarig brugsret*, overgik til fri ejendomsret, ligesom den særlige arvefølge bortfaldt ved lensafløsningsloven af 4. oktober 1919, hvorved også reglerne om stamhuse i DL 5-2-65 tabte deres væsentlige betydning, jf. dog forordningen af 17. maj 1848 og Grundloven af 5. juni 1849.

Efter DL 5-2-65 indtrådte ligesom ved len en særlig arvefølge, hvorefter stamhuset udelt tilfaldt een person. Stamhusoprettelsen skulle også ske ved et erektions- eller stamhusbrev. Men i modsætning til lensordningen havde stam-husarven ikke politisk betydning, og selv om opretteren skulle være adelig eller på anden måde privilegeret, behøvede efterfølgeren ikke at være det. Arven an-toges normalt at have været lineal med fortrinsret for ældste mandlige, subsidi-ært ældste kvindelige arving. Men normalt var der conatisk arvefølge i den for-stand, at man ikke skulle foretrække mandlige agnater i en fjernere linie frem for nærmere cognater eller kvindelige agnater i en nærmere linie.

Den øvrige formue deltes efter de almindelige regler, således at hver fik sin fulde lod, også den ny stamhusbesidder, hvis han var blandt de nærmeste arvin-ger. Fik en søn stamhuset efter sin far, og de andre søskende ikke fik noget, havde han pligt til at give dem, hvad samfrænder fandt rimeligt til deres ophold og befri dem for forældrenes gæld. Var alle successionsberettigede uddøde, gled stamhu-set over som sidste besidders „allodiale ejendom", der arvedes efter almindelige regler, og som frit kunne testeres bort. Her var ingen hjemfaldsret til kongen[86].

Uægte slægtninge kunne succedere i stamhuse, herunder slegfredbørn efter moder eller mødrene frænder, men ikke efter fader og fædrene frænder. Kuld-lyste børn kunne tage stamhus efter fader og fædrene frænder, men adoptionsbe-villing kunne ikke give successionsret. Adels og rangs indehavelse var ikke en nødvendig forudsætning for succession, men nok for oprettelsen, som kun til-kom privilegerede personer[87].

Generalprokurør Henrik Stampe fik i 1761 forelagt en ansøgning fra Vin-tapper Fridrich Barfred og hustru om konfirmation på et testamente og en be-slutning om at oprette deres sædegård Bentzensdal som et stamhus for deres børn og descendenter, således at ældste søn skulle tiltræde stamhuset og desuden

---

85 *T. Algreen-Ussing*, 92-98.
86 *T. Algreen-Ussing*, 98-108.
87 *Inger Dübeck*, 61-62.

betale sine søskende et vist årligt beløb, og når hans børn og descendenter måtte være uddøde, skulle stamhuset indgå til almennyttig brug under Københavns Magistrat og de 23 mænds bestyrelse til opfyldelse af fundatsens bestemmelse.

Stampe foretog en nærmere udredning af DL 5-2-65 og dens ånd sammenholdt med 5-3-19 om den frie adgang til at købe bøndergårde eller sædegårde, hvilken frihed han fandt gavnlig, fordi den stimulerede priserne på jord. Dernæst funderede han over sammenhængen mellem fuld ejendomsret og uindskrænket testationsret bl.a. på baggrund af romerretlige regler om *proprietas, ususfructus, dominium directum* og *dominium utile* samt *fideicommisum familiæ*. Stampe fandt, at den nævnte ansøgning om konfirmation i alle måder svarede til betingelserne i 5-2-65, hvorefter Barfred uden særlig kongelig bevilling kunne opnå, hvad han ønskede, derfor indstillede han den 29. august 1761, at bevillingen blev givet. Denne meget imødekommende indstilling tog Conseillet under overvejelse, men udsatte afgørelsen ved beslutning af den 10. september 1761. Først den 9. februar 1764 svarede Conseillet, at der ikke ville ske indstilling i sagen, „førend gælden er betalt". Mærkeligt kan det forekomme, at den erfarne Stampe ikke selv kom ind på gældsproblematikken, som udgør 4/5 af indholdet i 5-2-65[88].

Reglen i 5-4-6 om adgangen til at begunstige en søn eller datter med en dobbeltlod sammen med sædegården blev ophævet ved arveforordningen af 21. maj 1845 § 27 om, at et testamente ville kunne konfirmeres, hvis det gik ud på, at „den hele formue eller en væsentlig del af samme" skulle overlades til en enkelt af livsarvingerne mod et passende vederlag. Men dispositionen skulle dokumenteres at være til alle livsarvingers fælles tarv, hvortil hørte, at de andre som vederlag havde fået deres tvangsarv[89].

De foran omtalte særligt begunstigede jordbesiddere, lensbesiddere, sædegårdsejere og de særlige selvejerbønder var også tillagt en særlig *privilegeret testationsret*. Herefter kunne de særlige lensbesiddere, men ikke grever eller baroner i øvrigt, begunstige den, som skulle overtage greve- eller barontitlen og succedere i rettighederne i øvrigt, dog forudsat at han også sikrede sin *hustrus livgeding* og de andre arvinger. Enkens livgeding eller pension skulle udredes af lenet. Den kunne være bestemt i erektionsbrevet eller fastsat ved andre kgl. bestemmelser. Normalt måtte den ikke overstige 1/8 af lenets årlige overskud.

Sædegårdsejeren kunne give en af sine sønner, eller hvis der ingen levende

---

88 *Henrik Stampe*, Erklæringer, Breve og Forestillinger, III, 387-397.
89 *Viggo Bentzon*, Den danske Arveret, 165-166.

sønner var, en af sine døtre dobbelt så meget i arv, som de andre, jf. DL 5-4-6 og 7. Også besidderne af selvejerbondegårde var af hensyn til gårdens bevarelse i familien tillagt en særlig testationsbeføjelse til fordel for den arving, der skulle overtage gården, jf. forordningen af 13. maj 1769 § 5. Selvejernes testations-frihed gjaldt, hvad enten ejendomsretten til gården var fuldkommen eller be-grænset, ligesom den gjaldt for *arvefæstere*, skønt de jo ikke kunne sælge eller pantsætte gården, forudsat at det ikke stred imod fæstebrevet. Var længstlevende ægtefælle eneejer, kunne han eller hun frit testamentere, men sad længstlevende i uskiftet bo, kunne der kun testeres, hvis ikke modstående testamente kom hin-drende i vejen[90].

Hvis en testamentarisk bestemmelse var til fordel for længstlevende ægte-fælle, kunne den sikre såvel en fuldkommen som en begrænset ejendomsret, for livstid eller indtil nyt ægteskab, hvis hustruen var længstlevende. En selvejer-bonde og hans hustru kunne, uanset om de havde livsarvinger, ved gensidigt testamente bestemme, at den længstlevende skulle beholde gården med tilbehør som sin fuldkomne ejendom imod efter forudgående edelig taxation at udbetale den førstafdødes arvinger 1/3 af gårdens og dens tilbehørs sande værdi efter fradrag af gælden og på betingelse af, at længstlevende frafaldt sin ret til at tage broderlod i arv efter førstafdøde og i øvrigt kun kunne disponere over 1/8 af sin øvrige formue, jf. forordning om selvejerbønders testationsfrihed af 22. novem-ber 1837 § 5. Selv om gården testeredes til en livsarving, kunne der gøres forbe-hold for længstlevende ægtefælles fortsatte brugsret, jf. §§ 2, 3 og 4[91].

En af Henrik Stampes erklæringer vedrørte spørgsmålet om en plantageejer på St. Croix, Laurence Bodkin, kunne begrænse hustruens og døtrenes arv og begunstige sønnen og hans arvinger ved et fælles testamente, som blev indsendt til konfirmation med generalguvernørens anbefaling. I erklæringen fra 4. april 1765 redegjorde Stampe for den romerske retsopfattelse, der afveg fra Danske Lovs ordning med formuefællesskab, men som havde påvirket retsopfattelsen i mange europæiske lande. Bodkin var englænder. Stampe forventede, at englæn-dere, der nedsatte sig på de vestindiske øer, kunne føle det urimeligt, at en rettig-hed, som engelsk ret tilsikrede med hensyn til testationsbeføjelser, blev så stærkt begrænset efter Danske Lov. Han frygtede, at vi ville jage dygtige og formuende folk bort fra øerne, hvis vi ikke viste en vis smidighed. Og store dele af øerne lå endnu udyrkede og kunne udgøre grundlag for mange familier. De fleste af de

90 *T. Algreen-Ussing*, 181-190.
91 *T. Algreen-Ussing*, 191 ff.

fremmede var englændere, der var interesseret i at overtale deres landsmænd og trosfæller til at flytte derud. Han fandt, at testamentet formelt set var korrekt og indholdet rimeligt, og med få bemærkninger anbefalede han konfirmationen, som fandt sted den 4. maj 1765[92].

Et par måneder senere udarbejdede han med udgangspunkt i samme sag en generel erklæring, der kom til at danne grundlag for et kgl. reskript af 15. november 1765 til generalguvernøren over de „americanske Eilande" om enhver plantageejers ret til at testamentere, uanset om han havde børn eller ej. Det fremgår af Stampes redegørelse, at mr. Bodkin ikke alene havde korresponderet med Bernstorff om sagen, men også havde været på besøg i København og talt med både Bernstorff og Stampe og der givet udtryk for, at man gerne kunne kræve kgl. konfirmation på sådanne testamenter, blot plantageejerne var sikre på at opnå den. Bodkin havde klaget over de danske skifteregler, som besværliggjorde afviklingen af plantageejernes boer, som sjældent havde rede penge, men fordringer, og for hvem betalinger afvikledes med sukker, rom eller bomuld.

Sagen drejede sig om et sammenstød mellem Danske Lov og den generelle praksis på også andre vestindiske øer end de danske og et sammenstød mellem et lighedsprincip og et begunstigelsesprincip. „Skønt det, vores Danske Lov fastsætter i henseende til børnenes lige arveret, haver sin gode grund i den naturlige lov og billighed, og forældrenes naturlige pligter mod børnene; så kunne dog politiske årsager tagne af statens velgående og det almindelige bedste, ofte udfordre, at derfra sker en eller anden undtagelse". Men selv om Danske Lov beskyttede børnenes lige arveret, så rummede den dog undtagelser herfra til fordel for dem, der ejede jordegods og ønskede at bevare samme i familien. Han henviste her til 5-2-65 om stamhuse og 5-4-6 om sædegårde. En plantage kunne nok sidestilles med en sædegård.

Hertil kom, at England havde forundt sine egne „sukker-kolonier i America" andre arveregler end i England selv, og derved vist vejen også for os. Reskriptet fulgte Stampes begrundelse: „Omendskønt den Danske Lov, som gælder på de americanske Eilande, ikke tillader dem, der efterlader sig børn, ved testamente eller anden sådan disposition at tillægge det ene barn mere end det andet, men gør alle børnenes arveret lige; og plakat af 20. februar 1717 ej heller giver forældrene noget håb om på de af dem således uden for loven oprettede testamenter at erholde kgl. konfirmation"; så har kongen dog for at imødekomme de særlige forhold og ønsker fundet for godt ikke blot at udstrække „de friheder,

92 *Henrik Stampe*, Erklæringer, Breve, Forestillinger, IV, 565 ff.

som i den henseende er forundt dem, der eje frit jordegods eller en sædegård i Danmark", men tilladt enhver, der ejer plantager at testamentere „plantager med besætning af negre og andet, og al dens tilbehør" til et af sine børn imod, at de andre sikres et vist årligt anstændigt ophold. Her var således klart tale om en rationel generationsskifteordning til gavn for familien, „til familiens conservation og plantagens conservation ved familien", ligesom „enken foruden hendes indbragte, tillægges en vis del af plantagens revenuer til convenable subsistens hendes livstid", d.v.s. en rimelig og anstændig enkeforsørgelse[93].

Til afrunding af spørgsmålet om særbegunstigelse af en arving i generationsskifteøjemed skal kort redegøres for reglerne om *arveforskud, arveforskudskontrakter* og *kollationspligten.* Hvor en gårdejer ønskede at gå på aftægt og samtidig ville gøre endelig op med de arvinger, som ikke skulle have gården, blev det almindeligt at indgå enarveforskudskontrakt. Viggo Bentzen anførte, at sådannearveforskudskontrakter i praksis var langt hyppigere end den afkortning, som måtte følge afarveforskudsreglen i arveforordningens §§ 10-13. Vedarveforskudskontrakten kunne arvelader modtagearveafkald netop for den del af arven, der svarede til den modtagne ydelse, således at der var tale omarveafkald mod vederlag[94].

Kollationspligten, d.v.s. pligten til at føre det i levende live givnearveforskud tilbage til bomassen, hvis man ville tage arv efter arveladeren, blev opfattet strengt i landskabslovene, der byggede på det særlige familiefællig. Endnu i DL 5-4-5 gjaldt ubetinget, at det ligefrem var faderen forbudt at give et barn en livsgave, når han ikke tillige gjorde de andre børn fyldest derimod, mens 5-2-61 hjemlede afkortning på skiftet, hvis han ikke havde nået at sikre „jævnet", jf. Arveforordningen §§ 10-13[95]. 5-2-61 handlede om, at man havde begunstiget en livsarving ved at bekoste en rejse, ved brudeudstyr eller lignende økonomisk begunstigelse. Arveforordningens § 10 byggede på tilsvarende hensyn, f.eks. en betydelig bekostning til videreuddannelse eller for at sætte dem i stand til at komme i en levevej, udvide deres virksomhed eller på anden måde sikre „deres velfærds befordring".

---

93 *Henrik Stampe*, IV, 751 ff. og Reskript af 15. november 1765.
94 *Viggo Bentzon*, 295, 308 ff.
95 *Viggo Bentzon*, 296.

III. Sammenfatning

Reglerne om ægtefællers arveret kan ikke anskues uafhængigt af reglerne om formueforholdet mellem ægtefæller under ægteskabet, som oprindelig var udtryk for en anerkendelse af et arbejdsfællesskab mellem parterne, men som i det 18. og især det 19. århundrede i stigende grad blev kendetegnet ved, at ægtemanden fik en særlig underholds- eller forsørgerpligt over for hustruen, i takt med at han tillagdes den udelukkende rådighedsret over fællesboet.

Den korte redegørelse for forholdene i europæisk ret viser, at der har været et samspil mellem anvendelsen af legale (traditionelle) ordninger og aftaleretlige ordninger, såsom ægtepagts- eller testamentariske ordninger med eller uden kgl. konfirmation eller anden samfundsmæssig accept eller registrering. Hvor de klassiske ordninger på grund af ændrede økonomiske og sociale forhold kunne vise sig uhensigtsmæssige, valgtes ofte de smidigere aftaleordninger, som dog også kunne rumme risici, men som gav mulighed for at begunstige enken (eller forfordele hende). Både danske og fremmede ordninger viser endvidere, at der har været mulighed for at vælge mellem *inter vivos-* og *mortis causa*-ordninger i forbindelse med generationsskifte.

Især forekommer perioden fra omkring den franske revolution og fremefter interessant, når man på både europæisk og dansk grundlag vil vurdere arverettens placering såvel teoretisk som praktisk. Det naturretlige udgangspunkt var, at arveretten opfattedes som en del af ejendomsretten. Derimod var der ikke blandt naturretstænkerne enighed om, hvorvidt både intestatarveretten (familiearveretten) og testationsfriheden kunne betegnes som naturretligt begrundet. De, som afviste dette, henviste de arveretlige forhold, såvel familiearv som testamentsarv, til den positive rets regulering. Her blev det i stigende grad opfattelsen, at arveretten var en del af familieretten. Man betragtede familieforholdet som en social organisme, hvori ethvert medlem som arving havde ret til en andel i familieformuen. Dette familieprincip styrkede kravet om ægtefællearv samt den opfattelse, at fjernere slægtninge kunne udskydes som arvinger. Også testationsfriheden kunne begrundes med familieprincippet, hvorefter faderen havde ret til „at lede og fordele" formuen efter sin bedste overbevisning, men under hensyntagen til princippet om tvangsarv.

I tysk ret kan man finde en modstilling mellem „arveret som formueoverdragelse til næste generation" og „arveret som forsørgelse af den efterlevende". Barbara Dölemeyer kan muligvis have ret i, at disse to arveretlige funktioner har spillet en større rolle for reglernes udvikling end ægteskabsideologier og køns-roller[96].

Hvis man ud fra disse idéer forsøger at redegøre for de arveretlige og generationsskifteretlige forhold i nyere dansk ret, kan man opstille et skema, hvor „generationsskifteproblemet" er det overordnede moment, når der var tale om begunstigelse af en enkelt arving. Forholdet til „de andre arvinger" hører nærmest til „forsørgelsesproblematikken", idet de jo skulle sikres en økonomisk godtgørelse eller lignende i forhold til den mest begunstigede enkelte livsarving. En særlig form for generationsskifte kunne finde sted i forbindelse med visse gårdes overgang til en søskendeflok ved længstlevendes død, hvor der opstod et legalt brødrefællig med en af brødrene som administrator og ansvarlig udadtil.

Begunstigelse af et barn i faderens levende live kunne ofte ske i form af et kontraktretligt forhold, hvori indgik en aftale om ydelse af aftægt, pleje eller underhold til forældrene og længstlevende som vederlag for gården, hvilken købekontrakt dog kunne rumme et væsentligt gavemoment, der kunne gøre aftalen problematisk i forhold til de andre arvinger. De andre arvinger kunne godskrives med tvangsarv eller anden godtgørelse via arveforskudskontrakter (med arveafkald).

Generationsskifte kunne også ske via fæstekontrakt med tilsvarende ret til forsørgelse for forældrene og enken. Hvis ikke generationsskiftet var gennemført i faderens eller forældrenes levende live, kunne det følge af særlovgivning eller testamente. En sådan særlovgivning blev almindelig efter enevældens indførelse med den særlige lenssuccession fra 1671 og reglerne om stamhuse, sædegårde og selvejergårde i Danske Lov eller i senere tilhørende enkeltlove, som f.eks. om de bornholmske selvejergårde. Disse ordninger indeholdt normalt tillige regler om de andre arvingers underhold, forsørgelse, ret til allodialgods og senere til tvangsarv, ligesom der typisk var regler om enkens ret til livgeding.

Reglerne om enkens formueretlige retsstilling udtrykker ved siden af hensynet til, at hun skulle kunne overtage eller på anden måde sikre familieværdiernes bevarelse på een hånd i forhold til de umyndige børn eller i tilfælde af barnløshed tillige et forsørgelsesmoment. Reglerne om enkerettighederne tog herudover også hensyn til et fremtidigt generationsskifte, f.eks. en gårds overførsel til næste generation.

Udover adgangen til det fortsatte fællig, senere uskiftet bo, var aftaleord-

---

96 *Barbara Dölemeyer*, Frau und Familie im Privatrecht des 19. Jahrhunderts,
   649 f. med note 46.

ninger i form af ægtepagt og gensidigt testamente samt ret til fortsættelse af fæsteordning og aftægtsordning gængse. Hvis der var fælles børn, kunne en livsvarig brugs- og nytteret med hensyn til mandens særejejord efter ældre ret komme på tale til forsørgelse af enken og de umyndige børn.

Enken havde i øvrigt krav på det halve fællesbo og en arvelod af ægtemandens anden halvdel ved skifte, og i løbet af 1700-tallet fremkom talrige regler og fundatser om enkekasser, enkepension, livrente og overlevelsesrenter m.v. til fordel for enkerne. Man kunne overveje, om denne udvikling i enkeforsørgelsesmulighederne skulle kompensere for den risiko, der lå i at lade ægtemænd have den fulde råderet og deraf følgende mulighed for misbrug?

GENERATIONSSKIFTE:
Begunstigelse af enkeltarving

I. *Legale ordninger:*	1) Inter vivos:	fledføring
	2) Efter faders død:	særlig succession (len, stamhus m.v.)
	3) Efter enkens død:	fortrinsregler i særlovgivning, brødrefællig
II. *Kontraktsordninger:*	1) Inter vivos:	aftægt, fæste, køb + plejeaftaler (med gavemoment)
	2) Efter faders død:	testamente + arvepagt + (aftægt, fæste)
	3) Efter enkens død:	testamente + arvepagt + (aftægt, fæste)

BEVARING AF FAMILIEFORMUEN:
Begunstigelse af enken

I. *Legale ordninger:*	1) Fortsat fællig/uskiftet bo
	2) Livsvarig brugsret til særejejord
II. *Kontraktsordninger:*	1) Ægtepagter
	2) Gensidige testamenter
	3) Fortsatte fæste- eller aftægtsordninger

· 9 ·
Kvinders formuedispositioner i familie og erhverv

I. Europæisk retsopfattelse af hustruens rådighed inter vivos og mortis causa

1. Engelsk ret

„Property and Status" gik hånd i hånd, således at hustruegenskaben var ensbety-dende med en særlig status, der var underordnet og derfor afhængig af ægteman-den. Manden var hustruens legale værge. Dette betød, at manden ikke blot hav-de kontrol over hendes ejendom, men også over hendes person, for at beskytte hende imod „the danger of unrestrained intercourse with the world –". Manden var både juridisk og moralsk værge med ret til at revse hende, om end ikke fysisk[1].

Ægtemanden hæftede efter ældre ret for hustruens retshandler på markedet til fordel for ham og familien, hvis han enten direkte havde befalet hende at handle eller havde godkendt den efterfølgende. Men hvis han nægtede at ratiha-bere, kunne han ikke pålægges at hæfte, selv om varerne var konsumeret i hans hus. I nyere tid blev det muligt at fortolke hustruens handlinger som „implied agency", og dermed som legitime. Hvis manden havde forladt hende ulovligt eller var forvist, kunne hustruen opfattes som „agent of necessity" med ret til at forpligte ham for retshandler om daglige fornødenheder[2].

Common Law er i nyere historiske og retshistoriske forskning kommet un-

---

1 *Lee Holcombe*, Wives and Property. Reform of the Married Women's Property Law in Nineteenth-Century England, 18 ff., 29 ff.
2 *Inger Dübeck*, Købekoner og Konkurrence, 119-120.

der kritisk vurdering. Nogle har påpeget, at Common Law fastholdt det sakramentale syn på ægteskabet set fra middelalderkirken, mens andre har påpeget, at ægteskabet takket være Common Law betød et profitabelt værgemål for ægtemænd vedrørende hustruens såvel person som formue, og at dette i virkeligheden blot var en afspejling af de økonomiske og sociale realiteter i middelalderen, da Common Law skabtes, et synspunkt der i øvrigt understøttes af det forhold, at ægtemandens kontrol over hustruens ejendom afhang af denne ejendoms natur, idet der var fire formuekategorier og fire forskellige reguleringer af disse: „property in land" og „personal property" (tangible objects other than land) var hovedsondringen, hertil kom de to kategorier, der hverken behandlede fast ejendom eller løsøre, men var en mellemting, der optog dele af begges karakter i sig: „chattels real" og „chattels incorporal".

Der synes at være flere fortolkninger af sondringen mellem „real and personal property". Men det stod fast, at Common Law ydede gifte kvinder en betragtelig beskyttelse af „real property", men ingen beskyttelse af „personal property"[3]. Ægtemanden kunne ikke råde over hustruens „real property" uden hendes samtykke, hvilket viser, at han kun var værge, ikke legal ejer. Enhver disposition over hendes jord krævede fælles optræden af ægtefællerne. Hvis manden handlede alene, kunne der kræves en bod, der dog først efter hans død kunne gøres krav på fra hans besiddelser.

„Personal property", der tilhørte hustruen, hvad enten det hidrørte fra før eller under ægteskabet, var undergivet ægtemandens absolutte rådighed uden hendes samtykke, og hun kunne kun testere derover med hans samtykke. Døde hun før ham, forblev det hans fuldstændige ejendomsret undergivet med udelukkelse af børnene, medmindre der forelå testamente. Paraphernalia, personlige smykker og tøj, kunne han vel råde over under ægteskabet. Men hvis han døde, forblev de hustruens, men kunne dog indgå i hæftelsen for tidligere gæld. Hustruen havde ingen som helst rådighed over mandens „personal property", men opnåede i middelalderen ret til halvdelen af mandens løsøre, hvis hun som enke var barnløs, mens enken med børn havde ret til 1/3 i forhold til børnenes 1/3 og mandens testationsfrie 1/3. Denne sidste andel udvidedes til fuld testationsfrihed for manden, som vedvarede langt ind i det 20. århundrede[4].

Retligt set kunne en gift kvinde ikke indgå kontrakter *i eget navn*, fordi hun ikke kunne forpligte sin formue, der jo var unddraget hendes kontrol. Men siden

---

3 *Lee Holcombe*, 19-20.
4 *Lee Holcombe*, 20-21.

det sene 15. århundrede kunne den gifte kvinde som nævnt efter Common Law indgå kontrakter *i mandens navn og som hans agent eller fuldmægtig*, men dette var ikke en rettighed, der kunne kræves efterlevet ved domstolenes hjælp. Fuldmagten måtte hjemles ved et udtrykkeligt samtykke fra ægtemanden eller være forudsat i det faktum, at ægteparret levede sammen under hendes ledelse af husholdningen. Dette princip, der kan føres tilbage til Henry VIII's tid, gjaldt i øvrigt også mandens datter, søster eller husholderske. Den kvinde, hustru eller anden, der optrådte som fuldmægtig (agent) for ægtemanden, kunne foretage kreditkøb for mandens regning af nødvendige varer til livets opretholdelse, såsom mad, bolig, tøj og lægehjælp samt medikamenter. For at forhindre dette, måtte manden bevise, at sådanne fornødenheder allerede var sikret hende gennem hans betaling, og at han udtrykkeligt havde forbudt hende at købe på kredit, selv om modparten ikke vidste dette. Dette princip modsvares af den også i andre nordeuropæiske retsordeners grundsætning om en almindelig husholdningsfuldmagt for hustruen (mandat domestique, Schlüsselgewalt).

Efter Common Law-systemet gjaldt der ingen forsørgelsespligt for ægtemanden, eftersom mand og hustru var een person. En hustru, som blev forsømt i økonomisk henseende, kunne gøre brug af denne husholdningskompetence til at forpligte manden med hensyn til dagliglivets fornødenheder. Men denne mulighed var kun praktisk for de mere velbjergede, ligesom erhvervslivet kunne være tilbageholdende af hensyn til risikoen for, at manden havde et sikkert modbevis mod den påstående manglende forplejning. Den ældre fattiglovgivning fra 1601 sikrede kun børnenes forsørgelse, mens en gift kvinde først med fattighjælpsloven fra 1834 (Poor Relief Act) kunne få en hjælp, der betragtedes som et lån til ægtemanden[5].

Såfremt ægtefællerne blev enige om en separation, eller en af dem forlod den anden, blev forsørgelsesproblemet akut. Efter Common Law fortsatte ægtemandens ret til at råde over hustruens ejendom og til at oppebære alle indtægter, også selv om det var ham, der forlod hende. Selvfølgelig kunne parterne aftale, at de ville ophæve samlivet, og at manden fortsat betalte hendes underhold. Men sådanne aftaler var ikke gyldige efter Common Law, som ikke anerkendte hustruens retlige evne til at indgå kontrakter. Først efter en Chancery-afgørelse fra 1862 accepterede også Common Law, at sådanne separationsaftaler var bindende.

---

5 *Lee Holcombe*, 27-28, 31.

En mulighed for kvinden var derfor netop at udnytte reglerne om „agency", dvs. hendes ret til at købe til opfyldelse af nødvendige daglige behov. Efter ældre retsopfattelse skulle der foreligge et udtrykkeligt eller stiltiende samtykke fra ægtemanden, og hun skulle føre husholdningen, men retspraksis fra det 18. århundrede fastslog, at hvis hustruen forlod manden „for good cause", eller han forlod hende uden at sørge for hendes fornødenheder, blev hun hans „agent of necessity", altså en slags „negotiorum gestor" med hensyn til at handle i hans navn på kredit med de deraf følgende omtalte bevisproblemer.

En forladt hustru kunne ved de kirkelige domstole kræve genoprettelse af sine ægteskabelige rettigheder, medmindre hun selv havde gjort sig skyldig i utroskab eller grusomhed. Oprindelig udstedtes et dekret til ægtemanden under trussel om kirkelige sanktioner, men fra det 19. århundrede kunne straffen blive fængsel ved de civile, verdslige myndigheder. Sidste udvej for en forladt hustru var på dette tidspunkt som nævnt fattighjælpen[6].

Som tidligere beskrevet udviklede Equity-systemet sig fra 1500-tallet og fremover som et med Common Law rivaliserende system. Hvor Common Law betragtede ægtemanden som hustruens værge og beskytter, betragtede Equity-domstolene sig i almindelighed som de svages og ubeskyttedes værge, såsom hustruer, børn og sindssyge, mens ægtemænd betragtedes som „fjender" med de „exorbitante Common Law-rettigheder". Common Laws opfattelse var udtryk for en middelalderlig opfattelse af ægteskabet, mens Equity Law afspejlede reformationstidens opfattelse af mand og hustru som to forskellige personer. Både Henry VIII og de nye kirkelige trosretninger opfattede ægteskabet som en borgerlig kontrakt. Også økonomisk modsvarede Common Law det middelalderlige feudalsystem, mens Equity Law afspejlede en ændret økonomisk og social virkelighed med et erhvervsliv af voksende betydning[7].

En konsekvens heraf var, at de velhavende såvel jordejere som købmænd ønskede at beskytte deres døtre mod griske ægtemænd og disses Common Law-rettigheder. For at sikre, at formuen ved en datters død vendte tilbage til familien i stedet for at blive hos ægtemanden og hans slægt, søgte man hjælp fra Equity. Her udvikledes et særligt retsinstitut „the trust settlement of property", der opfattedes som private formynder- eller værgeaftaler, der ikke var exegible ved Common Law-domstole. Det var en slags trediemandsaftaler, hvorved ægte-

---

6 *Lee Holcombe*, 31-33.
7 *Inger Dübeck*, Det tostrengede afgørelsessystem i familieretten. En komparativ studie, i: Rett og Historie, 65-72.

manden overlod en ven sin jord, for at han skulle forvalte den til fordel for hans hustru og børn ved hans død. Common Law-domstole opfattede vennen som en ny ejer, mens Lord Chancellor i sin egenskab af varetager af kongens samvittighed over for de svage („keepers of the King's conscience") tillagde disse aftaler gyldighed.

Det, som skete i praksis, var, at Chancery Court tillod oprettelsen af et særeje, „separate property", for gifte kvinder, hvorover de fik rådighed sammen med en formynder, der havde det retlige ansvar for opfyldelsen af ordningens betingelser. For at opnå ret til denne særeje- eller „bosondrings"-aftale, skulle der oprindelig dokumenteres „gode årsager", såsom mandens ødselhed eller separation mellem ægtefællerne. Efterhånden accepteredes enhver trust-aftale for gifte kvinder, således at særejeformue beskyttedes af Kanslerretten såvel imod ægtemanden som mod andre. Dette særeje eksisterede kun, så længe ægteskabet ikke var opløst, fordi det jo skyldtes behovet for beskyttelse mod ægtemandens Common Law-rettigheder[8].

Særejet kunne etableres ved en ægtepagt eller i et testamente eller ved en almindelig kontrakt mellem parten eller mandens og hustruens familier før ægteskabets indgåelse. Men ordningen kunne også aftales mundtligt mellem ægtefællerne efter ægteskabets indgåelse eller derved, at ægtemanden stiltiende accepterede, at hustruen rådede over en del som særeje, i hvilket tilfælde han betragtedes som hendes værge eller formynder (trustee). Også gaver, herunder bryllupsgaver, fra trediemand betragtedes som særeje efter Equity Law.

Testationsfrihed med hensyn til jord erstattede de middelalderlige regler om arvefølge og førstefødselsret for mænd, men en gift kvinde kunne stadig ikke med gyldighed råde testamentarisk over jord. Enkens ret til „dower" i ægtemandens jord forsvandt gradvist, og i det tidlige 19. århundrede ophørte den helt, hvorimod enkemanden stadig havde visse rettigheder over sin afdøde hustrus jord[9].

Hustruens egen rådighed over særeje kunne være fastlagt i det retlige dokument, hvorpå aftalen hvilede. Den kunne omfatte eller udtrykkelig udelukke fast ejendom; den kunne også tillade eller udelukke testation over særeje. En normal begrænsning forbød hende at belægge særejet med gæld eller sælge det. Men fra midten af det 19. århundrede gjaldt denne begrænsning kun, hvis manden var forretningsmand, for at beskytte hustruen mod hans dispositioner og eventuelle

---

8 *Lee Holcombe*, 38-39.
9 *Lee Holcombe*, 34.

konkurs, jf. The Conveyancing and Law of Property Act fra 1881, hvorefter kun Overretten (High Court of Justice) kunne ophæve begrænsninger på særejet, hvis hun samtykkede, og det var „in her best interest".

En hustru kunne også ifølge aftale have helt fri rådighed over særeje uden nogen begrænsninger, og i så tilfælde måtte værgen eller formynderen følge hendes instrukser og krav. Som konsekvens heraf opfattedes hun som fuldmyndig i den forstand, at hun havde fuld rådighed i modsætning til almindelige hustruer under Common Law, og hun kunne derfor indgå alle retligt forpligtende aftaler. Hun kunne indgå aftaler med ægtemanden og oprette testamente uden hans indgriben, og hun kunne drive egen virksomhed uafhængigt af manden og hans kreditorer[10].

Skønt en hustru med særeje således kunne have en væsentlig bedre retsstilling end andre gifte kvinder, var der ikke tale om, at hun opnåede samme status som en mand eller en enlig kvinde. Hun fik en særstatus i forhold til sit særeje, men ikke i øvrigt. Hvis hun påtog sig større gæld, end hendes særeje kunne betale, var hun ikke ansvarlig med nogen anden del af sin formue. Denne mellemstatus synes at ligne lidt den status, som gifte danske kvinder fik efter 1880 i forhold til selverhvervede midler. Hvis en kvinde havde disponeret over særeje, men det var forbrugt på det tidspunkt, hvor aftalen skulle opfyldes, var den at anse som ugyldig efter retspraksis i 1881 og 1887. På samme måde, hvis en hustru påtog sig gælden uden at eje særeje, kunne hun ikke forpligtes til at betale, selv om hun senere erhvervede et sådant.

I samtiden, den viktorianske epoke, blev Equity-muligheden skarpt kritiseret af datidens feminister, fordi dsse undtagelsesregler kun var til fordel for en tiendedel af alle ægteskaber. Det var en ret for de rige, mens de fattige var underlagt andre regler. Man kritiserede også, at de begunstigede kvinder med særeje dog var begrænset i henseende til testamentariske dispositioner. De kunne kun testere over særejet; men hvis de ikke havde særeje på testationstidspunktet, var testamentet ugyldigt. Det samme var tilfældet, hvis de kvantitativt havde overskredet den særejeformue, som de var i besiddelse af på testationstidspunktet, uanset hvor meget de senere måtte erhverve[11].

Under dronning Victoria, som fortjent eller ej, har lagt navn til en gammeldags og snæversynet familieopfattelse, kom ikke desto mindre op imod en snes love om familiens retsstilling, herunder fire, der særligt fokuserede på den gifte

10 *Lee Holcombe*, 41-43.
11 *Lee Holcombe*, 45.

kvindes retsstilling, og andre som vedrørte formueforholdet mellem ægtefællerne, således loven fra 1857, hvorefter den hustru, som ved et judicielt dekret fik separation, eller som opnåede en „protection order", skulle behandles som ejer af enhver formue og indtægt, som hun herefter måtte erhverve. Married Womens Property Act fra 1870 fastslog, at visse formuegoder erhvervet ved lønarbejde eller visse investeringer af hustruen, skulle behandles, som om der forelå en ægtepagt om særeje. Hun blev altså behandlet som „feme sole", ligesom de velhavende kvinder under Equity-systemet. Disse ændringer medførte en række retssager, hvilket var prisen for at udstrække de riges privilegium til alle gifte kvinder[12].

2. Fransk ret

I *Frankrig* skete der et tilbageskridt til retsopfattelsen under „l'Ancien Régime" med hensyn til spørgsmålet om hustruens retsstilling, idet princippet om „l'incapacité de la femme mariée" afløste revolutionstidens tilløb til ligestilling. Dog bibeholdt hun testationsfriheden; men på næsten alle andre områder var der tale om et tilbageskridt. Hun fik begrænset sin handleevne og måtte vedrørende dispositioner *inter vivos* såvel til retserhvervende som forpligtende retshandler have mandens samtykke. Hun var udelukket fra forvaltningen af fællesformuen. Eftersom den ugifte, fuldmyndige kvinde havde såvel handleevne som proceshabilitet, betød ægteskabsindgåelse ligesom i Danmark efter 1857-loven en habilitetsindskrænkning[13].

Efter parisisk kutymeret fra senmiddelalderen havde hustruen en almindelig legitimation til at varetage fælles forretninger, såfremt manden var fraværende, dog kun vedrørende løsøre, ikke vedrørende fast ejendom, hvortil krævedes samtykke fra slægten. Man begyndte også at acceptere bosondringer, hvis ægtemanden var ødsel eller udsatte hustruens dos eller erhvervsindtægter for risiko. Denne legitimation for hustruen begrænsedes i det 16.-18. århundrede bl.a. på grund af indflydelse fra retsteorien, ikke mindst naturretten. Et gennemgående spørgsmål var, om den autorisation eller det samtykke, som hustruen måtte have, skulle være udtrykkeligt eller stiltiende, forudgående eller blot efterfølgende, om det kunne tilbagekaldes, gives af andre, og hvilke følger et manglende samtykke måtte få. Hustruen antoges at kunne gå til en domstol for at opnå en judiciel

---

12 *William R. Cornish*, England, i: Handbuch, III/2, 2267 f., 2273.
13 *Ernst Holthöfer*, Frankreich, i: Handbuch, III/1, 906-907.

autorisation, hvis manden nægtede sit samtykke. Følgen af manglende bemyndigelse var efter ældre ret, at hustruens aftaler som uvirksomme ikke kunne gennemtvinges mod ægtemandens vilje og dermed mod formuefællesskabet, mens den efter yngre teori var nullitet. Efter Code Civil kunne ægtemandens samtykke dog være stiltiende, og hustruens uhjemlede retshandler var kun anfægtelige (art. 225)[14].

Industrialiseringen i Frankrig betød for kvinder i de lavere sociale lag mulighed for deltagelse i erhvervslivet som fabriksarbejdere i tekstil-, metal-, levnedsmiddel- og nydelsesmiddelindustrier ved siden af det klassiske kvindearbejde i andres husholdninger eller i forbindelse med småhandel som torvehandel eller som omløbende sælgersker. Men disse ændringer satte sig ikke spor i lovgivningen før langt ind i det 20. århundrede[15].

Reglerne om den gifte kvinde forblev endnu længe uændret, skønt de var kommet under stærk kritik blandt franske jurister, som påpegede nødvendigheden af at tilbagegive den gifte kvinde sin myndighed. Fra 1907 friholdtes hustruens arbejdsindtægter ligesom hendes særeje fra ægtemandens rådighed og kom under hustruens selvbestemmelsesret. Ægtemandens værgemål ophævedes i 1938, hvor hustruen fik myndighed, mens nye regler om formueforholdet mellem ægtefæller først fremkom i 1965. Holthöfer påpeger i øvrigt, at de Frankrig nærliggende Benelux-lande udviste om muligt større træghed med at lade hustruen opnå myndighed: Nederlandene først i 1956, Belgien i 1958 og Luxembourg i 1972[16].

Efter CC art. 215 og 217 manglede den gifte kvinde proceshabilitet og ret til at disponere over sin formue uden ægtemandens samtykke, uanset hvilken formueordning, der var i ægteskabet. I forhold til trediemand var hun stillet som en mindreårig. Denne grundregel måtte ikke tilsidesættes af en ægtemand, eftersom det ville være i strid med fransk „ordre public". Der kunne således ikke være tale om at udstede en generalfuldmagt til hustruen, bortset fra når det gjaldt hans særeje. Dog var hustruens uautoriserede dispositioner ikke nulliteter, men anfægtelige i forhold til manden, hustruen selv eller deres arvinger. Hustruen genvandt kun sin fulde juridiske habilitet, når hun med ægtemandens samtykke handlede som selvstændig i en profession, art. 220.

Hustruens retsstilling i øvrigt var afhængig af ægtefællernes formueordning.

---

14 *Inger Dübeck*, Købekoner og Konkurrence, 120, 128-130.
15 *Holthöfer*, 908-910.
16 *Holthöfer*, 915-917, 928-929, 972-973.

Herskede der formuefællesskab i ægteskabet, havde manden rådigheden over såvel fællesformue som hustruens personlige formue. Hvis hun derimod havde særeje som følge af en bosondringsordning eller levede efter dotalregimet med hensyn til paraphernalia, kunne hun selv disponere over sin formue og oppebære afkast og frugter, art. 1536 og 1576, men hun måtte ikke give gaver uden mandens samtykke, art. 906.

Formuefællesskabet var legalt, således at det indtrådte automatisk, hvor der ikke forelå ægtepagt eller særlig kontrakt, og det medførte mandens fulde rådighed uden nogen kontrol ligesom i Danmark. Således var langt størstedelen af de franske ægteskaber under „régime de communauté". Det medførte, at alle retlige handlinger, også banale dagligdags retshandler, skulle autoriseres af manden med den følge, at man i praksis måtte udvikle teorien om „mandat domestique tacite", husholdningsfuldmagten, (Schlüsselgewalt), som tillod hustruen at foretage dispositioner til almindelig daglig husbehov. Teorien var allerede kendt under „l'Ancien Régime", men blev nu genoplivet.

Franske jurister havde ligesom danske i det 19. århundrede forklaringsproblemer omkring hustruens påståede manglende myndighed. Spørgsmålet var begge steder, om denne umyndighed alene var skabt i ægtemandens interesse eller også for at beskytte hustruen. Code Civils fædre havde på grundlag af elementer i den ældre tradition udformet en regel om hustruumyndighed, som var særdeles nyttig for ægtemænd[17]. I Danmark nøjedes man med Ørsteds fortolkning af nogle bestemmelser i Danske Lov til at opnå samme effekt. Ørsted kan tilmed have følt sig bestyrket i sin tolkning af Danske Lov ved sine studier af den dengang helt nye Code Civil.

3. Tysk ret

I den nyeste retshistoriske tyske forskning om kvinders retsstilling indtager spørgsmålet om ægtemandens værgemål for hustruen selvsagt en vigtig plads. I værket „Frauen in der Geschichte des Rechts" fra 1997 omhandler mindst 8 afhandlinger denne problemkreds.

En del af forklaringen herpå skal nok søges i de tyske territoriers historisk betingede retlige forskelligheder ikke mindst på ægteskabs- og familierettens område. Det er kompliceret at skabe overblik og en vis samling. Et forsøg derpå

---

17 *Bernard Schnapper*, Autorité domestique et partis politiques, de Napoléon à de Gaulle, i: Zur Geschichte des Familien- und Erbrechts, 182-183.

gøres dog af den erfarne kvindehistoriske forsker, Ernst Holthöfer, i artiklen „Die Geschlechtsvormundschaft. Ein Überblick von der Antike bis ins 19. Jahrhundert" (s. 390-451). Han opstiller et landkort over de nordeuropæiske staters forhold til det særlige kvindeværgemål for tiden omkring 1815, hvor de nye kodifikationer, Code Civil, ABGB og ALR, var med til at opsplitte de enkelte territorier. Han sondrer mellem forskellige territorier med forskellig selvstændighed for kvinder og begynder med de områder, hvor alle kvinder var selvstændige eller myndige (en række landområder fra Østersøen og sydpå til Bayern), hvor „jus communes" kvinderetlige principper dominerede. Dernæst følger områder, hvor alle kvinder vel var selvstændige, men gifte kvinder underlagt en *begrænset* „*cura maritalis*", hvilket især forekom i Østrig. Derefter fulgte områder, hvor ugifte kvinder var selvstændige, men gifte uselvstændige og underlagt *almindelig* „*cura maritalis*". Dette var tilfældet, hvor fransk og preussisk ret dominerede. En variation var områder, hvor ugifte var selvstændige, men savnede proceshabilitet, mens hustruer var helt uselvstændige (*begrænset „cura sexus", almindelig „cura maritalis"*), især hvor sachsisk ret dominerede, og sluttelig anføres de områder, hvor alle kvinder var uselvstændige, gifte som ugifte *fuld „cura sexus" og „cura maritalis"*) som følge af særlig lovgivning). Her fremhæves Danmark, Pommern, Østeuropa, Sydvesttyskland og Schweiz[18].

I sit bidrag om det tyske „Geschlechtsvormundschaft" ønskede den amerikanske historiker David W. Sabean at fremhæve, at reglerne herom og deres ophævelse skyldtes indflydelse fra praktikere fra det 18. og 19. århundrede. Og for at forstå, hvorledes dette retsinstitut virkede i konkrete situationer, måtte man efter hans mening beskæftige sig med de familiedynamiske ændringer og den måde, hvorpå familierne sluttede alliancer med hinanden[19].

Indledningsvis påpegedes den noget selvmodsigende holdning i nyere tids doktrin, hvori alle fremhævede den gifte kvindes „svaghed" og „eftergivenhed" samtidig med, at de undtog købekoner fra reglerne om kønsformynderskabet. En række enkeltlove undtog ligeledes retshandler om løsøre eller lettede hustruens adgang til disse dispositioner. Ejendomsoverdragelser til fordel for en gift kvinde kunne have retskraft, selv om kvinden havde handlet uden mandens samtykke. Heller ikke hustruens retshandler med forældre og børn krævede man-

---

18 *Ernst Holthöfer*, Die Geschlechtsvormundschaft, i: Frauen in der Geschichte des Rechts, 432-437.

19 *David Warren Sabean*: Allianzen und Listen: Die Geschlechtsvormundschaft im 18. und 19. Jahrhundert, i: Frauen in der Geschichte des Rechts, 460-479.

dens tilladelse. Normalt betragtedes gifte kvinder ikke som svage eller eftergi-vende i forhold til andre mennesker, herunder udenforstående, men alene i for-hold til ægtemanden. Derfor havde efter Sabean det særlige procesværgemål for gifte kvinder til formål at begrænse eller beskære ægtemandens overmægtige autoritet (s. 461). Procesværgen var normalt en mand fra hustruens egen familie, en far, onkel eller bror, som hun selv valgte, men som beskikkedes af en dommer i retten. Han varetog alle hendes store og vanskeligere økonomiske transaktioner som en kurator eller rådgiver, ikke som værge.

Ægtemandens almindelige værgemål gav ham ret til at forvalte *husets* formue uanset formueordning og betød en beskyttelse af *hustruens* formuerettigheder. Men oftest blandedes disse to positioner sammen, idet han som hustruens værge havde ret til som hendes repræsentant og i hendes navn at udføre retshandler, som hustruen omvendt ikke kunne foretage over egen ejendom uden mandens samtykke. Hertil kom, at ægtemanden tillige havde ret til at forvalte hustruens ejendom som led i den almindelige beføjelse til at forvalte fællesmidler, selv om denne beføjelse ikke medførte ret til at forpligte hendes ejendom uden hendes samtykke eller bruge den som kreditgrundlag for egen gæld (s. 463).

Retsteorien i det 18. århundrede vurderede betydningen af dette specielt tyske „hustru- eller procesværgemål" forskelligt. Når det optog så relativt stor plads i både lovgivning og teori, må det have haft sammenhæng med, at formue-forholdet mellem ægtefæller i Tyskland fortsat mange steder byggede på en for-modning om (fuldstændigt eller delvist) særeje med afvigende former for ægte-mandsforvaltning og delvise fælligformer[20], mens f.eks. i Danmark Danske Lov indførte det fuldstændige formuefællesskab, der afskaffede det legale særeje. En særskilt hustruværge kom ikke her på tale, og tanken herom fik, som vi så, Ørsted til at protestere skarpt. Ægtemanden blev hendes husbond og værge. Lovbogen satte ham til at varetage alle hendes økonomiske interesser, medmindre hun und-tagelsesvis havde særeje fra trediemand og et deraf følgende selvstændigt værge-mål.

I det 18. århundredes tyske teori herskede delte meninger om det særlige procesværgemål over gifte kvinder. Nogle så det som en garanti mod ægteman-den til beskyttelse af hustruens retspersonlighed, mens andre opfattede reglerne herom som årsag til en sump af fortolkninger med henblik på omsætningsfor-hold. Blandt de første var især naturretstænkere, der opfattede mænd og kvinder som ligestillede fornuftsvæsner. Reglerne skyldtes efter dem en uheldig påvirk-

---

20 *David Warren Sabean*, 476 f.

ning fra romerretten. Kvinder havde imidlertid efterhånden lært at udnytte systemet til egen fordel via manipulation og kunstgreb, der dokumenterede, at de ikke var svage. Systemet var desuden uheldigt, fordi det fremkaldte talrige retssager, hvor ægtefællen forsøgte at få kendt hustruens transaktioner ugyldige. I realiteten var kvinderne hele tiden, trods reglerne om procesværgemålet, selvstændige retssubjekter med rettigheder og pligter, og ikke mindreårige eller utilregnelige (s. 468-471).

Den anden gruppe ville finde en afskaffelse af procesværgemålet problematisk, hvis man ikke ændrede vægtforholdet i familien og reglerne om forvaltning af familieformuen. Det ville betyde et totalt svigt af hustruen, og hun ville helt være underkastet ægtemandens skalten og valten og vilkårlighed. Procesværgemålet betød for denne gruppe en sikring af hustruens „uafhængighed", hvilket er vanskeligt at forstå for en nutidig tankegang. Men man må huske på, at det altid var muligt at gå til domstolene for at få en beskikket værge. Fra kritikerside mente man, at den vellejanske senatsbeslutnings gyldighed for tysk ret burde afskaffes som forudsætning for afskaffelsen af dette procesværgemål. Da det endelig lykkedes, skyldtes det dog ikke mindst, at man (= ægtemænd) ønskede, at hustruens formue skulle kunne stilles som sikkerhed for mandens gæld (s. 471-473).

De af Sabean udvalgte repræsentanter for det 18. århundredes teori karakteriseredes nærmere således, at den første gruppe var optaget af almindelige økonomiske problemer og specielt kreditgiveres forhold. For dem havde det været vigtigt at finde en retlig ordning, hvor familieformuen var en retlig enhed underlagt enhedsforvaltning (som i Danmark). Men konsekvensen blev, at man derved havde skabt en retskultur, hvori hustruer ved bedrageriske manipulationer forvirrede deres ægtemænd og satte hele kreditsystemet i fare. Først da antallet af konkurser i kølvandet af den økonomiske krise i de første årtier af det 19. århundrede blev en realitet, begyndte man at arbejde på det særlige hustruværgemåls afskaffelse.

Den anden gruppe byggede på en opfattelse af magtforholdenes dynamik i familien og de kulturelle erfaringer. Den troede ikke, at ægtemænds og hustruers interesser udgjorde en ideal enhed, men at begge hver især søgte egen fordel. Når lovgivningen tilsikrede ægtemanden en betydelig autoritet over hustruens ejendom og person, behøvede hustruen ritualiserede regler til sikring af sin handlefrihed. Netop den klassiske værgemålsalliance mellem hustruen og hendes familie beskyttede imod den deformering af hendes retsstilling, som den fremadskridende kapitalisme fremkaldte (s. 473-474).

II. Europæisk retsopfattelse vedrørende selverhvervende hustruers rådighedsret

1. Engelsk ret

I *engelsk* Common Law gjaldt – som allerede omtalt ovenfor – siden det 15.-16. århundrede, at hustruen kunne optræde i ægtemandens navn som hans „agent", men at denne ret udsprang af mandens udtrykkelige eller stiltiende samtykke. Dette var upraktisk, hvis en hustru ønskede at kunne indgå kontrakter i eget navn i forbindelse med en næring eller handel, som hun drev på egen hånd og adskilt fra hans virksomhed. Helt tilbage til middelalderens købstadforhold havde det været almindeligt at behandle sådanne gifte kvinder på lige fod med ugifte („femes soles"), der var tillagt sådan rådighed. Hvis hustruen ønskede at handle selvstændigt, måtte ægtemanden efter praksis fra det 17. århundrede enten ansøge om næringstilladelse for hende eller dog ved sin adfærd vise, at han accepterede dette. Men hustruen kunne også opnå en offentlig bevilling via „a protection order or a decree for judicial separation". Ægtemanden kunne efter Common Law kræve hustruens løn eller fortjeneste udbetalt. I yngre ret synes dette kun accepteret, hvis hustruen måtte anses for at være mandens „agent". Omkring det 19. århundrede forsvandt denne særbehandling eller begunstigelse af erhvervsdrivende hustruer. Hustruen blev nu forhindret i at indgå i nogen form for partnerskab, eller hvis hun tidligere var indtrådt, måtte hun nu udtræde. Reglerne om mandens samtykke skærpedes, hvis hustruen ville drive selvstændig næring[21].

Med Married Women's Property Act fra 1870, hvorefter selverhvervede midler blev „separate property", pålagdes sådanne selverhvervende gifte kvinder at hæfte på samme måde som enlige med „separate property"-midler[22].

2. Fransk ret

Både ifølge ældre og yngre kutymeretlige regler og praksis i Paris kunne hustruen udøve selvstændig næring med ægtemandens samtykke, jf. art. 235 i Nouvelles Cotumes de Paris, hvorefter der sondredes efter, om ægtemanden var indblandet i hendes næring, eller om hustruen havde omdømme („reputée")

---

21 *Inger Dübeck*, Købekoner og Konkurrence, 178-180; *Lee Holcombe*, 27-28.
22 *Inger Dübeck*, 180.

som „marchande publique", fordi hun handlede adskilt fra ægtemanden og hans virksomhed. Vi finder her atter en sondring mellem, om hustruen var medhjælper („agent"), eller om hun var selvstændig. Var hun blot medhjælper i mandens næring, kaldtes hun ofte „preposé ordinaire", dvs. en slags fuldmægtig eller kommissionær efter romerretlige „*institor*"-synspunkter. „Institor" var efter D 14, 3, en slags forretningsfører, der efter juristen Ulpian kunne være mand eller kvinde, fri eller slave. Betegnelsen institor brugtes bl.a. om „circitores", omløbende sælgere, eller sælgere på bestemte steder („certum locum") for en bager eller andre handlende.

I revolutionstidens ret opretholdtes adgangen for gifte som for ugifte handelskvinder til at handle selvstændigt, mens Code de Commerce art. 4, jf. Code Civil art. 220, krævede samtykke fra ægtemanden, for at hustruen kunne være selvstændig, men den gamle stadsretlige sondring mellem selvstændige og medhjælpende hustruer opretholdtes[23].

3. Tysk ret

Lige fra middelalderen kunne tyske kvinder købe og sælge til husholdningsbrug inden for et vist maksimumsbeløb. Efter yngre retsopfattelse kunne en gift kvinde generelt ansætte kvindeligt tyende, købe levnedsmidler, tøj til sig selv og børnene, linned, køkken- og husholdningsredskaber og sælge, hvad hun ikke havde brug for til husførelsen. Disse beføjelser omtalte Mevius som „*oeconomica administratio*".

Uden for husførelsen var hustruen normalt afskåret fra at disponere over fælles midler, medmindre der forelå en nødssituation som mandens sygdom eller hans fravær af længere varighed, hvor hun efter yngre ret kunne foretage salg af enkelte formuegenstande, inkassere mandens fordringer, overtage gæld og optræde i retten vedrørende fællesforhold. Fra det 18. århundrede krævedes oftest en interimsværge for hustruen. Efter yngre teori, der forudsatte hustruens umyndighed, kunne ægtemanden dog ved en udtrykkelig viljestilkendegivelse forudgående eller efterfølgende legitimere hustruens retshandler. Ægtemanden kunne kræve en af hustruen uden hans vilje afhændet genstand tilbageleveret mod at betale tilbage, hvad den havde kostet[24].

23 *Inger Dübeck*, 180-183.
24 *Inger Dübeck*, 120-123, 130.

Et særligt problem, som jeg i sin tid fremhævede i min disputats om „Købekoner og Konkurrence", og som også skal tages op i denne sammenhæng, er, om der var andre forhold end de snævre familiehensyn, som kunne begrunde en udvidelse af kvinders almindelige rådighedsret med hensyn til fællesmidler. Sagt på en anden måde, om der bag de almindelige formueretlige regler i nyere retsudvikling kunne tænkes at ligge nogle særlige omsætningshensyn, der kunne tilsidesætte ikke blot familieretlige, men også patriarkalske ægtemandsinteresser i konkrete konfliktsituationer? Jeg tænker her især på forekomsten af enkelte kontraktsforhold, hvori dels kvinders *købe*transaktioner snarere end deres *afhændelses*transaktioner kunne accepteres, og dels om der var særlige kontraktsformer, som f.eks. trediemandsretshandler, der gjorde det lettere for kvinder at optræde. Mens familieretten jo opstillede de „indre" spilleregler, som afgrænsede kvinders adfærd i familiesammenhænge, udgjorde formuerettens regler, herunder de obligationsretlige regler om enkelte kontraktsforhold, „ydre" spilleregler, hvor kvinder blot betragtedes som kontrahenter på lige fod med mænd[25]. Nogle af disse retsforhold har desuden betydning for afgrænsningen mellem hustruens funktion som medhjælper (agent) eller fuldmægtig for ægtemanden i forhold til funktionen som selvstændig købekone.

I tysk stadsretspraksis udvikledes et princip om en såkaldt „Empfangshaftung", som gjorde enhver hustru til købekone i den konkrete situation. Den hustru, som købte en vare uden at være særlig bemyndiget dertil og modtog den, hæftede for det modtagne og fik derved beføjelse til at videresælge varen, jf. Hamborg Stadsret 1270, IX, 13. Hvis hun handlede således og blev offentligt kendt derfor, indtrådte de særlige regler om købekoner. Det køb, som hustruen foretog uden ægtemandens samtykke, kom slet ikke ind under hans herredømme, hvis han ikke på en eller anden måde bagefter indtrådte i købet og derved selv blev skyldner. Derfor kunne hustruen også videresælge tingen uden hans samtykke. Yngre teori synes at have gjort gyldighedsproblemet afhængigt af, om hustruen havde købt løsøre og faktisk havde betalt det, måske som udtryk for en pengeregel. Den samme opfattelse fandtes i fransk ret. Havde hun ikke betalt ved købets indgåelse, havde hun ikke pligt til at betale; men havde hun betalt, var retshandlen gyldig[26].

Både ældre retspraksis fra Lübeck og den nordtyske teoretiker David Mevius fastholdt en sondring mellem den blot medhjælpende hustru og den selvstæn-

---

25 *Inger Dübeck*, 141-142.
26 *Inger Dübeck*, 168-169.

dige „Kauffrau". Der skulle klare beviser til, før retten accepterede en gift kvinde som formueretligt selvstændig i forhold til ægtemanden, hvis hun normalt fremtrådte sammen med ham i handelsforhold. Mevius afviste således, at den person kunne være handlende som kun udøvede hverv som „institorum seu servorum"; men det var ikke nødvendigt, at en selvstændig handelskvinde handlede i egen person. Hun kunne også handle via en fuldmægtig. Efter nyere teori fra 1700-tallet var det derimod en betingelse, at hustruen afsluttede handler i egen person og for egen regning eller i eget navn for at kunne betragtes som selvstændig[27].

Nyere tysk lovgivning, jf. ALR II, 1, § 195, fastholdt kravet om, at hustruens aktiviteter som selvstændig erhvervsdrivende var afhængig af mandens udtrykkelige eller stiltiende samtykke, ligesom tilfældet var efter Code Civil. Når ægtemandens stiltiende samtykke eller passive adfærd kunne udgøre den tilstrækkelige privatretlige hjemmel for hustruens selvstændige næring, måtte det i praksis, hvis der savnedes offentligretlige regler om autorisation i form af næringstilladelse eller lignende, fremkalde retssager til afgørelse af, om en hustru i en konkret situation med rette eller ej, kunne opfattes som en „Kauffrau", der var løst fra de særlige kvindebeskyttende regler om gældshæftelse og som følge heraf havde almindelig rådighedsret og hæftelsespligt inden for sin næringsudøvelse.

Generelt havde gifte kvinder efter almindelige stadsretlige borgerskabsregler beføjelse til at handle offentligt fra hjemmet eller på torvet som en ret afledt af mandens borgerskab. Det, som gjorde forskellen mellem den „private" borgerhusmor, der købte varer til husets behov eller solgte hjemmeavlede produkter til glæde for familiens økonomi, og den egentlige „Kauffrau", var, ud over mandens præsumptive samtykke, det *offentlige omdømme* som en handlende, der havde ret til at forpligte sig selv og fællesformuen langt ud over den almindelige hustrulegitimation eller såkaldte „Schlüsselgewalt". Hvis en sådan „Kauffrau" levede i almindeligt eller dog begrænset formuefællesskab, måtte dette hæfte (i hvert fald subsidiært) for hendes forpligtelser, ligesom hendes overskud tilfaldt dette. Ægtemandens samtykke var tillige et samtykke til at implicere fællesboets hæftelse.

Hvor der intet formuefællesskab var, men forskellige former for særeje med eller uden mandens fællesforvaltning, forpligtede den selvstændigt handlende hustru sit særeje og forøgede dette med de selverhvervede midler. Under sådanne særejeordninger antoges samtykket at betyde, at manden gav afkald på sin

---

27 *Inger Dübeck*, 184-188.

administratorkompetence, og at hustruens formuemasse blev helt udskilt således, at hun havde særråden og særhæften.

Efter yngre retsopfattelse antoges den næringsdrivende hustru at hæfte med hele sin formue, uanset om hun drev næring på grundlag af særeje eller med en formue underlagt mandens rådighed. Hun hæftede personligt. Efter ALR II, 1, § 337, hæftede ægtemanden personligt og solidarisk med hustruen, hvis hun ikke havde forbeholdt indtægterne for sig selv i tilfælde, hvor der forelå formuefællesskab[28].

III. Dansk retsopfattelse vedrørende hustruers rådighedsret

1. Hustruens legitimation eller bemyndigelse

I min disputats fra 1978, „Købekoner og Konkurrence"[29], byggede jeg på en hypotese om, at ældre ret (fra senmiddelalder til 18. århundrede) opfattede voksne kvinder som myndige med begrænset rådighedsret, når det gjaldt dispositioner over formuefællig og fast ejendom, som var særeje, mens udviklingen især takket være teori og administrativ praksis fra det 19. århundredes begyndelse og frem til det 20. århundrede omvendt medførte et skred i opfattelsen, hvorefter voksne kvinder ansås for i det hele at være umyndige, skønt man accepterede forskellige rådighedsmuligheder.

Ligesom det er fremgået af beskrivelsen af europæiske forhold, kunne hustruen råde over fællesmidler eller særeje, hvor det var særlig lovhjemlet eller som følge af en særlig bemyndigelse fra ægtemanden. Det fulgte af enkelte regler allerede i landskabs- og stadsretlige love, men Danske Lov gav med 5-1-13 en særlig legitimationsregel, som gav hustruen ret til at forpligte fælliget med ægtemandens „villie og videnskab" eller, såfremt han var forhindret, hvis det skete til „fælles nytte og uomgængelig fornødenhed". Den svarede således til det andetstedsfra kendte retsprincip om „mandat domestique", „Schlüsselgewalt" eller det engelske „implied agency" og „agency of necessity".

Forarbejderne til DL 5-1-13 afslørede en vis usikkerhed, men også et slutte-

---

28 *Inger Dübeck*, 188-190.
29 *Inger Dübeck*, 74-77, 100 f.

ligt bevidst ønske om at begrænse hustruers rådighed så meget som muligt i forhold til hendes hidtidige handlefrihed. Reglen kom derfor til at fremtræde som en stramning af hustruens mulighed for at råde over fælliget. Det slås fast, at ægtemanden ikke hæftede, hvis en bemyndigelse fra ham ikke, udtrykkelig eller stiltiende, kunne bevises, eller hvis nødvendigheds- eller negotiorum gestio-kravene ikke var opfyldt[30]. En logisk konsekvens af den omfattende husbondmagt, Danske Lov tildelte ægtemanden som enerådig og nærmest reel ejer af samejet var, at han til gengæld ansås som havende forsørgelsespligt. Logikken heri skulle vise sig, efterhånden som ønsket om udvidet rådighed for hustruen fremførtes: Så længe alene manden havde forsørgerpligt, måtte han alene have rådigheden.

I teorien fra begyndelsen af det 19. århundrede kan Hurtigkarl opregnes som exponent for den ældre opfattelse, hvorefter hustruens „umyndighed" var lig med en begrænset rådighedsret over fællesmidler, men ikke egentlig umyndighed. Der kan også her henvises til Hesselberg, som i sit „Juridisk Collegium" fra 1763 fremhævede, at man ikke med rette kunne sige, at „koner aldeles ej kan indgå kontrakter", selv om manden er boets og hustruens værge". Han understregede, at hensynet til manden kun gjaldt, hvor der herskede fuldstændigt formuefællesskab mellem ægtefællerne, ikke hvor hustruen havde særeje. „Thi DL 5-1-13 som viser, hvem der må indgå kontrakter, betager ikke hustruen denne ret mere, end en myndig søn, som kontraherer om sit eget, men siger alene, at manden ej ved slig ham ubekendt kontrakt kan forpligtes". Hans konklusion var, at hustruen vel må kontrahere, men at det var sikrest, hvis hun havde sin mands samtykke.

Hurtigkarls kommentator, A.S. Ørsted, var den jurist, der klarest erkendte det nye århundredes behov i økonomiske og formueretlige forhold, og som bevidst anlagde en tolkning af reglerne om hustruen, der fratog hende den begrænsede myndighed, bl.a. med støtte i 5-1-13, hvorom han udtalte, at hverken en fuldmægtig eller en negotiorum gestor behøvede at være myndig, og at hustruens myndighed ergo ikke kunne støttes på denne bestemmelse. Dette resultat stemte smukt overens med opfattelsen i engelsk ret og i Code Civil, samt i flere tyske ordninger, som han havde et grundigt kendskab til[31].

Den yngre mere systematiserede juridiske teori i det 19. århundrede henviste spørgsmålet om det særlige værgemål for hustruen til Famlierettens fremstilling af reglerne om ægteskabets retsvirkninger i stedet for at behandle det sam-

---

30 *Inger Dübeck*, 110-112, se også 127 og 167 om hustruens rådighed over egne midler.
31 *Inger Dübeck*, 115-119.

men med de øvrige værgemålsregler, hvorved det jo erkendtes også for dansk rets vedkommende, at hustruværgemålet, „cura maritalis", retligt set var noget andet end almindelige værgemål. I sin personretlige fremstilling af enkers retsstilling inddrog A.W. Scheel spørgsmålet om betydningen af faktisk samlivsophævelse og separation for gifte kvinder og fremhævede, at disse koner havde samme myndighed som enker. Han henviste i denne sammenhæng også til forordningen om forligskommissioner af 10. juli 1795, der betragtede den gifte kvinde som myndig og fuldt beføjet til at forhandle med manden om separationsvilkår og til at indgå aftaler med manden herom for forligskommissionen, selv om disse vilkår normalt omfattede formueretlige forhold[32]. Det blev langsomt vanskeligere at begrunde hustruens umyndighed, hvor samfundsudviklingen forventede hendes selvstændige stillingtagen.

Hustruens uberettigede råden over boets formue medførte normalt ugyldighed efter DL 5-3-8 og 10. Noget tilsvarende gjaldt ikke for manden, idet hustruen ikke kunne gøre noget ansvar gældende mod ham, hvis han disponerede over den fælles formue alene til egen fordel, dog kunne hustruen få beskikket en særlig værge, hvis det kom til retssag mellem parterne, eller manden selv mistede sin habilitet.

Hvis manden på grund af ødselhed eller sindssygdom fik beskikket en værge, måtte værgen tage hensyn til hustruens interesser i fortsat at kunne varetage vigtige opgaver for familien, såsom bestyrelse af boets ejendele (bortset fra kapitaler og værdipapirer), og til at indkræve boets fordringer. Efter ældre kancellipraksis kunne konen få bevilling til selv at råde over hele boet, men det var i det 19. århundrede ikke længere muligt.

Var manden forsvundet, kunne hustruen få beskikket en værge, der nærmest fungerede som kurator, således at hustruen bestyrede boet med hans samtykke. Denne kurator kunne ikke optræde på egen hånd og forpligte hustruen, der altså også her betragtedes som myndig og i besiddelse af en vis rådighed, måske nærmest som en mindreårig mellem 18 og 25 år. I denne situation ansås hun heller *ikke* for bundet til reglerne i 5-1-13, selv om hun ikke kunne kautionere eller afhænde fast ejendom, medmindre der var tale om en nødsituation. Hvis manden var fraværende men med sikkerhed i live, var hun derimod bundet af 5-1-13, dog kunne hun også i denne situation få beskikket en værge til hjælp[33].

---

32 A.W. *Scheel*, Personretten, 1876, 121, 207 f.
33 A.W. *Scheel*, Familieretten, 1860, 624-627.

I normale ægteskabelige samlivsforhold, hvor hustruen havde mandens udtrykkelige samtykke til at forpligte boet, måtte hendes retsakter bedømmes efter de almindelige formueretlige regler om fuldmagt. Reglen om „fælles nytte" og „nødssituationer" kom normalt kun i brug, hvor manden på en eller anden måde var fraværende, og hvor hustruen måtte træffe beslutninger på boets vegne, f.eks. fornyelse af huslejeforhold[34].

I slutningen af det 19. århundrede begyndte teorien at blive mindre negativ med hensyn til spørgsmålet om hustruens myndighed. Således udtalte Deuntzer, at vel forbød 5-3-9 hustruen at afhænde sit særeje på egen hånd, men at man ikke heraf kunne slutte, om den af denne grund nødvedige omstødelse af retshandlen skyldtes inkompetence (mangel på rådighedsret) eller egentlig umyndighed. Danske Lov udelukkede kun hustruen fra at råde over boet, „men hermed var det i og for sig vel foreneligt, at hun var myndig i formueretlig henseende, så at hendes retshandler var gyldige og forbindende for hende selv personligt". Efter denne mere på fornuft, end på ideologi, baserede overvejelse fulgte dog en tidstypisk (rets)politisk bemærkning. „Sagen er imidlertid sikkert den, at lovgiveren har betragtet det som en selvfølge, at hustruen ligesom efter den ældre ret er umyndig, idet myndighed for hendes vedkommende – ville savne et fornuftigt øjemed eller endog være til hendes skade, når hun dog mangler rådighed over sin formue". Og det tilføjedes, at det „lige fra lovbogens tid" har været „fast antaget", at hustruen er umyndig i formueretlig henseende. Ja, det havde været „antaget" af jurister og af ægtemænd siden Ørsted, men tiden var ved at løbe ud for denne praktiske „antagelse". Lov nr. 53 af 7. maj 1880 § 1 *begrænsede mandens rådighed* over, hvad hustruen under ægteskabet erhvervede ved selvstændig virksomhed, eller over hvad der bevisligt var anskaffet for sådant erhverv. Loven indeholdt således en undtagelse fra reglen om mandens enerådighed over fællesboet og fra reglen om hustruens tilsvarende mangel på rådighed derover.

Deuntzer måtte erkende, at det ikke nødvendigvis fulgte af hustruens mangel på *rådighed* over sin formue, at hun også var *umyndig*, men at det omvendt var en nødvendig følge af den nye rådighedsret, „at hun for så vidt er myndig". Disse overvejelser blev nedfældet i lærebogen fra 1892[35]. I Personretten udtalte Viggo Bentzon, at hele den historiske udvikling omkring en gift kvindes myndighed synes „at have fulgt det princip, at hustruens myndighed burde holde trit

---

34 *A.W. Scheel*, 1860, 170, 173 ff.

35 *J.H. Deuntzer*, Den danske Familieret, 1892, 133-142; *Viggo Bentzon*, Personretten, 1916-1918, 63-64.

med hendes rådighed (over hendes særeje eller en del af fællesboet). Herfor taler også det hensyn, at en myndighed, der går ud herover, er praktisk uheldig ...“

I næste udgave af „Den danske Familieret“ fra 1899 tager Deuntzer hensyn til den nye ægteskabslov fra 1899, der i realiteten blot kodificerede gældende ret. Efter § 11 havde ægtemanden fortsat alene rådighed inter vivos over fællesboet, men da § 10 fastslog hustruens myndighed, „er det klart, at den omtalte sætning alene indeholder en indskrænkning i hustruens kompetence, men ikke i hendes habilitet“.

Et nyt retsinstitut kom ind i 1899-loven, idet § 28 gav hustruen adgang til at forlange bosondring, hvis mandens forvaltning af boet medførte tab for hustruen. Den ved 1880-loven tilkomne ret for hustruen til rådighed over selverhverv fastholdtes. § 11 indeholdt den særlige beskyttelse af hustruens medrådighed over en del af fællesboet, idet manden herefter ikke uden hendes samtykke kunne afhænde, pantsætte eller på usædvanlige vilkår overdrage brugsrettigheder over fast ejendom, om hvilke adkomstdokumenter oplyser, at de er indført i fællesboet af hustruen, eller afhænde værdipapirer m.v. indført af hende og lydende på hendes navn. Loven indførte desuden forskellige erstatningsregler vedrørende mandens skadelige forvaltning af hendes formue[36]. DL 5-1-13 gjaldt fortsat, eftersom manden jo fortsat havde rådigheden over fællesboet. For at hustruen skulle kunne forpligte fællesboet (bortset fra sit selverhverv), skulle det ske med mandens vilje og viden, eller såfremt dette ikke var muligt da ud fra et nødvendigheds- og nyttesynspunkt, jf. 1899-lovens § 13.

Hvis mandens viden og vilje forelå, blev han forpligtet, selv om der ikke forelå en egentlig fuldmagt, og uden hensyn til om hun optrådte i eget eller i mandens navn. Såfremt medkontrahenten vidste, at hun havde en fuldmagt fra manden eller handlede efter 5-1-13, kunne hun alligevel ikke selv blive ansvarlig, selv om hun påtog sig ansvaret frivilligt, medmindre overøvrigheden gav samtykke dertil, jf. § 15. Men hvis medkontrahenten ikke vidste noget om, at hun handlede på mandens vegne, blev hun tillige selv forpligtet. Derfor omfattede 5-1-13 også de retshandler, som manden ikke selv kunne indgå, nemlig hendes aftaler om personligt arbejde eller aftaler i hendes selverhverv. Mandens samtykke var kun nødvendigt, hvor retshandlen skulle gøres gældende mod ham og boet[37].

---

36 *J.H. Deuntzer*, Den danske Familieret, 1899, 139-152.
37 *J.H. Deuntzer*, 1899, 152-154.

Allerede kort tid efter 1899-lovens fremkomst toges spørgsmålet om ægteskabets retsvirkninger, herunder rådighedsretten, op til fornyet behandling, denne gang på nordisk basis. Familieretskommissionen afgav Udkast til Lov om Ægteskabets Retsvirkninger i 1918, som kom til at danne grundlag for loven af samme navn fra 1925, som i alt væsentlig stadig er gældende ret. Udkastets §§ 12-14 byggede dels på DL 5-1-13 dels på praksis og teori fra det 19. århundrede omkring fuldmagt og negotiorum gestio. Det fremhævedes, at det på grundlag af 5-1-13 opbyggede „hustrudømme" på den ene side gennem praksis havde givet hustruen en „ret betydelig dispositionsfrihed", men at 5-1-13 ved at bygge på mandens formodede vilje på den anden side medførte, at manden ved udtrykkelig at forbyde hustruen at disponere og ved at kundgøre dette forbud for andre, f.eks. i dagspressen („Ingen må betro min hustru noget i mit navn, da sådant ikke bliver betalt"!), kunne berøve hustruen hendes „naturlige ret" til at handle „inden for sin virksomhedsfære", hustrudømmet. Denne risiko var imod lovens intenderede ligestilling mellem ægtefællerne. Derfor ønskede man at give hver af ægtefællerne beføjelse til på begges ansvar, og uden udtrykkelig eller stiltiende bemyndigelse fra den andens side, at repræsentere fællesboet og binde den anden ægtefælle.

Beføjelsen ønskedes begrænset til at gælde, hvor ægtefællerne levede sammen, uanset om den ene var bortrejst på grund af ferie eller forretningsrejse. Men det skulle være retshandler med husholdningens tarv for øje eller børnenes fornødenheder. Derfor blev det også gjort til en betingelse, at trediemand var i god tro med hensyn til retshandlens indhold (husholdning eller børn og ikke noget ekstraordinært eller overflødigt). Men forslaget indeholdt også en særregel for hustruen til på kredit at skaffe sig, hvad hun behøvede til sit særlige behov på begges ansvar, mens en tilsvarende begunstigelse ikke blev indført for mandens vedkommende.

Med § 14 i Udkastet ønskede man at kodificere det almindelige princip i såvel dansk som fremmed ret om den ene ægtefælles varetagelse af den anden ægtefælles interesser, hvis denne var forhindret i selv at tage vare derpå, altså „negotiorum gestio-princippet". Reglen skulle supplere reglerne i forordningen om borteblevne af 11. september 1839 § 7[38].

---

38 Udkast til Lov om Ægteskabets Retsvirkninger, 1918, 81-92.

2. Ægtepagter m.v.

A.S. Ørsted drøftede i forbindelse med reglerne i DL 5-1 om kontrakter i almindelighed spørgsmålet om hustruens rådighed og mulighed for ved sin medunderskrift at påtage sig en formueretlig forpligtelse, hvilket han afviste. Han erkendte, at en medunderskrift kunne være af vigtighed i forbindelse med dokumenter af testamentarisk karakter eller kontraktmæssige dokumenter, der skulle træffe afgørelse om fælles ejendele efter dødsfald. Han accepterede derfor, at hustruen kunne opnå en særlig rådighed på grundlag af en gyldig ægtepagt eller andre lignende dispositioner, samt at ikke blot den fraskilte hustru, men også den hustru, som lå i separationsforhandlinger, men endnu ikke var formelt separeret, kunne handle selvstændigt. Betryggelsen vedrørende sidstnævnte lå deri, at aftaleresultatet, vilkårsaftalen, blev sanktioneret af øvrigheden, når separationen bevilgedes[39].

Yngre teori behandlede problemet om hustruens råden mere indgående end Ørsted, måske fordi de sociale og økonomiske forudsætninger i sidste halvdel af 1800-tallet havde ændret sig i forhold til første halvdel, og fordi problemet politisk blev mere påagtet med det voksende krav om kvinders emancipation.

3. Mortis causa-dispositioner

Efter Danske Lov havde kun husbonden og enken almindelig testationskompetence, mens hustruens ret var begrænset. Ved en Kancelliskrivelse af 1802 og via praksis blev testationskompetencen efterhånden fastlagt således, at enhver der havde fornuftens brug og var fyldt 18 år havde testationskompetence, en opfattelse der blev nedfældet som gældende ret i arveforordningen af 1845 §§ 21 og 24. Dog fastholdt § 29 begrænsningen af hustruens testationskompetence, så længe hun „levede i ægteskab med børnenes fader", idet hun ikke kunne gøre nogen forandring i børnenes arveret efter hende uden faderens samtykke; men når han var død, kunne hun foretage lige så mange dispositioner, som han havde villet kunnet, og hun kunne træffe bestemmelse over friarven, også til fordel for en livsarving. Hvis hustruen ikke havde børn med ægtemanden, behøvede hun ikke hans samtykke[40]. Selv om hustruen savnede rådighed over sin formue eller

---

39 *A.S. Ørsted*, Haandbog, V, 87-89.
40 *Fr. Chr. Bornemann*, Foredrag over den danske Arveret, 1864, 168-173; *T. Algreen-Ussing*, Haandbog i den danske Arveret, 148-149, 161.

dele deraf, så længe ægteskabet varede, betød det ikke, at hun helt savnede rådig-hed derover *mortis causa*, medmindre dette var særligt bestemt i et testamente eller gavebrev.

Man kan i denne periode se en udvikling i retning af flere ønsker om rimelig selvbestemmelsesret for kvinder og om ligestilling af børn, hvilket bl.a. doku-menteres af kgl. resolution af 4. juli 1800, hvorefter Kancelliet tillodes at udfær-dige en række personretlige og familieretlige bevillinger *ad mandatum*, jf. § 2, der omhandlede konfirmation af testamenter og ægtepagter, myndigheds-bevillinger for ugifte kvinder, bevillinger til at sidde i uskiftet bo for enker samt bevillinger til at „børn må gå lige i arv". Der henvises i en fodnote i Fogtmanns Reskripter (VI Del, 10. Bind, s. 661, note d) til forordningen af 23. maj 1800, hvorefter visse bevillinger, der hidtil blev udstedt af Kancelliet, skulle anses for unødvendige, således at man kunne nøjes med at søge dispensation hos øvrighe-den ud fra et ønske om at lette befolkningen for tidsspilde og betydelige omkost-ninger. Kancelliet var efter 1800-resolutionen bemyndiget til at meddele bevil-ling til lige arv for børn, hvis ansøgningen fra begge forældrene omfattede hele arven; søgte kun den ene, den længstlevende, gaves kun bevilling til arven efter denne. Adgangen til at give bevillinger omfattede også bedsteforældre i forhold til børnebørn.

I praksis var der således skabt mulighed for at lade børn være arveretligt ligestillede. Den jyske stænderforsamling havde i 1840 ønsket, at det skulle gæl-de generelt, at kvinder fik lige arveret, men Kancelliet var modstander, og troede at vide bedre „hvad der var stemmende med en national tænkemåde og med familiens tarv", hvorfor lighed kun accepteredes i sidelinien. Blandt begrundel-serne for at opretholde forskelsbehandlingen var, at sønnerne havde behov for flere midler til deres fremtidige virke, og at man i almindelighed i folket ønskede „at conservere formuen der, hvor familienavnet vedbliver"[41].

Efter forfatningsændringen kom spørgsmålet om ugifte kvinders retsstilling op i Rigsdagen i 1857, hvor både næringsloven og de to lovforslag om ugifte kvinders myndighed og om lige arv for mænd og kvinder blev behandlet sam-men ikke mindst takket være Orla Lehmanns indsats. Det blev under fremlæg-gelsen af arvelovsforslaget af Justitsminister Simony fremhævet, at den mulig-hed, som arveforordningen af 1845 ved § 2, jf. § 15, havde åbnet til at forbedre døtres arveretlige stilling, der nærmest havde haft karakter af et eksperiment, havde vist sig at blive hyppigt anvendt, idet forældre ofte lod døtre gå lige i arv.

41 *T. Algreen-Ussing*, 48-50.

Derfor troede ministeriet, at den „nationale tænkemåde" var tilstrækkeligt forberedt til at gennemføre en reform, der forlængst var gennemført i næsten alle europæiske stater[42].

IV. Dansk retsopfattelse af selverhvervende hustruers rådighedsret

1. Teori og praksis

Talrige retskilder fra senmiddelalderen og nyere tid viser, at kvinder i købstæder rent faktisk har haft status som næringsdrivende og har levet deraf sammen med familien. Også stik og genremalerier fra det 18. og 19. århundrede, skillingsviser („Amagermo'r") og litteratur fortæller, at danske kvinder har haft sociale og økonomiske forhold, der må have lignet forholdene blandt deres europæiske medsøstre. I Danmark som i de øvrige omtalte lande i Europa kunne ægtemanden ved sit samtykke bemyndige hustruen til at forpligte fællesformuen, også i næringsforhold, jf. 5-1-13. Men adgangen havde været lettere og smidigere, hvis man havde opretholdt reglen i 4-1-10 i forarbejderne til Danske Lov. 4-1-10 havde følgende ordlyd: „Hvis og befindes, at husbonden får nogen viden om, at hans hustru uden hans vilje tager (sælger), borger og låner, og han ikke gør til tinge forbud på, at ingen i de måder med hende skal handle, da bør han selv dertil at svare". Med bortfaldet af 4-1-10 bortfaldt også muligheden for en særlig privatretlig regulering af købekoners specielle rådighedsret via Danske Lov[43].

Ægtemanden kunne dog efter 5-1-13 tillade hustruen at optræde som selvstændig handelskvinde eller næringsdrivende eller vælge blot at udnytte hendes arbejdskraft i sin egen virksomhed som uselvstændig medhjælpende hustru, der eksempelvis solgte hans produkter fra hjemmet eller værkstedet, på torvet eller på markedet. Som følge af sin husbondmyndighed og rådighedsret over fællesboet kunne manden også befale hende at tjene ekstra til familiens opretholdelse i de sociale lag, hvor småhandel har kunnet bidrage væsentligt til familiens eksistens. I tiden indtil 1880-loven om hustruens rådighed over selverhverv, antog

---

42 *Inger Dübeck*, Kvinders retlige status i det 19. århundredes privatret, i: Årbog for Kvinderet, 82 f.
43 *Inger Dübeck*, Købekoner og Konkurrence, 110-112.

praksis, at hvis en hustru drev næring i eget navn, var det sket med mandens billigelse, hvis de levede sammen. Samtykket kunne være stiltiende eller udtrykkeligt og kunne udledes præsumptivt af hans passivitet. Hun var dermed beføjet til på egen hånd at indgå alle de kontrakter, som var nødvendige til næringsvejens drift, endog køb på kredit, men ikke til optagelse af pengelån, fordi det var manden, og ikke hustruen, der forpligtedes personligt[44]. Man møder således i dansk ligesom i hanseatisk ret det problem, at man set udefra ikke i det konkrete tilfælde kunne bedømme, om en hustru optrådte som blot medhjælpende hustru eller selvstændig ifølge stiltiende samtykke, medmindre der forelå en offentlig bevilling.

Hvor et udtrykkeligt, skriftligt samtykke forelå, var bevisproblemet mindre og måtte bedømmes efter de almindelige regler om fuldmagt. Hvis en hustru i eget navn drev en særlig næringsvej, forudsatte reglerne i det 19. århundrede, at dette skete med mandens samtykke, idet han kunne hindre sin hustru i at udnytte en ellers tildelt offentlig bevilling eller et næringsbevis, der gav hende en personlig rettighed til at drive næring, jf. næringsloven af 29. december 1857 § 7.

Om de retshandler, som konen afsluttede i forbindelse med sin næringsvirksomhed, forpligtede hende selv personligt, afhang af næringens art. A.W. Scheel sondrede mellem, om der var tale om en næringsdrift, der kunne udøves uden bemyndigelse fra det offentliges side og tilfælde, hvor sådan bevilling eller offentlig bemyndigelse til at drive næring krævedes og var opnået. I første tilfælde, måtte spørgsmålet besvares benægtende, idet det forhold, at manden samtykkede i hustruens næring, ikke kunne gøre „forandring i lovens regler om konens umyndighed" (skønt denne umyndighed var en teoretisk konstruktion).

I tilfælde af en offentlig autorisation antog Scheel, at det måtte komme an på, om man i almindelighed kunne antage, at en bemyndigelse til næringsdrift til en umyndig medfører, at den umyndige kan forpligte sig selv ved de til næringsdriften hørende retshandler, hvilket efter Scheel måtte besvares benægtende. Hvad andre umyndige angik, kunne de ikke forpligte andre end sig selv, hvorimod konen, der jo handlede med mandens samtykke og forpligtede ham efter 5-1-13, ikke for at udnytte bemyndigelsen til næringsdrift behøvede at kunne forpligte sig selv[45].

---

44 *Inger Dübeck*, 200.
45 *A.W. Scheel*, Familieretten, 1860, 170-173.

I det 19. århundrede opstod der iblandt privatrettens teoretikere en slags doktrin omkring næringsbevillingers betydning for myndigheden. Udgangspunktet var, at en umyndig ugift kvinde ved en kgl. myndighedsbevilling kunne blive stillet som mindreårige mænd mellem 18 og 25 år med kurator eller som fuldmyndig, d.v.s. som egen værge. Kgl. bevillinger udfærdigedes via Kancelliet, efter 1848 af Justitsministeriet. Problemet, som drøftedes, var, om kgl. bevillinger eller andre offentlige tilladelser til at drive *næring* kunne få indflydelse på myndigheden. I sin renhed drøftedes især problemet, om *ugifte* kvinders næringstilladelse også kunne få betydning ved fortolkningen af *gifte* kvinders næringstilladelser[46].

Christian E. Hertz udtalte i sine kommentarer (fra 1839-1842) til DL 3-17-35, at bevilling til „et ugift fruentimmer til at drive borgerlig næring sætter hende i klasse med mindreårige efter 3-17-35, så at hun på egen hånd kan forbinde sig ved de til hendes næringsdrift nødvendige handlinger". Han støttede sig på en Lands-Over- samt Hof- og Stadsretsdom fra 1827, der antog, at en kgl. bevilling udstedt ad mandatum af Kancelliet til at drive modehandel måtte antages at medføre bevilling til at handle i overensstemmelse med 3-17-35. Ørsted var af den opfattelse, at værgen måtte forudsættes at have givet samtykke, og at en øvrighedshjemmel ikke kunne have mindre virkning end en kurators samtykke efter 3-17-35, og at det var ret absurd at give en næringsadkomst, hvis man ikke formueretligt kunne udnytte den. Synspunktet var også udtalt i en anordning om næringsdrift i de dansk-vestindiske besiddelser fra 6. september 1853 § 5, der udtalte, at bevillinger til detailhandel eller småhandel tillige skulle anses for at indeholde meddelelse af den fornødne personlige myndighed til „med forbindtlighed at afslutte kontrakter, som stod i forbindelse med næringsbrug".

I Personretten fra 1876 gik A.W. Scheel hårdt i rette med denne doktrin, blandt andet fordi alene myndighedsbevillinger var kgl. bevillinger udfærdiget i Justitsministeriet, mens næringstilladelser udstedtes af øvrigheden, som efter hans mening ikke kunne tildele en person myndighed. Hvis en næringsbevilling var givet ved kgl. bevilling, ville han ikke betvivle, at den kunne rumme en udvidelse af myndigheden, men ikke når der var tale om bevillinger, som forholdt sig tavse om myndighedsspørgsmålet. Normalt var kgl. næringsbevillinger udstedt via Indenrigsministeriet, som savnede magt til at dispensere fra myndighedslovgivningen. Kun hvis de to ministerier blev enige, ville han mene, at en deraf

---

46 *Inger Dübeck*, 255-257; *A.W. Scheel*, 170-173.

følgende næringsbevilling kunne ændre umyndigheden, såfremt det var udtrykkeligt udtalt i selve bevillingen[47].

Som nævnt mente Scheel, at selv om hustruen måtte have en bevilling eller anden bemyndigelse fra det offentlige til at drive næringen, medførte det ikke, at hun kunne forpligte sig selv ved de til næringen hørende retshandler. Han fastholdt derfor den opfattelse, at en sådan næringsbemyndigelse i almindelighed ikke ændrede en foreliggende umyndighed. Hvis sidstnævnte imidlertid accepteredes, burde det efter hans mening også gælde for den gifte kvinde, selv om der måtte opstå tvivl, fordi almindelige umyndige ved at handle i eget navn ikke forpligtede andre end sig selv, mens konen, der jo måtte have mandens samtykke til sin næring, derfor efter 5-1-13 forpligtede ham. Dermed mente han også at kunne afvise argumentet om, at en bemyndigelse af adgang til næringsdrift kun havde mening, hvis hun også kunne bruge den i praksis, ikke holdt stik, idet hustruen som allerede omtalt faktisk godt kunne bruge sin næringstilladelse uden at forpligte sig selv[48].

2. 1880- og 1899-lovene

Der kan næppe herske tvivl om, at så snævre betingelser for den selverhvervende hustru netop i 1870erne, der var præget af en økonomisk og social udvikling, der i højere grad end hidtil lagde vægt på kvindernes deltagelse, må have været en medvirkende faktor ikke blot bag fremsættelsen af forslaget til lov om gift kvindes rådighed over selverhvervede midler, som fremkom i 1878, men også til lovens vedtagelse i Rigsdagen. Lovens fader og forslagsstiller Frederik Bajer var dog især motiveret af sociale hensyn og særligt af det såkaldte „arbejderspørgsmål". Det var ikke den velhavende hustrus ønske om rådighed over egen formue, men den fattige fabriksarbejderskes rådighed over egen lønindtægt, som var hans anliggende, og derfor kunne justitsministeren med god samvittighed berolige rigsdagsmændene og andre ægtemænd med, at loven næppe ville få praktisk betydning (for dem)[49]. Der er nok heller ingen tvivl om, at den engelske „Women's Property Act" fra den 9. august 1870 om, at gifte kvinders selverhvervede midler skulle blive deres „separate property", var en slags forbillede. Under parlamentsdebatten udtalte jarlen af Shaftesbury til House of Lords, at

47 *A.W. Scheel*, Personretten, 1876, 180-190.
48 *A.W. Scheel*, Familieretten, 172-173.
49 Rigsdagstidende, Folketinget 1879-1880, 2064 ff.

han troede, at denne lov ville blive en af de største sociale velsignelser, som no-
gensinde var bragt ved lov. I øvrigt forbedredes den engelske lov som tidligere
omtalt i 1882 ved en tilføjelse om, at alt, hvad en kvinde erhvervede ved arbejde,
arv, gave m.v., skulle være legalt særeje, hvorover hun alene kunne råde *inter
vivos* og *mortis causa* på samme måde, som havde hun været ugift, og uden
længere at skulle være afhængig af en trustee, jf. Married Women's Property Act
af 18. august 1882 §§ 1-5[50].

Under 2. behandling af forslag til lov om gift kvindes rådighed over, hvad
hun erhvervede ved selvstændig virksomhed, fremsatte Viggo Hørup og O.
Christensen et ændringsforslag, som dels gik ud på at ændre lovens titel til „lov
om den gifte kvindes formueretlige stilling", og dels at supplere det oprindelige
formål til også at omfatte rådigheden over hustruens særeje og indtægterne deraf
samt gaver, der fra trediemand betros hustruen til egen rådighed. Endelig øn-
skede de at indføre en regel om bosondring i tilfælde, hvor ægtefællernes samliv
faktisk var hævet, med den følge at hustruen skulle have samme retsstilling som
en frasepararet hustru. Hørup gav dette forslag en munter retshistorisk kompa-
ration med på vejen, hvor han vittigt fremstillede den situation, som den ellers
myndige *ugifte* kvinde bragte sig selv i ved at gifte sig, idet hun straks *blev* umyn-
dig. Vielsen blev et umyndighedsdekret. Han sammenlignede også den nygifte
kvinde med en afdød person, som manden straks havde arvet og med en fledfø-
ring eller slave[51].

Efter den muntre optakt beskrev han de lovændringer, som havde forbedret
den ugifte kvindes retsstilling og forholdene i fremmed ret og nævnte i denne
forbindelse netop den engelske 1870-lov, inden han gik i gang med at begrunde
sit ændringsforslag. Bag forslagets § 3 om bosondring og hustruens stilling som
separeret lå blandt andet det synspunkt, at når der „faktisk ikke længere består
noget ægteskab, da skal der heller ikke bestå noget formuefællesskab".

I tilslutning til § 1 om særejesituationen påpegedes, at det normale var, at
hustruen ikke havde rådighed over sin egen særformue, selv om nogle domme
havde accepteret dette, såfremt der forelå en antenuptial ægtepagt, der netop
tilsigtede denne virkning. Men da det forekom tvivlsomt, i hvilket omfang disse
domme kunne bruges på andre sager, og da teorien, som vi jo har set, urokkeligt
har fastholdt, at manden er konens værge, også når hun har særformue, ønskede
han at få præciseret hustruens rådighedsret ved en klar lovbestemmelse.

50 *Inger Dübeck*, 64.
51 *Inger Dübeck*, Kvinders retlige status i det 19. århundredes privatret, i: Årbog for Kvinderet,
    68 f.

I forbindelse med omtalen af § 2, der udvidede det oprindelige lovforslag, som alene omfattede selverhvervede midler, fremsatte han den kritik, at det på den ene side ville give hustruen rådighed, men på den anden side ikke, som efter den engelske lov, ville gøre de således erhvervede midler til særeje, men fastholdt dem som formuefællesskabsmidler. Dette var selvmodsigende og urimeligt, fordi det jo fortsat var meningen, at hustruen ikke måtte råde over fællesskabsmidler, hvorfor forslaget, hvis det blev vedtaget, ikke ville få praktisk betydning. Den gældende ordning havde dog den fordel i henseende til omsætnings- og kreditforhold, at der aldrig var tvivl om, at en fordring på ægtemanden kunne gøres gældende mod fællesboet[52].

Justitsminister Nellemanns optakt var heller ikke uden lune og afspejlede vel også enighed med Hørup om, at det gældende system, hvor ægtemanden ukontrolleret kunne skalte og valte, kunne lede til „store misbrug og megen uret mod konen". Heroverfor måtte man dog erindre mandens forsørgelsespligt over for hustruen. Til de enkelte bestemmelser i lovforslaget bemærkede han først til § 3, at i Sverige kunne en hustru kræve bosondring, hvis manden havde forladt hende. Som § 3 var formuleret, ville den give hustruen ret til at forlange bosondring, når hun selv havde forladt ham, hvilken uhyrlighed han belyste med malende eksempler. Forslagets § 1 fandt han nærmest overflødigt, fordi det allerede var muligt via ægtepagter at træffe en sådan beslutning. Derimod mente han, at der kunne være grund til at ophæve kravet om kgl. konfirmation på ægtepagter, der indgås før ægteskabet, men det ville kræve selvstændig lovgivning om ægtepagters tinglysning som gyldighedsbetingelse over for trediemand.

Også tilføjelsen om gaver i § 2 fandt han overflødig efter gældende ret, som accepterede, at gaver kunne gives med den klausul, at hustruen selv kunne råde derover. Forslaget om at lade hustruens selverhvervede midler være særeje afvistes med en særegen form for billighedsbetragtning, nemlig at (den i alle henseender retligt begunstigede) ægtemand følgelig måtte kunne kræve det samme, hvad konen på ingen måde ville være tjent med. Nellemann påpegede i øvrigt selv et svagt punkt ved den gældende ordning, nemlig manglende udtrykkelige regler om hustruens ret til f.eks. at indgå ægtepagter efter ægteskabets indgåelse. Han afsluttede neutralt med at foreslå spørgsmålet sendt i udvalg, hvis tinget fandt, at sagen burde drøftes nærmere[53].

Forslagsstilleren til det oprindelige lovforslag, Frederik Bajer, var stærkt kri-

---

52 Rigsdagstidende, Folketinget 1879-1880, 2064-2079.
53 Rigsdagstidende, Folketinget 1879-1880, 2079-2091.

16. Wilhelm Bendtz har med sit billede af den waagepetersenske familie fastholdt den borgerlige guldalderfamilie, der samles omkring faderen og sønnen med den lidt tilbagetrukne moder med det yngste barn. Vi genfinder den samme komposition som i „Den hellige familie", blot med den forskel at den milde patriarkalske fader og barnet er de centrale skikkelser. Billedet, der er malet i 1830, hører hjemme i den periode, hvor den gifte kvinde vel nød en vis respekt, men havde meget få rettigheder i forhold til ægtemandens formueretlige dispositioner.

Familien Waagepetersen, Wilhelm Bendz, 1830, 100 × 89 cm, Statens Museum for Kunst, København, foto: DOWIC Fotografi.

17. En fremmed træder ind hos de hjemme-
værende kvinder og børn i det borgerlige
hjem. Det ser ud som om, det er bedstemode-
ren, der rejser sig for at modtage gæsten, som
åbenbart vækker bekymring. Tiden er
1880'erne, hvor mange forandringer i sam-
fundet fandt sted. I den borgerlige familie
blev hjemmet kvindernes domæne. Den gifte
kvindes forbedrede retsstilling på det formelt
juridiske plan medførte få ændringer i de ma-
terielle livsvilkår.
Uventet besøg, Ilya Efimovich Repin, 1884-
1888, 161 × 168 cm, Tretyakov Galleri, Mo-
skva, © The Bridgeman Art Library, London.

18. Registreret partnerskab blev indført ved en lov fra 1989, der i vidt omfang giver registrerede partnere samme retsstilling, som ægtefæller har efter ægteskabslovgivningen. Registrerede partnere af samme køn behøver ikke at være homoseksuelle for at opnå lovens særlige betingelser, men i praksis har loven især fået betydning for homoseksuelle. Folkekirken har ikke vedtaget noget kirkeligt ritual specielt for registrerede partnere, men mange præster foretager gerne efter anmodning en kirkelig velsignelse af disse. Sognepræst Leo Thomsen velsigner et lesbisk par i Mariendals Kirke på Frederiksberg, 1994, POLFOTO/Kim Agersten.

tisk over for ændringsforslaget som helhed og truede dem, der kunne tænkes at stemme for § 3, med eksemplet fra „Et Dukkehjem" med ordene: „Alle „Dukkehjem" ville jo falde ind herunder" (sp. 2093). Hvad han især tænkte på fremgik ikke, men mon ikke det var den skræmmende tanke, at Nora gik sin vej, overlod børnene til manden og sagde nej tak til hans forsørgelse. At en sådan Nora skulle kunne kræve bosondring har været en rædselsfuld tanke.

I et senere indlæg (sp. 2102) understregede Hørup, at det ikke var ligegyldigt, om hustruens ret til at råde over sit særeje udtrykkeligt skulle betinges i den konkrete situation, eller om „det følger af sig selv" med hjemmel i en lov. Hustruer ville selvsagt meget hyppigere opnå denne råderet, når den var en simpel følge af, at der var særeje. Under de senere forhandlinger kom Hørup ind på det overordnede problem, at betingelsen for at ægteskabet skulle vedblive med at være en lykkelig institution „alene bestod deri, at konen ikke kan forlade sin mand uden at miste, alt hvad hun ejer og har" (sp. 2119). Hørups og O. Christensens forslag endte efter en lang og ophedet debat med at blive forkastet med 3/4 mod 1/4 med den følge, at det oprindelige lovforslag vedtoges og overgik til tredie behandling.

Ingen af de drøftede problemer om hustruens almindelige retsstilling fik betydning for den endelige lov, nr. 53 af 7. maj 1880, om gift kvindes rådighed over, hvad hun erhverver ved selvstændig virksomhed, der i øvrigt senere blev indarbejdet i 1899-loven. Men grundprincippet om særråden og særhæften blev fastlagt i § 1 om, at hustruen over sådanne bevisligt ved selvstændig virksomhed erhvervede midler alene havde ret til at råde i levende live uden mandens eller en værges samtykke, ligesom mandens kreditorer ikke uden hendes samtykke i hendes levende live kunne søge fyldestgørelse for hans gæld, jf. lov nr. 75 af 7. april 1899 om formueforholdet mellem ægtefæller § 27. Ved 1899-lovens §§ 3-7 indførtes regler om tinglysning af forægteskabelige ægtepagter og om kgl. konfirmation af ægtepagter indgået under ægteskab. Reglen i DL 5-1-13 om hustruens retshandler til familiens husbehov opretholdtes. Med § 21 sloges det fast, at hver ægtefælle havde rådighed over sit særeje, medmindre denne råden ved særlig bestemmelse var henlagt til overformynderiet eller andre. En særlig beskyttelsesret for hustruen indførtes ved reglerne i §§ 28-30 om bosondring i tilfælde af mandens misbrug og vanrøgt af fællesboet, eller hvis manden ulovligt ophævede samlivet. Vi kan se, at man på de knapt 20 år havde bevæget sig frem imod det ideal, Hørup havde opstillet i sit lovforslag og endog videre på enkelte punkter. Men ikke langt nok. Efter yderligere 20 år skulle man omsider vove at tage skridtet fuldt og indføre (næsten) fuld ligestilling, også formueretligt.

3. Forudsætningerne for 1925-loven om ægteskabets retsvirkninger

Var det korrekt, når Hørup i Folketinget i 1879-1880 udtalte, at „man skal have vanskeligt ved nogetsteds i verden at påvise et land, hvor lovgivningen er ugunstigere mod den gifte kvinde, eller jeg tør sige, så ugunstig mod den gifte kvinde som den danske lovgivning" (sp. 2069). Var dette korrekt, og gjaldt det fortsat efter 1899-loven? I bemærkningerne til udkastet til Lov om Ægteskabets Retsvirkninger fra 1918 gives en kort oversigt over formueordninger i de øvrige europæiske lande, hvor fransk og tysk ret blev karakteriseret ved deres valgmulighed mellem flere ordninger, og mulighed for ægtepagtsbeslutninger, der tilsigtede større rådighed, også i tilfælde af formuefællesskab. Om engelsk ret sagdes blot, at der i 1882 indførtes fuldstændigt særeje, som trådte i stedet for den ordning, der gav manden fuldstændig enerådighed over ægtefællernes samlede formue[54]. Det fremhæves tværtimod, at man ikke i Norden kunne finde „nogen væsentlig vejledning i den måde, hvorpå de nyeste love har ordnet disse forhold andetsteds, thi man har her vedblivende forfordelt hustruen stærkt".

Lovudkastet ønskede at bibeholde formuefællesskabet, men kun som delingsnorm på skifte, mens rådigheden under ægteskabet havde samme fordel som en særejeordning, dvs. særråden og særhæften for hver af ægtefællerne, således at man ikke længere kan tale om et „fællesbo" under ægteskabet, men først når de beholdne midler efter gældens betaling skal deles i to lige store boslodder ved skifte i anledning af ægteskabets ophør. Derfor blev der ikke længere brug for en særregel om rådighed over selverhvervede midler. Man ønskede endvidere at fastholde muligheden for ved ægtepagt eller ved arv og gave fra trediemand at indføre særeje.

Den nye gældshæftelsesordning, hvorefter begge ægtefæller skulle hæfte med hver sin formue, for hver sin gæld og alene for den (s. 154), ville for manden betyde, at han, hvor han hidtil havde haft det samlede fællesbo som grundlag for sine dispositioner, bortset fra hustruens selverhverv, for fremtiden måtte nøjes med at behæfte sin egen formue og erhvervsindtægt.

Lovudkastet indførte også vedrørende de daglige fornødenheder for ægtefæller og børn, at hustruen for fremtiden blev solidarisk ansvarlig med manden for sådanne forpligtelser, som tidligere omhandledes i 5-1-13, og for hvilke

---

54 Udkast til Lov om Ægteskabets Retsvirkninger, 112 ff.

manden tidligere alene hæftede. Det var ikke uden betænkelighed, at man anbefalede denne løsning, fordi den „væsentlig kunne medføre en forbedring af de hustruers retsstilling, som indfører noget i ægteskabet". For de øvrige, de fattige hustruer, betød reglen en pålæggelse af et videregående gældsansvar (s. 150). For at imødegå problemer for den fattige hustru valgte man at indføre en særlig kort forældelse på 1 år af hustruens solidariske ansvar (s. 160), ligesom hustruen fik særlig ret til at foretage retshandler til fyldestgørelse af sit særlige behov på kredit med den særlige solidariske hæftelse.

V. Sammenfatning

Hver for sig gik udviklingen i de behandlede nordeuropæiske retsområder i retning af større rådighed for en gift kvinde, men indtil slutningen af 1800-tallet forløb den især via ægtepagter, testamenter, gaver eller på anden måde, f.eks. via bevillinger, og selvfølgelig også som følge af nogle ægtemænds velvilje og samtykke. Men det var alt i alt kun ad hoc-løsninger, ikke generelle, lovhjemlede rettigheder. Fra 1870 og fremefter indledtes der, især i England og Skandinavien, en udvikling omkring den selverhvervende hustrus rådighedsret over egne indtjente midler. Men vi skulle i Danmark have overstået følgerne af den Første Verdenskrig i form af økonomiske, sociale og kulturelle omvæltninger, herunder indførelse af almindelig valgret for kvinder og almindelig ret til ansættelse i offentlige tjenestestillinger og hverv for kvinder, før danske politikere var modne til med lov nr. 56 af 18. marts 1925 at give gifte kvinder en så god formueretlig retsstilling, at loven, ikke mindst efter Anden Verdenskrig, da langt flere gifte kvinder søgte ud på arbejdsmarkedet, skulle vise sig så velegnet, at den i det væsentlige er uændret frem til i dag for så vidt angår disse rådigheds- og hæftelsesregler.

Vedrørende synet på hustruens myndighed må det erkendes, at dansk ret klart lå på linie med de her omhandlede landes ret i 1800-tallet. Således byggede såvel engelsk ret som Code Civil på princippet om hustruens *umyndighed* og på forestillingerne om, at hustruen normalt kun kunne optræde som fuldmægtig (agent) for ægtemanden (med udtrykkeligt eller stiltiende samtykke). Der var i teorien afvigende meninger, om man begrundede den særlige hustruumyndighed med princippet *cura maritalis* eller blot henviste til mandens enerådighed som værge og husbond. Selv da man i Danmark i 1899 formelt tillagde hustruen myndighed, ændredes der intet i det reelle rådighedsforhold.

De forskellige tyske særordninger afspejlede et mere sammensat billede, men også her vedblev i mere eller mindre grad de kønsspecifikke værgemål, *cura sexus* og *cura maritalis*, at opretholdes med undtagelse af enkelte territorier. Det er derfor ikke ganske korrekt, når lovudvalget postulerede, at man i fremmed ret vedblivende havde forfordelt hustruen stærkt. Heller ikke Hørups udtalelse om, at dansk ret var ugunstigere mod den gifte kvinde end fremmed ret. Tværtimod synes dansk ret i store træk at tåle sammenligning med både engelsk, fransk og dele af tysk ret for det gode såvel som for det onde uanset de retstekniske variationer.

Et særligt argument for hustruens urådighed i dansk ret dukkede op under forhandlingerne om 1880-loven. Det var spørgsmålet om betydningen af mandens forsørgelsespligt over for hustruen, der brugtes som argument imod at give hende rådighedsret. Det var ikke noget retligt argument som overhovedet drøftedes ved Danske Lovs tilblivelse, og det dukkede vel først for alvor frem ved reskript til Københavns Magistrat af 1. juli 1796 og den deraf følgende Rådstueplakat af 5. juli samme år, der åbenbart afspejlede en social og retlig realitet af voksende betydning, og hvori det siges, „at så som det undertiden indtræffer, at ægtemænd, uden nogen foregående separation, enten ved kgl. bevilling eller indbyrdes for øvrigheden indgået aftale, aldeles unddrager sig fra at leve med og forsørge deres hustruer, og både *retfærdighed og billighed* (fremhævet her) fordrer, at slige mænd bliver tvungne til at opfylde dem i den henseende påliggende pligter ...", så skal øvrigheden fastsætte et forsørgelsesbidrag, et hustrubidrag, efter billighed, og hvis manden undlader at betale, skal det kunne inddrages ved udpantning, jf. forordning angående den fremtidige afsoning af bøder og visse andre pengeforpligtelser af 16. november 1836 § 5 om forladte eller fraskilte hustruer.

I „Familieretten" kaldte A.W. Scheel underholdspligten for „en af ægteskabet (følgende) – særegen forpligtelse at underholde hustruer". Det tilføjedes, at efter ægteskabets „moralske væsen" bør såvel hustruen som manden bidrage enten med formuemidler eller ved arbejde til familiens underhold. Hvis manden unddrog sig samlivet med konen, havde hun som nævnt ret til hustrubidrag. Omvendt kunne manden ikke, medens ægteskabet bestod, anvende nogen retstvang over for hustruen for at aftvinge hende pligt til at yde penge eller arbejde. Selv om hun forlod ham, havde manden ingen hjemmel til at fordre bidrag af hende til eget underhold, idet han selv var „familiens forsørger". Et vigtigt moment var her, at hustruen, hvis hun fik pålagt pligt til at betale underholdsbidrag, derved ville blive gældbunden for dettes betaling, men det kunne hustruen ikke blive, så længe ægteskabet varede. Så: slangen bider sig selv i halen: når hustruen, så længe ægteskabet varede, var urådig og derfor ansås som umyndig, kunne hun ikke påtage sig gældsforpligtelser. Og når hun var umyndig, kunne hun ikke tillægges en rådighedsret, hvorved hun blev i stand til at forpligte sig selv og sin familie, fordi fællesformuen ikke var hendes, men hendes mands, så længe ægteskabet varede. Efter justitsminister Nellemann var det tryllemiddel, som skulle opløse denne cirkel, at hustruen blev pålagt underholdspligt. Hvis hun pålagdes en sådan pligt, måtte hun nødvendigvis også pålægges en rådighedsret. Indtil videre havde kun ægtemanden forsørgelsespligt og den dermed sammenhængende rådighedsret[55]. Efter fremkomsten af fattigloven af 9. april 1891 måtte man sondre mellem forsørgelsespligten over for ægtefællen og den tilsvarende pligt over for det offentlige. Manden var herefter forpligtet til at forsørge hustruen i begge relationer, mens hustruen kun var forpligtet over for det offentlige, og kun hvis hun havde egne midler eller indtægter, d.v.s. særeje eller selverhvervede midler[56].

Hvis man sætter denne drøftelse i relation til spørgsmålet om hustruers adgang til at drive selvstændig næring, kan man overveje, om det forhold, at teori og praksis siden Danske Lov stræbte imod at understrege, at hustruen var urådig og underlagt mandens værgemål, skønt dette værgemål, som også af Deuntzer erkendt, i og for sig ikke har direkte hjemmel, „men antages at stemme med forholdets natur"[57], og at hun følgelig også var forsørgelsesberettiget, men ikke havde forsørgerpligt over for manden, afspejlede en bestræbelse vendt imod hustruens mulige ønske om at drive selvstændigt erhverv. Var der mon tale om en skjult indflydelse fra det romerretlige princip *præsumptio muciana*, hvorefter alt, hvad hustruen erhvervede under ægteskabet, ansås for erhvervet af manden, for at hun ikke skulle kunne beskyldes for at have gjort usømmelige indtægter? I hvert fald forekommer praksis omkring næringsbeviser at gøre det let for ægtemænd at styre hustruens ønsker om at drive selvstændig næring. Næringsloven af 1857, der gav ugifte kvinder adgang til at opnå næringsbevis, nægtede gifte kvinder denne ret, næringsdrivende kvinder, der som ugifte havde erhvervet næringsadkomst ved bevilling eller ved næringsloven, kunne ikke regne sikkert med at kunne fortsætte efter giftermålet, medmindre det var bestemt i bevillingen. Det

55 *Inger Dübeck*, Kvinders retlige status i det 19. århundredes privatret, 68-69; *A.W. Scheel*, Familieretten, 1877, 151-153.
56 *J.H. Deuntzer*, Den danske Familieret, 1892, 112-116.
57 *J.H. Deuntzer*, 1892, 110.

antoges dog, at såfremt en kvinde havde opnået næringsbevis efter næringsloven, kunne hun fortsætte, hvis ikke manden modsatte sig dette. Dog kom der en Højesteretsdom i 1866, der afviste dette[58].

58 *A.W. Scheel*, Personretten, 1876, 572 f.

· 10 ·
Konkluderende og perspektiverende betragtninger

Jeg har undervejs brugt udtryk som familiemodeller, familiestrukturer og formuestrukturer. Spørgsmålet er, om jeg også kunne have talt om normstrukturer.

Familien har i visse perioder været identificeret med „Huset", *domus* eller *mansus*. „Huset" opfattedes i den ældre middelalder som udtryk for det patriarkalske herskabsforhold, over- og underordnelsesforhold mellem en herre og hans tjenere, *familia*, i adelige slægter.

Luthers samfunds- og familieopfattelse byggede mere på „husstanden", et begreb som var inspireret af Aristoteles' tanker om forholdet mellem familiemedlemmer. Mens ægteskabet opfattedes som et kristent *societas*, opfattedes husfader og husmoder som autoritetspersoner. „Husstanden" blev et offentligretligt begreb, mens „Husholdningen", *oeconomia*, ansås som den bærende økonomiske enhed i samfundet eller den mindste stat i staten. Måske kunne man beklage, at det blev Aristoteles' patriarkalske familiemodel og statssyn, der via den katolske kirke og Luther fik den altdominerende rolle for udformningen af synet på familiens forhold og ikke bare lidt af Platons tanker, fra „Staten", hvori han opstillede nye familiestrukturer for mænd og kvinder, og ikke mindst mente, at de to parter burde have ligelige udviklingsmuligheder gennem en ensartet opdragelse og samme karrieremuligheder i statens betydningsfulde poster. Men Platons utopier forblev utopier i de første mere end 2.300 år efter hans død.

Kernefamilien har siden den tidlige middelalder været en grundstamme i samfundene. En analyse af de familieretlige forhold i en historisk kontekst viser, at der i de enkelte families livsløb kunne forekomme såvel små kernefamilier som store flergenerationsfamilier og søskendefamilier (brødrefællig), der også kunne fremtræde som flergenerationsfamilier. Den enkelte familie er blevet anskuet i en dynamisk udvikling, der har muliggjort en retshistorisk analyse af de forskellige formueretlige forhold, som opstår i forbindelse med ægteskabets indgåelse, under ægteskabets beståen og efter ægteskabets ophør ved en eller begge ægtefællers død.

Når jeg har brugt „formuestrukturer" som et gennemgående kriterium for denne studie, har det sammenhæng med den hyppige forekomst af formuefællesskab eller anden form for fælles forvaltning og særejeordninger i alle undersøgte retssystemer og i hele det undersøgte forløb. Trods indbyrdes forskelle synes det muligt at udskille disse to hovedkomponenter, fællesskabet og individualiteten, selv om udformningen af enkeltreglerne herom varierer tydeligt fra retsområde til retsområde.

Men er det også begrundet at tale om „normative strukturer"? I alle retssystemer ses modspil mellem sædvaneretlige, på gammel praksis hvilende og reguleringsretlige, lovgivningsmæssige normer. Hvor en magtfuld jordejende overklasse havde indflydelse på retsvæsen, domstole og sanktioner, synes sædvaneretligt funderede normer nedfældet i få retssamlinger og kun genstand for en langsom forvandling at være fremherskende. Men også vedtægter i form af overenskomster eller kontrakter mellem en magthaver og visse lokalt eller regionalt afgrænsede grupper eller mellem disse sidstnævnte indbyrdes fik tidligt betydning som retlig regulering. Hvor derimod en konge-, kejser- eller fyrstemagt (verdslig eller gejstlig) opnåede gennemslagskraft, styrkedes lovgivningen som styrings- og disciplineringsinstrument.

Familiens økonomiske forhold var retligt meget længe bygget på nedskrevne sædvaneretlige regler, mens lovreguleringer herom hørte til sjældenhederne. Således var spørgsmål om afhændelse af slægtsjord og om arv blandt de ældste nedskrevne regler. De ældre sædvaneretlige regler i landskabslovene om formueforholdet mellem ægtefæller byggede på gammel aftalepraksis og havde længe karakter af deklaratoriske normer, der kunne tilsidesættes ved konkrete aftaler i form af ægtepagter, således at landskabslovenes regler herom kun gjaldt, hvis der ikke i det konkrete ægteskab var truffet anden aftale.

Et påfaldende træk netop på familierettens område var muligheden for at benytte andre domstole end det lokale ting. Først og fremmest anså kirkens domstole sig for kompetente i alle ægteskabstvister, også vedrørende formueforhold før reformationen. Fra reformationsepoken blev almindelige ægteskabssager henført til de blandede gejstlig-verdslige tamperretter, mens de formueretlige sager kom under kongens verdslige domstole både lokalt og regionalt. Men samtidig åbnedes en ny vej til løsning af ægteskabskonflikter ikke mindst til fordel for den svage part, hustruen eller enken, idet kongen via sin kansler begyndte at dispensere i enkeltsager for at finde individuelle løsninger, hvor lovens ordning i det konkrete tilfælde viste sig urimelig. Senere åbnedes mulighed for særlige forligsordninger.

Den middelalderlige familie- og arveret kan i alle de undersøgte retsområder karakteriseres som i væsentlig grad traditionsbundet byggende på overleverede sædvaneretskilder (bortset fra det romerretsprægede Sydfrankrig), men fra reformationsepoken fik lovgivning i form af generelle love eller i form af enkeltafgørelser, d.v.s. kgl. bevillinger eller Equity Law, stigende betydning. På samme måde kunne private aftaler i forbindelse med separation eller skilsmisse forsynes med kgl. konfirmation, der gav dem gyldighed over for omverdenen. Først i løbet af det 19. århundrede blev, om end kun langsomt, formue- og arveregler for ægtefæller mere konsekvent genstand for nytænkning i sammenhæng med ændrede politiske og ideologiske forhold og en kraftig ændring af de økonomiske betingelser.

Ved at sammenstille retsudviklingen i Danmark med den tilsvarende i England, Frankrig og Tyskland forekommer det mig, at jeg har fremlagt et bredere og langt mere komplekst materiale, der muliggør en mere facetteret opfattelse af hustruens retsstilling. På denne baggrund må dansk ret hævdes at rumme hovedparten af de elementer, som også findes i de behandlede øvrige nordeuropæiske retssystemer. Men der er kun få områder, om nogen, hvorpå gifte kvinder i Danmark var bedre stillet end gifte kvinder andetsteds. Danske hustruers stilling var næppe heller værre end i de andre lande. Det synes dog klart, at på eet punkt forblev dansk familieret særdeles uudviklet og primitiv, nemlig med hensyn til gifte kvinders mulighed for at drive selvstændig næring. Måske var danske købstæder så små, også København, og derfor så landsbyagtige, at man med velberåd hu kunne hindre fremkomsten af regler, der af hensyn til forretningslivet måtte tilsidesætte hensynet til ægtemændenes altovervældende økonomiske position. I de øvrige landes byer og handelsmiljøer udviklede der sig pragmatiske og praktiske regler om selvstændigt næringsdrivende hustruer.

Det sene 19. og det tidlige 20. århundrede bragte store forvandlinger til det bedre for danske gifte kvinder, men dette må ses på baggrund af, at første halvdel af det 19. århundrede på flere vigtige områder havde reduceret hustruens status til at være den mest uselvstændige i landets hidtidige historie. Det kunne kun gå fremad.

De følgende betragtninger tager afsæt i en kort beskrivelse af gældende dansk ret vedrørende de formue- og arveretlige forhold i ægteskab og familie og vil konkluderende søge at udstikke nogle perspektiver for familiens, ægtefællernes og længstlevendes stilling i det 21. århundrede.

I. Familieretlige forhold

Efter Første Verdenskrig erkendte man klart et behov for en ny familielovgivning. Ligestilling imellem og selvbestemmelsesret for hver af ægtefællerne blev hovedmålsætninger ved siden af ønsket om at bevare regler, der kunne beskytte den økonomisk og på anden måde svagere part i ægteskabet. Kvinderne havde opnået stemme- og valgret, ret til en række uddannelser og til ansættelse i offentlige stillinger og hverv. Økonomiske, sociale, teknologiske og kulturelle ændringer var med til at ændre familiemønstrene. Den borgerlige kernefamilie var rede til at give adoptivbørn samme retsstilling, som tilkom egne biologiske børn. En forudsætning herfor var dog, at adoptivbarnet måtte bryde enhver forbindelse til sin biologiske familie. Den århundredgamle diskrimination mellem børn født i og uden for ægteskab mindskedes ved børnelovene fra 1937. For ægtefællerne indførtes i 1925 den såkaldte særråden og særhæften over egen bodel (egne både indbragte og senre erhvervede midler) samt gensidig forsørgerpligt, de kunne opfyldes ved pengemidler eller ved omsorg og arbejde i hjemmet[1].

Formuefællesskabet blev ikke længere opfattet som et sameje mellem ægtefællerne under ægteskabt, men viste sig med visse undtagelser først ved den ligedeling af det beholdne bo, som finder sted efter ægteskabets ophør ved separation, skilsmisse eller den ene parts død. Denne ligedeling skulle tilgodese de dengang talrige hjemmearbejdende hustruer uden selvstændige indtægter, som i modsat fald ville kunne opleve, at manden, som havde hele dn økonomiske indtjening, ville beholde det hele. Det var således både moraske og sociale hensyn, som lå bag ægteskabslovens almindelige formueordning. Havde parterne derimod valgt særeje som ordning, indtrådte ingen deling i tilfælde af separation eller skilsmisse. Længstlevende fik dog et arvekrav i afdødes særeje.

Siden Anden Verdenskrig er der sket omfattende ændringer i familiedannelse og -funktioner samt i forsørgelsesmønstre. Ægteskabet kan ikke længere gøre krav på at være den eneste familieform. Mange ugifte lever „papirløst", som

---

1 *Linda Nielsen et al.*, Familieretten, 1997, 20-25; *Ingrid Lund-Andersen*, i: *Ingrid Lund-Andersen et al.*, Familieret, 1996, 153 f.

de ugifte samlivsforhold mellem mand og kvinde blev kaldt fra 1970erne, i hvilken periode også andresamlivsformer kom til, såsom storfamilier og bofællesskaber for ældre eller handicappede. Danmark var det første land, som i 1989 ved lov tillod ugifte personer af samme køn at få deres partnerskab registreret, hvorved deres indbyrdes retlige relationer blev næsten de samme som for gifte heteroseksuelle, ikke mindst i økonomisk henseend. I øvrigt behøver sådanne partnere ikke at være homoseksuelle for at opnå disse fordele. Tilsvarende lovmæssige fordele tilkommer ikke heteroseksuelle ugifte samlivspartnere. De må nøjes med enkeltstående særlove, f.eks. om lejeboliger, men er i øvrigt henvist til at træffe konkrete aftaler for at sikre hinanden gensidigt. Over 20% af befolkningen lever i sådanne samlivsforhold, og mere end 90.000 af disse par har fælles børn.

En vis kritik er blevet rejst af dogmet om ligedeling af formuefællesskabet ved skifte i tilfælde af opløsning af et meget kortvarigt ægteskab, idet en sådan ligedeling kan få urimelige virkninger set fra den meget formuende ægtefælles side. På samme måde kan det kritiseres som urimeligt og uretfærdigt, at den ene ægtefælle var uden nogen andelsret i den anden ægtefælles særformue, hvis ægteskabet havde været meget langvarigt. Et ønske om større hensyntagen til konkret rimelighed og etik i forholdet mellem parterne og dermed til enkeltindividers interesser r ved at vokse frem. Regler til afbødning af visse i ægteskabsloven indbyggede urimeligheder indførtes i 1960erne.

I 1983 tog socialministeren initiativ til behandling af spørgsmålet om ligebehandling af samlevende med og uden ægtskab inden for den socile lovgivning ud fra to hovedmodeller: „individualprincippet", hvorefter enhver alene vurderes ud fra sine egne økonomiske forhold uanset tilknytning til ægtefælle eller andre, og „husstandsprincippet", hvorefter hjælp netop tileles og beregnes under hensyn til den pågældendes tilknytning til en anden person eller en husstand. Man opererede ikke her med det klassiske „husstandsbegreb", selv om „husstand" også her er udtryk for et samlivsfællesskab. Politisk valgte man i slutningen af 1980erne at opfordre til en „målrettet gennemførelse af reglerne om ægtefællers og samlevendes selvstændighed og ligestilling" efter individualprincippet på såvel sociallovgivningens som andre områder[2].

I 1990 skete en afgørende ændring i formueordningen mellem ægtefæller, idet muligheden for at fravige lovens foreskrevne formuefællesskab ved aftaler i form af ægtepagt mellem ægtefællerne og til en vis grad ifølge gave, arveforskud, testamente, visse forsikringer og lignende fra tredjemand blev væsentligt udvi-

---

2 *Ingrid Lund-Andersen*, 161 f.

det, hvorved den allerede i 1920erne påbegyndte udvikling i retning af større selvbestemmelsesret eller autonomi for ægtefællerne indbyrdes styrkedes væsentligt[3].

Dansk ægteskabsret har siden middelalderen altid rummet mulighed for aftaler om særeje, hvis ikke særejeordningen var hovedreglen og formuefællesskabet undtagelsen, således som det antages for ældre middelalders vedkommende. Ægtepagtsaftaler fik stigende betydning i moderne nytid og havde ofte det formål at begunstige længstlevende. Efter Danske Lovs tilkomst i 1683 begrænsedes adgangen til at stifte ægtepagt, idet aftaler om helt eller delvist særeje ville stride imod DL 5-2-19 om det almindelige formuefællesskab mellem ægtefæller. Ægtepagter skulle derfor have kgl. konfirmation for at opnå gyldighed og dermed retsvirkning over for ikke blot tredjemand, men også for den principielt urådige, om end ikke formelt set umyndige hustru. Kravet om kgl. konfirmation opretholdtes ved arveloven af 1845 og ved ægteskabsloven af 1899, mens retsvirkningsloven af 1925 kun krævede forvaltningsmæssig godkendelse ved ægtepagter, hvorved ejendele vederlagsfrit overdroges fra den ene til den anden. Hensigten med kravet om konfirmation eller godkendelse var at beskytte hustruen imod pres fra ægtemandens side. Processuelt krævedes registrering i form af tinglysning. Godkendelseskravet blev først afskaffet ved den særlige lov nr. 396 af 13. juni 1990 om forenkling og modernisering inden for Justitsministeriets område, hvorved den nye særejereform gennemførtes. Særejeaftaler har således historisk meget længe været underlagt præceptive eller ufravigelige formregler, idet man kun kunne aftale særeje efter de få i loven fastsatte bestemmelser, hvorimod andre familieformueretlige aftaler kunne indgås formløst. Staten var nu rede til at opgive en del af kontrolformynderiet, når bureaukratiet var blevet for tungt og besværligt[4].

De nye særejeregler fra 1990 rummer en række variationsmuligheder og dermed mulighed for at sikre den hensigtsmæssigste løsning både ved separation og ved ægteskabets opløsning ved skilsmisse eller dødsfald. Hvor den ældre ordning kun tillod aftale om, at en del af eller hele formuen for en ægtefælle skulle være fuldstændig særeje, har parterne nu mulighed for at vælge mellem denne form og det såkaldte skilsmissesæreje i forskellige variationer. Skilsmissesærejet er

---

3 *Linda Nielsen et al.*, 25 f; *Noe Munck*, i: *Ingrid Lund-Andersen et al.*, 356-359. Se i øvrigt i det hele *Noe Munck og Finn Taksøe-Jensen*, Særeje, 1996.

4 *Inger Dübeck*, Indispositivitet eller partsautonomi i familieretten, i: Tidsskrift for Rettsvitenskap, 3, 1996, 308-309.

knyttet til parternes eventuelle skilsmisse. Hvis de fortsætter ægteskabet til den ene parts død, forvandles det til det almindelige formuefællesskab med ligedeling på skifte ud fra en formodning om, hvad parterne typisk måtte ønske. Men vælges det fuldstændige særeje, forbliver det særeje, uanset om ægtefællerne bliver separeret, skilt, eller den ene af dem dør.

Der er også indført regler om et såkaldt kombinationssæreje, hvorved der typisk aftales almindeligt skilsmissesæreje under ægteskabet, men fuldstændigt særeje for længstlevende efter dødsfald, ligesom det er blevet muligt at aftale, at en vis brøkdel af en ægtefælles formue skal være særeje, mens andre dele skal være skilsmissesæreje, formuefællesskab eller fuldstændigt særeje. Der kan være brøkdelssæreje for begge parte og deres forskellige nettoformuer. Endelig har man i teorien introduceret begrebet „anpartssæreje", som er noget andet end brøkdelssæreje, idet anpartssærejet typisk omfatter en eller flere ideelle anparter af en ægtefællesaktiver, typisk genstande, ikke en formuemasse[5].

II. Arveretlige forhold

Regler om arv har historisk været forbundet med slægtssamhørighed og bearing af slægtens formueværdier, især jordbesiddelser, med henblik på dens overleverelse til efterkommerne. Ægtefællearv med hensyn til arvejord var i middelalderen udelukket for enken, mens enkemanden fik krav på en arvelod i enkens midler, hvis der var fælles børn i ægteskabet. Undtagelsesregler indførtes dog allerede i senmiddelalderen især ved 1547-recessen dels med hensyn til arveløsøre, dels derved at enkens ret til halvdelen af det fælles bo synes ligestillet med en arveret. Disse regler afspejler en særlig pragmatisme i henseende til at opstille løsninger til sikring af især enkens overlevelse under så vidt muligt uændrede økonomiske omstændigheder, f.eks. om hensidden i uskiftet bo, gensidigt testamente eller ægtepagt, idet hun sættes i stand til at videreføre slægtsgården og bevare hjemmet, til børnene vokser til. Med Danske Lov og yngre arvelovgivning fik enken en egentlig arveret efter manden og tilsikredes ligesom børn tvangsarveret, således at længstlevende både fik krav på sin halvdel af det beholdne fællesbo, boslodden, og arveret efter førstafdøde, hvortil efterhånden kom lovmæssige enkepensionsordninger og mulighed for oprettelse af livrenter m.v. Alle disse ordninger var fortsat båret af hensynet til opretholdelse af status

5 *Linda Nielsen et al.*, 151-160.

quo for længstlevende, der efter gældende arvelov er enearving, hvis ingen børn eller andre arvinger er efterladt.

Men sideordnet hermed forekom tidligt mulighed for testamentariske eller andre særordninger om begunstigelse af enkeltarvinger i henseende til overtagelse af slægtsgården, eventuelt mod at forsørge en eller flere ugifte søskende, især søstre, hvis arveret af samme grund var blevet beskåret. Landbrugsejendomme har således gennem århundreder været genstand for legale særbehandlingsordninger, hvor hensynet til virksomheden eller produktionsmidlernes bevarelse i slægten var bærende.

At hensynet til længstlevendes mulighed for i et vist omfang at kunne opretholde familiens levestandard stadig spiller en rolle, fremgår af en nydannelse fra 1990, hvorefter ægtefællen altid har ret til at arve et vist minimumsbeløb, hvis han eller hun ikke selv har særlige midler. Således må det modtagne sammen med ægtefællens boslod og særeje ikke overstige et vist beløb, for tiden 170.000 kr.[6] Hvis hele boet dermed ville blive udtømt, således at der ikke bliver noget til de øvrige arvinger, overtager ægtefællen hele boet ved et ægtefælleudlæg. Ud over forsørgelseshensynet tæller også det synspunkt, at den tilvejebragte formue skyldes begges indsats for fællesskabet, hvorfor det forekommer rimeligt at lade længstlevende holde sammen på de således skabte midler.

Testationsretten og retten til at give dødsgaver medfører automatisk en begrænsning af den arvemasse, der kan tilflyde de legale arvinger, børn, ægtefælle og udarvinger. Oprindelig var testationsretten formålsbegrænset til fromme, kirkelige formål, herunder til fremme af skoler, hospitaler og lignende almennyttige foretagender, mens private enkeltpersoner kun i begrænset omfang kunne begunstiges. Med udviklingen af testationsretten fulgte udviklingen af princippet om tvangsarv: en tilsikret brøkdel af arveladers efterladte formue for de nærmest stående arvinger og for ægtefællen. Den historisk grundlæggende diskrimination mellem sønner og døtre i henseende til arveret fik indtil indførelsen i 1845 og 1857 af lige arveret for begge køn indflydelse på testationspraksis, idet forældre ofte ønskede at begunstige døtre for at fremme en ligestilling mellem deres børn.

Den testationsfrie andel omfattede oprindelig 1/4 af testators efterladte formue. Denne brøk ændredes i 1858 til 1/3 og i 1963 til 1/2. Tendensen er således klart gået i retning af øget testationsfrihed eller større selvbestemmelsesret over egne efterladte midler. Denne frihed afspejler individualprincippet,

---

6 Se Lovbekendtgørelse af arveloven nr. 584 af 1. september 1986 ' 7 b, stk. 2 og 3.

mens regler om tvangsarv for den nære kernefamilie afspejler fællesskabs- og familiehensyn. Også reglerne om retten til at bevare hjemmet ved at sidde i uskiftet bo med livsarvinger kan opfattes som udtryk for fællesskabshensyn, men de udtrykker samtidig et individualhensyn ved at sikre længstlevende en meget høj grad af dispositionsfrihed. Men muligheden for hensidden i uskiftet bo eksisterer kun, hvis ægteskabet hvilede på helt eller delvist formuefællesskab. Den er udelukket, hvis førstafdøde havde fuldstændig særeje eller længstlevende ønsker at gifte sig igen, og førstafdøde havde særbørn, der ønsker at skifte[7].

III. Perspektiver

1. I familieretten

De nye ret komplicerede regler om varierende særejemuligheder synes generelt set båret af økonomiske hensyn. Ikke mindst kan den mest formuende af parterne nu sikre sig omfattende dispositionsfrihed i forbindelse med skilsmisse eller dødsfald, mens de økonomisk svagere kun gives ringe retsbeskyttelse, der tvinger de pågældende til i forbindelse med ægtepagtens udformning at skaffe sig eksperthjælp fra en advokat. Reformens mange muligheder og konsekvenser er vanskelig at overskue for ikke-specialister. Selv om begge ægtefæller i dag typisk har lønindkomst og derfor formelt set er mere økonomisk ligeværdige, kan det forekomme problematisk, at man har indført en aftalefrihed, der tillader tilsidesættelse af ægteskabslovens ellers indbyggede beskyttelsesregler i forhold til den svagere part.

Overvejelser om ægtefællernes økonomi og formueordninger kan ikke vurderes isoleret. Familien bestående af ægtefæller med børn betragtes fortsat som et „fællesgode" for samfundet og dettes trivsel. På den anden side befinder familien sig konstant i et spændingsforhold mellem familiefællesskabet og de enkelte medlemmers individualitet og selvstændighed. Fællesskabsværdier må uafladeligt afvejes over for individualværdier. Familierettens formål er fortsat blandt andet at styrke fællesskabsværdierne og at fremme tryghed og omsorg. Familien er en retsreguleret gruppe med stærke indre følelsesbånd i modsætning til snart sagt alle andre retsregulerede grupper. Men de enkelte medlemmer af familien er også individer, der kan vise fællesskabsadfærd eller det modsatte, individualisme

---

7 *Finn Taksøe-Jensen*, Lærebog i Arveret, 1998, 37-48.

eller egoisme. Individualværdierne er selvstændighed og selvbestemmelsesret, men under hensyntagen til dagligdagens fællesskabsproblemer[8].

I forbindelse med drøftelserne om familierettens fremtidige rolle har dens konfliktløsende og konfliktforebyggende midler været debatteret. Det har i relation til førstnævnte været fremhævet, at parterne skal føle sig tilfredse med konfliktløsningens forum og dens form enten ved de traditionelle forvaltningsretlige eller procesretlige eller ved alternative former, såsom mediation. Hvor det drejer sig om konfliktforebyggelse, er det vigtigt, at parterne føler, at de løsninger, lovgivningen rummer, er rimelige og retfærdige. Spørgsmålet er, om dette er muligt i en tid, hvor familiemønstrene er så forskellige. Den opfattelse har været fremført, at generelle familieregler så vidt muligt bør fjernes til fordel for en fuldstændig aftalefrihed mellem parterne, således som tilfældet i høj grad har været for de ugifte samlivspartnere.

Men det er en illusion at tro, at man kontraktmæssigt kan løse alle de forskellige problemer, også af retlig karakter, som et ægteskab medfører. Anvendelse af et kontraktssynspunkt forudsætter, at parterne er frie, lige og i enhver henseende jævnbyrdige og indbyrdes uafhængige parter med erkendte særinteresser. Dette er urealistisk, og der må for den svagere part som allerede nævnt fortsat findes et sæt beskyttelsesregler. Erfaringer fra de ugifte samlivsforhold viser i øvrigt, at parterne ofte uden nærmere begrundelse eller overvejelse udskyder at opstille de nødvendige kontrakter, hvilket kan få kostbare konsekvenser for den efterladte.

Der har i en del af teorien været udtrykt ønske om enten at udforme familieretten som en fortrinsvis offentligretlig reguleringsret eller modsat som et retsområde, der hjemler omfattende kontraktfrihed. Andre har opfattet denne debat som udtryk for et (umuligt) valg mellem den formynderiske stat og den egoistiske individualisme. Der er ikke noget enkelt svar på dette problem. Men debatten er vigtig. Samfundet og enkeltindividerne må besinde sig på de mulige samlivsformer, og hvilken vægt de vil lægge på fællesskabsværdier i forhold til individualværdier, på retsbeskyttelse i forhold til selvbestemmelsesret[9]. Uanset denne debat vil det synspunkt nok vinde yderligere i styrke, at samfundet ikke skal kontrollere to voksne, myndige personers beslutninger om deres formueforhold, men at staten skal koncentrere sig om at beskytte de enkelte individers rettigheder og integritet via respekt for menneskerettighederne, således som det

---

8 *Linda Nielsen et al.*, 11-21.
9 *Linda Nielsen et al.*, 17-20.

fremgår af f.eks. den europæiske menneskerettighedskonvention (EMRK) art. 8 om beskyttelsen af den enkeltes privatliv og familieliv.

2. I arveretten

I den offentlige debat har det synspunkt været fremført, at arveladere skal kunne disponere frit over deres formue såvel i levende live som med henblik på deres død, hvilket kun er muligt, hvis man afskaffer tvangsarveretten. En så radikal løsning vil kunne medføre sociale problemer for længstlevende ægtefælle og for børn. I teorien høres røster, som ivrer for en reduktion af tvangsarveretten i forhold til arveladers børn, såfremt den efterlevende ægtefælle ville blive tvunget til at opløse det hidtidige fælles hjem for at blive i stand til at udbetale tvangsarven til førstafdødes særbørn af et tidligere ægteskab. Også kravet om skifte med børnene i tilfælde af nyt ægteskab for den længstlevende er under kritik, ligesom der er fremsat ønsker om, at det skulle være muligt at testamentere en større andel til ægtefællen, hvor førstafdøde havde fuldstændig særeje, eller til en ægtefælle eller et barn i tilfælde af generationsskifte om virksomheder.

De fremsatte tanker om tvangsarveretten vedrører først og fremmest spørgsmålet om en mulig reduktion af børns tvangsarv, idet voksne børn typisk vil være veletablerede på det tidspunkt, hvor arven falder, hvorimod den længstlevende har brug for midler i sin alderdom til opretholdelse af hjemmet, til omsorg og pleje m.v.[10] Finn Taksøe-Jensen kalder tvangsarveretten „et samfundsmæssigt problem" ved generationsskifte, idet den medfører opsplittelse af ejerrettigheder og i et vist omfang i beslutningsretten over virksomheden. Aktionæroverenskomster kan være hensigtsmæssige, men fondsdannelser har efter hans opfattelse ofte vist sig uhensigtsmæssige. Opsplitning af ejerrettigheder har ført til familiefejder og øget risiko for udenlandske opkøb, tab af danske arbejdspladser og produktion. Hans universalmiddel mod disse onder er at lempe tvangsarveretten, således som man under enevælden gjorde med hensyn til landbrugsejendomme. Ejerskabet til en virksomheds værdier bør være hos dem, der er egnede til at have beslutningsretten (s. 56).

---

10 *Finn Taksøe-Jensen*, Lærebog i Arveret, 54-57.

3. Nye tendenser

Samfundets indflydelse på familieretten viser sig blandt andet derved, at den familieretlige lovgivning er sammenvævet med en række kompetenceregler for domstolenes og forvaltningens opgaver i henseende til familien, f.eks. om sagsbehandling, godkendelse, tinglysning m.v. Disse regler kan siges at være udtryk for en „officialmaksime", mens de familieretlige regler, som hjemler aftalefrihed for parterne processuelt set kan siges at være udtryk for et „forhandlings- og dispositionsprincip" eller for partsautonomi, hvorimod førstnævnte regler er udtryk for indispositivitet, således at parterne ikke kan tilsidesætte dem ved deres aftaler. Indispositivitet betegner således en afgørende myndighedsindflydelse på ægtefællernes aftaler, mens dispositionsprincippet hjemler ægtefællerne selv den afgørende indflydelse, hvis de er enige. Indispositive forhold er sådanne som samfundet har en særlig interesse i, f.eks. den legale familieorden, som hviler på ægteskabet. Statens interesse i at varetage visse offentligretlige kontrolhensyn omkring familielivet kan også kaldes systemhensyn i modsætning til et individualhensyn, hvorefter hensynet til personernes integritet og selvbestemmelsesret er udslaggivende.

Den tyske retshistoriker Franz Wieacker påpegede, at processystemet fra senmiddelalderen byggede på forhandlings- og dispositionsprincippet, men at især de yngre enevældige og formalistiske embedsbureaukratier, ikke mindst det preussiske, gennemførte en officialmaksime, som gjorde dommeren til herre over processen. En tilsvarende udvikling fandt også sted i Danmark. Den franske procesordning af 1807, der blandt andet fremhævede princippet om umiddelbarhed og mundtlighed i retsplejen samt dispositionsmaksimen, gav i andre lande stødet til et procesretligt omsving vendt imod den absolutte statsmagt, således at dispositionsmaksimen i det 19. århundrede ideologisk kom til at modsvare det liberalistiske ideal om privat autonomi, som det f.eks. kom til udtryk i kontraktfrihedens grundsætning[11].

I det 19. og 20. århundredes danske familieret tillagdes aftalefriheden også øget betydning både for så vidt angik ønsket om ophævelse af ægteskab og vilkårene derfor. Men der krævedes altid en samfundsaccept i skikkelse af en formel bevilling, der før ægteskabsloven af 1922 var en nådessag. Efter 1922 krævedes fortsat en offentlig anerkendelse, uanset at den skulle gives, hvor den skønnedes „velovervejet". Begrundelsen var både moralsk og kirkelig. Samfundet måtte

---

11 *Inger Dübeck*, Indispositivitet eller partsautonomi i familieretten, 292-331, især 297.

være tilbageholdende for at tage hensyn til parternes „sande interesser“. Dette statsformynderi vil nok aftage yderligere til fordel for en mere registrerende statslig adfærd. De nye regler om større valgfrihed vedrørende særejeaftaler peger i retning af, at også andre aftaler mellem ægtefæller i fremtiden vil blive underlagt parternes selvbestemmelsesret, og at kontrol- og godkendelsesprincipper vil vige til fordel for en registrering af det aftalte[12].

Det traditionelle familiebegreb omfatter ud over forholdet mellem forældre og børn også forholdet mellem ægtefæller, hvortil nu må føjes registreret partnerskab og vel også ugifte samlivsforhold mellem heteroseksuelle, såfremt der er børn. Normalt regnes deltagere i kollektiver og bofællesskaber ikke som hørende under familiebegrebet i europæiske retssystemer. Heller ikke storfamilien med flere samlevende generationer svarer til familiebegrebet forstået som kernefamilien, i modsætning til opfattelsen i f.eks. muslimske lande, hvor familien med moderen (bedstemoderen) som central figur omkring flere generationer opfattes som den normale familieform. Der kan her henvises til FN's børnekonvention[13] art. 5, hvori der tales om de rettigheder og pligter, som ikke blot forældrene har i forhold til barnet, men også det ansvar og de rettigheder og pligter, som „medlemmer af den udvidede familie ... i overensstemmelse med stedlig sædvane ... har til ... at yde passende vejledning og støtte af barnet ...“ Art. 8 følger dette op ved at pålægge staterne at „respektere barnets ret til at bevare sin identitet, herunder statsborgerskab, navn og familieforhold ...“. At storfamilien i en sådan udvidet betydning ikke var ukendt i dansk middelalderret er tidligere påvist[14].

Retten til familieliv er hjemlet i EMRK art. 8 og 12. Konventionen blev i 1992 en del af dansk lovgivning og er ikke længere en blot folkeretlig regel. Den gælder for alle enkeltindivider i Danmark. Reglen om respekt for familielivet opfattes heri som en specialregel i forhold til det almindelige grundprincip om respekt for den enkeltes privatliv. Således fastslår EMRK art. 8 kort: „Enhver har ret til respekt for sit privatliv og familieliv, sit hjem og sin korrespondance“. Den enkelte er således beskyttet som individ og som medlem af en særlig gruppe, familien som en enhed (s. 183). Retten til familieliv i betydningen „retten til at stifte familie“ er sikret ved EMRK art. 12. „Giftefærdige mænd og kvinder har ret til at indgå ægteskab og stifte familie“.

---

12 *Inger Dübeck*, 323-330.
13 Konvention om barnets rettigheder af 20. november 1989, ratificeret af Danmark den 19. januar 1991.
14 *Inger Dübeck*, Personers rettigheder. Om individets fysiske og psykiske integritet, selvbestemmelsesret og identitet, 1997, 179 ff.

I FN-konventionen om civile og politiske rettigheder, som Danmark ratificerede i 1976[15], udtaler art. 17, at ingen må udsættes for vilkårlig eller ulovlig indblanding i sit privatliv eller familieliv, sit hjem eller sin brevveksling eller for ulovlige angreb på sin ære eller sit omdømme, mens art. 23 i pkt. 1 fremhæver, at „familien er samfundets naturlige og grundlæggende gruppeenhed og har ret til samfundets og statens beskyttelse". Pkt. 2 sikrer retten til at stifte familie og pkt. 4 pålægger konventionsstaterne at tage passende skridt til at sikre ægtefællerne ligestilling med hensyn til rettigheder og forpligtelser ved ægteskabets indgåelse, under ægteskabet og ved dets opløsning, hvilket sidste der ikke er taget højde for i EMRK.

Også FN's menneskerettighedserklæring fra 1948 (Universal Declaration of Human Rights) henviser i art. 16, pkt. 3, til familiens betydning som „fundamental group unit of society", der som sådan er berettiget til beskyttelse af samfundet og staten, mens pkt. 1 fastslår, at enhver myndig mand og kvinde uden begrænsninger på grund af race, nationalitet eller religion har ret til at gifte sig og stifte familie, og at de skal have lige rettigheder og pligter ved ægteskabets indgåelse, under ægteskabet og ved dets opløsning. Hertil kan føjes art. 17, som understreger, at enhver har ret til at eje ejendom alene eller i fællesskab med andre, og at man ikke arbitrært må berøves for sin ejendom, en regel, der understøtter synspunktet om den enkelte ægtefælles ret til sin personlige ejendom.

Man fristes til at rejse det spørgsmål, om fremtiden vil byde på endnu større aftalefrihed omkring ægtefællernes formueordning? Måske går man i retning af en legal særejeordning for begge parter med mulighed for at aftale formuefællesskab, således som det historiske udgangspunkt synes at have været i den tidlige middelalder, hvorved cirklen ville være sluttet. Men dengang var ægteskabet et slægtsanliggende, og formueforholdene aftaltes mellem de to slægter. Måske kunne brudgommen selv forhandle, men kvinden kunne ikke selv deltage. I dag ville begge parter være fuldgyldige aftaleparter.

Sammenfattende synes det vigtigt at påpege et voksende hensyn til „konkret rimelighed", d.v.s. anvendelse af et individualprincip ved siden af „generelle beskyttelsesregler". Tendensen til at tillægge parterne øget selvbestemmelsesret, som siden 1990 har været mærkbar med hensyn til særejeaftaler, synes at have fået indflydelse på den retspolitiske debat, hvor tanken om øget selvbestemmelsesret via testationer fremhæves som ønskelig.

---

15 International konvention af 16. december 1966 om borgerlige og politiske rettigheder (International Covenant on Civil and Political Rights) også kaldet CPR.

Der er nok heller ikke tvivl om, at den skitserede internationale udvikling af menneskerettighederne og dennes indflydelse på national dansk ret er medvirkende til at sætte fokus på enkeltindividernes retsstilling og beskyttelse. Kravet om respekt for den enkeltes selvbestemmelsesret mødes ikke længere af kritiske bemærkninger om individualisme og egoisme contra fællesskab og solidaritet. Men kravet om respekt for den enkeltes privatliv og familieliv rummer også et krav om respekt for andre (ikke mindst børn) og et krav om varetagelse af de svageres interesser ved samvær, omsorg og forsørgelse.

Tredje del

Registre

I. Litteraturliste

ABGB – Allgemeines bürgerliches Gesetzbuch für die gesamten deutschen Erbländer der österreichischen Monarchie, 1811.

T. Algreen-Ussing, Haandbog i den danske Arveret, 1855.

ALR – Allgemeines Landrecht für die preussischen Staaten, 1794.

Ernst Andersen, Ægteskabsret, I, 1954, II, 1956.

Ernst Andersen, Arv og legat, 1961.

Ernst Andersen, Middelalderens Renteforbud, 1975.

Hans Henrik Appel, Tinget, magten og æren, 1999.

Aristotle, Ethics. The Nicomachean Ethics, 1976.

J.H. Baker, An Introduction to English Legal History, 1990.

Günther Beitzke, Familienrecht, 1972.

Judith M. Bennett, Women in the Medieval English Countryside, 1987.

Viggo Bentzon, Personretten, 1916-18.

Viggo Bentzon, Den danske Arveret, 1910, 1931.

Barbara Beuys, Familienleben in Deutschland. Neue Bilder aus der deutschen Vergangenheit, 1990.

F.C. Bornemann, Foredrag over den almindelige Rets- og Statslære, 1863.

F.C. Bornemann, Foredrag over den danske Arveret, 1864.

O.A. Borum, Arvefaldet, 1949.

O.A. Borum, Arveretten, 1950.

Fr. Brandt, Forelæsninger over den norske Retshistorie, 1880.

Jacob Braude, Die Familiengemeinschaften der Angelsachsen, 1932.

James A. Brundage, Law, Sex and Christian Society in Medieval Europe, 1987.

Heinrich Brunner, Deutsche Rechtsgeschichte, 1906.

Heinrich Bruuner und Ernst Heymann, Grundzüge der deutschen Rechtsgeschichte, 1921.

Lizzie Carlsson, „Jag giver dig min dottor" – Trolovning och äktenskap i den svenska Kvinnas äldra historia, I, 1965, II, 1972.

CC – Code Civil, 1804.

Danish Medieval History. New Currents, ed. Niels Skyum-Nielsen & Niels Lund, 1981.

Danske Domme 1375-1662. De private Domssamlinger, I-VIII, 1978-1987.

Dansk Forvaltningshistorie, I. Stat, Forvaltning og Samfund, hovedredaktør Ditlev Tamm, 2000.

DD – Diplomatarium Danicum.

Danmarks Gamle Love på Nutidsdansk ved Erik Kroman under medvirken af Stig Iuul, 1945-1948, 1948.

DGKL – Danmarks Gamle Købstad Lovgivning udgivet af Det danske Sprog- og Litteraturselskab ved Erik Kroman, 1951-1961.

DGL – Danmarks Gamle Landskabslove med kirkelovene udgivet af Det danske Sprog- og Litteraturselskab under ledelse af Johs. Brøndum Nielsen, 1933-1961.

DRB – Danmarks Riges Breve udgivet under ledelse af Franz Blatt, 1. række, 3. Bind, 1977 og 4. Bind, 1958.

Den danske Rigslovgivning indtil 1400, red. Erik Kroman, 1971, nr. 19.

Den danske Rigslovgivning 1397-1513, red. Aage Andersen, 1989, nr. 4.

Den danske Rigslovgivning 1513-1523, red. Aage Andersen, 1991, nr. 13.

Den Store Danske Encyclopædi, red. Jørn Lund et al, 1994-2001.

Det almindelige præstedømme og det folkekirkelige demokrati af Preben Espersen et al, 1996.

J.H. Deuntzer, Den Danske Familieret, 1892.

J.H. Deuntzer, Den Danske Arveret, 1897.

J.H. Deuntzer, Den Danske Familieret, 1899.

Inger Dübeck, Købekoner og Konkurrence. Studier over myndigheds- og erhvervs-rettens udvikling med stadigt henblik på kvinders historiske retsstilling, 1978.

Inger Dübeck, Aktieselskabernes Retshistorie, 1991.

Inger Dübeck, Personers Rettigheder. Om individets fysiske og psykiske integritet, selvbestemmelsesret og identitet, 1997.

Early Modern Europe. An Oxford History, ed. Euan Cameron, 1999.

Jacques Ellul, Histoire des Institutions, 4 og 5, 1956.

Europäisches Rechtsdenken in Geschichte und Gegenwart, I, Festskrift für Helmut Coing zum 70. Geburtstag ved Norbert Horn, 1982.

Family and Inheritance. Rural Society in Western Europe 1200-1800, ed. Jack Goody, Joan Thirsk, E.P. Thompson.

Family, Marriage and Property. Devolution in the Middle Ages, red. Lars Ivar Hansen, 2000.

Hans Feine, Kirchliche Rechtsgeschichte. Die Katholische Kirche, 1964.

Ole Fenger og E. Ladewig Petersen, Adel forpligter. Studier over den danske adels gældsstiftelse i 16. og 17. århundrede, 1983.

Festskrift i Anledning af Tohundrede Aars Dagen for Indførelsen af Juridisk Eksamen ved Københavns Universitet, red. Erik Reitzel-Nielsen og Carl Popp-Madsen, 1936.

Fogtman's Reskripter – Kgl. Rescripter, Resolutioner og Collegialbreve for Danmark og Norge ved L. Fogtman 1660-1812, ved T. Algreen-Ussing 1813-1848.

Forarbejderne til Kong Kristian V's Danske Lov ved V.A. Secher og Chr. Støchel, I, 1891-1892, II, 1893-1994.

Forhandlingerne på de nordiske Juristmøder, I-, 1872-.

Frauen in der Geschichte des Rechts, red. Ute Gerhard, 1997.

Lawrence Friedmann, A History of American Law, 1973.

GDD – Gamle Danske Domme ved J.L.A. Koldrup-Rosenvinge, I-IV, 1842-1848.

Jack Goody, The Development of the Family and Marriage in Europe, 1983.

Reinald Gräfe, Das Eherecht in den Coutumiers des 13. Jahrhunderts, 1972.

Gyldendals og Politikens Danmarks historie, bind 6, 1982.

Karl Haff, Die dänischen Gemeinderechte, I, 1909.

De Hansborgske Domme 1545-1578, I-III ved Emilie Andersen et al, 1994.

Handbuch – Handbuch der Quellen und Literatur der neueren europäischen
    Privatrechtsgeschichte, I-III, hrsg. von Helmut Coing, 1973-.

Hans Hattenhauer, Grundbegriffe des Bürgerlichen Rechts. Historisch-dogmatischer
    Einführung, 1982.

C.D. Hedegaard, Juridisk-Practiske Anmærkninger, I-IV, 1764-1767.

Helsingør Stadsbog 1547-1556, Rådstueprotokol og Bytingsbog ved Erik Kroman,
    1974.

Anette Hoff, Lov og Landskab. Landskabslovenes bidrag til forståelse af landbrugs- og
    landskabsudviklingen i Danmark ca. 900-1250, 1997.

Lee Holcombe, Wifes and Property. Reform of the Married Women's Property Law in
    Nineteenth Century England, 1983.

William Holdsworth, History of English Law, III, 1996.

HRG – Handwörterbuch zur deutschen Rechtsgeschichte ved Adalbert Erler et al,
    1971.

Fr. Th. Hurtigkarl, Den danske og norske rets første Grunde I-IV, 1813-1820.

Göran Inger, Svensk Rättshistoria, 1980.

Stig Iuul, Fællig og Hovedlod. Studier over Formueforholdet mellem Ægtefæller i tiden
    før Christian V's Danske Lov, 1940.

Stig Iuul, Grundrids af den Romerske Formueret, 1944.

Stig Iuul, Kodifikation eller Kompliation? Christian V's Danske Lov på baggrund af
    ældre Ret, 1954.

Stig Iuul, Forelæsninger over Hovedlinier i Europæisk Retsudvikling fra Romerretten
    til Nutiden, 1970.

Grethe Jacobsen, Kvinder, Køn og Købstadlovgivning 1400-1600. Lovfaste mænd og
    ærlige kvinder, 1995.

Edward Jenks, A Short History of English Law, 1920.

Jørgen I. Jensen, Den fjerne Kirke, 1995.

Hans Chr. Johansen, En samfundsorganisation i opbrud 1700-1870, Dansk Social-
    historie, 4, 1979.

J.T. – Juridisk Tidsskrift ved A.S. Ørsted (med efterfølgere) 1-35, 1820-1839.
Juridiske Samlinger ved Munthe af Morgenstjerne et al, 18.
Jydske Lov 750 år, red. Ole Fenger og Chr. R. Jansen, 1991.
Poul Johs. Jørgensen, Dansk Retshistorie, 1971.
Poul Niels Jørgensen, Træk af Kvindernes juridiske Stilling i Danmark i det 13. Århundrede (utrykt), 1976.

Max Kaser, Römisches Privatrecht. Ein Studienbuch, 1974.
KB – Kancelliets Brevbøger, 1551-, 1881-.
KHLNM: Kulturhistorisk Leksikon for Nordisk Middelalder, 1956-1978.
Chr. Kier, Edictus Rothari. Studier vedrørende Langobardernes Nationalitet, 1898.
Chr. Kier, Dansk og Langobardisk Arveret. En retshistorisk undersøgelse, 1901.
Thorkild Kjærgaard, Den danske Revolution 1500-1800. En økohistorisk tolkning, 1992.
Det kongelige Rettertings Domme og Rigens Forfølgninger fra Christian III's Tid ved Troels Dahlerup, I, 1959, II, 1969.
KRD – Kongens Rettertingsdomme ved V.A. Secher, I-II, 1881-1883.
Karl Kroeschell, Deutsche Rechtsgeschichte, I, 1972, II, 1973.
Frederik Vinding Kruse, Ejendomsretten I-II, 1951.

J.E. Larsen, Privatretlige Foredrag, III, 1859.
Julius Lassen, Haandbog i Obligationsretten, Spec. Del, 1897.
Law in History: Histories of Law and Society, Vol II, ed. David Sugerman, 1996.
André Lemaire, Les Origines de la Communauté de biens entre epoux dans le Droit coutumier Français, 1929.
Léon Lotthé, Le Droit des Gens Marié dans les Coutumes de Flandre, 1909.
G.F.V. Lund, Ordbog til de gamle danske Landskabslove, 1877.
Ingrid Lund-Andersen et al., Familieret, 1997.

Malmø Rådstueprotokol (Stadsbok) 1503-1548 ved Erik Kroman, 1965.
Haakon Bennike Madsen, Det danske skattevæsen. Kategorier og Klasser, 1978.
Henning Matzen, Forelæsninger over den Danske Retshistorie, Offentlig Ret, I-III, 1893-1895, Privatret, I-II, 1895-1896.
Med Lov skal Land bygges ved Erik Reitzel Nielsen, 1941.
Med Lov skal land bygges og andre retshistoriske afhandlinger ved Ditlev Tamm, 1989.
Poul Meyer, Danske Bylag, 1949.
Middelalderens Danmark, red. Per Ingesman et al, 1999.
Erik Moltke, Runerne i Danmark og deres oprindelse, 1976.
Noe Munck og Finn Taksøe-Jensen, Særeje, 1996.

Linda Nielsen, Familieformueretten. Skilsmisse og skifte, 1993.
Linda Nielsen et al., Familieretten, 1997.

Thøger Nielsen, Studier over ældre dansk Formueretspraksis. Et Bidrag til dansk Privatrets Historie i Tiden efter Chr. V's Danske Lov, 1951.

Nyt Juridisk Arkiv, udgivet af Anders Sandøe Ørsted, 1812-1820.

L. Nørregaard, Naturrettens første Grunde, 1784.

Fr. Olivier-Martin, Précis D'Histoire du Droit Français, 1945.

Ordbog over Det Danske Sprog, udgivet af Det danske Sprog- og Litteraturselskab og grundlagt af Verner Dahlerup, I-XXII + reg. 1919ff.

Paul Ourliac et J. de Malafosse, Histoire du Droit Privée, III, 1968.

Helge Paludan, Familia og Familie. To europæiske kulturelementers møde i højmiddelalderens Danmark, 1995.

Axel H. Pedersen, Birketing i Gl. Københavns Amt 1521-1965, 1968.

Person und Gemeinschaft im Mittelalter, red. Gerd Althoff et al., 1988.

Hans Peterson, Morgongåvoinstitutet i Sverige under tiden fram till omkring 1734-års lag, 1973.

Willibald Plöchl, Geschichte des Kirchenrechts, I-IV, 1953-1966.

Pollock & Maitland, The History of English Law, I-II, 1968.

Estrella Ruiz-Calvez Priego, Statut juridique de la femme en Espagne au XVI'eme siécle. Une étude sur le mariage chrétien faite d'apres l'Epitome de matrimonio de Diego de Covarrubias y Deyva, la législation royale et les moralistes, 1990.

Rett og Historie. Festskrift til Gudmund Sandvik, red. Dag Michalsen og Knut Sprauten, 1997.

Rett og Ånd. Festskrift til Birger Stuevold Lassen, red. Viggo Hagström et al, 1997.

Hilde Sandvik, Umyndige kvinner i Handel og Håndværk. Kvinner i bynæringer i Christiania i sidste halvdel av 1700-tallet. Tingboksprojektet, 1992

A.W. Scheel, Familieretten fremstillet efter den danske lovgivning, 1860, 1877.

A.W. Scheel, Personretten fremstillet efter den danske lovgivning, 1876.

R. Schröder, Lehrbuch der Deutschen Rechtsgeschichte, 1889.

Fritz Schulz, Classical Roman Law, 1957.

Claudius von Schwerin, Deutsche Rechtsgeschichte, 1915.

Dietrich Schäfer, Das Buch des Lübeckischen Vogts auf Schonen, 1927.

Michael M. Sheehan, Marriage, Family and Law in Medieval Europe: Collected Studies, 1988.

Robert Shoemaker, Gender in English Society 1650-1850.

K. Sindballe, Af Testamentsarvens Historie i Dansk Ret, 1915.

Elsa Sjöholm, Gesetze als Quellen mittelalterlicher Geschichte des Nordens, 1976.

Elsa Sjöholm, Sveriges Medeltidslagar. Europæisk rättstradition i politisk omvandling, 1988.

Skasts Herreds Tingbøger 1636-1640, Sagregister, 1980.

Niels Skyum-Nielsen, Kvinde og Slave, 1971.

Henrik Stampe, Erklæringer, Breve og Forestillinger, General-Prokureur-Embedet vedkommende, I-VI, 1793-1807.

Chr. L.E. Stemann, Den danske Retshistorie indtil Christian V's Lov, 1871.

Susan Staves, Married Women's Separate Property in England 1660-1833, 1990.

Johannes Steenstrup, Normannerne, IV, Danelagen, 1882/1972.

Lawrence Stone, Family, Sex and Marriage in England 1500-1800, 1977.

Finn Taksøe-Jensen, Lærebog i Arveret, 1998.

Ditlev Tamm, Fra „Lovkyndighed" til „Retsvidenskab". Studier over betydningen af fremmed ret for Anders Sandøe Ørsteds privatretlige forfatterskab, 1976.

Ditlev Tamm, Retsvidenskaben i Danmark – en historisk oversigt, 1992.

P.G. Thorsen, De med Jydske Lov beslægtede Stadsretter mv. med Tillæg af Thord Degns Artikler, 1855

P.G. Thorsen, Skaanske Lov, 1853.

TfR – Tidsskrift for Rettsvitenskap, 1888 ff.

Emmanuel Todd, L'Invention de L'Europe, 1990.

U – Ugeskrift for Retsvæsen.

Udkast til Lov om Ægteskabets Retsvirkninger udarbejdet af den ved kgl. Resolution af 25. Juli 1910, 19. Juni 1912 og 29. December 1914 nedsatte Kommission, 1918.

The Welsh Law of Women, ed. Dafydd Jenkins and Morfydd E. Owen, 1980.

C.W. Westrup, Rettens Opstaaen, 1940.

C.W. Westrup, Mand og Kvinde, 1941.

Christen Osterssøn Weylle, Glossarium Juridicum Danico-Norwegico, 1652.

Zur Geschichte des Familien- und Erbrechts. Politische Implikationen und Perspektiven, red. Heinz Mohnhaupt, IUS COMMUNE, Sonderhefte, 32, 1987.

ZRG – Zeitschrift der Savigny-Stiftung für Rechtsgeschichte.

Ægteskab i Norden fra Saxo til i dag, red. Kari Melby et al, Nord 1999.

A.S. Ørsted, Haandbog over den danske og norske Lovkyndighed, I-VI, 1822-1833.

Årbog for Kvinderet, red. Jytte Lindgård og Ruth Nielsen, Kvinderetlig Skriftserie 2, 1978.

II. Lovregister over vigtigere citerede lovbestemmelser

1. Dansk ret
1.1. Landskabslove

1.2. Stadsretter

II. Fremmed og international ret

III. Stikordsregister